Née en Algérie, Christine Jordis a étudié la littérature anglaise à la Sorbonne et à Harvard. Auteur d'une thèse de doctorat sur l'humour noir dans la littérature anglaise, elle a vécu à Londres où elle a enseigné pendant plusieurs années. De retour en France, elle a été responsable de la littérature anglaise au Bristish Council tout en collaborant à divers journaux et revues (*N.R.F., Quinzaine littéraire, Le Monde*). Son premier essai, *De petits enfers variés,* a obtenu les prix Femina essai et Marcel-Thiébaut. Depuis 1991, elle dirige, chez Gallimard, la fiction en langue anglaise.

De petits enfers variés
Romancières anglaises contemporaines
prix Femina essai et prix Marcel-Thiebaut
essai
Seuil, « Le Don des Langues », 1989

Le Paysage et l'amour dans le roman anglais
essai
Seuil, « Le Don des Langues », 1994

Jean Rhys : la prisonnière
essai
Stock, 1996

Gens de la Tamise et d'autres rivages…
Le Roman anglais au xxᵉ siècle
essai
prix Médicis essai, 1999
Seuil, « Le Don des Langues », 1999
et édition revue et augmentée, « Points Essais », n° E458

Bali, Java, en rêvant
essai
Éditions du Rocher, « La Fantaisie du voyageur », 2001
et « Folio », n° 4154

La Chambre blanche
roman
Seuil, 2003
« Points », n° P1278

Promenades en terre bouddhiste. Birmanie
récit
• Seuil, 2004

Gandhi
essai
Gallimard, « Folio biographies », n° 14, 2006

Birmanie
(photographies de Michel Gotin)
beaux-livres
Seuil, 2006

Un lien étroit
roman
Seuil, 2008
et « Points », n° P2103

Christine Jordis

PROMENADES ANGLAISES

Cartes de Sacha Jordis

Éditions du Seuil

La première édition de ce livre
a paru aux éditions du Seuil, en janvier 2005,
sous le titre *Une passion excentrique. Visites anglaises.*

TEXTE INTÉGRAL

ISBN 978-2-7578-0707-1
(ISBN 2-02-047773-4, 1re publication)

© Éditions du Seuil, janvier 2005 et Points 2008,
pour la présente édition

À Sacha, compagnon de voyage au long cours.

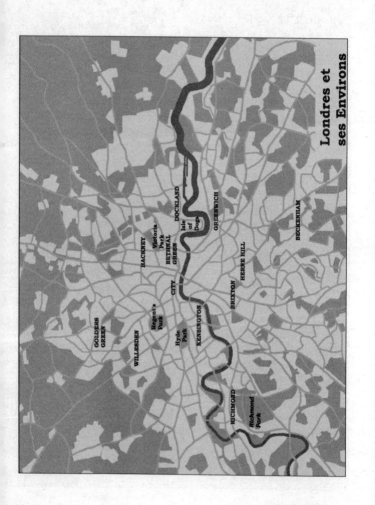

Londres et ses Environs

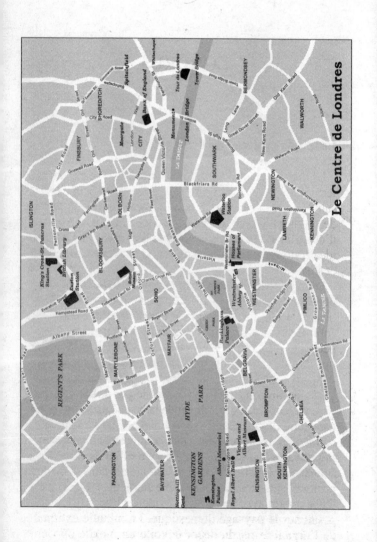

Le Centre de Londres

Le musée du Jouet de Bethnal Green

Le long de la grand-route de Cambridge Heath, parmi les HLM de brique noircie et bien loin de la forêt sauvage annoncée par ce nom, le petit musée du Jouet de Bethnal Green propose son curieux assortiment d'objets de rêve : expression naïve des désirs, des buts et idéaux d'une société qui, à travers ces reliques, se révèle et se trahit.

Le rez-de-chaussée est consacré aux maisons de poupée. La première, aménagée dans un cabinet, fut assemblée en 1830 par les soins de l'épouse et des filles de John Egerton Killer, un homme certainement très respectable, médecin de son état et exerçant à Manchester, qui voulut sans doute par sa profession opposer un démenti radical à la suggestion malheureuse contenue dans son nom. L'intérieur composé par sa famille est l'exemple même de l'ordre et de la bienséance. Est-ce le concentré de ces qualités dans un quadrilatère structuré comme les existences de cette époque, avec une rigueur impitoyable, ou le simulacre de vie offert par ces personnages miniaturisés, fixés à tout jamais dans la même position, absorbés dans leur tâche éternelle, toujours est-il que ressort avec une étrange évidence l'oppression qui pesait sur le paysage domestique. La minutie extrême de l'organisation du décor dévoile un monde où rien n'échappait à la règle, chaque être à sa place et chaque geste à l'avance défini ; l'imprévu, signe de désordre, y est proscrit : au cours des siècles, ces dignes petites poupées continueront de porter à leurs lèvres une tasse de thé bien méritée. Cette volonté de contrôler les événements et les passions était-elle un rempart efficace contre l'angoisse – contre la peur d'un inconnu toujours effrayant ? Et peut-on imaginer, au lieu de la sensation d'étouffement qui vous gagne à contempler tant d'immobilité, que ces personnages ressentaient au contraire un secret plaisir à se conformer aux opinions, aux lois et convenances, en fait, un profond soulagement à la pensée de s'inscrire dans un ordre immuable, sans autre effort que celui d'obéir, de se soumettre ?

Mais voici qu'un peu de la terrifiante réalité extérieure pénètre dans l'univers du musée, un peu de la vie des bas-fonds qu'abritait le quartier proche de Whitechapel où sévissait Jack the Ripper – Jack l'Éventreur : nue et écartelée, membres épars et cou tordu, une poupée dans sa vitrine expose, clé fichée dans son ventre, le secret de son mouvement.

Plus loin, du côté des jeux éducatifs, une petite boucherie étale ses quartiers de viande rangés avec soin derrière un commerçant en tablier blanc, fièrement campé. Rideaux volantés et pots de fleurs au premier plan, viscères épandus au second, le monde procède d'un harmonieux mélange. *English 1850*. L'étiquette précise cependant qu'il ne s'agit pas d'un jouet à proprement parler, que ce magasin miniature, fabriqué uniquement en Angleterre, inconnu dans le reste de l'Europe, était destiné à d'autres usages, on ne sait lesquels. Ces carcasses pas même évidées, avec leurs deux globes blancs et lourds emplissant la cavité du ventre, étaient-elles censées introduire, sous une forme familière et acceptable, une part de cette réalité que l'époque refusait si obstinément de voir ? À deux pas de là, la suavité d'une rêverie amoureuse : «Le Chemin de la vie conjugale» reprend le principe du jeu de l'oie pour proposer en son centre, entouré d'un cœur, le but de toute vie : l'autel où l'on échange les serments ; bien sûr, il faut auparavant gravir les paliers qui y conduisent, chacun pourvu de son lot de joies et de déceptions, et, comme sur la carte du Tendre, respecter non les nuances du sentiment, mais les règles de la bonne conduite : entre la case «sourire» et celle du rejet, il y a «approbation», puis «baiser», trop précipité sans doute ce premier attouchement, puisqu'il est suivi d'un recul immédiat. Moins audacieux, plus édifiant, le nouveau jeu de Newton, intitulé «Vertu récompensée et Vice puni», déroule son joli feston rose surmonté de fines vignettes qui promettent tour à tour le bonheur le plus exalté ou les pires punitions selon que l'on s'est montré patient et modeste, ou brutal et envieux, honnête ou dispendieux ; à l'arrivée de ce chemin plein d'embûches, la vertu, une figure austère et sereine, porte un flambeau. Les enfants désiraient-ils vraiment accéder à cette dernière case, si peu attirante ? À en croire les jouets qu'ils fabriquaient quand leurs parents ne pouvaient leur offrir ces distractions coûteuses, il est évident qu'ils préféraient la robustesse un peu désordonnée de «l'homme à la pince de homard» (*English 1870*), avec sa mâchoire gigantesque faite d'une pince ouverte, bouche effrayante garnie d'une rangée de fortes dents, et la touffe hirsute de cheveux blancs sous le chapeau. Il est vrai que les enfants pauvres, livrés à la seule ressource de leur imagination et de déchets trouvés dans les cuisines et poubelles, pouvaient observer dans de telles figures un air de familiarité. Leur invention tranche par son réalisme sur les images idylliques d'une enfance idéalisée, revue et corrigée par la nostalgie des adultes, aussi éloignée que possible de la vérité.

«*Let's pretend*», annoncent certains de ces jeux. Faisons semblant. Oui, tout le monde faisait semblant, plus ou moins consciemment. Les enfants empruntaient le rôle des parents – cuisine, couture, maison, poupée pour la petite fille à qui l'on enseignait ainsi ses devoirs de femme ; soldats, trains et voitures pour le petit garçon qui gagnait en pouvoir et virilité –, et les parents endossaient celui que la morale et la société leur avaient dévolu. Il ne s'agissait que d'entrer dans des vignettes toutes faites, semblables à ces petites scènes derrière leur vitrine, de se conformer à une image de perfection, si peu fidèle à la nature fût-elle. Sans doute la créature humaine se trouvait-elle malmenée, amputée au passage de quelques-uns de ses besoins essentiels, mais le but n'était-il pas précisément de la retailler, de la façonner aux mesures de cet univers clos et bien rangé, chacun se soumettant aux lois qui garantissent l'harmonie de l'ensemble – c'est-à-dire le bonheur ou ce qui en tient lieu –, la réalité étant dominée, matée, au profit de l'ordre ?

Un musée de l'enfance a ceci de fascinant qu'on y voit clairement dévoilés, sous une forme concentrée, les idéaux et valeurs au nom desquels on va élaguer, trancher, bêcher, sarcler, réduire ce qui prolifère et redresser ce qui penche, couper dans le vif et au besoin détruire, remettre dans le droit chemin les écervelés qui voulaient prendre la clé des champs.

À l'étage, où sont exposés quelques vêtements, un article parmi d'autres : un pendentif rastafarien (1994), des accessoires qui firent long feu, ainsi que les impulsions auxquelles ils sont liés : bracelet punk (1995), botte de Biker (1995), chaussures Dr Martens (1982), blouson Bomber (1983), pipe à marijuana (1995)… et ce commentaire : « La révolte de la jeunesse prit un caractère de masse et s'internationalisa aux environs de 1960. Le développement des médias et de la communication, l'amélioration des moyens de transport, les progrès de l'éducation, la société d'affluence dans l'Angleterre d'après-guerre […] autant de facteurs qui peuvent expliquer l'apparition de ce mouvement.»

La formule de l'assemblage d'objets symboliques entre quatre parois transparentes est efficace : voilà les révoltes ramenées à la niche, dûment datées et encadrées, autant dire lointaines, exotiques même, devenues inoffensives. «Rébellion», dit la vitrine. Pour la précédente, c'était «vie au grand air». Un moment de la vie et de l'Histoire, rien d'autre, une brève escapade, une petite poussée de liberté dont ne restent que ces oripeaux épinglés sous leur caisse pour l'édification du visiteur, emblèmes aussi poussiéreux et passés de mode que le sont les désirs qui un jour les mirent à l'honneur. Située dans l'histoire, dotée d'un début et d'une fin, réduite à des signes dont l'âge et l'usure désamorcent l'effet, la rébellion est bel et bien un objet de vitrine – non un élan irrépressible – dans la mise en ordre générale à laquelle procède le musée. Ainsi celui de Bethnal Green évoque-t-il le XXe siècle perturbé et ses éruptions de colère au moyen de quelques habits élimés, derniers restes du naufrage une fois le calme revenu. La paix règne dans les cages de verre, comme en ce XIXe siècle où l'ordre imposé, immuable et sacré, constituait le meilleur rempart contre l'angoisse et l'assurance d'un bonheur confondu avec le sens du devoir satisfait.

Les quais de la Tamise

Les quais, les entrepôts déserts, l'Embankment… Autrefois, il y a quelque dix ans ou même vingt, m'échappant au bout d'une longue journée de travail de l'aride salle de lecture du British Museum en compagnie d'un ami, je prenais le métro, station Southwark, London Bridge ou Monument, pour aller me promener de nuit le long des quais, non sans jeter derrière moi de furtifs

17

regards, l'ombre de Jack the Ripper n'est-elle pas embusquée là ? Nous finissions notre marche par un arrêt au Prospect of Whitby, un pub réputé auquel sa situation dans un quartier mal famé prêtait une aura de gloire supplémentaire. Ainsi faisions-nous sans encombre et en peu de temps le trajet, à peu près, que devait chaque matin parcourir Dickens lorsque, chétif gamin de onze ans, il se rendait de Gower Street à Hungerford Stairs (littéralement «le gué de la faim»), à la fabrique de cirage qui l'employait, un endroit sale et délabré où couraient les rats, près du fleuve.

Fenêtres brisées, sombres façades, masses menaçantes et abandonnées, les restes dévastés de la grandeur de l'Empire nous racontaient une histoire de décadence orgueilleuse, mêlée de crime et de misère, à l'image de cette Tamise de sinistre mémoire que décrivit maintes fois Dickens et dont le flux charriant des formes indistinctes nous rappelait ce soir-là les remous de la marée et ces noyés que guettaient avidement de leur canot la pauvre Lizzie et le patron Hexam, dans *L'Ami commun*. Les rides de l'eau qui passaient sur l'objet oblong dans leur sillage ressemblaient à d'imperceptibles changements d'expression sur un visage sans yeux – ces visages anonymes, grimaces de la mort, dont Dickens dépeint le rictus avec une intensité hallucinée et qu'il allait, comme malgré lui, poussé par une fascination morbide, contempler à la morgue de Paris. Dans l'un des textes de *The Uncommercial Traveller*, il raconte comment il fut poursuivi, obsédé, par l'image du corps enflé d'un noyé qui soudain surgissait à ses yeux, s'interposant entre lui et le spectacle le plus familier, le forçant à fuir toujours et partout.

La Tamise, «parfaite image de la mort au milieu de la vie d'une grande cité» – ainsi la représentait un article du *Household Words* –, secoue et ballotte comme par jeu les corps des malheureux, les meurtrit contre les

18

poteaux gluants de vase, les cache dans la boue et les herbes, ou les traîne sur la pierre raboteuse, jusqu'au moment où, fatiguée de «ses jouets affreux», elle les lance «violemment sur un bas-fond marécageux»: tel est le traitement infligé au nain Quilp, une sorte de Quasimodo voué à l'esprit du mal, qui demeura des jours gisant, abandonné.

Malgré la lumière jaune répandue par les lampadaires, il faisait sombre et l'on avait l'impression que les profondeurs nocturnes du fleuve avaient envahi le ciel, ou que «l'épais nuage qui couvrait la terre de son linceul», faisant par comparaison paraître les ténèbres aussi brillantes que la clarté de midi, ne s'était pas dissipé depuis la mort de Quilp. La vision de Dickens est si forte qu'elle continue d'imprégner les lieux; ce n'est pas même qu'il sût, en visionnaire, capter l'essence de la ville et de son époque divisée: le mythe qu'il créa influe toujours sur notre esprit. Un reste de brume qui s'accroche aux façades, une lueur sur le pavé trempé de pluie et le quartier de l'East End, qui aujourd'hui ne présente qu'un faible rapport avec celui que vit Dickens, ressuscite immanquablement ces silhouettes qui se glissaient à la nuit tombante hors des refuges les plus secrets, traînant la savate, «courbées et grelottantes», scrutant la chaussée et les caniveaux dans l'espoir d'y trouver des restes de nourriture qu'on y aurait jetés. Les murs de brique noircie, l'étroitesse des ruelles, un ciel bas et couvert, autant d'éléments qui prêtent vie aux fantômes de Dickens, à ces «spectres horribles», «esprits incarnés de la Maladie, du Vice, de la Famine», qui n'émergeaient de leurs bouges hideux et de leurs caves obscures que pour effrayer le passant et les âmes timides de la bourgeoisie.

C'est à cette cité infernale – version moderne des villes frappées de la malédiction divine – que se plaît à rêver Des Esseintes, le héros de Huysmans, quand il s'apprête à s'y rendre à seule fin de trouver un peu d'exaltation dans un excès de mélancolie, «un Londres pluvieux, colossal, immense», où s'étendent à perte de vue des enfilades de docks «pleins de grues, de cabestans, de ballots», et des entrepôts que baigne «l'eau teigneuse et sourde d'une imaginaire Tamise».

En dépit des changements qui se sont déposés comme autant d'alluvions, couches bigarrées sur un fond de gris soutenu, Londres est à jamais la ville que traversait Dickens enfant, alors, écrivit-il bien plus tard, qu'il souffrait «en secret et atrocement» – cité fantomatique où s'épaissit sans cesse un brouillard poisseux que n'arrive jamais à percer la lumière «hagarde et contrainte» des becs de gaz. «De la boue dans les rues [...] La fumée tombe des cheminées en un crachin noir et mou [...] Les chiens ne se distinguent pas de cette fange [...] Brouillard partout» (*La Maison d'Âpre-Vent*). La boue monte, le brouillard gagne, il s'insinue, il s'affale, il s'infiltre, il mord; la fuite n'est plus possible, le brouillard est universel comme une malédiction. Et le quartier de Tom-tout-Seul où errent les pauvres et les criminels est comme une vision fantastique surgie d'un monde souterrain; des visages se forment et s'effacent dans les lueurs furieuses d'une lanterne sourde, visages de la foule crasseuse des damnés.

Il était hanté par le crime autant qu'il l'a réprouvé. Par le crime et la façon dont le mal ronge et tord le corps des possédés; «toutes ces contorsions bizarres, ces bonds désordonnés et ces grimaces», tous ces soubresauts, ces tics, ces manies qui affligent ses personnages (comme ceux de Dostoïevski qui l'admirait) sont les marques imprimées au corps par la violence d'impulsions dont ils ne sont pas maîtres, les signes d'une lutte titanesque entre les instincts rebelles et les lois d'une société acharnée à les juguler.

Tourbillonnement incessant, semblable au mouvement des atomes, action intérieure sans fin ni repos, dont les grimaces ne seraient que l'affleurement, la mise au jour. Les créatures de Dickens foisonnent, bougent, dansent, gesticulent, bourgeonnent. Elles se multiplient ces silhouettes, elles entrent, sortent, réapparaissent, munies chacune de leurs excroissances drolatiques ou de quelque particularité inquiétante : une bosse, un regard fixé sur l'Afrique, un tic de langage, une odeur… « Couvert de graisse, de chaleur, de senteurs végétales et de mastication », voici Mr Snagsby, marqué par un thé éternel dans une arrière-boutique. En fait, rien n'est immobile, pas même les cadavres qui ont toujours l'air de rire ou de faire des clins d'œil. Le peuple étrange et tourmenté de ces petits personnages nous habite ou nous poursuit, aussi intensément présent que les visions de la nuit. Nombre d'entre eux, criminels et démons, incarnations du Mal, tel Fagin, sont surgis des profondeurs de l'être, de l'obscurité qui le constitue, de cette part de nuit susceptible à tout moment de le recouvrir.

Cette fascination pour le morbide, toute une époque la partageait, dont la façade craquelée laisse percer çà et là, après quelques détours, les besoins inavoués : de sexe apparemment point, mais du sang et des meurtres à en revendre. On sait que Dickens, lisant la scène du meurtre de Nancy par Sikes, dans *Oliver Twist*, provoquait cris et évanouissements en chaîne parmi l'auditoire considérable qu'il ne manquait pas de rassembler, et que lui-même, sous l'emprise de l'excitation, le pouls battant au-dessus de 100, hâtait un peu sa fin à chaque fois ; à demi inconscient, on le portait dans sa loge après la lecture. Mais à satisfaire cette « agitation fiévreuse », que la simulation du meurtre devait accroître jusqu'à ce que mort s'ensuive (celle de l'auteur-criminel), il ne sut pas, malgré l'avis des médecins, renoncer à temps.

Cependant la moralité était sauve : il était entendu que la curiosité malsaine ni le voyeurisme n'étaient en cause, on n'éprouvait devant de telles horreurs qu'une indignation vertueuse ; et puis le criminel mourait lui aussi de façon terrible et l'ordre était restauré. De même pour les coups et le sadisme qui se donnaient libre cours en toute impunité : c'étaient des enfants que l'on battait, les principes de l'éducation, même fourvoyée, justifiaient tous les débordements. En 1866, au moment où l'écrivain publiait ses derniers romans, les *Poèmes et Ballades* de Swinburne (avec *Anactoria* et *Dolorès*) racontèrent d'autres coups et d'autres blessures. L'érotisme cessait d'avancer à couvert. Il est vrai que le livre fit à peu près l'effet d'une bombe.

Le fleuve aux lourdes eaux noires que nous longions avait pour contrepartie les petites scènes de genre irréprochables, dans le plus pur style Biedermeier, qui ornent les romans de Dickens comme la lumière s'oppose à l'ombre, la prospérité à misère et le bonheur au malheur. Images de la vertu récompensée. Soyez simples et bons et vous serez heureux. L'éden ressemble à un paisible village anglais le dimanche. Devant une vieille maison pittoresque et couverte de lierre, une jeune femme – douce – est assise, entourée d'une horde d'enfants – joyeux. Tout est tranquille, ouaté, rassurant. On ne travaille pas. Les serviteurs sont dévoués et drôles, les enfants babillent à vos pieds et vos vieux amis, assis auprès du feu, bavardent des jours passés en buvant à petits coups une tasse de thé. À Noël, on organise charades et parties de colin-maillard ; rien ne vient jamais troubler le cours de cette vie uniforme, si ce n'est la naissance d'un enfant tous les ans (Dickens en eut dix). Univers de bonté et de réconciliation, véritable petit paradis bourgeois orné de houx et de boules de gui. Il semble que la douceur d'un moment de paix privilégié s'étire sans fin : l'instant demeure comme suspendu, prolongé à l'échelle d'une vie. Conte de Noël. Rêve d'innocence. Mythe du bonheur domestique, de la verte campagne anglaise et d'une vie de pureté sans tache. Comme la vision de la ville criminelle, ce rêve devait imprégner jusqu'à nos jours, malgré le démenti des faits, les esprits aussi bien que les lieux.

Au reste, les deux extrêmes sont reliés plutôt qu'ils ne s'excluent : l'image idyllique, le rêve impossible, et le mal qui le nie. L'un n'étant si beau que pour cacher ou faire oublier l'autre. Heurts, lutte, contrastes, répression et débordements : les deux faces d'une même réalité. Sous la surface à grand-peine maintenue s'agite un monde d'impulsions furieuses. Dickens lui-même, doué d'une vitalité prodigieuse, était, on peut l'imaginer, un homme divisé, éloigné de toute forme de paix, animé d'un mouvement perpétuel qui provenait pour partie de la bataille qu'il menait contre lui-même. Vaincre les incertitudes du moi, les anxiétés et les craintes, le trouble fermentant dans les profondeurs ; tenir en bride la sexualité, cette force obscure, incontrôlable, qui met en péril la cohérence de l'univers (ce qu'il ne sut d'ailleurs pas faire, lui qui, tard dans sa vie, abandonna sa femme pour une jeune actrice dont il tomba éperdument amoureux). Ainsi le voulait une société éprise de l'idée d'ordre et de progrès, qui se bouchait les yeux pour ne pas voir la lèpre rongeant la façade ni œuvrer les agents de la démolition.

Mais les forces de l'irrationnel continuaient de le poursuivre et dans ses romans il leur fait une large place. Devenu riche, célèbre et aimé, Dickens, dans ses rêves, se voyait enfant, errant par les rues de Londres, en proie à la désolation. Fixé à tout jamais à ce moment de sa vie, c'est aux victimes qu'il continua de s'identifier. D'où l'émotion, l'intensité avec laquelle il décrivait les malheureux, d'où la vigueur indignée qu'il apportait à dénoncer les institutions fautives. D'où les contradictions qui le déchiraient, et la tension extrême qui parcourt l'œuvre, comme elle agite d'un mouvement irrépressible ses personnages : sans doute aimait-il l'ordre et le bonheur, mais il ne pouvait tout entier appartenir à ce côté-là de la vie ; il était obsédé par le meurtre, les bas-fonds et ses propres désirs terrifiants – raison pour laquelle, on peut le penser, il condamne le crime avec une telle sévérité. Orwell remarquait avec regret qu'il témoigna moins de compréhension envers les criminels qu'on aurait pu s'y attendre – dès qu'il confronte l'assassinat né des abîmes de la misère, on le sent qui en son for intérieur essaie de se rassurer : Quant à moi, j'ai toujours su rester respectable.

Sans doute. Cela ne l'empêcha pas de percevoir les causes du mal et de batailler contre elles avec son zèle habituel (ce qui permit à Marx de déclarer qu'il avait « émis à la face du monde plus de vérités politiques et sociales que n'en ont énoncé tous les hommes politiques, tous les journalistes et tous les moralistes réunis »). On l'imagine, parfaitement habillé, un gilet blanc sous la veste, de la tête aux pieds respectable, en effet, vitupérant contre les institutions, le Parlement ou Lord Palmerston, introduisant dans la bonne société l'une des « batteries de Sébastopol », comme il le disait, animé d'une détermination et d'une foi sans mesure dans le progrès – bref, possédé, comme son temps, d'une véritable boulimie d'action. Volonté de puissance, sautes d'humeur, moments d'aveuglement et d'illusion sur soi, gesticulations et théâtralité à l'appui, Dickens, qui connut les deux faces de la société, la déchéance et le triomphe, fut à lui tout seul l'époque victorienne.

Si ses principes politiques ne forment pas un ensemble cohérent ni ne se prêtent à une systématisation, ce qu'on lui a reproché, c'est qu'il réagissait en homme de cœur et d'émotion plus qu'en théoricien ou en penseur. Et de quel droit le lui reprocher ? Il fut une époque, pas si lointaine, où l'on vit un certain nombre de «penseurs», intellectuels amoureux d'une idée, d'une pose ou d'une image d'eux-mêmes, défendre une idée abstraite d'égalité sociale et de bonheur pour tous, sans se soucier un instant de la voir appliquer, et moins encore de l'appliquer eux-mêmes dans leur entourage proche, l'important étant la bonne conscience gagnée à peu de frais : des idées sans corps, détachées de toute réalité sentie, et qui flottent sans plus de poids que des fantômes, des mots creux, vides de substance et de toute signification véritable, des mots sans effet ni portée, puisqu'ils n'engagent que la «pensée» et non l'être tout entier. Des mots, tels des habits, destinés à flatter ceux qui les portent sans se dire qu'ils n'ont pas la taille voulue pour les remplir. Sans parler des dictateurs du siècle dernier qui ont utilisé une idée, tel le bien des peuples, pour justifier tous les excès d'un pouvoir monstrueux. Loin de ces glorieuses abstractions, pour lesquelles les Français ont montré plus de goût que les Anglais, avouons-le, Dickens s'efforça simplement d'améliorer le sort des gens, répugnant à toute perspective de révolution. Ses personnages sympathiques ne sont pas des héros et ils n'ont aucune ambition de transformer le monde, ils n'agitent pas de grandes idées et ne prennent pas d'attitude noble, mais, simplement, ils aiment la vie avec les émotions qu'elle procure, et leur jovialité, leur bonhomie indéfectible – qualités qui en font des hommes ordinaires – répandent autour d'eux comme un air de bonheur. L'innocence, une sorte de gaieté fondamentale, de bonté intrinsèque, voilà la force principale, la vraie influence que Dickens oppose à un système dont il voyait, et dénonçait, la cruauté.

À cet égard, il est enraciné dans la tradition anglaise, la grande tradition humoristique populaire qui remonte à Chaucer et au Moyen Âge. Malgré ses hantises et ses obsessions, tout le sépare de l'épuisement, de la langueur morbide qui, avec Swinburne et les pré-raphaélites, s'empara de la fin du siècle. Selon Chesterton, il a gardé la vitalité et l'optimisme, «l'antique hilarité sans bornes» de la vieille Angleterre – de la «Joyeuse Angleterre» –, avec sa «confiance absolue dans l'homme du commun». Comme il incarne cet esprit anglais qui se méfie des théories et des idées, leur préférant ce dont on a longuement fait la preuve, la fidélité à ce qui est. Le changement ? À condition qu'il se fasse sans vous priver d'habitudes qui dispensent certaine douceur rassurante ; à condition qu'il n'implique pas la brutalité d'une scission. Contre la rupture et la destruction, les Anglais favorisent l'ajout : un changement modéré, par touches successives.

On pleure, on se repent, on s'embrasse dans les romans de Dickens, on se fait déclarations et serments ; les retrouvailles et les effusions succèdent sans vergogne aux crimes et aux morts affreuses, les larmes et la sentimentalité s'affichent sans honte après les moments d'horreur et d'effroi.

Ces cataclysmes, ces coups de théâtre, ces sommets d'intensité que l'existence quotidienne, pesante et mesquine, souvent nous refuse, on les vit en lisant ces romans, on reçoit, déversées avec générosité, ces émotions essentielles qui, hors des heures de lecture, sont mesurées avec parcimonie. Englobant péripéties, pertes et deuils, la force de la vie demeure intacte.

À la mort de l'écrivain, ces «hommes du commun» en lesquels il avait foi se pressèrent par milliers à l'abbaye de Westminster pour lui rendre hommage. Ils jetèrent tant de fleurs dans la tombe restée ouverte sur les ordres du doyen que l'enceinte en débordait, le sol bientôt transformé en un tumulus de couleurs et de parfums. Ce soir-là, à la fermeture de l'abbaye, un millier de personnes n'avaient pu entrer. Tant qu'il fut exposé dans son cercueil, une foule en pleurs continua de défiler.

Ainsi mourut une époque, dans la pompe et les larmes, sous un déluge de fleurs et de sentiments, scène que Dickens lui-même aurait aimé décrire. La vie se conformait au roman, comme l'époque avait semblé se conformer à un homme.

La fiction inspirée de Dickens continue de faire recette. Les quais de la Tamise y sont toujours aussi sombres et dangereux. L'East End d'antan, ressuscitée, est un lieu de crimes et de débauche. Shadwell, Wapping, les foules en mouvement ; des huîtres à minuit, des ivrognes à dépouiller, des nouvelles venues d'ailleurs ; une activité incessante que « cerne, au sud, l'artère de sang noir de Londres, la Tamise ». Ainsi Dame P. D. James, dans *Les Meurtres de la Tamise*, s'aventure-t-elle en terre sauvage, armée de pied en cap des valeurs victoriennes de décence et d'ordre. Le roman policier anglais ne néglige pas la bonne tenue de maison, ni le rangement après le chaos, le vilain de l'histoire ayant, comme chez Dickens, le choix entre être assassiné, se suicider ou disparaître corps et biens. Tandis que Peter Ackroyd, se référant à De Quincey et à *De l'assassinat considéré comme un des beaux-arts* (où Londres est également une ville de masures infâmes, de becs de gaz aux lueurs affolées et de bruits de pas sonnant dans les ruelles), s'il fait dans son *Golem de Londres* le portrait d'un Limehouse sinistre à souhait et ne néglige aucun des clichés habituels (« le fog est devenu un miasme chargé d'immondices et d'écoulements divers »), n'en assassine pas moins, par le truchement de son golem, deux prostituées, un vieillard et une famille entière avec un entrain et une jubilation qui ne doivent rien à l'époque victorienne. Londres, cependant, reste la ville du brouillard et du crime, un crépuscule éternel la baigne ; les quais de la Tamise, marqués à jamais par l'agonie des malfaiteurs enchaînés, lâchent vers le ciel obstrué une bouffée d'odeur pestilentielle : celle de la misère et de la souffrance humaines devenues des ingrédients de choix de ces romans.

Canary Wharf

Aujourd'hui, le visiteur distrait, qui navigue le long de la Tamise entre Tower Bridge et Woolwich, a quelque peine à percevoir la sombre poésie de ce paysage et du mythe créé par Dickens.

Dame Phyllis James, explorant les quais à la recherche d'un décor pour ses meurtres, trouverait le changement atterrant, bien éloigné de ce que son imagination en quête de crime ordinaire aurait pu lui suggérer. Mais peut-être aussi une source d'inspiration fraîche, une nouvelle espèce de malfaiteurs, et des catastrophes moins utilisées que l'assassinat.

Pirates de l'immobilier, spéculateurs ivres d'opportunités neuves, commerce de l'art avide de clients, médias retranchés dans des forteresses de verre que hérissent antennes et caméras de surveillance : l'argent en liberté a colonisé les lieux, repoussant peu à peu la vie anarchique de l'East End qui ne subsiste que dans quelques îlots dûment circonscrits.

En une dizaine d'années, une ville nouvelle s'est édifiée, annulant l'ancienne. En effet, il ne s'agit pas même de destruction – de récupération plutôt, et de travestissement. Le visage tragique et délabré, si longtemps abandonné au vieillissement, a été maquillé de frais, retouché ici et là, agrémenté de quelques fanfreluches. Un sourire engageant posé sur la sombre raideur des traits. L'Histoire est effacée, retraitée, remodelée par l'argent, son paysage de ruine et de mémoire corrigé par une spéculation immobilière en folie. Les restes de la grandeur de l'Empire, les docks immenses où déchargeaient les vaisseaux venus de l'autre bout du monde ont été repris de main ferme, transformés en résidences de luxe et en coquets studios acquis à des prix stupéfiants par de jeunes couples qui travaillent à la City. Avocats, banquiers, agents de compagnie d'assurances, yuppies aux salaires phénoménaux sont installés dans les lieux. Sur les bords de la Tamise que longe notre bateau défilent les anciens entrepôts – St Katharine's Dock, transformé en port de plaisance, avec ses élégants petits yachts, Limehouse, premier quartier chinois de Londres, où, selon les romanciers victoriens, l'on fumait l'opium et hantait les tripots, repaires mythiques de la débauche… Domestiqués, harnachés, restaurés, balcons de verre et bacs de fleurs, ils abritent maintenant de jeunes cadres dynamiques que l'on voit, par un beau dimanche matin de septembre, en pantoufles et peignoir de bain, allongés sur des chaises longues, prendre le frais sur leur terrasse et se reposer des fatigues de la semaine. L'austérité des façades, utilisée comme élément de chic, a été atténuée, enjolivée à grands frais au moyen de balcons ripolinés de bleu ou de grands panneaux de verre coloré qui rompent l'étendue sévère de la brique.

Non loin de là, à l'écart des rives, les Council Houses arborent les mêmes façades sévères, le ripolin en moins. Seule garniture : du linge qui sèche le long des murs craquelés. Des maisons identiques, à quelques variantes près toutefois, abritent deux sortes d'individus qui se croisent sans se mêler : dans leur ruée massive vers les transports publics et la City, les jeunes gens fortunés, tôt gagnant au jeu de la vie, côtoient les couches défavorisées de l'ancienne population de l'East End. Signes extérieurs de la richesse nouvelle : la peinture fraîche et brillante sur le même fond de briques sales, les plantes en pots, les chaises longues posées devant les fenêtres ouvertes, ces traces d'une vie ordonnée, contrôlée, présentant, dans des centaines de petits cubes alignés, la même apparence heureuse et sage.

Le Docklands Light Railway, que nous avons pris pour revenir de Greenwich, circule au bord des bassins d'eau – Mudchute, Crossharbour, Heron Quays, Canary Wharf ; nous traversons l'île des chiens, the Isle of Dogs, où paissait le bétail sur des terres marécageuses, rêvons aux grands vaisseaux qui arrivaient des Caraïbes, chargés de sucre et de rhum, pour décharger là leur cargaison… Ils trouveraient aujourd'hui un décor de verre et d'acier, une ville futuriste conçue pour loger bureaux et commerces, Canary Wharf avec ses galeries d'art, magasins, cafés, bars et restaurants, autant de cages neuves et rutilantes, le cœur, le centre géographique et idéologique de ce projet audacieux qui couvre des kilomètres entre Tower Bridge et Woolwich et culmine dans un monument d'ambition, comme élevé en symbole d'une réussite sans mesure : la tour de cinq cents mètres construite par César Pirelli, la plus haute de Grande-Bretagne, qui s'élance telle une fusée et ruina ses constructeurs.

« Un peu déboussolés » : la salle de lecture du British Museum

Une grande partie de sa population pouvait, à mon avis, se répartir entre excentriques et obsédés, encore que la frontière entre les deux catégories soit mince et que la plupart – je me comptais parmi eux – fussent préoccupés par leur sujet jusqu'à l'obsession. Pourtant, cette dernière tendance prenait des formes multiples, certaines parfois gênantes, quand le souci de la recherche ne motivait plus en rien les heures passées dans la salle ronde, étant supplanté par un autre, autrement puissant, d'ordre sexuel celui-là, qui imposait à de paisibles lecteurs plongés dans leur ouvrage une participation dont ils n'avaient nulle envie. Ainsi, j'avais souvent pour voisin un homme dont les doigts esquissaient au-dessus des pages de son livre, à peine effleurées, des caresses lentes et insidieuses qu'il destinait visiblement au corps choisi pour compagnon plutôt qu'à son objet d'étude. Il arrivait dans un silence absolu alors que j'étais déjà au travail, gestes huilés, enrobés de prudence, se posait, se glissait sur sa chaise, ouvrait un livre, toujours avec la même étrange lenteur, puis il en restait là ; les pages ne tournaient pas, aucun des signes de l'affairement habituel, seul un regard que, paupières baissées, il coulait vers moi. Il attendait, il guettait sa proie, lui envoyait comme autant d'invites le va-et-vient insinuant de ses mains qui apprêtaient avec douceur, tant de douceur et de soin, le festin dont, en gourmet averti, il retardait à dessein la consommation et les délices. Ces gestes suggestifs, ces longs doigts osseux et jaunes qui lissaient, frôlaient, survolaient, caressaient la page, la quittaient et la reprenaient, il devenait bientôt impossible de les ignorer. Le bonhomme, avec ses manipulations obscènes, s'arrangeait pour crever votre bulle protectrice, pour briser votre précieuse concentration, l'infiltrant de ses pensées et de ses désirs.

D'année en année je le retrouvais, assis près de moi. Peut-être ne cherchait-il rien d'autre que le plaisir, purement imaginaire, de posséder un corps à distance, en exécutant des gestes dont le livre était le prétexte et qu'il variait à volonté, certain que ces audaces-là, on ne pouvait les lui refuser. Pourtant, à sa jouissance évidente, j'avais trouvé une raison plus subtile. Ne s'emparait-il pas aussi d'un esprit, le détournant de son but, l'arrachant à son univers, pour le conduire là où il le voulait, dans les arcanes de son désir, au seul moyen de ces gestes accomplis dans le vide, comme par un prestidigitateur, ajoutant à cette prise de possession la satisfaction

31

très ancienne de forcer l'adversaire – la vieille histoire du viol ? Aussi n'allait-il pas s'en tirer à si bon compte. Son manège, je l'endurai longtemps, trop paresseuse pour changer de place, espérant qu'il se lasserait. Un jour, quand après des années, revenant en bibliothèque pour de courtes heures durement préservées, je le vis s'asseoir près de moi, inchangé, maigre et furtif, en proie à la même manie, accomplissant les mêmes tours répétitifs et aériens, l'exaspération me gagna ; je rassemblai ostensiblement livres et papiers et m'apprêtai à me lever. « Pas d'histoires, me souffla-t-il, surtout pas d'histoires. Ne bougez pas. Je m'en vais. » Une femme le suivit-elle un jour dans quelque hôtel borgne pour qu'il applique enfin sur un corps les caresses légères qu'il n'osait dispenser qu'au papier ?

L'arrivée d'un voisin était une cause d'anxiété. Mes horaires étaient tels que je dépendais nécessairement du hasard. Parmi les rites que j'aimais à observer, l'un concernait l'attente : il me fallait arriver le matin avant que les portes ne s'ouvrent et ainsi anticiper, mesurer, savourer le plaisir de la journée à venir. Si bien que j'entrais dans une salle encore vide. Je regagnais la place quittée la veille au soir. Une heure plus tard, à peu près, entre dix heures et onze heures, j'étais pourvue de deux voisins.

Il y avait les agités, ceux dont les gestes bruyants et inutiles trahissaient l'angoisse ou une décision défaillante. Ceux-là reniflaient souvent pendant la première heure. J'avais mis au point plusieurs méthodes propres à modérer ce reniflement régulier comme la goutte d'eau qui tombe et tout aussi irritant. Des tics infimes, de ceux qui en général n'ont cours que dans l'intimité, se déployaient de façon irrépressible : frottements de pied, raclements de gorge, soupirs intermittents, recherche furieuse d'un objet toujours manquant, ces mille prétextes par quoi on retarde une mise au travail toujours difficile – sans compter les livres qui tombent en pile, et le froissement du papier manipulé à grands gestes, comme preuve d'une efficacité illusoire.

Malheureusement, je connaissais pire. S'asseyait de temps à autre près de moi un individu dont les manies, jointes à l'odeur, étaient suffisamment puissantes pour me faire fuir : devant de telles armes, aucune tactique ne valait. On l'entendait arriver de loin, traînant ses savates sur le sol, mais on le sentait de plus loin encore à cause du fumet de bête sauvage que répandaient ses vêtements raides de saleté. Il s'asseyait, massif, hirsute, absorbé. L'impression qu'un sanglier s'était installé là, en bibliothèque, à la place F13, était bientôt renforcée par les grognements profonds qu'il poussait. Souffrance ou satisfaction, c'était difficile à dire, toujours est-il qu'on entendait le flegme lui remonter des voies respiratoires avec une force éruptive. Cette affirmation tranquille de soi, il n'y avait rien à faire pour la retenir. Le type était d'évidence totalement inconscient de son entourage.

Entre cette inconscience, dont je dirais qu'elle gagnait une bonne partie des lecteurs au fur et à mesure que la journée s'écoulait et que la concentration devenait plus intense, et une conscience de l'autre affinée à l'extrême, on avait le choix. Que cette conscience de l'autre ait plus souvent tenu compte de la gêne occasionnée par le voisin que de celle qu'on lui imposait, soi, c'est là une chose que j'ai souvent eu l'occasion d'observer. Un jour, un homme est allé se plaindre au *superintendent*, sorte de gardien supérieur de la bibliothèque, de son voisin qui l'empêchait de travailler. « De quelle façon ? Parlait-il à voix haute ? – Non. – Faisait-il du bruit en tournant les pages ? – Non. – Avait-il quelque manie gênante ? – Non. » Le plaignant finit par avouer que c'était l'aura de ce voisin qui le dérangeait : elle s'interposait entre lui et son travail. Cette aura lui était hostile, elle le persécutait, elle s'immisçait dans ses pensées, elle le pourchassait, bref, il sentait clairement qu'elle ne lui voulait pas de bien ; en fait, elle était animée d'intentions malignes à son égard. Il portait plainte contre l'aura et le préjudice causé.

Le lecteur de bibliothèque, ce voyageur au long cours, vit retranché dans son monde. Souvent, la réalité extérieure a cessé de lui être sensible ; elle ne lui parvient que sous la forme d'un bourdonnement atténué qui contribue à son retrait en lui-même et si, levant la tête, il aperçoit un visage, un dos, une silhouette qui approche, loin de les remarquer, il les inscrit immédiatement sur la toile de fond de son aventure intérieure.

De ce voyage Miss Mackintosh n'était pas revenue. Campée à bord de son vaisseau, elle regardait le monde les yeux grands ouverts mais ne le voyait plus. Ses seuls interlocuteurs, ses compagnons de traversée étaient les livres, et c'est à eux qu'elle s'adressait. Non qu'elle les ait lus, ni même feuilletés : la pile d'ouvrages en grec ancien posée devant elle restait jour après jour identique. Mais elle entretenait avec eux un dialogue continuel et vociférant. À l'occasion, lorsque l'un des propos perçus par ses oreilles fines l'offensait trop, elle crachait vigoureusement sur la page incriminée. On la retrouvait aux toilettes pour dames, plantée devant la grande glace où elle s'examinait sans indulgence. Elle avait écarté les pans de son imperméable élimé (qui l'avait sans doute fait surnommer Miss Mackintosh), révélant un long short de couleur indécise, hérité sans doute de l'armée des Indes, deux maigres jambes nues, blanches et ridées, et une paire de baskets bien lourdes qui l'attachaient au sol. Telle une poupée mécanique, elle pivotait régulièrement d'un quart de tour, se regardant sous un angle, puis un autre, et son expression ne changeait pas. Dans son visage blême, ses yeux de chouette, ronds et immenses, cernés de rouge, fixaient le miroir sans ciller.

Quelle vision d'angoisse soutenaient-ils ? Quel réconfort venaient-ils chercher dans cette image qui aurait effrayé tout autre qu'elle ? Peut-être la preuve que, parmi les remous qui l'agitaient, il y avait un point fixe : son existence, et une apparence bien à elle, immuable. Sans doute ces yeux hantés approuvaient-ils l'absence de changement, la continuité rassurante inscrite dans ces habits si vieux qu'ils partaient en lambeaux.

Les autorités du British Museum connaissaient bien sûr l'existence de Miss Mackintosh, comme celle des autres excentriques de la salle de lecture, d'ailleurs. Elles savaient bien que si on leur en refusait l'entrée, si on les jetait à la rue, ils ne tarderaient pas à sombrer pour de bon. L'assurance de retrouver chaque jour ce monde libre et familier, où ils pouvaient s'adonner en toute tranquillité à leurs manies inoffensives, préservait ce qui restait de santé mentale aux habitants de cette étrange nef. Aussi avait-on décidé de renouveler quand il le fallait les cartes d'entrée de Miss Mackintosh et de ses compagnons de voyage. S'il existe une preuve de cet esprit de tolérance qu'on a coutume d'attribuer aux Anglais, il me semble qu'elle est là, dans ce refus d'établir des barrières entre lecteurs conformes et non conformes, seul vous élit un long amour des livres...

C'est pourquoi on ne peut que rester stupéfait devant le triomphe imbécile de ceux qui, à la fermeture de la bibliothèque, se réjouirent de voir ce lieu enlevé à l'«élite» – de le voir, au sein de la nouvelle structure, entouré «comme un jaune d'œuf l'est par le blanc[1]» de magasins, de cafés, de grandes galeries dénudées, vidé de ses milliers d'ouvrages et livré aux loisirs organisés, traversé par la course des pas, indéfiniment, une béance –, «ouvert à tous» par l'effet de ce qu'ils nomment à tort

1. Selon un article de Hugh Pearman, dans *The Spectator*.

«démocratisation», alors qu'en fait de liberté on n'a réussi qu'à enrégimenter les gens un peu plus. Enfin, s'écriaient les bien-pensants, il n'y aurait plus d'«élite», plus de lecteurs privilégiés penchés sur l'étude à longueur de jour, mais des restaurants, mais une promenade et des portes ouvertes, mais des ordinateurs, et un va-et-vient constant dans un espace heureusement libéré de la caste des érudits. Nettoyée, aérée, aseptisée, débarrassée du dernier virus de la pensée – cette fonction dangereuse –, la bibliothèque avec sa charge de souvenirs et de mémoire perdait ses derniers fantômes. La pensée ? Voilà le mot obscène, l'ennemi numéro un, celui dont il importait de se défaire au plus vite. Consommer – de la culture, des cartes postales, de la photo ou des sandwiches –, oui, c'est licite, activité contrôlée, dirigée, pas de rebelles en vue, tout le monde au même pas, s'amusant de conserve et sans danger, voilà qui est rassurant ; mais penser, lire, s'isoler, s'absorber en soi-même ? Et ne rien demander à personne pendant des jours entiers et en être heureux ? On est en terrain miné, surtout ne pas penser, activité suspecte, élitiste, le vilain mot est lâché, celui qui regrouperait les audacieux, revendiquant, tel le dernier carré qui refuse de se rendre, un vestige d'indépendance et le droit de penser par soi-même.

On a donc débusqué de leur retraite les excentriques amoureux de la lecture. Tandis que le musée continuait de fonctionner tant bien que mal tout autour, on brisait des kilomètres de rayonnages (le transfert des livres était nécessaire, là n'est pas la question), on ôtait des milliers de mètres carrés de bois cassé, de détritus et de gravats à l'aide de grues, on évidait la bibliothèque comme une coquille. Ses millions de livres furent transportés (non sans quelques contretemps, puisqu'on découvrit en 1993 que les 186 miles de rayonnages prévus étaient inutiles :

les livres rangés tout au bout s'effondraient comme des cartes); ils trouvèrent refuge entre les gares de Euston et de St Pancras, dans les locaux de la nouvelle British Library, un ensemble bien organisé qui fait penser à plusieurs supermarchés de banlieue collés ensemble. On commande les ouvrages par ordinateur, la livraison est plus rapide qu'autrefois et le peuple des lecteurs-galériens s'affaire sous les lumières crues des néons. Pas de doute, la nouvelle bibliothèque a gagné en efficacité. Ont-ils rejoint les pages d'un roman de Dickens ou de Thomas Love Peacock, d'où ils semblaient s'être échappés, les rêveurs, amis des écrivains dont les ombres travaillaient toujours à leur côté dans le vaste espace de la reading room ?

Il y avait là, depuis le mois de février 1830, moment de son dix-huitième anniversaire, Charles Dickens ou son fantôme, éternellement penché sur les œuvres complètes de Shakespeare et sur l'histoire d'Angleterre. Quelques rangs plus loin, Karl Marx, un travailleur acharné, qui arrivait à neuf heures le matin et repartait à sept heures le soir, se documentait activement pour écrire un livre qu'il intitulerait *Le Capital*. Tandis qu'à la place L13, quelque cinquante ans après Marx, qui fut son maître à penser, Lénine, alias Jacob Richter, avant de partir à l'assaut du monde, étonnait ses voisins par son apparence étrange (parmi eux, le jeune romancier John Masefield qui « se demandait qui était cet homme extraordinaire »).

En 1868, Algernon Swinburne, un poète fiévreux, plus occupé de son univers intérieur et de ses fantasmes que du bon fonctionnement de la société, était frappé d'apoplexie dans ce haut lieu du savoir. Un peu plus tard encore, Jerome K. Jerome, l'auteur de *Trois Hommes dans un bateau* (1889), qui n'avait lui rien à craindre d'aussi grave, venait feuilleter de gros manuels afin d'y trouver le traitement approprié à un léger accès de rhume des foins, comme il le raconte dans ce même roman.

Une multitude d'hôtes illustres vinrent chercher refuge dans la reading room ou bien y préparer leur combat. Certains montrèrent leur reconnaissance à la grande salle et à ses livres : ainsi George Bernard Shaw lui fit don des droits de sa pièce *Pygmalion* (1912), après l'avoir écrite presque entièrement sur place.

En 1997, le dernier livre commandé au British Museum fut *A General View of the Agriculture of Kent,* un ouvrage du XIXe siècle. Puis il y eut un bref discours, une minute de silence et un petit verre d'adieu. L'un des centres d'élaboration de la pensée était clos.

Quant à Miss Mackintosh, qui dormait sur un lit de journaux dans une mansarde avoisinante, je n'ai plus entendu parler d'elle. La dernière anecdote la concernant me fut racontée par un ami, véritable pilier de la bibliothèque, que je retrouvais au cours des années, toujours assis à la même place, dans la North Library où il écrivait une longue suite de romans dont il vivait tant bien que mal. Un jour qu'il passait près de la vieille dame qui circulait chargée de livres, elle fut prise en le voyant d'une fureur soudaine et lui siffla dans l'oreille : « Sale espion catholique. » C'en était trop pour cet homme qui était un athée convaincu. « Femme, lui répondit-il, vous dépassez les bornes. » Cette repartie n'entrait pas dans le scénario élaboré par Miss Mackintosh : elle laissa choir sa pile d'ouvrages et détala comme un lièvre en direction des toilettes.

Si on ne l'avait pas trouvée jour après jour assise à la même place, on se serait inquiétés de son absence : elle faisait partie du voyage, tout comme ces universitaires américains qui d'année en année, tels les oiseaux migrateurs, s'en revenaient à époques fixes et se perchaient sur les mêmes sièges, ou comme ces intellectuelles à peine plus jeunes qu'elle, dont la tenue osée, témoignant d'un dédain magnifique de l'âge et des rides, alertait les séducteurs de service, éveillant rêves et espoirs, stimulant une invention romanesque toujours sur le qui-vive ; de brefs et fougueux romans d'amour s'élaboraient ainsi entre deux pages, entre la salle de lecture et les bed and breakfasts alentour, entre la North et la cantine où les lecteurs se retrouvaient pour déjeuner. Par la grâce d'une imagination qu'enfiévrait la lecture, des femmes à l'âge incertain et à la beauté compromise se voyaient dotées d'une nouvelle jeunesse et de charmes ravageurs que mon vieil ami, un Don Juan incorrigible, me décrivait d'une voix vibrante d'enthousiasme, anticipant les plaisirs à venir. Déjà son prochain roman prenait forme, le livre de sa vie aussi bien que celui qu'il écrirait, rien n'y manquait, rivalités, jalousie, complexité des schémas, introduction d'un troisième personnage, voire d'un quatrième : tout élément lui permettait de varier subtilement les récits dont il gratifiait l'élue du jour ; il se remémorait ou devançait les faits, il inventait, qu'importe – la parole, surtout quand elle transmet certaine excitation, quand elle crée certaine complicité ou partage érotique, est, chacun le sait, un moyen de séduction des plus efficaces. Et qui peut dire, d'ailleurs, si de tels récits, avec leur charge de sexualité, ne constituaient pas l'essentiel de sa vie amoureuse ? Il y assurait son pouvoir sur plusieurs femmes, outre son interlocutrice, ses amantes imaginaires passées et à venir.

« De si charmants fossiles »

Sir Angus Wilson, quant à lui, poursuivait, dit-on, entre les travées et les rayonnages, un jeune bibliothécaire dont il était épris. Il était entré à la bibliothèque du British Museum comme membre du personnel en 1937.

Quelques années plus tard, une fois la guerre finie, il revint comme *superintendent* de la fameuse salle de lecture.

Il n'était alors qu'un jeune homme un peu gauche et souffrant d'angoisses, doté par son malaise d'une acuité de perception remarquable et d'une nette disposition à la méchanceté, tendances auxquelles il ajoutait un goût poussé du bizarre. Et ne fallait-il pas toutes ces qualités pour vivre à longueur de jour et d'année sous le grand dôme, entouré d'excentriques et de pervers de tout poil ? Dans *The Wrong Set* (1949), une nouvelle intitulée « Rasberry Jam » (Confiture de framboises) montre deux vieilles filles torturant leur oiseau de compagnie jusqu'à le transformer en une bouillie rosâtre, comme de la confiture. Dans *Totentanz*, pour honorer la clause figurant au bas d'un testament, une hôtesse organise un bal costumé autour de deux cercueils… Il est vrai que le sens du Mal et un penchant pour le grotesque se trouvent souvent liés dans la littérature anglaise. Mais peut-être l'extravagance, la fantaisie que déploient de tels romanciers – cette mise en liberté de l'esprit qui flâne et s'égare sur tous les chemins de traverse – ne sont-elles en fait que des moyens ingénieux pour rendre supportables les hantises qui les travaillent, les obsessions qui leur pèsent – pour éviter d'avoir à affronter à découvert leurs idées noires ?

Angus Wilson aimait les dodos (*Such Darling Dodos*, 1950), cette espèce d'oiseaux aujourd'hui disparue, que l'observateur attentif saura pourtant découvrir en société où il vit en grand nombre et en colonie fermée, afin de ne pas voir que le monde a tourné. Il les étudia dans ses livres : *Attitudes anglo-saxonnes* (1956), où il met en scène des savants excentriques ; *La Ciguë et après* (1952), peuplé d'universitaires idéalistes et d'homosexuels malheureux.

On fêta ses soixante-dix ans parmi les roses blanches

au zoo de Regent's Park. Membres de la société de Dickens, employés du British Museum, hôtesses en vue et auteurs plus ou moins connus, dodos en tout genre et autres girafes (*La Girafe et les Vieillards*) se partageaient la salle – cinq groupes, selon un avis autorisé : écrivains, éditeurs, amis homosexuels, célèbres zoologistes, enfin quelques personnages excentriques rencontrés par Angus au hasard de ses tournées dans des régions perdues et qui semblaient sortir tout droit d'entre les pages de ses livres. De grosses serveuses familières forçaient les groupes serrés et bavards, proposant sur d'affreux plats de fer-blanc des sandwiches mous, parsemés pour la forme d'un persil rare. J'avais reconnu la clique habituelle, les trois inséparables plaisantins Malcolm Bradbury, David Lodge et Christopher Bigsby ; Margaret Drabble, gris souris, sans relief particulier ; Ian McEwan, l'œil noyé mais subtil ; Salman Rushdie costumé en Indien ; Lady Antonia Fraser pleine de sex-appeal, boudeuse et perverse, la retombée de sa lèvre fascinante – une grande poupée couverte de volants, au corps de matrone et au visage exquis. Rose comme une fraise un peu mûre, Angus transpirait à grosses gouttes. Il circulait entre les groupes, disant à chacun le mot qu'il fallait avec sa gentillesse coutumière. Il bavardait, racontait, se souvenait, riait, pas un instant ne cessait d'occuper et de distraire son entourage. Ses histoires étaient « relevées », comme on le dirait d'un plat ou d'une sauce, par quelque mot soigneusement choisi et répété qui tout à coup, par sa seule sonorité, faisait surgir une classe sociale, une mentalité, une atmosphère ou même un paysage – telle l'évocation de cette *foxing lady*, amateur de chasse au renard, à laquelle on faisait remarquer l'horreur de la mort du renard dépecé par les chiens et qui répondit : « Oh, mais vous avez la campagne tout autour et c'est seulement au premier rang qu'on voit la scène. » Point n'était besoin d'épiloguer, ni de s'attarder sur l'indifférence de ces chasseurs bien nés : l'accent suffisait, quelques sons, tout était dit.

Cette veine d'excentricité légère, cette apparence de désinvolture – alors qu'on ne peut douter un instant du sérieux de son propos –, cette façon de dissimuler l'angoisse vitale sous un humour volontiers noir, voilà les traits qui enracinent Angus Wilson, devenu Sir en 1980, dans une tradition spécifiquement anglaise, comme ils firent de lui un habitant à part entière du navire des drogués de lecture, ces gens « un peu déboussolés », comme il l'écrivait (*A Bit Off the Map*, titre d'un recueil de nouvelles).

«*In*», «*out*», un seuil est franchi

La salle ronde du British Museum contenait le monde. Pour moi, elle en était le centre, le point autour duquel il tournait. J'y revenais chaque année au mois de juin, les roses dans Russell Square étaient en fleur et, tandis que je traversais le jardin de bonne heure le matin, sachant que la journée s'étendait libre devant moi – libre d'obligations et de corvées, promise à mon seul plaisir –, je ressentais une joie qui me soulevait de terre, chaque moment de ma journée une célébration.

Me réveiller avec la pensée que le temps m'appartient, que rien ne viendra le borner ni le morceler, il est une durée où j'habite. À perte de vue, ce que j'aime. Lire, écrire, s'absorber en l'autre et en soi jusqu'à s'oublier : jusqu'à oublier toute limite. Temps plein. Chaque geste accompli en préparation de l'instant du départ : celui où, assise en bibliothèque, je vais ouvrir mon livre et lever l'ancre.

Retrouver les rues familières et les souvenirs, les strates de sens qui s'y sont déposées au long des années

– l'impression que ce kiosque à journaux, cette façade rouge en faux gothique, la petite grille du square et la couleur de l'herbe aperçue au travers, tout cela est en moi, inscrit là depuis toujours –, un paysage sensible que je redécouvre comme on reconnaît *son* lieu après une séparation, après un éloignement qui tout à coup s'est dissipé, comme se dissipe une nappe de brume ou un malentendu. On comprend alors au soulagement éprouvé que pendant tout ce temps quelque chose d'essentiel nous manquait : cet endroit auquel nous sommes liés depuis l'origine et qui, entre tous, contient une si grande part de notre identité.

Se poster au pied des grandes grilles du musée encore fermées. Attendre. Le moment de l'ouverture a lui aussi un sens, quand, les portes s'entrebâillant, l'on est admis à pénétrer – non sans montrer une carte au passage – dans ce lieu de départ en terres lointaines : la gigantesque salle ronde surmontée de sa coupole par laquelle entre le jour. Dans *Une chambre à soi*, Virginia Woolf comparait ce vaste dôme à un «immense front chauve splendidement ceint d'une couronne de noms célèbres». J'y voyais pour ma part une grande montgolfière, nef des fous où nous étions tous embarqués, qui peu à peu s'élève et navigue, légère au gré des vents.

Traverser en tête de la horde des lecteurs impatients le grand hall encore vide où tout à l'heure se presseront des centaines d'écoliers brailleurs en uniforme. Emprunter le couloir étroit où deux cerbères souriants départagent, comme sur les tableaux médiévaux, les élus et les damnés, accordant ce privilège incroyable : le droit d'entrer. Une simple porte à battants de verre, *in*, *out*, un seuil est franchi, l'arrivée dans un autre monde.

Ce monde-là échappait au temps, je l'ai dit, et à sa division en heures. C'est pourquoi l'angoisse n'y avait pas cours. L'univers extérieur, avec ses agressions, était mis de côté, abandonné comme un habit superflu.

Les heures pouvaient bien s'écouler avec leur tinta-marre, ici elles restaient sans effet, le temps était aplani, unifié par la lecture. De nombreux signes témoignaient d'un tel changement. D'abord, la cessation brusque du bruit de la rue, dernier rappel d'une activité désordon-née. À l'intérieur, le son des pas était feutré par un tapis épais ; en le foulant, en s'enfonçant dans le cercle, on se retranchait un peu plus de la vie qui sans doute conti-nuait au-dehors. Puis l'odeur, un mélange d'encaus-tique, de papier et de poussière ancienne, cette odeur subtile émanant de milliers de livres, de pages, de mots et de pensées, vous enveloppait, assurant les sens, aussi bien que l'esprit, qu'on était parvenu là, au centre immo-bile du monde, en ce point fixe où l'on est en sûreté.

Regagner la place quittée la veille au soir – F12 – au milieu d'un des rayons du cercle ; la table est en moles-kine verte, le néon au-dessus tremblote un peu à l'allu-mage, un écran élevé me garde des intrusions du voisin d'en face. Tirer la tablette, y poser les livres mis en réserve, étaler notes et papiers suivant un ordre calculé – manœuvres d'appareillage, gestes favorisant le degré de concentration maximal, la progression indéfinie de la plongée intérieure. L'aventure continuait.

Le soir on émergeait de ces heures avec difficulté, on refermait son livre encore un peu sonné, le sol tanguait légèrement et le monde extérieur avait des allures étranges de toile peinte. La rue retrouvée m'enveloppait de bruits et d'impressions neuves : j'avais voyagé si loin que j'avais oublié le décor familier.

Parfois, au milieu de l'après-midi, j'allais faire quel-ques pas pour relâcher la pression intense qu'implique le fait d'écrire. Passant le carrefour de Tottenham Court Road, j'empruntais Oxford Street, l'artère la plus char-gée de Londres, « voyante, encombrée, vulgaire » (écrit Virginia Woolf), bordée tout du long de ses magasins grands ouverts, pleins de toc et de clinquant. Je me laissais porter par la foule, comme on se laisse, en bateau, balancer par les vagues, trouvant dans ce mouvement involontaire, imprimé par une force colossale, un apaisement après l'effort des heures précédentes. S'abandonner à la «houle insouciante et impitoyable de la marée d'Oxford Street» (selon Woolf), déambuler le long de la «grande Méditerranée d'Oxford Street» (selon Thomas De Quincey). Toujours l'image de la mer. L'expression me paraît plus juste encore aujourd'hui où tant de peuples s'y côtoient, comme si le monde entier avait décidé de se rassembler là, au long de cette avenue interminable, en une sorte de fête, de tournoiement indéfini, kaléidoscope où passent et glissent en fragments colorés tous les échantillons possibles de la diversité humaine. Visages entraperçus, regards vacants, couleurs vives, le sombre et le pâle, cheveux, en nattes ou dreadlocks, crépus, frisés, parures et vêtements, sobres et noirs ou chamarrés, provocants telle une affirmation de soi, une marque de rébellion, la Terre tournait sur elle-même et ce mouvement me transmettait une myriade d'impressions, musique des voix, lambeaux de phrases, langues inconnues qui se mêlent, un mot s'étire et sonne plus haut que la rumeur, frôlements au passage, vision de jambes innombrables qui marchent, marchent en rythme vers des buts inconnus, et le flot qui m'emporte moi qui n'ai pas de but mais suis en cet instant posée dans le monde.

La Méditerranée d'Oxford Street

Oxford Circus, Selfridges et, entouré de sirènes à la queue vigoureuse, son ange solennel et triomphant sous l'horloge, puis Marble Arch qui rayonne vers les quatre points cardinaux… Bien des fois, par les nuits de lune, durant son premier et misérable séjour à Londres, Thomas De Quincey trouva une manière de consolation à suivre des yeux, à partir d'Oxford Street, chacune des avenues qui s'enfoncent au cœur de Marylebone. Voilà, se disait-il en voyageant par le regard sur ces longues perspectives, voilà la route du Nord, et si j'avais les ailes de la colombe, c'est par là que je prendrais mon envol pour chercher le réconfort. Souhait où il distingua par la suite une nouvelle ironie de la vie, puisque c'est en effet en direction du nord, dans cette vallée à laquelle il rêvait, qu'il devait connaître, bien des années plus tard, un regain de souffrances, être persécuté par les visions et les fantômes nés de la maladie et de l'opium. On l'imagine en compagnie d'Ann, une prostituée de seize ans, tout aussi démunie que lui, arpentant la faim au ventre les trottoirs d'Oxford Street. Un jour qu'il l'avait entraînée vers Soho Square et qu'il se sentait plus faible encore que d'habitude, il s'effondra à bout de forces sur les marches du perron où ils s'étaient assis ; « poussant un cri de terreur », Ann courut vers Oxford Street d'où elle revint presque aussitôt avec un « verre de porto épicé » auquel De Quincey attribua son salut – épisode dont Baudelaire a écrit qu'il aurait voulu, pour mieux le raconter, pour en représenter « la grâce et la miséricorde », dérober une plume à l'aile d'un ange.

Puis De Quincey (dans ses *Confessions d'un opiomane anglais*) poursuit son histoire : par une succession de hasards, il est amené à quitter Londres pour quelques jours ; il fixe rendez-vous à Ann au lieu habituel : chaque soir, après le cinquième jour d'absence, elle devra l'y attendre. Sûr de l'y retrouver à son retour, il n'omet qu'une chose : lui demander son nom (mais il remarque dans son récit que c'était une pratique générale chez les filles de sa condition que de s'appeler simplement par leur nom de baptême, Mary, Jane ou Frances...).

Il la chercha chaque jour et l'attendit chaque soir ; pendant des années, lors de ses différentes visites à Londres, il examina des myriades de visages féminins, oui, des « myriades », précise-t-il, en employant le mot dans son sens littéral, dans l'espoir de rencontrer le sien. Mais en vain, car jamais De Quincey ne revit Ann. « Souvent, lorsque je marche dans Oxford Street à la lueur, propice aux rêves, des réverbères, et que j'entends un orgue de Barbarie jouer ces airs qui, voici des années, nous consolaient, moi et ma chère compagne (comme je l'appellerai toujours), je verse des larmes et je médite en moi-même sur la mystérieuse disparition qui, de manière si soudaine et si critique, nous sépara à jamais. »

La prose de De Quincey, je ne suis pas seule à l'affirmer, est l'une des plus belles qui soient. Elle se déploie avec le naturel et l'ampleur d'une respiration profonde ; elle en a le calme et la nécessité. Avec ses incises, ses parenthèses, ses méandres et ses reprises, avec son mouvement lent et régulier, s'élevant, retombant, elle poursuit son cours selon un rythme pour ainsi dire organique, celui du souffle, ou du sang dans les veines, celui du corps (avec lequel, pourtant De Quincey vivait en mauvaise entente : ce corps lui causait tant de souffrances qu'il disait le haïr et vouloir se venger de lui en le livrant à la science et à ses explorations une fois qu'il en serait pour de bon séparé).

« Organique » serait d'ailleurs le mot le plus apte à décrire cette poussée venue des profondeurs, puisque De Quincey comparait lui-même sa pensée à un thyrse, « simple bâton qui tire sa physionomie et tout son charme du feuillage compliqué qui l'enveloppe ». Baudelaire, lui, voyait De Quincey comme essentiellement digressif : là encore la progression de la pensée qui se cherche – petites touches, tâtonnements, ajouts successifs : les errements et apartés de la rêverie –, telle la croissance de la plante qui n'est désordonnée qu'en

47

apparence, mais obéit à une loi profonde. Que cette loi soit l'harmonie, au-delà de la douleur et de l'excès, voilà ce que semble nous dire la musique même de son écriture dont je donne un exemple : « Une nature profonde à l'excès, mais aussi introvertie et vouée à l'abstraction à l'excès, donc en danger de se perdre dans une interminable rêverie, ne peut être éveillée parfois que par des afflictions qui vont aux fondations mêmes, houleuses, bouleversantes, mais finalement *en harmonie*[1]. »

Contre la conviction d'être damné, contre la sensation de glisser dans la folie et l'obsession du suicide, De Quincey avait trouvé un remède : la marche. Peut-être est-ce aussi la continuité de la marche, un pas enchaîné à un autre, de façon sûre, inévitable, lorsque cet exercice est poussé jusqu'à l'automatisme et que le corps prend le relais de l'esprit, peut-être est-ce ce mouvement pur qu'il faut entendre passer dans ses textes. J'aime à me représenter De Quincey, étudiant évadé, philosophe de la rue marchant dans Londres indéfiniment et « méditant sans cesse à travers le tourbillon de la grande cité ». À l'imaginer au cours de ses pérégrinations, alors qu'il bavardait avec tous les êtres humains, hommes, femmes et enfants, que le hasard pouvait jeter dans son chemin. Car le philosophe, selon lui, ne devait pas voir avec les yeux de cette « pauvre créature bornée » qui s'intitule elle-même « homme du monde », remplie de préjugés étroits et égoïstes, mais devait s'efforcer d'être « en communion et relations égales » avec tous : « tout ce qui est en haut et tout ce qui est en bas », avec les plus démunis comme avec ceux qui détiennent le pouvoir. Universalité, ou fluidité de la pensée, que n'arrête nulle prévention, nulle peur ou réticence, et qu'on retrouve dans le mouvement continu, souple, enveloppant, de sa prose.

1. C'est moi qui souligne. *Posthumous Works*, I, Heinemann, 1891.

«Oxford Street, marâtre au cœur de pierre [...] qui répétait l'écho de gémissements de cœurs innombrables.» Comme évoquée par cette phrase, je vis une vieille femme isolée, assise dans l'encoignure d'un grand magasin. Elle était immobile et raide comme les statues de saints enfoncées dans leur niche, le long des cathédrales, et semblait regarder à l'intérieur d'elle-même, étrangère à la foule avide d'achats, enfermée dans sa fatigue et sa solitude.

«Nous allions prendre du café après le dîner...»

Parfois aussi, je recherchais un peu de tranquillité. Il suffisait de sortir par l'entrée nord du musée et de longer le bloc massif de l'université de Londres. Les squares de Bloomsbury s'étageaient à proximité. Gordon Square, Tavistock et Russell Square, Brunswick Square et Mecklenburgh, Fitzroy de l'autre côté de Tottenham Court Road... Dans la plupart d'entre eux, Virginia Woolf et ses amis avaient vécu, ne changeant de maison au fur et à mesure des années que pour retrouver, à quelques mètres de là, un décor tout semblable et la même compagnie.

En hiver, sans aucun doute elles étaient tristes, ces places, avec leurs façades de briques sales coupées de pierres blanches. Le jardin au milieu, qui, dans les mois d'été, offrait une vision paradisiaque de verdure et de rosiers en fleur, était strié d'allées sombres trempées de pluie, les feuilles mortes recouvraient les pelouses et dans le vent froid les arbres agitaient leurs branches nues.

Au 46 Gordon Square, où se trouve aujourd'hui l'université de Londres, une plaque ronde et bleue signale, selon la tradition, que là vivait John Maynard Keynes, économiste (1883-1946). Aucune mention n'est faite des sœurs Stephen, Vanessa et Virginia, qui, après la mort de leur père, Sir Leslie, s'installèrent en 1904 dans ce quartier passé de mode. Virginia Woolf aimait à se sentir près des grandes artères, Oxford Street et Tottenham Court Road, en retrait, juste un peu, et cependant « au bord de la note d'agitation perpétuelle qui tourmente la rive même du paradis », écrivait-elle. C'est alors qu'elle commença d'arpenter les rues et les parcs de Londres. Elle était libre et le découvrait. Le soir, elle avait plaisir à rentrer chez elle, dans son « Bloomsbury natal ». Elle retrouvait sa chambre, tout en haut de la maison, au-dessus des platanes, avec ses livres reliés de cuir et alignés, « si charmants sur leur rayonnage », sa machine à écrire, un joli feu allumé, et « la masse énorme des manuscrits, lettres et épreuves ». Elle possédait « une chambre à soi », et le monde qu'elle contient.

La maison comportait quatre étages ; le premier, très haut de plafond, était réservé au salon ; s'y pressaient des jeunes gens, du même âge à peu près, vingt ans à peine, des amis de Thoby, le frère de Virginia, comme lui des élèves de Trinity College, Cambridge. Il y avait là Saxon Sydney-Turner, « véritable prodige d'érudition [...] très silencieux, très maigre, très bizarre » ; Clive Bell, « une sorte de mélange entre Shelley et un seigneur campagnard », qui devait devenir le mari de Vanessa ; Desmond Mac Carthy et Lytton Strachey, le comble de l'étrangeté, ce dernier, un « prodige d'esprit » ; et, plus tard, le peintre Duncan Grant et « l'extraordinaire Juif » nommé Leonard Woolf, qui tremblait de la tête aux pieds et « méprisait la race humaine tout entière »…

Ces réunions avaient Thoby pour centre ; les jeunes gens étaient homosexuels pour la plupart, même s'ils ne le restèrent pas tous, habitués à converser ensemble et à faire usage de codes mystérieux (convention oblige, ils désignaient l'homosexualité par des noms latins). Virginia – ce n'est pas surprenant – se sentait violem-

ment irritée par cette société de soi-disant «égaux»
qui faisait si peu de cas des femmes et dont certains
membres, au demeurant laids et gauches, restaient parfois des heures sans rien dire ou se cachaient dans
un coin pour glousser une plaisanterie en latin. «Oh,
c'est aux femmes que je m'intéresse et pas à ces êtres
inanimés.»

Peu à peu le groupe de Bloomsbury prenait forme
(on a fixé la naissance de l'expression à 1910). Il rassemblait de jeunes libres penseurs de la haute bourgeoisie, fermement décidés à rejeter tout ce qui avait
précédé, à commencer par le victorianisme et son puritanisme étouffant. «Nous allions peindre, écrire, prendre
du café après le dîner au lieu de thé à neuf heures. Tout
serait nouveau, tout serait différent. Tout serait à l'essai.» Et en effet, selon les termes de Virginia, ils allaient
inventer une façon de vivre et de penser à laquelle reste
attaché le nom du quartier où l'aventure commença,
même si aujourd'hui rien n'évoque plus l'atmosphère
confinée de haute intellectualité qui régnait alors (Wind-
ham Lewis, parmi d'autres artistes, se chargea de la
dénoncer violemment dans *The Apes of God*).

Au rez-de-chaussée, le bureau-bibliothèque de Thoby,
où souvent ils se réunissaient, est devenu une cafétéria
de l'université. À travers les hautes fenêtres noires, on
distingue les sandwiches en rangs serrés, la machine à
café brillante, les allées et venues des étudiants qui man-
gent tout en bavardant. S'agirait-il, comme cent ans plus
tôt, d'un «débat socratique, analytique, sur le sens du
bien et de la vérité», inspiré par la pensée de George
Moore et employant les outils de la logique et de
la métaphysique? Cette rigidité, où entrait pourtant de la
passion, cette volonté d'obéir à des critères exigeants,
de placer haut l'échange, quitte à être accusés (ils le
seront) d'arrogance intellectuelle. Virginia Woolf avait
alors vingt-deux ans, et, si l'on en croit les témoignages

de l'époque, elle était encore timide et se taisait dans les conversations générales, leur préférant le tête-à-tête. De telles discussions, incroyablement abstraites, arides comme des exercices de style, où il n'était question que d'idées et de convictions, contribuèrent, on l'a dit, à lui donner l'audace de penser comme de se mesurer aux meilleurs esprits et de les critiquer – d'affirmer son désaccord et, surtout, sa différence, en fait de former *contre eux* son écriture. Contre ces jeunes gens d'Oxbridge, pâles, mélancoliques et silencieux, aussi imbus de leur intelligence et de leur savoir qu'inaptes à vivre et à éprouver les choses les plus ordinaires, ces jeunes hommes réfugiés dans la tour d'ivoire de leur esprit d'où ils contemplaient une humanité réduite, « des rats et des souris qui se tortillent dans la plaine ».

Contre eux, contre l'affirmation virile de soi et les valeurs sèches de la rationalité, Virginia Woolf fortifia son attirance pour l'univers séduisant et fluide de la féminité – un univers qui s'arrange de la complexité de l'être et de sa perpétuelle mouvance et fuit les catégories trop étroites. Aux vérités que l'intelligence cueille à claire-voie, elle préférait les « moments de vie », gonflés d'une multitude d'impressions, elle préférait, tel un plongeur des grands fonds, se laisser glisser dans les eaux de ses pensées, là où règne le silence, où la sensation vécue cesse de faire mal, n'étant plus ressentie comme un choc, dans son premier impact massif, mais de façon atténuée, transformée en une myriade d'ondes ténues dont on suivrait les plus infimes, les plus exquises variations.

Ces deux années au 46 Gordon Square furent, de son aveu même, une « explosion de splendeur », « une sorte de renaissance élisabéthaine ». L'écrivain commençait de se déployer.

Après le mariage de Vanessa, Virginia déménagea à Fitzroy Square, non loin de là, dans un quartier d'artistes.

Puis ce fut Brunswick Square, une maison plus spacieuse, dans Bloomsbury toujours. En 1912, son mariage avec Leonard Woolf. La guerre. Un long épisode à Richmond où Leonard tenta de la fixer par crainte de l'activité trop intense de la capitale et de l'effet possible sur ce qu'elle nommait sa « folie ».

Enfin, au début de 1924, les Woolf revinrent à Londres, à Bloomsbury bien sûr, au 52 Tavistock Square, contigu à Gordon Square : là où, vingt ans plus tôt, elle avait pris conscience de sa liberté. La boucle était refermée : « J'ai l'impression de poursuivre une histoire que j'ai commencée en 1904, ensuite un peu de démence, et puis retour. »

À Richmond, elle s'était plainte amèrement du relatif isolement que lui valait cette vie dans une banlieue de Londres. « Là est l'essentiel de ma plainte : être à jamais des banlieusards », écrit-elle dans son *Journal*. Et d'imaginer les distractions dont elle est de ce fait privée : elle pourrait entendre de la musique, jeter un coup d'œil sur un tableau, faire une découverte au British Museum ou, tout simplement, s'aventurer parmi les humains. Leonard, lui, un peu puritain à son goût, un intellectuel s'il en fut, épris de sa « discipline draconienne » et de son mode de vie austère, s'accommode de la solitude et de l'exil, tandis que Virginia se reconnaît un côté sociable « très authentique ». « C'est un bijou que j'ai hérité de ma mère – un plaisir à rire, je ne sais quelle stimulation que m'apportent mes amis. » Sortir, voir des gens, est même nécessaire à son travail, à son plaisir intellectuel, alors les idées jaillissent ; en fait, elle a besoin des distractions de Londres. À Richmond, la vie stagne ; l'ennui lui arrache un cri de regret : « Nous pourrions profiter de la vie bien davantage encore. » Les sources d'excitation extérieures, la rue et ce que l'on y voit – « le tumulte, le désordre, l'affairement » – intensifient la sensation de vie. « Il n'y a que les rues bondées qui permettent de penser.» La rue bondée et les soirées mondaines, avec la fente de lumière aperçue dans le hall, le brouhaha des voix qui parviennent au visiteur ; en les entendant, se dit-elle, je serai aussitôt enivrée, je déciderai que rien dans la vie n'est comparable à une soirée, «je verrai des gens magnifiques et j'aurai l'impression d'être sur la plus haute crête d'une grosse vague». Pour Londres, elle se sentait un «amour romantique, sentimental, incroyable», pour Londres et le clocher de St Pancras, et pour l'Hôtel Impérial «tout rose et bleu»…

Telles sont les impressions que livrent les *Lettres* et le *Journal*, non les instants de vie, fragiles, lumineux, tendus jusqu'à la rupture, mais leur contrepoint : l'extérieur de la vie, banal et rassurant, aisément capté en phrases spirituelles, scintillantes, en paragraphes lisses et arrondis, l'existence à Bloomsbury, avec ses activités incessantes et ses centaines de visites.

En lisant le *Journal*, si différent de l'œuvre, on s'interroge : si la trame serrée de la vie quotidienne est tissée avec tant de soin, n'est-ce pas pour combler les intervalles entre les découvertes éphémères, pour adoucir le va-et-vient douloureux de l'extase à l'angoisse ? Et «la veine pétillante» pratiquée par Virginia au jour le jour ne correspondait-elle pas en fait à l'illusion, que l'on tente désespérément de se donner à soi-même, de la solidité, de la continuité du réel ? Tout comme son mariage avec Leonard, père, frère, guide, époux, lui permit de s'inscrire dans la normalité sociale : un mariage heureux, réussi, souvent elle le proclame, une normalité qui la tranquillisait, la mêlait, en apparence, au grand courant de la société – même si, dans le même temps, elle désirait vivre «la vie secrète, presque mystique d'une femme». À ce propos, ne faudrait-il pas louer la vigilance de Leonard – plutôt que l'accuser d'avoir été le geôlier de sa femme et son censeur, rôle qu'on lui attribue parfois –, lui qui s'efforça de régler l'existence et ses petits événements, favorisant ainsi ce rapport heureux avec la surface de la vie dont dépendait l'exploration des profondeurs, la plongée dans une solitude toujours périlleuse ? Il aurait « trop » veillé sur elle, ou mal, mais qui, face aux surgissements inconnus de l'angoisse et de la folie, peut se sentir le droit de mesurer ce trop ou ce mal, quand, jour après jour, il vécut à ses côtés, lui ménageant cette solidité quotidienne qui permettait les efforts incommensurables de l'écriture ? Et si, par une journée de mars 1941, il n'a pas su endiguer les forces négatives et les peurs qui la débordaient, si Mrs Woolf, parcourant le long et austère chemin qui menait à la rivière Ouse, s'apprêtait à « vivre » le rêve de Mrs Dalloway – mourir « noyée comme un marin sur les rives du monde » –, qui peut en blâmer Leonard, qui peut lui reprocher de n'avoir trouvé, devant tant de détresse, que le recours au geste quotidien, mécanique, celui auquel on se raccroche comme à la dernière preuve, illusoire bien sûr, de la stabilité du réel ? « Il devait avoir suggéré une occupation, peut-être d'aider au ménage. » Une occupation qui replacerait Virginia dans ce réel toujours plus absent, toujours plus fautif. Espérance dérisoire, où se glissa peut-être un sentiment de lassitude, d'impuissance.

À Tavistock Square, la maison de Leonard et Virginia Woolf a disparu, soufflée par une bombe. Disparu l'atelier de la Hogarth Press où Virginia s'occupait les mains « de façon mécanique » (« sans cela, je broierais continuellement du noir », confiait-elle à Vita Sackville-West), disparu le jardin de pierre au sommet, avec la vue sur le square par-devant, sur des bâtiments désolés par-derrière, et Southampton Row et tout Londres – Londres, « joyau des joyaux, jaspe de joie »...

En ce mois de décembre, le square est mélancolique. Les branches dégoulinent de pluie et la brique des façades est d'un noir de suie. Nul souvenir, nulle trace de Virginia, mais auprès d'un arbre, un buste de Louisa Brandreth, qui dirigea l'École de médecine pour les femmes, gratifié d'une phrase édifiante : « La voie du juste est comme la lumière qui brille. » L'hôtel Tavistock occupe lourdement les lieux où était autrefois la maison des Woolf. Au milieu du square, une statue de Gandhi, assis en posture de méditation, a l'air esseulée malgré les bouquets flétris, colliers brisés, colifichets et autres offrandes déposés auprès de son socle ; une jeune fille, immobile sous son parapluie, le regarde dévotement – signe des temps.

Un conte de Grimm

En sortant du métro pour aller à la British Library, un instant d'inattention me mène, le long de couloirs interminables, à l'issue qui débouche sur Pentonville Road, là où cette route s'embranche sur Caledonian Road. On émerge dans une ville à l'abandon, promise à la démolition. Des îlots de maisons décrépites, dernière étape avant les décombres, peinture écaillée, fenêtres barrées, panneaux publicitaires en déroute, des papiers gras et de vieux journaux que soulève une bouffée de vent, des détritus accumulés au coin des portes closes – entre autres celle de la Librairie du Pirate qui promettait pourtant des merveilles : un air de misère général assez habituel pour laisser indifférente la foule pressée que déversent chaque matin derrière King's Cross les trains venus d'Acton Town ou de Cockfosters.

Soudain, au détour de la rue, contre le ciel bleu étincelant, une apparition inattendue : la masse rose et blanche de St Pancras, avec son vaste arc de cercle, ses fenêtres vénitiennes et ses centaines de colonnettes, sa haute tour à clochetons qui installe la splendeur de l'art néogothique et du XIXe siècle victorien au beau milieu de ce quartier déshérité. Une silhouette massive hérissée de toits pentus, de clochers et de flèches dont la découpe fantastique pourrait surgir d'un conte de Grimm. On ne se priva pas de condamner cette débauche d'effets inutiles. Un spécialiste de l'architecture comme Kenneth Clark tonna contre le monument, y voyant l'assemblage d'une cathédrale allemande et de plusieurs mairies flamandes collées ensemble. Il a raison, sans nul doute ; pourtant, cette construction tarabiscotée, qui côtoie aujourd'hui les lignes sobres et lourdes de la British Library, continue de réjouir l'œil du profane par son extravagance.

« À Albert, le prince consort… »

Gilbert Scott, dont l'hôtel de St Pancras est, au dire des puristes, l'un des pires méfaits, exprima sa soif de grandeur de façon plus évidente encore dans le reliquaire qui fait face au Royal Albert Hall et qui est consacré à la gloire de ce prince. En plein midi, par beau temps, les feux tapageurs de son or se remarquent de loin, mais le soir, quand la brume s'épaissit au-dessus des arbres de Hyde Park, sa forme pointue et tourmentée prend l'allure irréelle des chapelles fantômes de Caspar David Friedrich. L'intention de Gilbert Scott était d'édifier un tabernacle qui protégerait la statue du prince. Ce tabernacle serait réalisé suivant le modèle des reliquaires anciens et, ainsi, correspondrait à une construction imaginaire, puisque rien de semblable à ces reliquaires médiévaux n'existait dans la réalité. Comme ces structures tout droit sorties de l'imagination, le dais du prince Albert serait orné de quantité de matériaux précieux, il serait incrusté d'agate, d'onyx, de jaspe et de cristal, de marbre et de granit et de maintes autres pierres brillantes et colorées… la rêverie grandiose de Scott allait bon train.

La construction fut longue et ardue, à tel point que Gilbert Scott, après trois ans d'efforts, crut bon d'offrir un banquet aux ouvriers : quatre-vingts hommes attablés, du bœuf et du mouton, du plum-pudding et des fromages, et des discours où l'on mentionna que les ouvriers buvaient peu, juraient moins encore et que, tous, ils se montraient fiers de participer à l'accomplissement d'une si grande œuvre. L'époque s'enticha du monument, de l'assurance comme du rêve qu'il exprimait, puis, le temps passant avec ses modifications d'éclairage, l'histoire qu'il racontait – où il n'était question que de progrès, d'empire et de triomphe – apparut dans une lumière nouvelle et moins flatteuse. Sa détermination superbe ne fut plus que certitude grandiloquente et son audace prétention – jusqu'au jour où ces critiques allaient s'atténuer au point de se fondre en une admiration attendrie, la roue ayant effectué un tour complet. On dénigra le tabernacle où reposait le prince Albert, avec sa pompe, son faste et ses anges, ses statues de facture classique, son dais d'or et de bronze et sa flèche noire outrageusement gothiques : c'était un exemple parfait du philistinisme de la période ; goût de la richesse et contentement de soi, rien n'y manquait, pas même le mélange des styles. Lytton Strachey, qui déboulonna avec tant d'esprit les idoles victoriennes, en fit, dans *La Reine Victoria* (1921), une description ironique et charmante. On y voit les cent soixante-dix silhouettes de la frise, sculptées à la taille humaine, peu à peu s'animer, les piliers de granit s'élever, les mosaïques des frontons esquisser un savant dessin, les quatre statues colossales représentant les vertus chrétiennes se hisser en position, les huit statues de bronze personnifiant les sciences – l'économie, la chimie, la géologie, la géométrie, la rhétorique, la médecine, la philosophie et la physiologie – gagner leur pinacle étincelant, là-haut dans les airs. Enfin, la croix dorée vint coiffer la galaxie vertigineuse des anges superposés, les quatre continents en marbre blanc, avec le dromadaire, le bison, l'éléphant et le taureau se placèrent solidement aux quatre coins de la base, affirmant la suprématie de l'Angleterre et la présence du monde ici rassemblé. Sept ans après la pose de la première pierre, en juillet 1872, le monument fut ouvert au public.

Il fallut encore quatre ans pour que la statue du prince Albert rejoigne son siège sous le dais étoilé. Il est assis là pour l'éternité, sérieux et songeur, concentré sur son devoir, dûment pénétré des responsabilités de sa charge. Il tient à la main le catalogue de l'Exposition internationale de 1851, un succès sans précédent et l'une des grandes réalisations de sa vie, que devait suivre un projet plus vaste encore, une sorte d'utopie – nommée par certains «Albertopolis» –, si la typhoïde, jointe à l'excès de travail, n'avait subitement enlevé cet homme d'action qui cachait un rêveur.

La statue de bronze doré pèse presque dix tonnes. «On supposa à juste titre que le simple mot "Albert" posé à la base serait un moyen d'identification suffisant», observa Lytton Strachey.

«La foule s'écoulait sur le pont de Londres»

Le samedi comme le dimanche, la City est déserte. Pour faire bonne mesure, ce jour-là il pleuvait et le vent soufflait en rafales ; les derniers touristes avaient fui. Ne restait, lorsque j'ai émergé du métro Bank, que la splendeur massive, la solidité sans faille de la pierre. Frontons néoclassiques, portiques et colonnades, l'univers de la banque a revêtu l'apparence irréprochable et solennelle des temples antiques. Une garantie supplémentaire de légitimité.

Pour avoir une impression d'ensemble, il faut faire

quelques pas et, parvenu au milieu de la place, contempler les proues et promontoires qui dominent de leur pesanteur le passant. Celui-ci, en ce jour de congé, aura tout le loisir de méditer sur le décor vide et de convoquer ses fantômes. Il se fait la réflexion que ces forteresses, qui pendant la semaine grouillent de fourmis laborieuses, apparaissent alors pour ce qu'elles sont : autant de monuments élevés à la gloire de la puissance et de l'argent. Leur hauteur n'est pas excessive, rien pour signaler la prétention ou donner le vertige, aucune démonstration de force : elles ont eu garde de tomber dans l'excès ou la démesure, non, on ne peut leur reprocher la faiblesse de l'ostentation, ni le désir, toujours suspect, de proclamer un triomphe – celui-là est trop évident, point n'était besoin de le revendiquer. Il leur a suffi de cette assise, de cette ampleur paisible et austère, de cette présence incontestable.

Sur la gauche, le Royal Exchange Cornhill, deux fois détruit par le feu, ouvert en 1844 par la reine Victoria et, trois cents ans plus tôt, par Elizabeth Iʳᵉ, dresse son portique formidable de huit colonnes corinthiennes. Sur la droite, en position symétrique, une église aux tours rectangulaires, pourvue, elle aussi, de six colonnes et construite par Nicholas Hawksmoor de 1716 à 1727, précise l'écriteau, s'encastre étroitement dans le demi-cercle du bâtiment plus moderne de la poste : c'est St Mary Woolnoth, grise et solide, où venait T. S. Eliot qui travaillait à deux pas de là.

Des statues de belle allure ponctuent cet ensemble. Wellington, plusieurs fois vainqueur de Napoléon (une seule aurait suffi à lui assurer une gloire éternelle), toise la place vide du haut de son cheval colossal avec une fierté tranquille. Il n'a pas l'arrogance théâtrale du Condottiere de Venise, ni sa moue de dédain : c'est un général du XIXᵉ siècle, Premier ministre de surcroît, tory convaincu et homme de bien. Comme les monuments, il est sûr de son bon droit, plein d'une autorité qui ne laisse pas de place au doute. Non loin de lui, J. H. Greathead, « 1844-1896, Chief Engineer City and South London Railways », un constructeur de chemin de fer, un héros des temps modernes, continue de bâtir l'Empire britannique (qui fut, nous dit le dictionnaire, le plus grand que le monde ait jamais connu), carte en main et chapeau sur la tête.

À l'époque où T. S. Eliot se rendait, chaque matin, à la City, à la Lloyds Bank qui l'employait, cet empire et cette fierté avaient subrepticement commencé de décliner. L'apogée de l'Empire, qu'on a coutume de situer en 1919, serait suivi de peu par son éclatement – à commencer par l'autonomie accordée aux « dominions blancs » en 1931. L'humeur n'était plus au triomphalisme, mais à l'incertitude. Les années d'après-guerre amenaient un climat de désolation, perte du sens, de la confiance et de la cohérence, « La Terre vaine », publiée en 1922, le disait bien, qui fut le poème par excellence de la période.

Venant du nord de Londres, T. S. Eliot descendait probablement à la station Moorgate, puis, se mêlant au flot des employés en chapeau melon et complet rayé – auquel il ressemblait trait pour trait : « Eliot est devenu sec, étroit, raide comme un piquet », écrit Woolf dans son *Journal* –, il enfilait la large avenue bordée tout au long des organismes de la finance jusqu'au moment où il atteignait le quadrilatère immense de la Banque d'Angleterre, véritable citadelle entourée de son mur d'enceinte. La réserve d'or de l'Empire britannique est ornée de colonnades, de portiques et de coupoles, mais à cette époque Eliot ne vit pas, perché sur l'un des dômes, l'ange ailé et tout doré qui s'étire vers le ciel au risque de dégringoler : l'Ariel construit en 1932 par Charles Wheeler, l'esprit de l'air dans *La Tempête*, un symbole qui ne convient pas exactement à ce bâtiment pompeux.

Enfin il atteignait la Lloyds Bank. Un coffre-fort, elle aussi, malgré ses arcades, colonnes et chapiteaux, une forteresse lourde et compacte, invulnérable. La banque s'étend de Cornhill à Lombard Street ; juste en face de l'entrée, de l'autre côté de la rue étroite, un magasin Hermès expose dans sa vitrine des bijoux fragiles d'une grâce aérienne, petites boîtes en émaux et porcelaine fine, et, suspendus dans des œufs ouvragés présentés en coupe, nombre de bibelots précieux et inutiles. Les divers aspects de l'argent mis en regard, comme pour une allégorie, de l'épargne à la dépense.

T. S. Eliot, cependant, ne prenait pas cette direction, mais le plus souvent, dans ses moments de liberté, tournait ses pas en sens inverse, du côté de Lombard Street, vers St Mary Woolnoth qui « comptait les heures / Avec un son éteint au coup final de neuf ». Un peu plus loin, devant le fleuve, il voyait arriver, se pressant le long du pont de Londres, innombrables comme des ombres, les voyageurs venus du sud de la ville, la foule uniforme privée de voix et de regard, une armée d'automates qui marchaient en silence, poussés par la même force aveugle, et qui fréquemment soupiraient. « Qui eût dit que la mort eut défait tant de gens ? / Des soupirs s'exhalaient, espacés et rapides / Et chacun fixait son regard devant ses pas. » La foule des damnés de l'Enfer de Dante, ces misérables qui jamais ne furent vivants et qui vécurent dans l'indifférence et la peur, n'encourant ni louange ni blâme : les damnés, esclaves d'une vie sans vie, parmi lesquels travaillait le poète. De 9 h 30 à 17 h 30 chaque jour.

En 1917, il avait été engagé au département des Colonies et des Affaires étrangères à la Lloyds. Ezra Pound s'en était indigné : « C'est un crime contre la littérature que de le laisser travailler huit heures par jour dans cette banque. » Les Bloomberies s'agitèrent (en 1919, Leonard et Virginia avaient imprimé ses poèmes à la main à la Hogarth Press). Mais Eliot tenait à cette situation (il la quitta en 1925 pour entrer aux éditions Faber, peu après la parution de « La Terre vaine »). Sans doute l'horaire strict, une vie terne et régulière, l'immersion quotidienne dans la foule des morts-vivants, comme il la voyait, lui étaient-ils nécessaires. Sans doute lui fallait-il, depuis le pont de Londres, « sous le fauve brouillard d'une aurore hivernale », contempler longuement la cité fantôme, afin de mieux mesurer, afin de mieux ressentir la désintégration du paysage contemporain – amas d'images brisées auxquelles ne restent ni lien ni sens.

En sortant de la Lloyds Bank, il empruntait pour se rendre à l'église de St Mary Woolnoth un passage étroit et sombre, comme creusé à l'intérieur du bâtiment : la Pope's Head Alley. Ainsi pouvait-il cheminer dans le secret d'une demi-obscurité entre les blocs colossaux qui s'écartent à peine et, de l'Exchange Cornhill à St Mary Woolnoth, de Lombard Street à King William Street, suivre un parcours de passages subtils, de corridors et issues dérobées, jusqu'à la grande ouverture de la Tamise.

Parmi les blocs écrasants, dont l'existence même, par son autorité, semble exclure toute possibilité de vie cachée, une ville labyrinthique dissimule au regard ses allées noires et tortueuses : dans les fissures de la surface imprenable une autre forme de vie subrepticement se faufile, qui n'a plus rien à voir, on peut le supposer, avec la grande parade du pouvoir et des rôles officiels, mais consiste en de brèves récréations, échappées, moments volés et détournés, restitués à l'ombre et à l'intimité.

Pourtant, si l'on continue de suivre T. S. Eliot et sa vision désillusionnée d'une existence coupée de ses sources profondes, ces moments-là n'ont pas plus de grâce que les autres, pas plus qu'eux le pouvoir de nous arracher à la fragmentation et au vide. « Allons par telles rues que je sais, mi-désertes / Chuchotantes retraites / Pour les nuits sans sommeil dans les hôtels de passe… »

Hôtels d'une seule nuit, dans une vie où l'on ne fait que passer.

Philip Larkin à Soho

Six heures du soir par un jour morne de février. La nuit tombe. Les tonalités de gris se fondent, la pluie noircit le trottoir des grandes artères où déambule la foule des veilles de congé. Soho, le samedi. Au hasard, suivant le rythme incertain des flâneurs, j'emprunte Old Compton Street, traverse Rupert Street courte et intense, avec ses marchés de fripes et de fruits et légumes, enfile Brewer Street bordée de restaurants et d'épiceries, puis, revenant sur mes pas, Berwick Street et Dean Street la longue, dotée de clubs chics ou sordides ; au sortir de ce labyrinthe, je tombe sur la vaste étendue de Charing Cross Road où des groupes de jeunes massés devant des portes fermées boivent à la bouteille, menton levé, cou renversé, l'alcool que ces établissements chers ne leur offrent pas. De l'autre côté de Charing Cross, la ville chinoise. Vers l'ouest, un passage secret parmi d'autres relie les deux univers.

Newport Court Alley est une ruelle médiévale, creusée en son milieu par une gouttière, bordée de lampadaires éteints et de boutiques que gardent jalousement de lourds rideaux métalliques. Une odeur complexe flotte, poisson séché, piments et pourriture mêlés. Aux côtés des restaurants et des entrepôts fermés, il reste un unique porn show à la devanture rose et enluminée, souvenir d'une époque glorieuse ou symbole de l'émancipation du quartier. De cette allée, le poète Philip Larkin notait dans une lettre à Robert Conquest que les clubs s'y spécialisaient maintenant dans la « flagellation et les femmes dominatrices », mais que, pour sa part, autant qu'il se souvienne, la société permissive ne lui avait jamais rien permis.

Est-ce un tel sens de la retenue, doublé de l'humour sous-jacent qui lui valurent l'estime, le respect, l'entière admiration de ses compatriotes, ou bien ces autres vertus cardinales qu'il possédait au plus haut point et qui entrent dans la composition d'une qualité toujours mystérieuse : l'anglicité ? Philip Larkin fut le poète le plus aimé de sa génération (jusqu'au jour de la parution de sa correspondance ; la critique alors de se déchaîner et les insultes de pleuvoir en rafales : les lettres révélaient des traits qui offensaient au plus haut point les adeptes, toujours vigilants, du « politiquement correct ». Sexisme, fanatisme politique, philistinisme rance, racisme petit-bourgeois... les contempteurs de Larkin s'empressèrent autour de son cadavre, oubliant que cette vie, avec ses préoccupations secrètes, avait été surtout malheureuse, pathétique même et, à tout le moins, inoffensive. « Au début des années 1980, le commun des mortels voyait en Larkin un gratte-papier renfermé et isolé, qui avait pourtant en lui certaine étincelle – chauve, le nez chaussé de lunettes, les chevilles serrées par des pinces à vélo, affalé dans la mauvaise lumière d'une librairie obscure. Au début des années 1990, nous voyons en lui un fanatique, un Scrooge à l'esprit fumeux, dont la silhouette, en gilet de corps, apparaît à travers un halo infamant fait d'alcool, d'obsession anale et de journaux pornos [1] », écrit Martin Amis, qui ne manqua jamais de braver la secte des bien-pensants, raison pour laquelle ce nouveau clergé l'excommunie à la publication de chaque nouveau roman).

1. *The War against Cliché. Essays and Reviews. 1971-2000*, Jonathan Cape, 2001.

La poésie reste, dont la qualité ne peut être remise en question. Modestie, goût de la mesure, défiance envers toute forme de pose et de prétention, crainte des instincts et vague répugnance devant leur étalage, Larkin, au plus loin des excès de Soho, de ses nuits blanches et de ses petits matins comateux, reste pour ses lecteurs celui qui déclara : « La privation est pour moi ce que les narcisses furent à Wordsworth[1]. » L'inspiration poétique est liée au manque et à la frustration, au désir inassouvi : un constat qui rétablissait les mérites du puritanisme – difficiles à oublier après plus d'un siècle de règne – en plein cœur de la révolution sexuelle des années 1960.

« Je mène une vie aussi simple que possible, m'efforçant d'agir en sorte que les jours et les années se ressemblent. » La monotonie : une tentative, parmi d'autres, pour ignorer le passage du temps. Peu lui importait le lieu où il résidait : Hull, ville sans attrait particulier, sorte de cul-de-sac, correspondait à son besoin profond de vivre loin des centres d'activité, « en marge de tout mouvement ». Ni voyages ni déplacements, mais une existence en tout point réglée. « Je veux bien aller en Chine, disait-il, à condition que je puisse revenir le même jour. J'ai horreur de me rendre à l'étranger […] plus on s'éloigne de chez soi et plus on est malheureux. » Le soir, en rentrant de son travail de bibliothécaire, après avoir fait la vaisselle, il écrivait, « c'est une routine comme une autre… ». De vie privée, de liaison, on ne lui connaissait pas (ce en quoi l'on se trompait, sa biographie, écrite par le poète Andrew Motion, montre au contraire qu'il en mena plusieurs de front, discrètement, comme il se doit) ; « L'amour est une affaire difficile […] qui entre en conflit avec l'égoïsme – l'un et l'autre sont d'une grande puissance ». En politique, il était

1. Les citations de Larkin sont extraites de P. Larkin, *Required Writing. 1955-1982*, Faber & Faber, 1983.

conservateur, et même «réactionnaire», avouent ses partisans : «J'ai toujours été à droite […] La droite représente pour moi certaines vertus et la gauche certains vices.» Lorsqu'on lui demandait lesquels, il répondait : «L'esprit d'économie, le courage au travail, la volonté de préserver les valeurs, d'un côté ; de l'autre, l'oisiveté, la cupidité et la trahison.» Quand il lisait ses poèmes, on remarquait combien sa voix était adaptée à la nature de sa poésie : hésitante, ironique, elle isolait certains mots de telle sorte que le pessimisme s'en trouvait souligné. Ainsi étaient d'emblée traduits, par l'inflexion même de sa voix et son rythme, la lucidité et le désenchantement inhérents à son œuvre.

Non, rien n'arriva à Larkin. «Il travaillait de neuf à cinq heures, puis il écrivait, puis il buvait ; il s'occupait de sa mère, il envoyait des lettres à ses amis, et il eut peut-être une demi-douzaine de liaisons. Ce fut tout» (Amis, encore). Dans l'un de ses poèmes, «Mr Bleaney», Larkin mesure l'être humain à l'aune de son habitat – une chambre louée et mal chauffée, une vie de petites économies et de calculs mesquins.

Une sexualité, comme le reste, entravée. Comme compensation à la laideur, à la timidité, à la peur de la dépense, il s'adonnait à ses manies et obsessions, telle la rédaction, sous le pseudonyme de Brunette Coleman, de fictions sur les écolières, un passe-temps auquel il consacra beaucoup d'énergie, ou l'achat de magazines pornographiques – moyen qui lui permettait de se satisfaire en cinq minutes et sans trop de frais (un avantage qu'il ne manque pas de souligner dans ses lettres). Usage furtif des sex-shops de Soho – mais il ne lui en fallait pas plus.

Par contraste, ce côté clandestin met en lumière le bouleversement tous azimuts dont ce quartier fut le centre. Un désordre qui devait être productif et favoriser pour un temps une formidable créativité, avant de rentrer dans les bornes de l'habituel et de se limiter aux sorties hebdomadaires de jeunes traders de la City en quête de crack et d'une détente durement méritée.

Soho, ou le rejet des conventions : dans les années 1950 et 1960, on y pratiquait sciemment le dérèglement de tous les sens, on s'y sentait «à l'aise et libre», a dit Francis Bacon qui en fit sa seconde demeure. Bacon, au plus loin de Larkin et des inhibitions accumulées par l'éducation victorienne. Il s'était, lui, c'est visible, il suffit de regarder ses toiles, débarrassé définitivement de la reine Victoria et des lourdes draperies noires qui enserraient la période.

En traînant le soir dans Soho, parmi la foule compacte des jeunes et des touristes, on est pris d'une vague nostalgie : impossible de ne pas se souvenir des années héroïques, de Bacon et de sa cohorte d'amis, de parasites, d'admirateurs, qui hantaient les nuits du quartier, buvaient, se disputaient, discouraient jusqu'à l'aube et à l'oubli, puis se retrouvaient et s'aimaient de nouveau : « L'esprit de camaraderie des lendemains était formidable [1]. » Se côtoyaient dans les clubs des individus venus des horizons les plus divers, peintres à la dérive et miséreux de tout poil, ivrognes invétérés, imposteurs en tout genre, milliardaires en quête de neuf et politiciens excentriques, gens de la haute, dandys passés de mode, reines de la bohème sur le déclin, homosexuels furtifs ou aguerris, dragueurs et amoureux... Au long des nuits embrumées par l'alcool, on cultivait l'échec, le blues, l'excès et l'insouciance, comme sur un théâtre on y soignait sa légende, on se battait dans les sous-sols et dans les caniveaux et ces bagarres duraient des jours entiers

1. Cette citation et les suivantes sont extraites du livre de Daniel Farson : *Francis Bacon. Aspects d'une vie*, Gallimard/Le Promeneur, 1993.

et des semaines, les retrouvailles étaient retentissantes, Soho ou la fête assurée, débordements et gueules de bois, sexe et amitié.

Les «gars de Muriel»

Au numéro 41 de Dean Street, une inscription, si discrète que nul ne songerait à la remarquer, surmonte une étroite entrée verte: THE COLONY. Sur le coup de six heures, par un jour de semaine, on pousse la porte, on grimpe un escalier minable. Là-haut, une salle minuscule, basse de plafond – à peine un salon bourgeois –, tout entière peinte d'un vert pomme vernissé. Fenêtres bloquées, stores à demi tirés, obscurité ambiante: l'intimité. «Le temps s'arrête, plus rien n'a d'importance, plus rien n'existe; on pourrait boire, boire sans discontinuer. La pièce ressemble à celles que peignait Van Gogh: sous une ampoule nue, un vortex où l'on est aspiré», constate l'un des membres avec effusion (je l'avais interrogé la veille, dans la rue, devant la porte close à cette heure). Cette salle a de la présence, c'est indéniable; rempart, nid, enclos, elle exclut l'univers extérieur et se suffit à elle-même.

Rassemblé autour du bar, tournant le dos au grand miroir qui surplombe la cheminée, un groupe est absorbé dans une conversation éternelle; les voix se mêlent, se chevauchent et se croisent, comme un chœur chantant en harmonie. Des rescapés, heureux d'être en vie, heureux de boire et de converser, heureux de se trouver ensemble, créatures d'une même espèce réunies sur cet îlot, à l'abri d'un monde trop vaste. Un décor défraîchi, poli par l'usage, râpé, familier, le tapis de couleur indécise, la peluche verte des hauts tabourets, la banquette qui encercle la pièce, le piano et son siège crevé. Des loupiotes répandent une faible lumière. Au mur, une photo datant de 1983 représente les membres du Colony Room, rigolards et passablement soûls, parmi eux Francis Bacon raide et digne, comme absent de lui-même, le regard vidé de toute force par l'objectif, à l'opposé de ses autoportraits dont la présence a une intensité telle qu'elle troue le mur.

C'est là que se réunissaient «les gars de Muriel» ou, si l'on préfère, «la pègre du Colony Room», ou encore, selon une appellation qu'on leur donna bien plus tard, «l'École de Londres». Ladite École comprenait Lucian Freud, Michael Andrews, Frank Auerbach, Tim Behrens et Francis Bacon, encore inconnu du public, pourtant révéré dans cette petite coterie dont il était l'âme et la présence la plus constante. Francis Bacon versant libéralement à la ronde dans les verres tendus autour de lui un champagne qu'il ne payait pas et répandait en bonne partie à côté; puis, plus tard, aux toilettes, le verre à la main, toujours, «comme s'il était incapable de s'en séparer», jetant subrepticement son contenu afin de boire moins – un ami attentif l'a noté. Bacon bambochant jusqu'aux premières lueurs du jour (tandis que Lucian Freud, qui travaillait la nuit, partait en début de soirée), dormant quelques heures brèves, puis se mettant, dispos, au travail dans l'atelier chaotique de South Kensington. Dehors, «l'air était frais, quelqu'un vomissait dans le caniveau, un dernier "hello, chéri!" sous une porte cochère, un ultime soupir et le silence». D'autres, qui menaient la même vie, traînant de bar en bar pour rentrer au matin ivres morts, préférant le rêve et les cuites et les causeries sans fin sur leur œuvre à cette œuvre elle-même, perdirent cependant leurs jours et leurs nuits, et bientôt leur talent. Mais à Bacon, il fallait ce préambule, cette mise en condition: l'errance nocturne, l'alcool, ou d'autres substances.

Pourquoi ce lieu plutôt qu'un autre? lui demanda un jour son ami, Daniel Farson. «Parce que ici on peut

perdre ses inhibitions», répondit-il. Dépasser les interdits, oublier ce qu'on sait, affirmer une «volonté de se
faire complètement libre» (ce qui peut passer par la
négativité et la destruction, ces tendances-là sont prises
en compte). Être à même la toile, à même la vie : à nu.
Sentir intensément les choses et les rendre comme on
les a senties, non les représenter, mais les projeter sur la
toile, les faire exister en leur imprimant la force de la
sensation. C'est cela. Restituer *la sensation* en image,
directement, qu'elle conserve sa puissance de commo-
tion, d'électrochoc. «*Touché !* C'est ce qu'on devrait
dire, chaque fois, devant ces tableaux», écrit Philippe
Sollers[1]. Carcasse humaine traitée comme un quartier
de viande, chair crue et rouge, exposée, dépecée, pendue
à un croc – la souffrance à l'état brut, la déchirure,
l'agression, et pourtant, à travers toute cette violence, la
vie : «une figure arrachée au négatif», «une reprise tran-
chante de l'affirmation érotique» (Sollers).

Ou le cri d'effroi, un trou noir qui creuse le tableau
comme un vertige. Le pape Innocent X. Velásquez recon-
sidéré.

Donc «ouvrir les valves de la sensation», se défaire
des couches protectrices qui nous entourent tel un mort
de bandelettes, puis se fier à la chance, au «hasard»
d'un jet de peinture, pour rendre visible ce qui ne l'était
pas. En cas d'échec, détruire. «Il s'agit d'une tentative
pour que la figuration atteigne le système nerveux de
manière plus violente et plus poignante», dit Bacon. Et
encore : «Il y a une partie du système nerveux avec
laquelle la texture de la peinture peut communiquer plus
violemment qu'avec n'importe quelle autre.»

Cette partie-là du système nerveux, bien éloignée
de la surface, proche du siège de l'obsession et de
l'angoisse, Bacon l'entretenait soir après soir, au long de

1. *Les Passions de Francis Bacon*, Gallimard, 1996.

ses titubantes virées, se dépouillant du superflu pour être «réceptif», pour que fasse irruption, dans sa puissance entière, la sensation. L'esprit de Soho le stimula – son lieu.

Muriel Belcher, copine et complice, la tenancière forte en gueule de ces lieux – qui déclarait à Bacon : «Je me fiche complètement de ta peinture» –, sut ménager la liberté qu'il lui fallait. Bacon l'aimait et la peignit souvent – en sphinx aux pattes longues, notamment, hiératique, impénétrable (comme Henrietta Moraes, à la nudité théâtrale, dans sa chambre blanche, et Isabel Rawthorne détentrice de la clé, présentée de face, de profil, de trois quarts, les traits brouillés, fondus, déformés, et pourtant terriblement vraie, plus vraie que nature : les trois femmes de la vie de Bacon). Chez Muriel, on abordait les sujets vraiment importants : non la peinture, ce dont Bacon, pour l'heure, se fichait pas mal, mais «le sexe, l'alcool, les scandales, les rêves».

Aujourd'hui, Michael Wojas (un nom polonais, me dit-il) lui succède, après Ian Board dont le portrait rugueux, tout en renflements et chair rose, domine la petite salle. Un homme fin et discret, aussi différent que possible de la terrifiante Muriel dont le «members only» beuglé à travers la pièce avait tôt fait de chasser les importuns. Personne ne prête attention à l'entrée furtive de la visiteuse qui, visiblement, n'appartient pas à la famille et qui, assise sur son coin de banquette, prend fébrilement des notes. Lorsque je pars, Michael me remet une carte représentant un portrait de lui et de Ian Board par Justin Mortimer – blouson de cuir et chemise rouge sang pour Ian, casquettes et lunettes noires pour le couple, barbe bleutée, air taciturne, visages impénétrables ; tous deux sont côte à côte et séparés, dans la meilleure tradition des membres du Colony.

« Thank you Britain »

La vision d'un cimetière par un jour de tempête, quand la pluie résonne inlassablement sur la toile tendue des parapluies, n'est pas de celles que l'on recherche si aucune obligation ne vous y pousse.

Pourtant, notre visite dans l'East End, premier lieu de l'immigration juive, nous avait tout naturellement conduits, ce dimanche matin, dans le faubourg de Golders Green, au nord de Londres. Hoop Lane, qui en quelques pas vous éloigne radicalement de Finchley Road et de sa circulation infernale, sépare le cimetière juif, situé à flanc de colline, du crématorium et de son jardin tranquille. Un titre de gloire parmi d'autres : c'est là que Sigmund Freud fut incinéré ; ses cendres sont contenues dans une urne qui repose dans l'Ernest George Columbarium – un long bâtiment bas de briques rouges –, parmi la platitude des rectangles blancs où un nom, parfois deux, est gravé, puis deux dates, et une phrase brève certifiant l'amour éternel des proches.

Une géographie de Londres s'ébauche, reflétant les étapes successives de l'immigration juive et son cheminement au sein de la ville au fur et à mesure que les nouveaux venus s'enrichissaient ; nos visites en dessinaient le tracé, de l'East End misérable où échoua, avant-guerre, la première vague d'immigrés pauvres arrivés d'Europe de l'Est, au nord-ouest de Londres qui, dans les années 1930 et 1940, attira des réfugiés issus de classes sociales plus aisées. Peu à peu, cependant, les Juifs de l'East End délaissèrent les « rues sombres et malodorantes qu'on trouve aux abords des docks [1] » pour rejoindre le nord et Hampstead, eux aussi.

1. Cette citation et les suivantes proviennent d'Arthur Symons, *Esther Kahn*, Mercure de France, 1964.

Ces rues de Lambeth et de Whitechapel, Brick Lane – où les Pakistanais ont aujourd'hui succédé aux Juifs –, Fournier et Princelet Streets, Flower and Dean, Thrawl Streets… des rues tranquilles qui semblent ne mener nulle part. Les stores de certaines maisons étaient toujours tirés et les volets cloués. Les gens ne bavardaient pas sur le pas de leur porte : les Juifs qui vivaient là étaient, apparemment, toujours au travail, « courbés sur leurs tables, cousant et taillant », ou bien ils entraient et sortaient à pas pressés, portant de lourds ballots de vêtements, dans un va-et-vient permanent entre leur maison et les tailleurs pour lesquels ils besognaient. Coutures, boutonnières et boutons et pour cela, une pauvre paye. Les portes s'ouvraient et se refermaient doucement ; des « visages foncés regardaient de derrière les fenêtres ». C'est dans cet entourage que se déroulent les débuts de vie d'Esther Kahn, l'héroïne d'Arthur Symons, une fillette paresseuse qui ne se souciait que de regarder, à qui rien n'importait vraiment, et qui devra, au prix de la souffrance, découvrir ce que signifie aimer pour devenir une grande actrice.

La Seconde Guerre mondiale amena un nouveau flot de réfugiés qui, pour nombre d'entre eux, s'installèrent dans le quartier respectable de Hampstead, ou aux environs ; la forêt proche leur rappelait Grunewald ou le Tiergarten, à Berlin, et l'entourage agréable où ils avaient vécu. Dans les années 1930, le gouvernement britannique avait adopté une politique d'immigration strictement sélective. Il s'agissait moins de secourir les Juifs en péril que de tirer parti des compétences remarquables qui s'offraient : on tenterait d'attirer « les Juifs les plus en vue, ceux qui s'étaient distingués dans les domaines de la science et de la science appliquée, telles la médecine ou l'industrie technique, de la musique et des arts… [1] ».

1. Rapport d'une réunion de cabinet le 12 avril 1933 ; dans *German Jewish Refugees in England*, Marion Berghahn, Mac-Millan Press Ltd, 1984, p. 76.

L'opération présentait en outre l'avantage de faire bonne impression auprès de la scène internationale. Artistes et écrivains, universitaires, médecins, avocats furent accueillis d'autant plus volontiers qu'ils étaient plus connus. Des visas d'entrée temporaires furent également accordés, peu à peu transformés en permis de résidence. Jusqu'au jour où, devant l'afflux de réfugiés, ces dispositions firent l'objet de nouvelles limitations.

En 1947-1949, on nota que l'antisémitisme des Anglais avait tendance à augmenter. «Même les esprits les plus cyniques ou les plus pessimistes n'auraient pu prévoir que, durant les douze derniers mois, les Anglais allaient être saisis d'un antisémitisme aussi virulent[1].»

Comment les réfugiés réagirent-ils ? Entre autres tentatives pour lutter contre la xénophobie ambiante, le Comité de soutien aux Juifs allemands, une initiative commune des Juifs et des Anglais, publia une brochure, probablement au début de la guerre, intitulée «Pendant que vous êtes en Angleterre : un guide et des informations utiles à l'usage des réfugiés». Il ne s'agissait de rien de moins que de huit «commandements», ou règles de bonne conduite, destinés à apaiser une animosité croissante. Il était conseillé aux réfugiés de «s'abstenir de parler allemand dans les rues et les lieux publics, tels les restaurants». Parler un anglais hésitant valait mieux que parler allemand couramment. «Ne critiquez pas les dispositions prises par le gouvernement, ni la façon dont on se comporte ici. Ne commentez pas : "En Allemagne, c'est mieux." C'est peut-être parfois vrai, mais n'a aucune importance quand on pense à la liberté et à la sympathie qui nous sont maintenant accordées […] Ne vous faites pas remarquer en parlant fort, ni par vos manières ou votre tenue […] Les Anglais attachent une grande importance à la modestie, ils préfèrent l'euphé-

---

1. Rapport publié par le Trades Advisory Council en 1947, cité dans le même livre, p. 141.

misme à l'exagération et à l'outrance, ils aiment la discrétion du comportement et de la tenue. Ils attachent une valeur plus grande aux bonnes manières qu'à l'apparence de l'argent [...] Et, *surtout*, il faut que vous compreniez que la communauté juive a besoin de vous – de chacun d'entre vous – pour défendre les hautes qualités de notre communauté, pour montrer de la dignité, pour aider et servir les autres. »

Il fut bien quelques rebelles pour faire valoir qu'accueillir des réfugiés n'était pas une faveur mais un devoir naturel ; d'autres, aussi, répliquèrent que, si le pays leur avait ouvert ses portes, eux, après tout, l'avaient enrichi ; ainsi, on ne pouvait passer sous silence l'apport des érudits, des scientifiques et des artistes. N'était-on pas quittes, enfin ? Mais la grande majorité des réfugiés, dûment pénétrés de reconnaissance, contribuèrent volontiers au succès de l'opération « Thank you Britain », lancée vers le milieu des années 1960, et qui recueillit la somme énorme de 90 000 livres, destinée à la recherche (concernant de préférence « les intérêts du pays ») et gérée par la British Academy. En dépit de quelques heurts, l'intégration se faisait. Il était à peine besoin d'exhorter les réfugiés à « accomplir leur tâche de leur mieux, à prendre une part active à la vie de la communauté tout en s'identifiant à la vie générale du pays, à offrir leurs services chaque fois que l'occasion s'en présentait », tant leur désir d'appartenance était fort, tant était présent dans leur mémoire le climat de haine et de violence auquel ils avaient échappé.

Sir Hans Krebs, célèbre scientifique, lorsqu'il remit la somme à la British Academy, rendit hommage, dans son discours, à la « tolérance », à la « générosité », à l'esprit de justice et au sens humain des Anglais. En termes plus simples, une lettre publiée dans le journal *Die Zeitung* en 1941 disait la même chose : « Tout le monde ici est amical, bien que je ne parle pas bien anglais. Je tiens à affirmer, du plus profond de mon cœur, que j'ai trouvé en Angleterre un sens humain qui me fait peu à peu oublier les misères du passé[1].»

Entrée au jardin du repos

Sous la pluie battante, nous étions arrivés au cimetière. Il se déployait sur la pente large et douce de la colline jusqu'à l'immensité du ciel bas. Un champ de tombes plates en plein vent, que ne marquait nul arbre, nulle fleur, nulle statue. Seule l'austérité de la pierre grise, ou rose, ou blanche sur laquelle sont gravés des noms et des dates, parfois une phrase en caractères hébreux. De temps à autre, une indication supplémentaire : né à Berlin.

Était-ce la ressemblance de ces tombes rangées côte à côte et dont aucune ligne verticale ne brisait la surface plane, ce regroupement ordonné qui suivait la courbe de la terre, toujours est-il que se dégageait de l'ensemble une impression de cohésion, d'unité. C'est la force de ces liens humains qui dominait le cimetière livré aux éléments, non celle de la séparation et de la mort.

Le crématorium offrait une atmosphère toute différente, intime et rêveuse. ENTRÉE DES CLOÎTRES ET DU JARDIN DU REPOS, annonce la pancarte. La promesse est tenue. Par l'ouverture arrondie d'arcades de briques rouges, on a, en entrant, une vision de terre promise : irréel, un vert paradis de fleurs et d'herbes. Une rangée de chapelles basses, telle une frontière secrète, sépare du monde ce lieu tranquille. Passé ce mur épais, on a quitté le temps. On marche le long d'une terrasse couverte, une sorte de vaste déambulatoire, que bordent des

1. Cité in *German Jewish Refugees in England, op. cit.*, p. 143.

pelouses plantées de fleurs. L'ordre et la paix. Encastrée dans le mur, une mosaïque de pierres blanches rappelle la fonction de cet enclos isolé dans sa perfection et son silence – garder le souvenir de milliers de vies muettes, maintenant réduites à une inscription qui dit l'essentiel : le début et la fin, la naissance et la mort. La trame serrée des noms et des dates sur l'espace restreint des tablettes.

Quittant la foule des morts étroitement logée, on se promène dans le parc désert. Et l'on constate qu'il n'est pas une plante, une fleur ou un buisson, pas un arbre de ce jardin qui ne représente un mort, les milliers d'étiquettes fichées en terre à leur pied apportent les mêmes précisions que les pierres : un nom, deux dates, une vie. Chaque année les plantes refleurissent, jonquilles, roses ou camélias, témoignant d'une existence et de la trace continue qu'elle laisse dans les mémoires. S'impose la loi de la nature avec laquelle absence et présence, mort et renaissance sont associées. Cette association me procurait un sentiment de paix. En cet instant, dans ce jardin, elle m'a semblé comporter certain degré de réalité ou, tout au moins, offrir une vision élargie de la vie.

Une heure de gloire, d'éclat inusité, une heure où, passant devant l'œil des caméras, sortant enfin de l'état d'invisibilité, on aura été *vu* – une heure remémorée indéfiniment et autour de laquelle la vie va désormais graviter, comme s'il s'agissait là de la seule victoire possible sur l'insignifiance, la non-existence. Pendant cette heure d'intensité, on aura existé, c'est-à-dire compté, pris de l'importance, émergé de la foule anonyme et sans tête, c'est-à-dire : *été vu*. On tentera, au prix de fatigues incroyables, d'une dépense d'énergie incessante et ruineuse – il n'est qu'à regarder les galériens de l'auto- promotion –, de la renouveler, cette heure, de maintenir coûte que coûte son effet fortifiant. Il n'est de vraie vie que dans le regard des autres.

Au fond de ces efforts frénétiques, quoi ? Les grands moralistes d'antan se seraient prononcés sans hésitation.

Le besoin de vivre encore un peu dans les mémoires, de léguer à ceux qui restent un livre, une image, un bout de film qui parlera de nous – une trace, un signe qui prolongeront notre existence, donnant un sens et une justification à un passage qui, autrement, peut en paraître dépourvu.

Mais ici, dans ce jardin de la mort, appelé pudiquement « jardin du repos », le signe laissé n'est pas le même. Il n'a pas trait à la gloire, au petit écran, aux livres des records ni aux dictionnaires : c'est une pancarte fichée dans la terre, qui désigne un arbuste ou une fleur, et un mort. Une telle combinaison – mort et retour de la vie –, avec les soins dont on l'entoure, a quelque chose de réconfortant : elle représente une sorte d'inscription dans un ordre naturel, dans la chaîne du vivant. Ou, comme dans cette nouvelle de E. M. Forster où une jeune fille, en dansant, s'éloigne de notre société et de notre vie, remonte le cours des siècles et se transforme en arbre, l'idée d'une métamorphose possible, d'une transmutation en une autre forme de vie, à tout le moins d'une appartenance et d'un lien impliquant un sens. Ainsi est maintenu le rapport entre l'individu et les générations, la terre, la nature, et la loi qui les régit.

« Une prison pleine de parapluies »

Une littérature abondante traite d'un sujet controversé entre tous : l'immigration et ses effets (mots volontiers remplacés sur les couvertures de livres par une expression inoffensive, telle « les identités culturelles de la Grande-Bretagne »). Immanquablement, ces ouvrages commencent par quelques chiffres (leur précision sèche calme les esprits) : en 1991, nous apprend-on, 5,5 % de la population anglaise (c'est-à-dire trois millions de personnes) déclaraient se rattacher à un groupe ethnique, un pourcentage qu'on affine en montrant la répartition, très inégale, de ces groupes selon les régions : 25,6 % pour le Grand Londres (et 14,6 % pour l'ouest des Midlands), 1,3 % seulement pour l'Écosse, moins encore pour le Yorkshire. Bradford, Leeds, Liverpool, Manchester, Birmingham, Londres et sa banlieue, des cartes indiquent au moyen d'un savant système de cercles, de points et de croix les villes où se sont implantées les communautés musulmanes, juives et hindouistes, les unes dès le XIXe siècle ou au moment de la Seconde Guerre mondiale, les autres plus récemment, quand arrivèrent en Grande-Bretagne, encouragées à la fois par les autorités et le ministère des Transports, deux fortes vagues d'immigrants venues des Caraïbes et (dans les années 1950 et 1960) de l'Inde et du Pakistan, puis de l'Ouganda où sévissait Idi Amin Dada.

Ces précisions ont pour effet de révéler l'écart grandissant entre des villes où se rencontrent tous les horizons de la planète et une campagne demeurée semblable à une image séculaire : verdure et tradition, le charme ininterrompu de la pastorale. Depuis les années 1980, entre autres signes de changement, on se penche sur les romans « multiculturels » – ceux de Hanif Kureishi, par exemple (*Le Bouddha de banlieue*, 1990), un écrivain d'origine anglaise et pakistanaise, ou de Zadie Smith (*Sourires de loup*, 2000), anglaise et jamaïcaine, qui décrivent tous deux la scène londonienne avec une formidable énergie –, un nouveau monde se forme, aux antipodes de l'attendrissante campagne anglaise, et il fascine les imaginaires.

Londres, la ville des tentations infinies, avec le sentiment de liberté qu'elle procure et ses couleurs rouges et violettes et sa lumière qui change tout le temps. À l'opposé, si l'on en croit Kureishi, il y a la banlieue ; incrustée dans l'habitude morne, la répétition, l'usure quotidienne, elle sécrète un ennui tenace qui s'infiltre jusqu'à l'âme, effaçant l'idée même de bonheur. Dans *Le Bouddha de banlieue*, Karim, dix-sept ans, rêve d'intensité, d'excitation sexuelle et d'ascension sociale. Ses virées d'écolier, puis sa progression vers le succès, lui font franchir les différentes zones géographiques qui le séparent du centre vivant de la ville. Un itinéraire de l'immigration et de ses étapes s'esquisse. Beckenham, le point de départ de Karim, avec une maison jumelée à un étage et les sempiternelles disputes familiales (mais n'est-ce pas l'Angleterre tout entière qui est semblable à « une prison pleine de parapluies, où règne une régularité insupportable » ?). Non loin de là, le domaine de la maîtresse de son père : Chislehurst et sa bohème organisée, serres et jardins, cèdres majestueux, pelouses et tourniquets, première halte vers l'ailleurs. Puis, toujours au sud de Londres, mais plus près de la ville, le quartier chaud où habitent l'oncle Anwar et la tante Jeeta ; des groupuscules néofascistes y glissent des torchons enflammés dans les boîtes à lettres. Et Brixton, « où vivent les Noirs. Les Nègres », explique Oncle Ted à Karim, effaré par cet endroit spectaculaire, différent de tout ce qu'il a vu jusqu'à présent. Brixton et la pièce sale où vécut la tante Jeeta à son arrivée en Angleterre. Les fenêtres donnaient sur la ligne de chemin de fer.

Peut-être en se penchant voyait-elle, adossée au parapet, une statue fière et isolée. Avec le sac de voyage posé à ses côtés, ce personnage de bronze constitue une sorte de reproche muet, de commentaire sur le désarroi résigné de ces débarquements solitaires. C'est tout au moins ce qu'il me semblait, lorsque je l'apercevais, trop brièvement pour distinguer ses traits, du train qui m'emmenait le long des faubourgs de Herne Hill et de Brixton avant de s'arrêter en gare de Waterloo.

Ou bien avait-elle pour but, cette statue, de rappeler les révoltes qui, pendant un long week-end du mois d'avril 1981, mirent Brixton à feu et à sang – 143 policiers à l'hôpital, 199 personnes arrêtées –, une violence qui devait se propager de ville en ville dans les semaines suivantes comme un feu de brousse émergeant ici et là, à Finsbury Park, au nord-ouest de Londres, à Southall, à l'ouest, où les skinheads et les Asiatiques s'affrontèrent au moyen de briques et de cocktails Molotov, à Toxteth, le même jour, au centre de Liverpool où de jeunes Noirs se battirent contre la police – «Les bâtiments flambaient tandis que les émeutiers, certains encore des enfants, soumettaient la police à un tir nourri de projectiles», écrivait le *Times*… Les révoltes continuèrent des jours durant, reprirent de plus belle à Brixton, puis à Manchester, à Bristol et Leicester, à Wood Green au nord de Londres… Soir après soir, la télévision montrait à l'Angleterre atterrée des images de rues en flammes et de policiers chargeant, la matraque levée. Chômage et frustration d'un côté, brutalité de l'autre, conclut la presse, et le rapport de Lord Scarman en 1982, décrivant les rebelles: «Aliénés, frustrés, exclus et angoissés, souffrant d'un sentiment d'insécurité tant sociale que politique et économique, de discrimination et de rejet, remplis de rancœur et de colère…» À quoi lesdits jeunes gens firent répondre par leurs représentants qu'à cette description il aurait fallu ajouter «impuissants, oubliés, incompris». Leur fureur, dirent-ils, leur appel au secours n'avaient pas été entendus.

Quelque vingt ans plus tard, l'Eurostar glissait sans secousse vers Londres et ses plaisirs. Son passage rapide n'accordait au regard qu'un instant fugitif pour se poser sur Brixton. Maisons victoriennes de briques noircies serrées contre la voie, qui se succèdent et s'effacent, vite oubliées. Un décor de banlieue que l'on traverse, assis dans l'indifférence. Une impression de décrépitude. Et l'étrange statue solitaire.

Un samedi matin l'envie me vint de la voir de plus près. La ligne de métro Victoria a Brixton pour terminus. On émerge en plein marché de rue, sur Electric Avenue la bien nommée.

Les perruques à Brixton

Des multiples richesses qu'offre le Brixton Foods aux vitres cassées, on ne voit tout d'abord que des rangées serrées de poulets blancs suspendus par le cou : les dépouilles d'une armée vaincue alignées en bon ordre, spectacle triomphal dont on est aussitôt diverti par le World Cosmetics, avec les couleurs brillantes de ses centaines de pots, onguents et mixtures en tout genre qui jouxtent l'étalage funèbre. À côté de cette boutique séduisante, un supermarché chinois, le Wing Tai, expose des montagnes d'immenses poissons rose pâle, bêtes faramineuses qui sont pourtant débitées, tranchées, découpées, emballées sans façon et tendues aux clients sous forme d'humbles morceaux par un vendeur aux sept bras dont l'audace et la dextérité vous laissent pantois. Puis on pénètre dans le marché couvert. Galeries, labyrinthe, tentacules poussés à partir du corps central et qui s'étendent de tous côtés, un monde caché dans lequel on s'égare, lancé à la poursuite de merveilles toujours neuves, parmi les odeurs de poisson et d'encens, aux sons d'une musique rock, également répandue, semble-t-il, par les artères et les ruelles de la ville.

Un magasin, visiblement dédié à la spiritualité, fait preuve d'un bel éclectisme, combinant habilement religion, commerce et tolérance dans le désir bien compréhensible d'attirer le client et de le satisfaire quelles que soient ses croyances, chrétien, bouddhiste ou hindouiste, sans compter le new age. Parmi les figurines de Vishnu et de Shiva, les flacons d'eau bénite, les bâtonnets d'encens, les parfums et épices, une immense statue du cœur sacré de Jésus, dans la meilleure veine saint-sulpicienne, domine le décor : tête inclinée, grands yeux languides, le doigt pointé vers la poitrine et les flammèches qui brûlent. En devanture, entre autres bibelots, une Vierge de Fatima en cire jaune, une Mater dolorosa, un Enfant Jésus rose et replet, tendre et larmoyant : le « Divino Niño Jesus » qui ne déparerait pas un tableau de Greuze. Non loin de là, le Salaga Food Africa propose une nourriture plus substantielle de coquillages et de poissons séchés – carcasses brunâtres et racornies aux formes étranges, qui évoquent des restes préhistoriques.

Ce qui frappe, pourtant, au sein de cette diversité, c'est le nombre de magasins de perruques. Des dizaines de scalps ornent les vitrines sales. Du noir au blond, en épis raides ou bouclettes serrées, ils pendent en files indiennes, offerts à l'envie de la population féminine locale, assortis de photos illustrant les divers stades d'une repousse capillaire. La perruque ne se cache pas : elle s'exhibe. Qu'elle soit lisse et simple, à l'européenne, ou frisée à l'afro, empilée de façon verticale, comme une tour fortifiée, ou sculptée en longues mèches torsadées, hérissée autour de la tête en piques, en pointes, ou ramassée par-derrière en de lourdes coques, la coiffure a une place prédominante. Brune le plus souvent, blonde parfois, haute et gonflée, crêpelée, étagée en vagues, en boucles telles les perruques du XVIIIe, nattée, tressée, augmentée de dreadlocks, elle n'hésite pas à dominer les visages et les corps de son volume, assimilant celle qui la porte à la figure militante d'Angela Davis, à moins qu'elle ne la transforme en une charmante marquise européenne, semblable à celles dont le portrait raide et enrubanné orne les murs des grandes demeures. Signe ou refus d'intégration, symbole d'une race, d'une couleur acceptée, revendiquée ou rejetée, quels tourments traduit la perruque, quelles espérances ou défaites, quelles rébellions et quels désirs, ou bien quels jeux et simulacres racontent ses volutes compliquées ? Où appartenir ? Et à quoi ? Ces échafaudages fièrement arborés au long des rues me semblaient constituer un langage riche et contradictoire dont je ne percevais que le rudiment.

Sans hâte, au hasard de mes découvertes, je me dirigeais vers la gare. Alternant avec l'espace multicolore des marchés, de longues rues basses et vides où pénétrait largement le ciel gris. Des maisons victoriennes de briques rouges les bordent, décrépites, abandonnées, à demi démolies, vitres cassées et portes closes, leurs jardinets jonchés de détritus, de verre brisé et de vieilles canettes. Puis de grands entrepôts au premier étage vacant et noir, dont le rez-de-chaussée en arcades est occupé par des échoppes remplies à ras bords des denrées les plus variées. Coiffeurs et perruquiers, encore, et soin des ongles : des manucures asiatiques, maîtres du polissage et de la couleur, s'affairent autour des clientes immobiles.

Entre les pylônes métalliques peints d'ocre jaune et de bleu, un étroit escalier en fer s'élève en tourbillonnant jusqu'à la plateforme où filent les rails. J'aperçois sur ma gauche un clocheton gothique, rappel de lointaines rêveries et d'une splendeur passée, dont le fier « 1880 » disparaît presque sous les tags zigzagants. À cette heure, le quai est désert. Deux statues se font face de chaque côté des voies. J'avais vu l'une d'elles en passant. C'est un Africain, il est debout, les bras croisés, et il attend, campé là, semble-t-il, pour l'éternité – morose, dur et stoïque, résolu, sans illusion. Il vient d'arriver à Brixton et personne ne l'accueille, ou peut-être veut-il déjà reprendre la route ? La voie s'étend devant lui, menant vers l'ailleurs, mais il n'en a pas conscience, il regarde en lui-même, fort de ne rien espérer. De l'autre côté, aussi agitée qu'il est calme, une femme déhanchée, un peu hagarde, cheveux au vent et jupe flottante, s'apprête à partir, le sac à la main – ou peut-être vient-elle d'arriver ? Mais elle est seule, elle ne voit s'avancer personne.

Les boutiques en contrebas affichent, pour certaines d'entre elles, une modeste prospérité et racontent une autre histoire, heureusement moins triste. Plusieurs frères, par exemple, Pakistanais, Bengalis – des communautés réputées industrieuses –, arrivent à Londres. Ils prennent deux emplois chacun, de jour, de nuit, puis acquièrent un magasin, dont l'un devient directeur, aidé de sa femme qui tient la caisse, et ainsi de suite jusqu'au moment où une chaîne est mise en place et la famille casée, passée tout entière au statut de propriétaire. « L'argent coule à flots », conclut Hanif Kureishi, décrivant un phénomène qui se répète.

La nuit venue, une vie différente et une autre population s'emparent de Brixton, des groupes de jeunes viennent de Londres et des environs pour écouter les concerts de musique techno. Le dimanche, tout est calme et vide à nouveau.

Menus incidents d'un trajet ordinaire

En bus, de Knightsbridge à Willesden Green. Jusqu'à Kensington Church Street, les quelques voyageurs, rompus par la fatigue des courses du samedi, tassés sur leur siège avec leurs dizaines de paquets, avaient observé une réserve indifférente. Peu après Notting Hill Gate, cependant, l'ambiance avait changé. L'horizon s'ouvrait, la planète tournait, nous n'étions plus en Angleterre, mais à Londres où se croisent toutes les races. Un flot de nouveaux arrivants prenait le bus d'assaut. Ils montaient à l'avant, j'avais donc le loisir de les regarder. Et après tout, si l'on ne choisit pas de s'enfouir dans son journal, observer et écouter ses voisins restent l'une des distractions principales du voyage en bus. En tête, une Orientale aux traits lourds, aussi large que haute, roulait placidement poussette et bébé. Après une manœuvre habile, elle disposa le tout devant la porte centrale, en travers de l'allée, en prévision de sa sortie. Un calcul raisonnable qui ne fit pourtant pas l'affaire des gens massés derrière elle, d'autant que l'espace à côté était occupé par une femme obèse. Un problème ne tarda pas à se poser, que les passagers eurent tendance à traiter de façons différentes. Vociférations et plaisanteries se croisèrent, les disputes allaient bon train. La question ne concernait pas la vieille femme égarée, montée à la station précédente, qui demeurait accrochée à son support, naufragée au long cours dont les yeux perdus et la queue-de-cheval en broussaille disaient d'étranges voyages. Ni l'Indien dont elle dominait la petite silhouette et qui recevait en plein nez le fumet de renard dégagé par son imperméable élimé. Celui-là restait impassible ; je voyais, sous son bonnet de laine pointu, un visage patiné comme bois, des traits nobles et fins et ce regard absent qu'ont les gens venus de très loin quand ils sont restés en chemin. Ni la dame habillée tout en noir, les oreilles ornées de piercings et la chevelure de dreadlocks dont elle époussetait énergiquement la figure de ses voisins chaque fois qu'il lui prenait fantaisie de tourner la tête : elle aussi vivait dans un monde de sa composition. Ni la famille musulmane constituée d'une matrone enveloppée jusqu'aux yeux de voiles noirs, d'une femme plus jeune, le visage nu celle-là, et d'un homme maigre qui les dominait toutes deux dans un silence farouche.

La discussion se termina par une franche rigolade, l'Orientale au bébé s'écarta et le type qui, écouteurs sur les oreilles, s'adressait dans une langue indiscernable, par moi tout au moins, à la vitre embuée de pluie put poursuivre son monologue dans une paix relative.

Je continue de regarder mes compagnons. Devant moi, un aimable gamin, qui s'ennuie sans doute, tape à coups de ballon répétés sur le crâne de sa mère et, pour ne pas faire de jaloux, sur celui du bonhomme qui s'est assis à côté d'elle. Les trois font connaissance. Cependant le bus s'est de nouveau rempli. «*No standing upstairs*», troisième appel, la voix du chauffeur est tout à fait audible, malgré les grésillements dans le haut-parleur. Finalement, quatre teenagers ricanants descendent, un peu gênés tout de même, mais pas mécontents des regards posés sur eux. Il faut dire que le coup d'œil en vaut la peine, non pour les nombrils à l'air, une chose banale même par temps froid, mais pour les dizaines de lourds anneaux disposés avec art le long d'une oreille martyrisée et qui bougent dans un tintement de clochettes au moindre mouvement. Du plus bel effet. L'une a les côtés et l'arrière de la tête rasés, seuls les cheveux du sommet ont poussé et ce panache est zébré de jaune et d'orange. Une autre s'est peint les lèvres en bandes alternées de bleu et de violet. Elle a les mains couvertes de tatouages, une colonne de bagues à chaque doigt et aux ongles un vernis de couleur verte où sont peintes des têtes de mort. Au moment où, approchant de la porte, elle me tourne le dos, j'aperçois dans son jean un trou de la taille d'un biscuit par lequel passe un petit renflement de chair blanche.

Le bus traverse un canal, puis une voie ferrée, longe des entrepôts, des terrains vagues, passe Kilburn Lane et des rangées de petites boutiques sales. Des bandes de jeunes, jeans larges et coiffures hérissées en crête de coq, errent sous la pluie, à la dérive. Le casque guerrier pourrait les faire ressembler à des centurions romains, mais non l'allure, plus rôdeuse que martiale. L'habit était-il de leur composition, inspiré par l'une ou plusieurs de ces modes qui se sont succédé sur la scène anglaise, en ce cas un signe d'appartenance ? Je me rappelais quelques lectures récentes, des phrases qui m'avaient frappée. Ces livres retraçaient un rêve, violent parfois, Sex Pistols et punk rock, dont je retrouvais les traces le long de mon trajet en bus.

« N'oubliez jamais qu'en Angleterre les vêtements sont ce qui vous fait battre le cœur, disait un pape de la mode (Viviane Westwood peut-être), il y a un effort constant pour sortir de la structure de classe indiquée par le complet deux pièces. » S'habiller, un geste politique, une façon d'affirmer son opposition à la société en place. Ce que confirmait la phrase suivante : « Après tout, c'est là le pop, le seul lieu de la société anglaise où vous pouvez vous réinventer vous-même, où arborer une veste nouvelle apparaît comme un acte politique [1]. » La mode, la musique, le politique (au sens large du mot, puisque les jeunes se fichent pas mal des partis organisés) : le tout formait une synthèse explosive, un langage de protestation, celui de la révolte qui commença à souffler avec vigueur dans les années 1950. Le paysage littéraire lui-même – et pas seulement la musique qui rassemblait les jeunes – en fut un peu ébouriffé. Issue de la province et du monde ouvrier, une bande de jeunes hommes s'était mise à donner de la voix ; on les appela d'ailleurs (d'après le titre d'une pièce de John Osborne, *Look Back in Anger*, 1957) les « jeunes hommes en colère » ; plus tard, lors de mes années d'université, je les avais lus. Dans *Samedi soir, dimanche matin* (1958), d'Alan Sillitoe, un jeune de la classe ouvrière, Arthur Seaton, use son énergie à

1. Cette citation et la suivante sont tirées de Jon Savage : *England's Dreaming. Sex Pistols and Punk Rock*, Weidenfeld and Nicolson, 1971.

batailler contre les pouvoirs en place, en vain bien sûr ; on ne gagne pas contre le monde, c'est le monde qui gagne contre vous, toujours, telle était la leçon. L'une des phrases finales : « Il y aura de la bagarre, tous les jours il faudra se battre, jusqu'à ce que je meure. »

L'Angleterre n'était ni libre ni tolérante ; elle était répressive, accablante.

J'avais également vu nombre de films sur la vie dans la banlieue ou en province, il en sortait de bons, très convaincants. Ils vous donnaient à vivre cet accablement. La pluie, le moutonnement des toits à l'infini, les mêmes rangées de petites maisons interrompues parfois par un terrain vague, l'absence d'horizon, la pauvreté, le pub du samedi soir, les cuites et les bagarres.

Vingt ans plus tard, le 2 décembre 1975 : la note d'un historien du pop dans son journal intime ; elle me semblait assez bien résumer la situation. « La banlieue de Londres : stérilité – cynisme – l'ennui prêt à se changer en violence… Enculez Londres pour sa morosité, les Anglais pour leur pusillanimité et le climat de l'île parce qu'il est froid et sinistre. »

À travers les décennies, sur le même fond de grisaille et d'ennui, une suite de tentatives pour changer le monde, ou tout au moins le secouer, le désarticuler, le mettre à mal. On voyait dans la rue les répercussions colorées de cet effort – vêtements, coiffures, graffitis –, le plus souvent peu comprises. Les hippies en leur temps avaient bien essayé, mais leurs prétentions n'étaient que fumée, poudre aux yeux, comme ces vitrines d'Oxford Street destinées à la consommation, montées en un jour, démolies le lendemain. Quant au rock, ce n'était plus qu'une « imitation pompeuse et bourgeoise » de l'anarchie qui avait caractérisé le rock'n roll des années 1950, lorsque les jeunes, suivant leurs rêves, tournaient le dos à la guerre et à ses souvenirs, rejetaient l'idée de sacrifice, baisaient et consommaient autant qu'ils voulaient, se perdaient, dérivaient, s'enfonçaient, jouissaient, explosaient – cela sitôt qu'ils en avaient envie, sans plus de contrainte ni de limite, dans un désir d'intensité que traduisait le rock'n roll et qui était un refus catégorique opposé à une vie d'économies, de petits calculs, de routine grise et sage.

Maintenant l'industrie du rock contrôlait tout. La marchandise avait gagné. «Inventée par les classes moyennes» (selon Malcolm McLaren, le manager des Sex Pistols, dans «Intentions for a Film», 1971), la marchandise définissait «nos ambitions, nos aspirations, la qualité de notre vie. Ses effets: la frustration – la solitude – l'ennui».

Contre la société de consommation et ses récupérations en chaîne, que pouvait-on inventer de neuf? La solution n'était pas d'en revenir aux apparences, de copier la musique et les accoutrements des années 1950, ces déguisements qui ne recouvraient plus que du vide, mais de se tourner vers ceux qui dans leur vie incarnaient la révolte, la subversion. Là était le vrai. Le problème est que ce «vrai» allait constituer un remède un peu fort, même pour ceux qui voulaient à tout prix guérir de la monotonie et du conformisme ambiants. Dans les années 1970 émergèrent les «contre-cultures» de la classe ouvrière. Violents, drogués, le crâne rasé, bizarrement vêtus, des jeunes errent dans un no man's land urbain, prêts à s'abattre sur la première victime venue. Littérature et cinéma se relayaient pour dépeindre le cauchemar. *Orange mécanique*, le livre prophétique d'Anthony Burgess publié en 1962, annonçait un monde auquel on ne voulait pas encore croire; en 1971, Stanley Kubrick en tira un film. Cette fois la société prit peur. On était loin des modes de Carnaby Street et des concerts publics, quand des milliers de jeunes se réunissaient pour écouter Pink Floyd, rêveurs et extatiques, allongés sur les molles pelouses de Hyde Park… Nombre d'entre eux étaient costumés, vampires ou fantômes, au gré de leurs désirs. Un personnage fluet, en haut-de-forme noir et cape de velours rouge, en s'éloignant sur l'étendue, semblait ouvrir les ailes et s'envoler vers un ciel hypothétique. Non, ceux qui allaient débouler sur la scène ne ressemblaient en rien à ce petit homme poétique, drogué, rêveur.

Les punks, première génération. Punk, une injure, à l'origine : voyou. « Cela signifiait que tu étais le dernier des derniers. Nous tous, les laissés-pour-compte, les merdeux, on s'est rassemblés et on a créé un mouvement. Toute notre vie, on nous avait dit qu'on était des bons à rien. Nous étions ceux qui étaient tombés à travers les mailles du système d'éducation[1]. »

Leur musique, une suite de sons discordants. DESTROY, ANARCHY, les slogans sur fond de crise. Taux de chômage record, tensions raciales, en 1981 émeutes à Brixton, Toxteth et autres lieux ; l'État providence battait de l'aile, la guerre d'Irlande continuait de plus belle, on entendait les grondements du nationalisme celte et écossais… Mais les punks ne furent qu'un épisode transitoire, une explosion marginale et de brève durée, condamnée à s'épuiser d'elle-même. Ils se survécurent encore un peu tandis que Mrs Thatcher au pouvoir prônait le retour aux valeurs « victoriennes ». Entre le jubilé (1977) et le mariage royal (1981), la royauté offrait des spectacles propres à rappeler aux mémoires l'Angleterre de toujours…

Les jeunes que croisait notre bus, réfugiés de l'ennui, avec leurs cheveux hérissés comme des buissons et teints de couleurs violentes étaient-ils les héritiers de ceux-là : ceux qui se réclamaient du nihilisme, prati-

---

1. John Holmstrom, 1975, cité par Jon Savage, *England's Dreaming*, *op. cit.*

quaient l'injure et l'outrage et cultivaient l'envie de mourir ? Au fond, les punks et leurs émules proposaient en une sorte de parodie macabre l'inverse exact de l'« anglicité » rêvée : l'excès, le rejet du bon sens et du juste milieu, l'insulte et la violence au lieu des bonnes manières et du contrôle de soi, chaque attitude à l'opposé des codes en vigueur. Dans leur musique, dans leurs paroles, une négativité, une noirceur si extrêmes que leur effet s'annulait et qu'elles en devenaient productrices d'énergie (tandis qu'une dose moyenne de ces ingrédients aurait abouti à la destruction pure et simple). Pendant un temps, qui devait se renouveler, le chaos s'infiltra au cœur de l'ennui (« *Actually we're not into music / Wot then ? / W're into chaos* », Sex Pistol).

Je remuais mes souvenirs depuis un bon moment. En songeant à cette succession de tribus qui se partagèrent Londres et, pendant des mois ou des années, dominèrent la scène puis s'en furent pour renaître sous une forme nouvelle, voici que j'étais arrivée, ou presque, à destination, au terminus de la ligne.

Le ciel s'élargit soudain, à présent nous sommes dans un quartier résidentiel, calmes villas et jardinets. Peu après le bus atteint Willesden Green. C'est un village. Unisex Hair Saloon, United Halal Meat Ltd, Yehuda Hairstylist His and Hers, Goldsmith's Jeweller, Rickshaw Tandoori, Caribbean English Cuisine, Islamic Advanced Studies... Un mélange qui évoque *Sourires de loup*, le roman de Zadie Smith, situé il est vrai à Willesden Green où elle habite encore – un livre optimiste où les diverses communautés se mêlent et communiquent dans l'harmonie. De quoi justifier les plus beaux rêves d'entente entre peuples. Ici, toutes les nations vivent ensemble. « Un endroit dangereux », m'avait-on dit il y a quelque temps, avant l'affirmation contraire : « Le dosage idéal, Willesden, un exemple de réussite.» Le dernier quartier chaud, celui où l'extrême pauvreté et la drogue mettent en péril le passant, c'était Peckham Rye, mais la géographie des dangers urbains allait encore changer...

Parvenu au terminus du bus, un garage, le chauffeur antillais est rejoint par une bande de copains. Ils sont de belle humeur. Retrouvailles bruyantes, claques dans le dos, démonstrations d'amitié, rires et plaisanteries. De la vitalité à en revendre. Puis ils remarquent la passagère restée seule sur son siège comme un colis abandonné. «*Lost your way?*» me demande-t-on gentiment. Mise en veine de partage par leur gaieté chaleureuse, j'explique que je suis étrangère et que je veux visiter Willesden Green, même sous la pluie battante, même sans descendre du bus, parce qu'à Willesden Green habite un écrivain que je connais. Une seconde de silence interloqué, puis leur rire reprend de plus belle. Ils n'en peuvent plus. Qu'ils transportent tous les jours dans leur bus un certain nombre d'azimutés, ils le savaient déjà, mais tout de même...

Le bus retourne maintenant vers le centre de Londres. La pluie continue de tomber. Willesden Green, Crickle-wood, les noms défilent. À l'avant, j'entends encore, par bouffées irrépressibles, le rire du chauffeur.

Files d'attente

Le vendredi soir, à Londres, Manchester ou New-castle, on voit devant de mystérieuses vitrines noires s'allonger d'interminables files d'attente. Ces vitrines sont celles de clubs, de pubs ou de bars à vin, la foule est constituée de jeunes, uniquement. Ce soir-là ils se lancent à l'assaut de la ville, selon un rituel installé, qui n'a rien à voir avec la passion des Anglais pour faire la queue. Qu'il pleuve, qu'il vente ou qu'il neige, ils n'ont ni veste ni manteau (des accessoires trop chers et qui, de plus, seront accrochés l'instant d'après dans l'anonymat d'un vestiaire). Robes du soir à fines bretelles et décolletés vertigineux, tuniques transparentes ou jupes au ras des fesses pour les filles. Pantalons classiques et chemises blanches pour les garçons. De temps à autre, un portier vient repérer les plus chics et les mettre au premier rang, tandis que les néophytes, qui ont commis des bévues impardonnables (mettre des socquettes blanches, par exemple), se verront refuser l'entrée sans pitié. C'est que, loin d'être un moment creux dans la soirée, cette attente en est peut-être le sommet ; le trottoir est une sorte de scène où parader, s'exposer, se retrouver, éclipser le rival, affirmer son identité. Souvent on observe que les filles sont entre elles, de même que les garçons sont venus en bande, et l'élaboration de ces tenues, provocantes à faire pâlir d'envie une star du porno, vise moins à séduire qu'à *se* séduire, semble-t-il – à se transformer soi-même en l'idole de ses rêves. Les filles sont immobiles, insensibles au froid, l'œil brillant perdu au loin, habitées par le sentiment de leur splendeur. Le meilleur juge de cette fantasmagorie d'un soir est bien sûr l'autre femme, dont on cherche l'approbation et auprès de qui on mesure le degré de réussite. Puis les jeunes finiront la soirée dans une autre file, devant un étalage de chips ou de kebab, ou, tard dans la nuit, en attendant un taxi.

Le sexe est affiché et revendiqué, mais dans la file, les jeunes pensent visiblement à autre chose, il suffit de regarder leur visage. Il figurait en première place dans la trinité qui définissait la génération d'après-guerre. «*Sex and drugs and rock'n roll.*» «Le sexe, a dit le poète Philip Larkin, a commencé en 1963… » Les jeunes n'avaient pas attendu cette date, tant mieux pour eux, leur libération aurait eu la vie brève. Aujourd'hui, à l'âge du sida, des campagnes de publicité bien intentionnées se sont efforcées de suggérer des alternatives imaginatives autant qu'audacieuses à l'acte un peu simplet – et de plus, devenu dangereux – que pratiquaient leurs parents. Exploration de voies détournées, pour ceux tout au moins qui lisent les magazines du jour dont les slogans – « être sucé est un must » – ont tout au moins le mérite d'être précis, même si l'emploi du mot juste a choqué plus d'un M. P. conservateur. Quant à la drogue, autre moyen de la révolte ou de l'évasion, on eut au fil des années toute une suite de propositions : amphétamines avec les mods (*speed*), cannabis (*dope, pot, blow…*) et LSD (*acid*) avec les hippies, puis, dans les années 1980, des drogues plus lourdes : l'héroïne (notamment parmi les jeunes de banlieue). Vint l'époque du crack et de ses ravages, enfin, au bout de la décennie, la dernière trouvaille : l'ecstasy, consommée dans les clubs et les rave parties, sujet de scandale à la télévision, malgré le petit nombre de victimes. L'amateur d'actualité, le lecteur attentif aux gros titres des journaux, ne pouvait ignorer aucun de ces termes, ni l'ex-étudiant qui avait lui aussi tâté à quelques-unes de ces substances.

Sa nostalgie d'une folle jeunesse mise de côté pour l'heure, il a compris que de nos jours « rock » ne rime plus avec « liberté », mais avec « *the dole* », un mot d'argot qui signifie chômage – celui qui atteint les jeunes comme les plus vieux, les confondant dans une même incapacité à trouver du travail. Une pauvreté abjecte, la drogue et la solitude – le lot de toute une « underclass ». En complément, la violence et la criminalité qui montent, stigmatisant certains quartiers à la périphérie des villes. « Des enfants tueurs », chapeaux des articles qui frappent jour après jour une Angleterre effarée.

Files d'attente. Celles du samedi soir. Ou celles qui sont posées le long des trottoirs – des jeunes également, assis ou couchés par terre, en général enveloppés dans une vieille couverture, parfois en compagnie d'un chien. Ils se mettent face à face de chaque côté de la rue (rien ne sert de traverser pour ne pas les voir) ou sous un distributeur automatique auprès d'une banque, ou à la sortie d'un supermarché de luxe. Je les ai vus au centre de Londres, à Soho ou South Kensington, aussi bien qu'à Manchester et à Leeds, à Cambridge et Oxford surtout, ces creusets de l'élite. Ils sont sans logis, sans travail, sans argent. Ils se contentent d'attendre. Mais parfois, le long des rues désertes de province, ils viennent vers vous et demandent une pièce. Qu'est-ce qui les a conduits là ? La plupart du temps des difficultés familiales, ou l'absence de famille constituée, ou le poids de contraintes qu'ils refusent, ou bien encore des problèmes psychologiques insolubles. État d'épuisement et de rupture qui semble un point de non-retour. Mais parfois c'est aussi un choix : la rue comme mode de vie. Le refus d'une société considérée comme ennemie et criminelle. Plus de lutte. Ni avenir ni passé. Au présent : l'inertie, une lente désagrégation. Il ne s'agit plus de se révolter, mais de se marginaliser, de vivre au plus loin.

Si loin que la société les a perdus de vue. «Le mystère du million de jeunes manquants», titre de quelques quotidiens connus au début de l'année 2004. Ou : «Plus d'un million de jeunes entre seize et vingt-quatre ans ne travaillent pas, n'étudient pas, ne préparent pas de métier – ne sont pas même enregistrés sur les listes des chômeurs ou des demandeurs d'emploi.» On ne sait pas vraiment qui ils sont. «C'est la troisième nation», celle des laissés-pour-compte, des jeunes en âge de travailler qui ne gagnent pas assez pour survivre et ne veulent, ou ne peuvent, obtenir d'aide sociale. Pour certains, on a trouvé une catégorie officielle : drogués. «Leur nombre augmente de 10 000 personnes par an depuis 1997.»

«À ceux-là, on peut ajouter tous ceux qui s'adonnent à une activité criminelle et sont tout simplement sortis des rangs de la société.» Disparus, sans laisser de trace ni d'adresse. Dettes, drogue, chômage. Et ceux dont la vie est déréglée, trop chaotique pour entrer dans les registres ou statistiques, insaisissable, effacée.

Faut-il placer dans le «million manquant» ces rebelles que sont les travellers du new age, nomades au long cours qui vivent et circulent en d'interminables files, dans de vieux camions brinquebalants où ils ont entassé leurs biens, leurs instruments techno et leur chien fidèle? Ils mêlent la modernité la plus extrême aux mythes anciens de la vieille Angleterre et, au nom d'une vision mystique du royaume, luttent contre l'invasion lourde des machines qui violent et tuent la terre sacrée, en traçant, par exemple, une voie de dégagement non loin de Winchester, dans un lieu réservé où planent encore les ombres des chevaliers d'Arthur. «Underclass», «million manquant», «troisième nation», nomades et travellers: visiblement, on a du mal à les définir, ceux qui révèlent à la société sa part d'échec.

Une autre file d'attente, longue, très longue. À l'opposé des deux précédentes par l'esprit qui l'anime. Un contraste qui éclaire, s'il en était besoin, la division du pays.

Une partie du peuple, conservatrice par choix et par goût, par une allégeance vieille de plusieurs générations, vénère des traditions et des souvenirs qu'on ne cesse de dire moribonds et qui pourtant perdurent. Au mois d'avril de l'année 2002, une file de gens s'étirait sur 6 kilomètres le long du quai de la Tamise en direction de l'abbaye de Westminster. Ils étaient venus rendre un dernier hommage à la reine mère. Un million de personnes saluèrent le cercueil qu'on promena sur 40 kilomètres à travers la ville selon un rituel réglé jusqu'au moindre détail et qui tenait à la fois de la fête intimiste et de la mise en scène pharaonique. Un «élan mystique», dit-on, avait soulevé la nation qui renouait avec la monarchie telle que l'ère victorienne l'avait définie. Pour saluer « la reine de cent ans », il y avait aussi des jeunes. Ceux-là avouaient leur fierté d'assister à un événement historique, un privilège en regard duquel une nuit d'attente n'était pas trop cher payer. L'institution, vieille comme la nuit des temps, incarnait la grandeur perdue du pays. Les fastes, la pompe, la magnificence… Le deuil ranimait la nostalgie, unifiait le royaume, restaurait les valeurs anciennes, rendant à chacun le sentiment de la gloire commune et de son importance individuelle. « Elle était ce qui reliait notre passé historique à l'époque moderne. » Ce passé glorieux, qui pour certains pèse si lourd et qu'ils ne savent trop comment traiter.

Deux mois plus tard, lors du jubilé de la reine, une vision remontée d'une époque romantique enveloppait à nouveau la foule de sentimentalité. Les organisateurs des réjouissances connaissaient leur affaire et ils avaient veillé à relier la grandeur de cette époque aux séductions du présent, les images douces et chancelantes sorties d'un livre ancien – l'antique carrosse doré qui tressautait lentement vers la cathédrale Saint-Paul – aux musiques fortes de la vie contemporaine : le tapage d'un concert pop dans les jardins de Buckingham Palace. Derrière la reine, droite et frêle, immobile dans son écrin d'or, un carnaval bruyant et coloré progressait le long du Mall ; les motards des Hell's Angels s'y mêlaient aux danseurs noirs du festival de Notting Hill. Un mélange contrasté, inusité, où se rejoignaient les siècles, et qui ne pouvait manquer de provoquer la fascination : cette « magie », ce « charme mystérieux » dont on dit qu'ils sont une composante essentielle de l'attachement du peuple à la royauté.

Malgré le spectacle, libéralement commenté, de ses divisions internes, esclandres et divorces, la monarchie, avec son parfum de passé, sa raideur ancestrale et la dignité imperturbable de ses reines, reste un symbole de permanence. Rien n'y fait, ni les secousses du temps, ni celles d'un monde bouleversé, le besoin de rêve et de nostalgie a la vie dure, aussi dure que la détresse qui le nourrit, et les *royals* entretiennent cet élan jusqu'à la folie.

Des foules en pleurs, toutes races et couleurs confondues, se pressaient jour après jour dans les jardins de Kensington pour déposer gerbes, photos ou icônes en hommage à Diana, la princesse défunte. Cartes et portraits accrochés sur les grilles au long des rues et sur les arbres dans les parcs, et des messages griffonnés d'une main tremblante : « Diana, nous t'aimons » ou « Le ciel a un ange de plus » et autres expressions d'amour fou. Un ange manipulateur qui avait mené une vie de plaisirs – celle de la jet-set – et se trouvait soudain, par l'effet du deuil, changé en victime : une exclue parmi les exclus ; le peuple versait sur la pauvre princesse toutes les larmes qu'il répandait déjà à la mort de la petite Nell, l'héroïne de Dickens. « Sentimentalité de bas étage », ont commenté les fâcheux, des gens sans nul doute dénués de compassion, tandis que le Premier ministre, lui, se félicitait et se disait fier d'un tel déploiement d'émotion.

Soucieux d'expliquer cette frénésie avec davantage de justesse, certains remontèrent à des sources lointaines et se plurent à discerner une réaction plus proche de la religion que de la politique. Il s'agissait à n'en pas douter d'une relation quasi mystique à la personne de la princesse qui, tels les monarques d'antan, avait touché le corps des malades et des mourants, des délaissés, misérables entre tous, ceux dont on se détournait par crainte du malheur et de la contagion. Selon une longue tradition, qui remonterait au Christ, les rois les avaient touchés, ces malheureux, tout simplement touchés, et parfois, cet attouchement avait eu le pouvoir de les guérir, dans le cas des écrouelles, notamment, appelées «le mal du roi». C'est avec cette longue tradition que Diana avait su renouer, établissant un lien très direct et très simple avec le malheur. Et, pour elle, la foule avait retrouvé un réflexe aussi vieux que l'humanité.

Et puis le deuil public, cette cérémonie consacrée aux larmes, où chacun venait se vider le cœur de toutes ses douleurs, venait pleurer indéfiniment, avec volupté, sans honte ni réserve, sur son propre malheur confondu avec celui, infini, de l'humanité, ne correspondrait-il pas à une sorte d'exorcisme collectif : à l'une de ces fêtes organisées selon des rituels précis dans l'Antiquité et qui avaient pour but de maintenir le bon équilibre mental de la population ?

Aujourd'hui, nous allions voir le monument commémoratif que lui a consacré le père de son amant, Dodi Al-Fayed. Il est situé au beau milieu du grand magasin de luxe, Harrods, que possède la famille Al-Fayed. La dévotion populaire tirée vers une attraction kitsch.

Passé le rayon des ours en peluche – à moins qu'on ne soit arrivé par le côté opposé, celui des parfums –, un escalator s'enfonce dans les profondeurs d'une tombe égyptienne. Dans la demi-obscurité veille un sphinx accroupi, colossal, porteur de deux lourds candélabres. Le tombeau est orné, suivant le mode antique, d'une frise représentant des scènes de chasse. Des colonnes monumentales. Des têtes de sphinx en ronde-bosse chapeautées de lumière douce, qui rappellent vaguement les traits de Mr Al-Fayed père et, de partout, suivent de l'œil le visiteur impressionné. Pas de doute, l'ombre des grands pharaons est présente. Une musique de Vivaldi adoucit ce décor et les cœurs.

Mais voilà que, au centre de cet espace sépulcral, les photos de Diana et de Dodi soudain nous font face. Sous les ailes d'un oiseau doré, tous deux sourient, amoureux pour l'éternité, dans leurs cadres romantiques entrelacés. Ils surplombent une fontaine garnie de fleurs et de lierre où crachotent deux faibles jets d'eau. Au milieu de la construction, une petite pyramide en plexiglas contient le dernier verre bu par le couple à l'hôtel Ritz avant leur départ et la bague achetée par Dodi pour Diana.

Après, que s'est-il passé ? Banal accident dû à l'ivresse ou meurtre conçu de façon machiavélique ? Une nouvelle énigme historique est née.

La foule défile, mi-goguenarde mi-émue, ne sachant plus très bien dans quelle histoire on lui demande d'entrer, conte de fées ou roman policier ?

Le touriste sentimental

Le touriste sentimental, forcément un peu nostalgique, est l'une des cibles favorites des nouveaux justes, tenants du politiquement correct, armés de bonnes intentions jusqu'aux dents et prêts à matraquer tout ce qui sort du rang vertueux organisé par leurs bons soins. C'est que le touriste aime à se référer à ses souvenirs, à s'attendrir et à rêver, à retrouver l'Angleterre de jadis, celle de ses lectures et de son enfance, quand le simple mot « Angleterre » éveillait en lui l'image de parcs aux longues pelouses et aux arbres majestueux, de villages anciens, intimes et mystérieux comme ceux d'un conte de fées, de chaumières croulant sous le lierre – ces vignettes que le pays produit encore à tout bout de champ avec une étonnante persévérance. Bref, il se complaît dans ces représentations dont la valeur est reconnue et la permanence assurée, tout au moins s'il en croit le témoignage de ses yeux. En somme, il s'adonne sans arrière-pensées à son plaisir, comme on le fait lorsqu'on revoit après des mois d'absence une vieille connaissance très aimée.

102

Il ne sait pas encore à quel point ce plaisir est insuffisant, à quel point il participe d'une attitude rétrograde et fausse. Il va bientôt comprendre que la nostalgie – l'état du monde le mieux partagé – n'est plus de mise, qu'elle est même moralement condamnable ; averti par ses lectures (consciencieux, il a été consulter en bibliothèque quelques ouvrages récents de sociologie) où il se voit traité de voyeur, de touriste de la pauvreté, de consommateur culturel, il va réfléchir aux réalités politiques qui sous-tendent les apparences auxquelles il reste attaché, et s'interroger notamment sur le sens du mot «passé» comme sur celui du mot «histoire», qui changent évidemment suivant l'angle de vue adopté. Le passé, la campagne, la classe sociale ? Autant de notions qui varient en fonction de données quantifiables, certes, comme le nombre, l'occupation, le lieu, la fortune, mais qui sont également soumises aux changements de perception, de sentiments, de vocabulaire, les faits bruts étant transformés par la signification et les mythes dont on les charge progressivement, il faut qu'il s'en souvienne.

De quel passé s'agit-il donc ? Celui d'institutions, de traditions, de nobles monuments et d'une verte campagne qui ont depuis des siècles servi à définir l'identité nationale, celui des néoconservateurs qui voient effectivement la Grande-Bretagne en termes de hiérarchie et d'histoire ? Les partisans de ce passé font valoir qu'il confère un sentiment de continuité, une forme de permanence précieuse en un temps où tout bouge. Investi par lui, le présent prend une couleur différente, plus rose et rassurante. Ceux-là veulent encore croire dans le «monde inchangé de la moyenne Angleterre» (une expression associée à John Major) qui nous reporte «aux ombres longues sur les terres du comté [...] aux verts faubourgs invincibles [...] aux vieilles filles pédalant sur leurs deux-roues vers la sainte communion». En fait – un article du *Guardian* l'expliquait –, cette «moyenne

Angleterre » de toujours ne serait qu'une « invention politique, une métaphore de la respectabilité, de la famille nucléaire, de l'hétérosexualité, du conservatisme, de la race blanche, de l'âge mûr et du statu quo[1] », destinée à fortifier l'idée d'un passé éternel auquel on peut se tenir. Le journaliste ne mâchait pas ses mots, et le halo de gloire autour du passé de l'Angleterre se trouvait dissipé par quelques éléments solides et repérables.

Ce passé-là, arguent nos censeurs, a servi la cause de l'immobilisme ou du retour en arrière : un passé simplifié, mythifié, en grande partie imaginaire, retaillé en fonction d'une orientation politique, un passé « organisé de façon nostalgique » – grandeur et beaux décors –, alors que, dans la réalité, il fut dur et cruel : pendant le XIXᵉ siècle industriel et l'ère victorienne, en particulier, où la misère de toute une classe fut terrible, à l'époque de la colonisation, tandis que l'Angleterre conquérait son empire. Un passé que d'aucuns, loin de l'idéaliser, ont qualifié de « marécage », de « bas-fonds dont nous, les modernes, nous efforçons de nous échapper[2] ». Quant à l'Histoire, il est urgent de la faire, non en renouant avec d'anciens modèles qui ne permettent pas de tenir compte des nouveaux facteurs, mais au contraire en se reliant à la « complexité [historique, on ne peut le nier] de la vie sociale contemporaine ».

Leur point de vue a le mérite d'éclairer les problèmes qui se posent de façon urgente – ceux qui sont liés à l'immigration, au chômage, à la délinquance et à la criminalité, à la pauvreté, au racisme, à un système d'éducation désastreux, divisé entre un secteur privé aux coûts exorbitants et un public en faillite. Une situation qui per-

1. Martin Jacques, « The rebel alliance of British talents », *Guardian*, 20 février 1997.
2. Patrick Wight, *On Living in an Old Country*, The Thetford Press, 1985.

pétue et intensifie l'idée que la Grande-Bretagne n'est pas une mais « deux nations » (cette crainte, Disraeli l'entretenait déjà), voire trois aujourd'hui : de quoi dénoncer (les plus critiques ne s'en privent pas) une forme d'apartheid social.

Le touriste, un innocent par définition, aime lui aussi, de façon sentimentale, le passé de l'Angleterre (Jane Austen et Anthony Trollope sont assis auprès de lui, à son chevet, et il entend bien ne pas se priver de leur compagnie). Il savait que les temps avaient changé, plus vite encore ces trente dernières années, il lui a suffi de se balader à Londres et en banlieue, ou de lire *Metro* qu'il aura trouvé dans n'importe quel wagon durant son trajet vers la British Library. « Tabassé pour avoir demandé à un enfant de ramasser ses détritus », en gros titre entre un article sur la moustache et un autre sur le coût de la guerre en Irak : « Un piéton a été conduit à l'hôpital dans un état grave la nuit dernière après avoir demandé à un enfant de ne pas jeter ses déchets dans la rue. L'homme qui l'a frappé à la tête accompagnait l'enfant. Tous deux sont partis laissant la victime de soixante-six ans ensanglantée sur le trottoir. » Ou : « Un adolescent a été emprisonné à vie pour avoir poignardé et tué une femme qui lui avait dit de ramasser ses détritus. » La haine, la guerre quotidienne ; autour d'un tas de déchets, familier, banal, mais devenu symbole de désordre et d'un renversement des valeurs ; entre les jeunes révoltés, les immigrés mal intégrés dans la société et « les vieux Blancs, dépositaires usés et fatigués de vieilles convenances, usées elles aussi, qui ne peuvent espérer plus longtemps changer le monde ni même l'influencer[1] » – pour reprendre les termes d'un discours tout fait et resservi à chaque instant.

1. *Ibid.*

Il savait donc que la société anglaise est profondément divisée. Plus précisément, il savait qu'elle est composée, « dans une proportion de deux tiers-un tiers, de gagnants et de perdants », et que ces derniers « n'ont rien à espérer des premiers[1] ». Dès les années 1980, où l'on vit le chômage augmenter de façon massive et l'inégalité croître encore, l'archevêque de Canterbury, en accord avec nombre de sociologues, avait déclaré que « riches et pauvres, habitants des banlieues et du centre-ville, privilégiés et démunis étaient séparés par un fossé[2] » toujours plus abrupt, ce qui, l'autorité aidant, frappa les esprits.

Le touriste, qui avait lu ces auteurs et connaissait leurs conclusions, n'était donc pas tout à fait ignorant de l'état social. Ce qu'il n'avait pas saisi, c'est que le respect du passé (lui qui voyait là au contraire, comme des millions d'Anglais, l'une des lignes de force de ce pays capable d'intégrer le changement tout en restant le même, sans révolution ni rupture), le goût de l'identité nationale et de l'« anglicité » – un idéal renforcé par les conservateurs à la fin des années 1970 et dans les années 1980 – apparaissent aujourd'hui à beaucoup comme des obstacles à combattre, un prétexte que se donnent les nostalgiques de tout poil pour ignorer des réalités qui les dérangent : un frein à l'avènement d'une société différente. La tentation subsisterait d'en revenir aux valeurs « victoriennes » remises à l'honneur par Mrs Thatcher dans les années 1980 : épargner, compter, travailler dur, et ce refus indigné de tout assistanat qu'elle prôna avec une entière conviction et qui, selon elle, caractérisait une middle-class industrieuse et respectable, aussi différente que possible de l'aristocratie languide et fatiguée et de la classe ouvrière, peu fiable, peu ragoûtante (en sus sou-

---

1. Cité par David Cannadine : *Class in Britain*, Penguin Books, 2000.
2. *Ibid.*

mise aux diktats des chefs syndicalistes). «Notre politique est en accord avec les instincts profonds du peuple britannique», a-t-elle dit et, en effet, elle n'inventait rien de neuf, mais s'en tenait à des schémas profondément inscrits dans l'esprit populaire. Aux yeux de ses opposants, ce passé-là était donc bien une menace et le mot «middle-class» devenait une injure auprès de laquelle le «bourgeois» de Flaubert était presque flatteur.

«Le passé national est capable de voir de la splendeur dans la vieille politique de domination et de bâtir un roman séduisant à partir de l'exploitation coloniale la plus atroce[1].» Quiconque a vu les séries télévisuelles en capelines roses et robes longues doit reconnaître que ce passé national, avec son goût des conventions et de la hiérarchie, continue d'exercer sur les Anglais une forte séduction ; ne parlons pas de la colonisation qui a donné lieu à des satires féroces mais aussi aux fantaisies les plus extravagantes.

L'attrait pour l'époque victorienne, sinon pour ses valeurs, se manifestait ailleurs, dans l'architecture et l'urbanisation, dans la redécouverte récente de ces petites maisons d'ouvriers sagement fondues dans leur rang, indiscernables les unes des autres, auxquelles on ne prêtait autrefois pas la moindre attention et qui, aujourd'hui, soigneusement retapées, amoureusement rénovées, s'achètent à prix d'or.

Aussi l'étranger suit-il le raisonnement proposé. Il voit bien qu'on n'abandonne pas en un jour le sens de sa grandeur et que cette nostalgie peut être une entrave. Il pense que la vigueur, parfois excessive, des mots rencontrés dans ses lectures et des accusations portées contre lui, le voyageur sentimental, avec son goût des parcs bien entretenus et des vieilles pierres, est sans doute inspirée par une culpabilité de longue date.

1. Patrick Wight, *On Living in an Old Country*, op. cit.

Culpabilité d'anciens colonisateurs envers les populations opprimées, des riches envers les pauvres (encore qu'il ait des doutes sur ce dernier point), des *chattering classes* (la classe jacassante) envers ceux dont la parole est étouffée. Ce sentiment sous-tend une vue du monde cohérente, élevée en une véritable religion. Comme toutes les religions, pense-t-il, celle-ci peut conduire à la haine et à l'intolérance : en un mot, elle va parfois trop loin. Il lui faut donc continuer de réfléchir au sens des mots, même si, en son for intérieur, il se dit que ce refus rageur du passé, devenu selon ses détracteurs un instrument de manipulation, procédait à l'origine d'une attitude généreuse.

Le mot « réalité », par exemple. Les tenants du politiquement correct ne l'ont-ils pas biaisé, corrigé à leur façon ?

En proie au doute, le touriste a poursuivi sa promenade. Il est maintenant en contemplation devant les eaux sombres d'un canal qui longe un parc en banlieue.

Faut-il voir les détritus, bouts de plastique, préservatifs usagés et canettes rouillées accrochés à ses bords, ou les canards et les poules d'eau gracieuses qui y flottent également ? Question de choix ? Pas tant que ça. Le goût est orienté par des attitudes idéologiques, affirme la secte fanatique des bien-pensants (dont on reconnaîtra les émules à quelques signes particuliers : ils ont la haine au ventre, l'anathème à la bouche et, en guise de cerveau, un répertoire d'idées toutes faites). Ces observateurs acharnés du négatif constituent un clan actif et vociférant qui s'oppose à l'autre, celui qui s'obstine à regarder les canards et les poules d'eau. Ils prétendent voir, eux, la réalité telle qu'elle est, tandis que l'autre clan s'adonne, disent-ils, à un plaisir personnel et esthétique – des mots qui sonnent sous leur plume comme autant d'insultes. Les premiers recomposent la réalité à partir des symboles élus, signes de la pauvreté régnante (à constater l'état du monde, il faut avouer que leur argument ne manque pas de force) ; leur traduction de la réalité est en fait prise de position politique et ils condamnent avec la dernière énergie ces esprits frivoles qui baguenaudent et regardent à loisir, en toute liberté, acceptant comme inévitable leur extériorité de passants, ceux qui se mêlent de « littérature » ou de « poésie » pour rendre leurs impressions au lieu d'avoir recours aux statistiques et à la description objective, seuls instruments de mesure fiables, libres de tout soupçon d'interférence personnelle.

Allais-je être mise dans le même sac que James Fenton, par exemple, un poète que j'aime bien, accusé d'être l'un de ces « écrivains de voyage qui ont passé les quinze dernières années à s'assurer que les vieilles conventions narratives de l'observation colonialiste [...] trouvent leur dernier épanouissement dans l'expression purement littéraire d'un style personnel... [1] » ? Littéraire ? Personnel ? Des défauts infamants dont il fallait bien que je m'arrange. Comme on s'arrange de poursuivre, dans le cours de ses périples, une vérité imaginative. Et quelle autre vérité traquer quand on ne veut pas écrire un guide, ni même une étude historique ou sociologique (qui d'ailleurs n'offrent pas plus de garantie d'objectivité) ? Après tout, la vérité imaginative de Dickens, hanté par les bas-fonds de Londres, ou celle de Gustave Doré, avec ses spectres en haillons, nous restituent mieux que n'importe quelle observation moins hautement subjective la réalité profonde de la misère à cette époque. Chacun, me semblait-il, sait que les indications factuelles ne livrent rien de la réalité, sinon sa surface extérieure, et que celle-ci ne prend vie que si elle est éclairée par un regard.

1. *Ibid.*

Mais avec quelle assurance ils définissaient cette réalité, une et indivisible, politique, économique et sociale, comme s'ils ignoraient que le concept avait tout de même fait l'objet de quelques interrogations et mises au point (il est vrai que Virginia Woolf, qui, dans un essai fameux, se moquait de la réalité objective et extérieure d'Arnold Bennett, du peu qu'elle révélait, ne pourrait qu'être rejetée par de tels esprits, étant à leurs yeux l'incarnation d'un monde à jamais révolu).

C'est à ce moment que je décidai de fausser compagnie à ces censeurs. Je savais maintenant de quel œil ils voyaient les façades rénovées des bâtiments victoriens. Embellissement, restauration, souci de préservation du passé ? « Gentrification » ? Le mot, avec ses connotations aristocratiques, me semblait annoncer la réticence avec laquelle ils accueillent cet effort ; « gentrification, l'un des concepts les plus utiles du marxisme d'après-guerre », selon leur définition. En visitant les villes « régénérées » du nord de l'Angleterre, j'allais admirer l'audace et l'invention avec lesquelles les usines noircies, calcinées, effondrées, les entrepôts délaissés, les restes en guenilles de la société industrielle avaient été redressés, utilisés, nettoyés, dotés de fonctions nouvelles. Ce soin d'un certain passé, organisé suivant des critères esthétiques bien définis, n'excluait-il pas le passé des autres, ceux qui avaient grandi dans d'autres pays et dont l'histoire restait à écrire ? Et sous ces façades impeccables et lisses n'était-ce pas la volonté d'un retour à des valeurs « conservatrices et impérialistes » qui se dissimulait ? Ces questions existaient, certes, et j'en étais consciente. Mais j'étais un promeneur, c'est-à-dire quelqu'un qui regarde et prend des notes, sans juger ni exclure, tout au moins allais-je essayer. Je décidai de poursuivre mon voyage l'esprit libre, et de raconter – tout simplement de voir et raconter (ce qui n'est d'ailleurs pas si simple).

Hackney et Victoria Park

Un ciel bleu parfait, une lumière du nord, étincelante et froide, la découpe dorée des arbres. C'était le mois de novembre et la journée s'annonçait belle, autant se promener, garder les expositions pour les jours de pluie.

J'avais lu le livre de Iain Sinclair sur Londres[1] et les pages visionnaires, inspirées, nerveuses, qu'il a consacrées aux graffitis. Sa conception des lettres de l'alphabet, qui ont une vie secrète, indépendante, faussent compagnie à leur auteur et tracent un texte souterrain et préconscient, porteur d'un message prophétique, je l'adoptai volontiers : écrire, se promener, c'était bien partir à la recherche de ces signes plus ou moins remarquables, parfois totalement dissimulés à l'œil non prévenu, qui s'accordent entre eux et finissent par tisser un autre visage de la ville, assorti à notre vision intérieure. Lire Londres par les tags, dont l'offense était de « parodier l'aspect le plus visible de la magie noire du grand capitalisme », telle était l'entreprise annoncée : les tags nés d'un moment d'inspiration, assez discrets (les grands tableaux baroques peints à l'aérosol, trop voyants, seraient en déclin), sont tracés aux petites heures du matin, au retour d'une rave party, sur la rambarde d'un pont à l'accès dangereux, après avoir cheminé en terrain sauvage, de Barking à Brixton, et regardé le soleil se lever sur les Alpes de Stratford East. Nés dans l'obscurité, des fragments de Londres : Iain Sinclair les appelle des « épiphanies pour polaroïds ».

Avec un ami photographe, il était parti de Hackney pour descendre vers Greenwich, s'en était revenu à Chingford Mount en longeant la Lea, le tout sous une pluie battante qui eut vite fait de tremper les pages de

1. *Lights out for the Territory*, Granta Books, 1997.

son carnet de notes. Je n'irais pas relever les graffitis (heureusement pour moi, la moisson eût été maigre) ; je voulais seulement voir Hackney et le parc Victoria dont il avait décrit de façon comique et rageuse un embellissement qui plaçait cet îlot du côté de l'ordre et de la bienséance : « un Versailles de la démocratie libérale », un sanctuaire pour chiens, un manifeste en faveur des loisirs disciplinés, disait-il.

Ce jour-là Londres était clair et léger, au plus loin de la ville de Dickens, de T. S. Eliot ou de Iain Sinclair, qui avait lui aussi accompli sa descente aux enfers.

Les kilomètres de Hackney Road défilaient à vive allure le long des vitres sales de notre bus. Une succession de maisons victoriennes retapées, d'autres à demi démolies, quelques boutiques insalubres – des Asiatiques s'y affairent devant des pièces de tissu et des machines à coudre (dont le ronflement continuel soustend la musique du reggae) –, des brocantes en pagaille non loin de zones d'ordures ; rien de spectaculaire, non, mais des déchets de choix, magazines, vieux jouets, chaussures et casseroles, une baignoire occasionnelle, qui seront parfois recyclés pour la vente, promus au statut d'antiquités : un fatras de détritus parmi lesquels, en fouillant bien, on dégotera peut-être un trésor inimaginable. Un cran plus élevé dans le chic, des magasins de vieilleries, avec leurs gravures XIXe et leur argenterie ternie, annoncent des propriétaires plus riches ou mieux informés, une autre clientèle. Dans ce décor crasseux et pauvre, les traces d'un passé choyé, mis en évidence, qui, l'espace d'un instant, ferait oublier la réalité où l'on se promène, celle du temps présent.

Aux approches de Victoria Park, le paysage change. Façades éclaircies, rassérénées, les rides et la misère s'en sont allées. Nous sommes descendus du bus et longeons à présent des rangées de maisons victoriennes accolées – Gordon Villas – élégantes, tout de gris soulignées, avec leurs bow-windows comme autant de discrètes protubérances, des ventres légers indiquant le confort. Géorgiennes et d'allure imposante, colonnades et terrasses, ce sont maintenant de grandes maisons individuelles – Carlton House – auxquelles sont assorties les voitures posées devant, Porsche et Mercedes, dans des allées privées. De temps à autre, un passage étroit bordé d'arbres et de buissons, garni d'un lampadaire unique, ouvre sur le mystère de cours invisibles ; un panneau les protège, où se lit non seulement l'interdiction de passer mais l'affirmation imperturbable d'une valeur ancienne et sacrée : la *privacy* (le droit d'être chez soi ?) – « Ces terres, routes et sentiers sont PRIVÉS et le public n'a pas le droit de passage » (*no right of way*, signé Northiam Management Ltd).

Nous passons donc notre chemin et arrivons à Gore Road, anciennement St Agnes Terrace, qui mène aux grilles du parc, autrefois conçu comme le « poumon vert de l'East End ». Les ouvriers en mal d'air pur, plongés à vie dans le fog et la suie, les habitants des taudis devaient y trouver refuge et salut ; ainsi accéderaient-ils à une nouvelle existence, une vie régénérée par le grand dieu vert. Une large pancarte à l'entrée nous informe de ce changement. Elle dit qu'en 1839 le rapport annuel du conservateur des actes de l'état civil, naissances et décès, fit état d'un taux de mortalité bien plus élevé dans cette partie de Londres que dans le reste de la ville, ce qui était dû « au surpeuplement massif, à des conditions de vie insalubres et à la pollution de l'air. Il a été conclu que la construction d'un parc dans l'East End diminuerait vraisemblablement par milliers la quantité des morts annuelles et allongerait de plusieurs années la vie de l'entière population ». Une pétition fut en même temps adressée à la reine, elle recueillit 30 000 signatures, le panneau le précise. Les travaux durèrent de 1845 à 1850, James Pennethorm en fut l'architecte, la reine

Victoria visita le parc en 1873. Nul doute que la réussite fut à la mesure des ambitions. Puis, pendant longtemps, les jardins restèrent à l'abandon. S'était-on aperçu que cet unique poumon, si large et sain fût-il, ne suffisait pas à la respiration ni à la sauvegarde de « l'entière population » des pauvres ? En 1986 pourtant, un programme de restauration fut voté, lourd de millions et de millions, le parc repris en main, la reine reconvoquée : deux reines cette fois, Elizabeth II et la reine mère, le quatre-vingt-dixième anniversaire de cette dernière fournissant le prétexte.

En ce 1er novembre, les jardins étaient vides. L'espace se déployait pour nous seuls et il était idéal, comme l'image intérieure qui surgit aux seuls mots de « parc anglais ». Les pelouses rases lancées à perte de vue et les lointains paisibles, à peine interrompus par de grands bouquets d'arbres. Nous nous sommes assis au soleil sur un banc, lui aussi chargé de passé ; une plaque y était apposée : EN MÉMOIRE DE REGINALD HUTCHINSON ET DES MOMENTS MERVEILLEUX PASSÉS ENSEMBLE DANS CE PARC. Une existence d'ordre et de loisirs bien réglée, une mort sereine comme ce décor parfait, une après-vie faite de souvenirs émus et de moments d'attendrissements. De loin en loin de petits personnages surgissent, unifiés par la distance, des couples isolés promenant leur chien, un joggeur en T-shirt noir et foulard de corsaire, des cyclistes deux par deux… ils passent lentement puis disparaissent.

Nous atteignons le « jardin des roses » : des plates-bandes en forme d'étoiles, de carrés ou de cercles, protégées par des arceaux et présentant, dans ces dessins soigneux, un peu à la manière des jardins de préfecture en France, leur lot de fleurs bleues, rouges ou blanches. Un progrès dans la raideur et la respectabilité, ces fleurettes, comme un point d'exclamation soulignant inutilement le sens d'une phrase. Rien, cependant, en regard de la vision surprenante qui nous attend au tournant d'après. Cette fois le parc en fait trop, il se surpasse et, avec ce déploiement de force inattendu, provoque un instant d'incrédulité, trouble par trop de splendeur la bienheureuse sensation de paix où insensiblement l'on s'endort. Sommes-nous dans l'East End de Londres, un quartier réputé pour sa pauvreté, ou à Wiesbaden, au XIXe siècle, un endroit de cure élégant que fréquentaient les grands de ce monde ?

Lac, fontaine, jet d'eau murmurant propulsé vers le bleu du ciel, des cygnes et des plantes aquatiques, des arbres d'or, même un kiosque, posé tout rond avec son dôme de verre au bord des eaux. Un monde sans défaut nous est proposé, voire imposé, meilleur que nous ne sommes, la cause est entendue. Le flamboiement des arbres et le soleil d'automne, et les touffes de roseaux empanachés de blanc : tout est au point pour l'image, arrêté pour l'éternité. Que ressentaient les foules d'ouvriers au XIXe lorsqu'elles accédaient à cette oasis ? Le désir de conformer leur vie à la perfection immobile de cette scène ? La suggestion est là, on ne peut l'ignorer, cette nature ordonnée, idéalisée par les soins diligents d'un XIXe siècle réformateur, le proclame : votre vie pourrait être ainsi faite, ordre, calme et beauté ; il y faut de la discipline, tous vos efforts, pas de relâchement possible. L'époque le croyait, on pouvait éduquer par l'exemple et l'esthétique : changer les êtres, les tirer des bas-fonds moraux où ils croupissaient pour les hisser vers la perfection dont on leur fournissait le modèle. Perfection d'ailleurs tout extérieure, recommandée mais non poursuivie, il n'est qu'à penser à la réalité souterraine ; l'apparence, cependant, était sacrée. Victoria Park est un enseignement.

Clermont Street et King Edward's Road, que nous prenons pour gagner Mare Street, n'ont visiblement pas suivi l'exemple, les HLM, pas fait toilette, les tas d'ordures, pas bougé : fidèles au poste, journaux détrempés, planches cassées, sacs en plastique, bouteilles brisées, canettes vides lancés au hasard. Rien de sensationnel, le spectacle quotidien (en 1995, le résultat d'une étude conduite par le journal *Evening Standard* faisait les gros titres : « La vérité honteuse sur la saleté de Londres ». Hackney, autrefois distingué par les observateurs, un quartier digne de remporter toutes les palmes dans ce domaine, était sorti de la liste, remplacé par Haringay, Islington, Wandsworth, Lambeth… « Cendrier communal », le titre lui avait échappé et les auteurs de graffitis s'en étaient allés signer ailleurs « la feuille du chaos »).

En remontant Mare Street nous avons trouvé, groupés le long d'un carrefour, assez de restaurants pour faire un tour du monde gastronomique sans trop bouger. Curry Point, Carolina Pizza, Tropical East, Exotic Dishes (African Specialities), Carribean Take Away ou Chan's Noodles, et l'ambitieux supermarché « vietnamien, chinois, anglais, thaïlandais ». Puis Lamb Street, surplombée par la voie ferrée, qui nous conduit à London Fields, les « champs de Londres ». Ainsi Martin Amis avait-il nommé son roman apocalyptique où l'on voit la ville noyée dans ses larmes et ses horreurs, « défoliée, déflorée, dénudée de feuilles et de fleurs, avec ses arbres soulignés de rides comme de vieux visages humains, et tordant ses mains nues… », Londres illuminé par le rayonnement de mort de la bombe H, frénétiquement traversé par un assassin et son assassinée. *London Fields* (et non « L'Assassinée », comme Amis l'avait d'abord pensé), ce titre-là avait toujours été présent, il préexistait au livre en quelque sorte, vivant et respirant à chaque page. Mais les champs où nous pénétrions par un beau jour d'automne démentaient dans leur banalité tranquille l'extrême violence du roman. L'herbe pauvre, brunie par le piétinement des jeux, les rangées de lourds et vénérables platanes, la platitude sans histoires d'un pré communal où font défaut le bétail et son berger. La voie ferrée passe là-bas, près du pub. Des blocs d'immeubles sont en cours de restauration. Seul signe remarquable, mais il est invisible : en 1665, London Fields servit de fosse commune au moment de la grande peste, quand les cadavres s'amoncelaient au cri de « Sortez vos morts ! ». C'est ici qu'on venait les jeter.

Le rythme de la marche au retour, vers le sud cette fois. Passé devant Beck Road. Avec ses dizaines de plaques commémoratives, la rue fortifie les prétentions de Hackney à être un quartier peuplé d'artistes, la plus grande densité d'Europe, paraît-il. Nous n'irons pas vérifier : rideaux tirés, posters aux fenêtres, vélos dans le vestibule, les maisons se protègent.

Grand Union Canal, en contrebas de notre route, l'eau noire sur fond d'usines, les voûtes sombres d'un tunnel, quelques promeneurs et leur chien, des tags. Puis Hackney Farm, un enclos vert au milieu de la pierre sale, et l'odeur de la nature, plus précisément celle du fumier, qui est déposé là, en tas ; tout autour, des poules, coqs et poulets, et des porcs circulent en liberté, tout cela pour l'enseignement des enfants de l'East End, qui peuvent ainsi sentir et toucher et, en sus, se former aux artisanats traditionnels de la vannerie ou de la poterie. Et pourquoi pas ? À l'heure où la banlieue des villes ronge ce qui reste de campagne, la nature sauvage, présentée en échantillonnages, comme dans un musée, afin qu'on la voie et la respire – qu'on apprenne à connaître des sensations oubliées.

Hackney Road s'enfonce vers l'ouest, aride, poussiéreuse, interminable. Nous prenons Columbia Road, une voie de traverse – une seule longue rangée de petites maisons ouvrières transformées en commerces ethniques : couvertures amérindiennes, foulards palestiniens et pulls tricotés à la main, bracelets et colliers en vrac. St Leonard's Church, au croisement de Hackney Road et de Shoreditch High Street ; l'étoile de David en mosaïque colorée, comme une décoration, au fronton de vastes villas victoriennes ; puis les Juifs sont partis plus à l'ouest, abandonnant Brick Lane et ses environs aux nouveaux venus Pakistanais. La plongée verticale de Shoreditch. On longe Norton Folgate, passe Primrose Street. Alors, c'est l'entrée dans un autre monde. Celui de la City. Verre, brique et béton, la Metropolis de Fritz Lang, implacable et belle, tout en arêtes tranchantes. Une immense banderole nous accueille : WELCOME TO THE FINANCIAL CAPITAL OF EUROPE. Aucun doute ne peut subsister. European Bank, the Bishopsgate Exchange : halls gigantesques, statues colossales qui vous surplombent, cariatides et escaliers d'honneur et, derrière son bureau à l'entrée, emprisonné dans le verre comme un insecte, le gardien, un petit personnage solitaire.

Un esprit audacieux, lassé par les lignes droites et sans doute promis à l'asile, a brisé l'équilibre des verticales en introduisant un arrondi dans le panorama de la City. Bloquant l'horizon, une fusée à tête ronde semble s'apprêter à décoller ; dans la nuit qui tombe, elle clignote de tous ses feux. On l'appelle « Cucumber », nous dit le gardien, le concombre, une ensemble de bureaux prestigieux qui n'ont pas réussi – est-ce l'effet de l'arrondi ? – à imposer le respect, c'est-à-dire la même impression de froideur inexorable que les autres bâtiments, l'appellation désinvolte le signale. Et pourtant, ce cornichon géant est l'un des monuments marquants du New Labour, le signe d'une prospérité sans précédent, l'équivalent dans la City des demeures prestigieuses bâties à la campagne par les nouveaux riches, les rois de l'Angleterre d'aujourd'hui.

118

Le jasmin de Paulton's Square

Au centre de Londres. Le 47 Paulton's Square se distingue des autres maisons nettes et blanches de ce square tranquille, situé au long de King's Road, par l'avancée désordonnée d'un arbuste qui recouvre toute la façade à la façon d'une chevelure en broussaille. C'est un jasmin immense, touffu et proliférant. La propriétaire de la maison, peu respectueuse de l'unité blanche et plate d'une architecture classique, l'a laissé croître suivant sa loi propre. Il obstrue à demi les fenêtres et filtre la lumière du salon, protégeant du monde extérieur cette pièce paisible, chargée de manuscrits et de piles de livres, sur laquelle veillent une statue de Bouddha et une autre du dieu Shiva, au centre de la roue du temps. C'est là que vit et travaille, depuis les années 1960, le poète Kathleen Raine. J'avais lu avec émerveillement les trois tomes de son autobiographie, l'une de ces œuvres rares auxquelles l'on adhère si profondément qu'il vous semble les avoir écrites soi-même. Loin de s'attacher à la succession des moments dans le temps, elle y faisait revivre ces «entités pareilles à des poèmes distincts», moments privilégiés de l'enfance gardés par la mémoire – le matin, puiser l'eau au puits de la ferme ; après l'école, le soir, chercher le lait ; broder un tablier près du feu, au point d'arête, au point de croix... –, activités qui s'inscrivent dans la trame de la vie ordinaire, et pourtant la transcendent infiniment, puisqu'elles existent dans la continuité du temps. Des gestes simples, des actes banals, qui ne sont pas limités à eux-mêmes, isolés et dépourvus de sens, mais qui, d'avoir été pratiqués pendant des générations dans ce village de la frontière écossaise, ont acquis la valeur d'un rite et la force d'une loi. Les descriptions de Kathleen Raine, comme ses poèmes, m'avaient rappelé un tableau de Vermeer, «La Femme à l'aiguillière », fixée dans un présent immuable : un instant de vie et de lumière, de paix, le silence intérieur.

Ce sentiment du mystère émanant des choses les plus simples, le temps suspendu, retenu dans sa plénitude, voilà ce que révélaient sa vision et son écriture : certaine transparence du regard, certaine limpidité de la phrase.

Il me semblait que cette transparence de l'être, condition de la vision intérieure, Kathleen Raine avait su la conserver une vie entière, sans faillir. Elle avait beau m'affirmer que son histoire ne ressemblait en rien « à la trajectoire directe d'une flèche vers sa cible », me dire qu'elle avait commis toutes les erreurs de jeunesse propres à sa génération – celle des années 1930, qu'elle ne se privait pas d'accuser sévèrement –, elle restait à mes yeux l'incarnation de cette force qui survit à tous les errements, parce qu'elle provient d'une révélation, tôt située dans la vie, à laquelle on se tient comme à la seule réalité possible. Celle de sa vocation de poète, fondée sur une expérience directe qu'elle avait eue, enfant, dans la nature. « Les choses n'ont pour ainsi dire [...] qu'une surface très ténue dans le monde visible : sous cette surface et au-delà, se multipliait le mystère. Et je tenais à savoir ce qui était au cœur. »

La politique l'intéressait peu, et peu les remous de l'Histoire, peu le temps qui passe, le temps qui court, avec ses changements incessants, peu la société et ses modes, et l'Angleterre actuelle, lancée éperdument, à la suite des États-Unis, dans la course au profit, lui était d'ailleurs une terre d'exil. Non, refusant un monde horizontal et, selon elle, d'une parfaite platitude, dont elle avait toujours senti l'insuffisance, elle avait tout naturellement choisi de privilégier « la dimension verticale », qui implique une hiérarchie entre différents niveaux de conscience. C'est pour affirmer l'existence de cette dimension, pour « inverser le courant de la civilisation matérialiste », qu'elle avait fondé, à soixante-dix ans, la revue *Temenos*, « dédiée à la défense des arts et de l'imagination » (qui est, comme l'affirme son maître William Blake, une forme de conscience supérieure). La revue avait poursuivi son chemin cahotant, loin de la scène contemporaine et de l'intérêt du public. Si elle souffrit de cette solitude, Kathleen ne fit aucune concession pour la faire cesser. Tout au contraire. Elle vendit ses derniers tableaux afin que paraissent quelques numéros de plus.

Vingt ans plus tard, elle était là, fidèle à son poste, prête à se lancer dans un nouveau projet, au milieu des livres et articles qui ne cessaient d'affluer, des piles de lettres qui lui étaient chaque jour adressées, plus active que jamais.

Une lutte impossible. Elle n'espérait pas la gagner bien sûr, mais il lui importait de la mener, de remplir jusqu'au bout *sa* tâche – de servir. Juger de l'effet de son action ? L'échelle de sa vie lui semblait négligeable dans le déroulement du temps, d'autres péripéties suivraient, d'autres luttes comme la sienne, et le monde, plongé pour l'heure dans l'obscurité, en émergerait un jour à nouveau. Kathleen avait pour elle l'éternité. C'est dans cette perspective qu'elle œuvrait.

Au cours des années, je lui ai souvent rendu visite. Auprès d'elle, les pensées et les problèmes qui me tourmentaient, en vain le plus souvent, reprenaient leur juste place.

En ce soir d'hiver, des rafales de pluie cinglaient les carreaux obscurcis. Son petit bureau aux rideaux tirés était immobile et silencieux. Un bouquet de jonquilles près d'une statue indienne et, sur le manteau de la cheminée où brûlait un feu de charbon, des narcisses, encore, dans le halo d'une lampe. Kathleen était assise, bien droite malgré ses quatre-vingt-dix ans, son beau visage calme et attentif, tandis qu'elle versait un thé servi sur des napperons d'un blanc immaculé – détail qui me parut s'accorder à l'esprit de la pièce.

Jamais, me disait-elle, son sentiment de solitude n'avait été si peu lourd, inexistant, pour ainsi dire. Elle se sentait ouverte aux autres, infiniment, si bien qu'elle n'avait plus la sensation pesante de ses limites individuelles – «*the sense of my own contours*». En les écoutant, elle *était* les autres. Et pourtant leur présence ne l'enlevait pas à elle-même : elle ne cessait d'être en son centre, elle était simplement plus vaste, elle avait, me dit-elle, gagné un courant qui la portait, la dépassait.

Était-ce *Temenos* et le combat qu'elle y menait, la conviction qui l'animait, toujours est-il que la vie lui semblait légère. Je la croyais sans peine. Plus que ses paroles, d'ailleurs, me frappait le son de sa voix : j'y retrouvais sa certitude tranquille. Une voix musicale, claire et précise, apaisante pour cela même. Son souci était d'exprimer la vérité, et, comme cette vérité lui apparaissait avec clarté, elle parlait sans se reprendre ni hésiter, avec une exactitude dénuée de sécheresse. Chacune de ses phrases avait quelque chose de définitif. L'essentiel était dit, qui ne requiert ni doute ni réplique. On pouvait y ajouter foi, comme aux oracles d'une pythie. Une grande prêtresse. Était-ce la raison pour laquelle, à l'écouter, on perdait tout sentiment de flottement ou d'angoisse ?

Mais cette impression de paix, peut-être la devait-on tout simplement à sa présence. Il émanait de Kathleen certaine sérénité qui ordonnait la pièce autour d'elle, imprégnait ses gestes et les objets, et jusqu'au sommeil du chat lové sur un canapé près de la fenêtre. Un retrait loin de l'épisodique et du trivial. Je m'étais demandé d'où provenait la force qui se dégageait d'elle ; ce n'était ni la bonté (qualité qu'elle n'avait pas cherché à développer), ni l'intelligence (dont elle usait pourtant librement), mais une expérience centrale qui, chez cette femme si entière, avait eu le pouvoir de l'emporter sur le reste et de diriger sa vie – unité qui lui conférait cette lumière perceptible aux autres.

La lumière, l'un de ses mots favoris. Quand on l'avait en soi, il s'agissait de parvenir à la préserver.

Greenwich, longitude zéro

Le centre du monde se trouve dans une banlieue du sud-est de Londres, à Greenwich. Un fier petit bâtiment l'abrite, que Charles II, par un décret royal datant du 22 juin 1675, ordonna de construire en son parc de Greenwich. Sir Christopher Wren le conçut « un peu pour la pompe », avoue-t-il, surtout comme « habitation de l'observateur ».

L'observateur, c'est-à-dire John Flamsteed, avait été chargé de dresser la carte du ciel et de mettre un peu d'ordre dans la course de la Lune parmi les étoiles. Un Français, un certain sieur de Saint-Pierre, que connaissait la maîtresse du roi, la pulpeuse Louise de Kéroualle, duchesse de Portsmouth, avait affirmé qu'il était possible de relever les mouvements de la Lune par rapport au reste des étoiles. Ainsi pourrait-on utiliser le ciel comme une énorme horloge et déterminer enfin l'emplacement de la longitude.

Pendant quarante-trois ans, John Flamsteed travailla dans une petite bâtisse au fond de son jardin, l'observatoire de Wren, situé un peu trop à l'ouest, s'étant révélé inutile. Exposé au vent et à la nuit, il mesurait le passage des étoiles au-dessus de sa tête. Ses cartes, cependant, n'étaient pas encore au point, pas assez pour que Flamsteed, un esprit exigeant et querelleur, consentît à les publier. Mais en 1712, il y fut contraint. Sa fureur ne connut pas de bornes : sur les quatre cents exemplaires parus, il en racheta trois cents, afin de les brûler « en sacrifice à la vérité céleste ». Cinq ans après sa mort, en 1725, une version dûment corrigée fut publiée par les soins de sa femme. Un épisode héroïque dans ce long roman plein d'aventures et de suspense que fut la recherche de la longitude. Il fallut toute une série de catastrophes maritimes et de spectaculaires naufrages – en 1707, quatre navires de la marine britannique heurtèrent de dangereux récifs au large des îles Scilly et près de deux mille hommes périrent –, il fallut encore, à la suite du choc que produisit cet événement, la création d'un bureau et d'un prix «de la longitude», richement doté, pour qu'une solution enfin apparaisse. Ce prix ne manqua pas de stimuler les intelligences, de faire rêver les apprentis sorciers et d'exciter les imaginations jusqu'au délire : le ciel et ses planètes, le globe et ses mers se déployaient à perte de vue, le champ de découvertes était infini et les moyens d'investigation le paraissaient aussi. Les propositions, ingénieuses ou farfelues, arrivèrent en masse au bureau de la longitude. On eut l'idée d'une «poudre de sympathie» qui, répandue sur le couteau ayant servi à infliger une blessure, réveillerait à nouveau chez le blessé la douleur d'origine. Il suffirait donc de blesser plusieurs chiens avec le même couteau et de les embarquer sur les différents navires de Sa Majesté : tous les jours, à midi, quelqu'un à Greenwich plongerait le couteau dans la poudre de sympathie et, à ce geste, les chiens ressentant de nouveau leur douleur aboieraient tous en chœur, où qu'ils soient de par le monde, si bien qu'on pourrait recueillir de précieuses indications sur les différences d'heure. Lewis Carroll lui-même n'eût pas dédaigné une telle idée. Hogarth, sur l'une des gravures représentant les internés de Bedlam, montre un homme une longue-vue à la main, l'œil éternellement fixé sur la Lune, tandis qu'un autre au masque crispé scrute un globe qui porte les lignes de la longitude et de la latitude. La recherche du point 0 travaillait les esprits jusqu'à l'obsession. Et c'est bien une sorte d'obsédé, John Harrison, né en 1693, fils d'un menuisier de village et autodidacte, qui finit par découvrir le secret. Ayant acquis quelques rudiments dans l'art de l'horlogerie, il commença à construire des chronomètres, H1 tout d'abord, qui fit sensation, puis H2, qui améliorait encore les performances du premier mais ne le satisfaisait pas non plus, pas entièrement tout au moins. Il se lança dans une troisième version, H3, et, pendant dix-neuf ans, tel un maniaque, il monta et démonta son chronomètre, fabriqua et détruisit, reconstruisit – en vain. Ce fut alors que lui vint l'idée de H4. Mais le bureau des longitudes s'était entre-temps lassé de cette fièvre et lui refusa son aide financière. « Aucun égard ne serait donné au résultat des essais, quels qu'ils fussent, de quelque manière que ce fût. » Ainsi en décida l'administration. Harrison ne remporta donc pas le prix. Et pourtant, avec H4 et, en 1772, H5, il avait bien découvert le secret de la longitude. Nul doute n'était plus possible, les performances de la montre en mer étaient parfaites, le monde entier sut le reconnaître, mais non le bureau de la longitude.

L'histoire n'était pas terminée. Un dernier épisode devait se jouer, et non le moindre : l'imposition d'une heure standard mesurée à Greenwich. Cette heure-là, qui changeait des habitudes, suscita comme il se doit une vive polémique. On y vit une « agression du rail » et des grosses entreprises contre l'homme de la rue et sa liberté. Jusqu'alors la plus sympathique confusion avait régné : chaque ville avait son heure à elle et nul n'y trouvait à redire. L'arrivée du chemin de fer bouleversa cette belle indépendance, abolissant les différences et créant l'uniformité. On s'était aperçu qu'un voyageur qui venait du Maine et se rendait en Californie devait changer au moins vingt fois l'heure de sa montre, s'il ne voulait pas rater une correspondance. Certes le problème était moindre en Grande-Bretagne qu'aux États-Unis où la différence entre les côtes Ouest et Est représentait plus de trois heures et demie, mais, de toute façon, n'était-il pas souhaitable d'établir un système de fuseaux horaires international et de penser non plus en fonction d'un seul pays, mais du globe tout entier ? Restait à savoir quelle nation aurait le privilège d'accueillir le « Premier Méridien du monde ». C'était là un sérieux point de friction. Les États-Unis, quant à eux, avaient déjà choisi Greenwich comme longitude 0 pour l'ensemble du système.

En octobre 1884, 41 délégués de 25 nations se réunirent à Washington D.C. à l'occasion de la Conférence internationale sur le méridien. Sept principes furent votés. En premier lieu, on adopterait un seul premier méridien dans le monde, en deuxième lieu, le « méridien qui passait par le principal instrument méridien à l'observatoire de Greenwich » serait ce « méridien origine »... Il y eut 22 votes en faveur de ce projet, 1 contre (Saint-Domingue) et 2 abstentions (la France et le Brésil). Greenwich, dans un faubourg de Londres, au bord de la Tamise, était désormais le point fixe autour duquel s'ordonnaient l'espace et le temps.

Sissinghurst

Harold et Vita

Ce jour-là je pris en compagnie d'une amie amateur de jardins le train de 12 h 30 en direction de Staplehurst. C'était un agréable tortillard de banlieue, désuet comme un salon de campagne, avec, pour chaque compartiment, une porte et sa fenêtre, et des banquettes à fleurs qui s'affaissaient doucement. Nous allions visiter Sissinghurst, la propriété de Vita et Harold Nicolson dans le Kent, et leur fameux jardin de fleurs blanches. Il faisait un temps radieux, un ciel mouillé d'après la pluie, d'un bleu très clair, où filaient de petits nuages ronds. Tout en mangeant sur nos genoux un pique-nique savamment composé, nous bavardions gaiement, telles deux vieilles Anglaises en escapade, heureuses de notre liberté.

Staplehurst n'est qu'un petit bourg ancien perdu dans la campagne. Vita Sackville-West et Harold Nicolson, deux personnages marquants de la société et du monde des lettres, qui jusqu'alors avaient mené par monts et par vaux une vie trépidante, décidèrent en 1930 de chercher refuge non loin de là, dans cette campagne du Kent que l'on appelle «jardin de l'Angleterre». Ils allaient créer une œuvre commune.

Sissinghurst, après avoir vaillamment traversé des siècles de gloire, n'était plus, quand Vita le visita, qu'une ruine aux toits effondrés, entourée de boue, de chardons et d'orties, de détritus en tout genre : « monceaux de vieux bois de lit, vieilles charrues, trognons de choux, grès ébréchés, toiles métalliques rouillées, boîtes de sardines en tas, le tout mêlé à un fouillis de ronces…[1] », selon ses propres mots. Elle eut pourtant le coup de foudre : dans le même instant une vision de beauté et la certitude de sa mission. S'éprendre d'un endroit aussi délaissé requérait une bonne dose d'imagination, voire d'héroïsme. Vita, qui revendiquait dans son sang l'alliance détonante des illustres Sackville et de Pépita, une danseuse espagnole de mœurs légères, possédait l'un et l'autre en abondance. Tels de puissants magiciens, capables de transformer l'ordure en or de fées, les Nicolson allaient à eux deux accomplir la « rédemption » de Sissinghurst. Après s'être brièvement consultés, ils achetèrent la propriété. Vita venait de perdre Knole, la demeure aimée de l'enfance, un château élisabéthain si grand qu'on ne pouvait en compter les pièces, peuplé de légendes et de fantômes, d'ambassadeurs vénitiens et de poètes cavaliers, dont les ombres turbulentes avaient longtemps nourri son imagination romanesque. Sans doute Sissinghurst n'était guère plus qu'un tas de pierres abandonnées, mais, par leur passé orgueilleux, ces restes déchus appartenaient pourtant eux aussi à l'Histoire : dès 1180 on fait mention de Sissinghurst comme demeure de Stephen de Saxingherste (ou Saxenhurst) qui était allié à une autre famille normande, les Berham. La propriété changea de main, sans qu'on songe à l'améliorer pour autant, jusqu'au jour où Sir Richard Baker, héritier des titres et de la fortune que lui valut l'adroit opportunisme de son père à la cour de Henry VIII, fit construire la haute tour d'où l'on surplombe aujourd'hui les jardins de Vita. Au cours de l'une de ses innombrables pérégrinations à

---

1. Citée par Victoria Glendinning : *Vita. La vie de Vita Sackville-West*, Albin Michel, 1987.

travers le pays, la reine Elizabeth Ire décida de s'y arrêter et Sissinghurst connut son heure de gloire. L'instigatrice de cette halte providentielle était l'ancêtre de Vita, Cecilie Baker, sœur de Richard, qui avait épousé en 1554 Thomas Sackville, poète et courtisan, cousin de la Reine Vierge. En 1608, Thomas Sackville succomba sous le poids des honneurs (il avait entre-temps été fait comte de Dorset) et Cecilie devint maîtresse de Knole, fondant la dynastie des Sackville et Dorset qui, après treize générations, devait s'épanouir encore et produire son plus beau fleuron, Vita Sackville-West. Déboutée de ses droits sur Knole par les lois sur l'héritage, Vita se réappropriait, par l'intermédiaire d'un tas de ruines, la longue et prestigieuse histoire de sa famille.

Rien de grandiose à Sissinghurst, mais deux petites maisons anciennes placées dans des endroits stratégiques du jardin : la « maison du prêtre » où logeaient les enfants et Mrs Staples, la gouvernante – les repas s'y déroulaient –, et le « cottage Sud », avec les chambres des époux – Harold y avait son bureau. Ni luxe ni pompe, mais une tranquillité absolue pour écrire, plus profonde encore dans le cas de Vita, puisqu'elle avait fait de la tour son domaine et qu'elle s'y retirait afin de travailler. Sissinghurst, c'était, à l'écart des modèles (dont ils surent pourtant s'inspirer), des conventions (que jamais ils ne respectèrent, il est vrai) et du désir de faire impression sur les autres, l'aménagement d'un décor répondant à des besoins essentiels – celui de solitude et de recul aussi bien que d'une intimité à deux. Que ces désirs-là aient abouti à l'idée directrice, organisé la pensée, inspiré l'architecture des jardins, il suffit de regarder autour de soi pour s'en convaincre. À se promener dans ces lieux, qui sont habilement compartimentés en autant d'espaces secrets, l'on perçoit l'état d'esprit ainsi que le plaisir des habitants d'autrefois – l'ordre des vies. Le promeneur averti se fait d'ailleurs la réflexion que le couple, naguère malmené par les amours ardentes de Vita, dut retrouver ici, en se donnant cette mission de «rédemption» et un travail de chaque instant, une forme de paix. «Quand la passion n'a plus d'ardeur/L'amour trouve ici son bonheur», Marvell, un poète métaphysique du XVIIᵉ siècle, l'affirmait déjà dans «Le Jardin», montrant que si les dieux amoureux avaient poursuivi une nymphe, quitte à la voir se métamorphoser en arbre, c'était en fait pour se mêler à ce végétal, où s'achevait d'ailleurs leur course effrénée. Vita plantait et s'occupait de chaque fleur, Harold les assemblait et les organisait suivant un plan d'ensemble. «Le tragique des tempéraments romanesques, c'est qu'ils sont si hostiles à la forme qu'ils ignorent l'effet des masses, écrivait-il. Elle veut planter des fleurs qui donneront une belle couleur rouge en automne. Pour ma part, je veux planter ce qui donnera une perspective harmonieuse [1]... » Une tension qui d'évidence bénéficia à ce lieu. De même que Sissinghurst alliait l'étendue avec l'intimité par une savante division du jardin en enclaves bordées de haies ou de murs (selon l'enseignement du célèbre Edward Luytens qui prônait ces «chambres en plein air» ou «garden-rooms»), de même il réconciliait l'ordre et la clarté des lignes avec le libre développement des plantes, c'est-à-dire les objectifs antagonistes des siècles qui avaient précédé. Et puis ces petits enclos, ce modeste jardin de cottage avec son fouillis de fleurs, chacun ne pouvait-il en rêver pour son propre compte, même s'il n'avait pas les moyens de convoiter la perfection de l'ensemble? Voilà d'ailleurs l'une des raisons probables de l'immense succès de Sissinghurst, que viennent voir chaque année des milliers de touristes. Certes, Vita, qui avait vécu dans de grandes maisons historiques ou dans des palais à Florence et à

1. *Ibid.*

Constantinople, ne songeait guère aux aspirations de la middle-class en composant son «cottage garden», pas plus qu'elle ne désirait imiter Marie-Antoinette découvrant les joies de la vie simple au Petit Trianon. Ni retour rousseauiste à l'innocence, ni imitation du jardinet faubourien. Mais les goûts d'une époque sont formés de facteurs innombrables, les mouvements à l'intérieur de la société y ont leur large part ; la période victorienne avait vu ces transformations s'accélérer avec la croissance des villes. En un temps où les pavillons de banlieue découpaient la campagne en petites tranches régulières, le maigre enclos ainsi constitué eut pour mission de réinventer la nature et de la faire aimer. Condamné par le nombre à la petitesse, le cottage fit de cette obligation un avantage : en sa surface restreinte, il exprimait les aspirations les plus hautes, parfois les thèmes les plus ambitieux. Point n'était besoin de la nature sauvage, le jardin était un monde en soi, un temple où lire les harmonies de l'univers, chaque brin d'herbe y évoquait le Grand Tout. L'univers de Vita et celui de Knole avaient déjà disparu au temps de Sissinghurst, un autre avait commencé de s'édifier. Une transformation que les Nicolson, fermement implantés dans leur milieu social, même s'ils en bravaient les conventions, ne se souciaient pas nécessairement d'analyser. Mais, tout en œuvrant pour leur plaisir et en «horticultant avec rage», comme le disait Mirbeau du peintre Claude Monet, ils reflétaient pourtant à leur insu une telle évolution.

Harold décrit Sissinghurst comme «une succession d'espaces privés : l'avant-cour, la première arche, l'arche de la tour, la pelouse, le verger. Toute une suite d'échappées hors du monde donnant l'impression d'une seule échappée qui va se renforçant […][1]». Des portes qui

1. *Ibid.*

s'ouvrent, des seuils que l'on franchit, un monde usé que l'on quitte – de l'autre côté, l'espace est enchanté, un nouveau jour s'annonce, il a l'éclat vert et frais du printemps. Dissimulée sous un rideau de roses, l'entrée du cottage sud est une simple porte de bois qui annonce d'autres merveilles encore. Mais partout le jardin réserve des surprises. Ces arches que l'on traverse, ces portes que l'on pousse, ces corridors que l'on parcourt la respiration suspendue, bravant les interdits et le secret, Alice les avait elle aussi empruntés dans sa promenade au pays des Merveilles. Les murs Tudor de briques roses patinés par le temps amènent jusqu'à nous le bruit atténué de l'Histoire ; ils étaient à mon sens la marque de Sissinghurst, une façon de cacher autant que de révéler, de se souvenir comme d'oublier, de vivre en soi tout en admettant l'extérieur, bref, de faire la part des choses – de l'étendue où l'on se perd et du repliement sur soi, du réel et de l'imaginaire.

Le paradis est vert

Le jardin comme une retraite, opposé au monde où l'on guerroie, un thème chanté par les écrivains et poètes au cours des siècles. «La société est trop rude, / Mieux vaut la douce solitude.» L'imagination, que rien ne contraint plus, accueille à son gré des images plaisantes et vagabondes, l'esprit, heureux et comblé, en lui-même se retire, créant bien d'autres mondes et d'autres océans ; alors ce qui existe est aboli, réduit «à une pensée verte dans l'ombre verte», et le temps, suspendu par l'extase, ne se compte plus en minutes mais en herbes et en fleurs. Telle fut l'expérience que conte Marvell dans «Le Jardin». À deux siècles de distance, Sir George Sitwell, père d'Edith et Osbert qui furent des membres actifs du Bloomsbury Group, et l'auteur d'un livre intitulé *On the*

Making of Gardens, traduit cette même vision d'un jardin paradisiaque : n'est-ce pas, nous dit-il, à partir des vergers fleuris du Moyen Âge ou des jardins merveilleux de la Perse ancienne que l'on a pu se représenter ce but de toute vie, le paradis, tant il est vrai que l'imagination travaille seulement à partir de ce qu'elle connaît ? À chacun de nos rêves, à chacun de nos espoirs au sujet de la vie future, poursuit-il, les jardins ont prêté la beauté de leurs couleurs, et l'homme qui s'efforce d'augmenter cette beauté accroît du même coup « l'exaltation religieuse, amoureuse et poétique ». Sir George Sitwell partageait la foi entière des Anglais dans le pouvoir du « vert charmant », ce vert que des générations éprises des jardins ont chargé de protéger l'homme contre lui-même – il fallait faire taire son ambition, le soustraire aux attaques du monde, nourrir son imagination et exalter sa puissance de rêve, apaiser sa passion amoureuse ou la combler, et calmer l'insatisfaction qui le tourmente, il fallait envelopper l'homme de douceur et lui promettre enfin la paix, arrêter le temps qui sans cesse le poursuit, instaurer la durée à la place des heures et lui garantir une vie éternelle et sans secousse… bref, le vert devait lui tenir lieu de paradis, dans l'instant et à tout jamais.

Innocence et expérience

Comme Alice plongée dans son rêve, Vita eut la tentation de s'installer au pays des Merveilles, oscillant entre le besoin et le refus du monde. « Vois-tu, je suis essentiellement un être solitaire… » Parfois, elle eût aimé que « tous les serviteurs et tous les jardiniers et la main-d'œuvre de la ferme soient plongés dans un songe, comme la Belle au Bois dormant, alors elle-même et son chien et le petit rouge-gorge près de la fenêtre de la salle à manger seraient seuls éveillés à Sissinghurst ». À cette époque, dans les années 1940, elle avait une apparence de solidité paysanne, «des sourcils lourds, des yeux très sombres, des joues rouge vif, et elle ne faisait aucun effort pour dissimuler la moustache que mentionne Virginia Woolf[1]». Elle portait de longues boucles d'oreilles dansantes, une blouse de dentelles, une veste de velours épais, des culottes de garde-chasse et des bottes lacées jusqu'aux genoux au revers desquelles était accrochée une paire de sécateurs : «C'était en une seule personne Lady Chatterley et son amant.» Sans doute, mais l'amant en elle était maintenant assagi. «Je pense à des escapades avec Violet que je regrette amèrement aujourd'hui», écrivait-elle en 1957.

Des escapades avec Violet… Vita déguisée en homme et se faisant passer pour le mari de Violet Tréfusis, la bien-aimée, l'incarnation de l'aventure qu'on oppose à l'ennui du foyer – «l'une de ces orchidées féroces qui brillent et puent dans les recoins de l'existence», selon Harold, qui n'avait aucune raison de l'aimer, il est vrai. Vita/Julian, longue silhouette androgyne aux côtés de cette autre, Violet, plus féminine et replète, parcourant les rues de Londres, de Monaco et de Paris, brûlant la nuit de bars en cafés, passant de l'extase à la fureur jalouse, vivant de scène en scène et de rupture en retrouvailles, jusqu'à ce jour de février 1920 où les maris lassés vinrent du haut des cieux, dans un avion privé, interrompre leurs ébats dans un hôtel à Amiens. Peu à peu, le jardin et son calme l'avaient emporté sur le côté «sauvage» auquel répondait Violet – sur «le caractère excessif et impitoyable» de Vita.

Quand Violet venait rejoindre Vita à Longbarn, alors propriété des Nicolson, «la campagne, écrivait cette dernière, semblait délibérément s'enrober de tendresse

1. Cette citation, comme les suivantes, est tirée de Nigel Nicolson, *Portrait of a Marriage*, George Weidenfeld, 1973.

et de bonheur, et elle, Violet, sentant que ce lieu lui était hostile, devenait plus féroce encore, et plus agitée, tandis que je restais étourdie et irrésolue devant cette personnification de mes deux vies... Ma maison, mon jardin, mes champs et Harold, tels étaient les éléments silencieux qui plaidaient par leurs seuls mérites, la pureté, la simplicité, et la foi ; de l'autre côté il y avait Violet, qui se battait sauvagement pour moi, dure et méprisante parfois, et qui foulait aux pieds ce qui était doux et sans défense ».

Ainsi ce jardin était-il bien l'incarnation de l'innocence face à l'expérience du mal ; il était aussi un refuge une fois passé le déchaînement mauvais des passions. Et il correspondait par son histoire intime aux grands modèles littéraires et mythologiques. Vita savait-elle que sa conception de la nature rejoignait celle de Rousseau qui, dans *La Nouvelle Héloïse* et *Les Rêveries*, montre comment « l'homme selon la nature » peut régénérer son sens moral et comprendre sa place dans le monde en se plaçant parmi les plantes ? Les jardins de Longbarn mettaient en lumière l'élément dépravé en Violet, ils rendaient à Vita le goût de la pureté.

Ou bien, plus que de l'influence de Rousseau, s'agit-il là d'un désir incorrigible : celui de croire que l'homme est bon, l'homme primitif tel que l'a fait la nature, l'homme innocent, « se rassasiant sous un chêne, se désaltérant au premier ruisseau » ? Une idée qui a la vie dure. Forte comme la nostalgie, balayant les doutes comme le fait la foi, elle nourrit aujourd'hui encore la vision d'une campagne idyllique opposée à la ville, où sévissent la société et ses lois étouffantes, responsables de tous les maux.

Des mots et des plantes

L'ordre imposé discrètement sous la liberté apparente, les sobres bordures de buis encadrant l'exubérance des parterres, le long mur Tudor que dissimule une glycine blanche (Wysteria floribunda), voiles superposés, effet de légèreté, transparences successives, et, dans le jardin de cottage, pour interrompre la fuite des lignes droites, ce cercle de quatre ifs qui rappellent l'Italie, et la pelouse, ou *rondel*, au centre du jardin des roses, tel un point de ponctuation vert dans l'étendue des fleurs, et la tour au centre des jardins, vers laquelle le regard revient toujours s'orienter. Vita, quand elle y travaillait, d'un seul coup d'œil balayait l'ensemble des jardins et la campagne du Kent. Dans son petit bureau tout tapissé de livres et orné d'objets bleus, on voit un portrait de Virginia Woolf, un autre des Brontë. Son œuvre à elle, romans et poèmes, malgré un succès immédiat (*Les Édouardiens*, qui met en scène l'ancien régime féodal, amoral et fastueux, se vendit à plusieurs dizaines de milliers d'exemplaires), n'a pas égalé les leurs. Selon Leonard Woolf, c'était celle d'un auteur de second plan ayant en lui «un soupçon de naïveté, une miette de sentimentalisme, un don de conteur et une sympathie mystérieuse pour les fantasmes des gens ordinaires», les deux dernières qualités en quantité insuffisante pour assurer à Vita un vrai grand succès, précisait-il. Après Knole, que Virginia lui donna à jamais dans *Orlando*, ce que Vita Sackville-West désirait le plus au monde, ce n'était ni l'amour, ni la célébrité, ni le bonheur, mais le génie de l'écrivain, l'art de l'expression qui lui manqua – cette inspiration que Virginia Woolf a symbolisée dans ce même roman sous la forme d'une oie sauvage. Dans les derniers paragraphes, on voit cet oiseau planer au-dessus de la tête de Shelmerdine. Sa présence troubla Vita.

Ni ses poèmes ni ses romans ne comptèrent autant pour ses lecteurs que ses articles sur les jardins écrits pendant quinze ans pour l'*Observer*. L'ironie de la vie étant que la complexité de la nature de Vita, cette division intérieure qui la fascinait elle-même, ses fantasmes au sujet de la masculinité ainsi que son identification à Knole, ce fut Virginia Woolf qui dans *Orlando* les immortalisa. Restait l'aspect sage et rangé de l'existence – qu'elle avait voulu fuir en aimant Violet –, le côté où se tenaient à la fois Harold et les jardins. Ce côté-là, en fin de compte, bon gré mal gré, a nourri la partie de son œuvre dont on se souvient aujourd'hui. Ce côté-là, et non le fracas héroïque venu de la lointaine époque féodale à laquelle elle se sentait appartenir, tant par sa nature audacieuse et excessive que par sa lignée familiale. Harold était le Kent au climat tempéré, Violet la Méditerranée, dont la chaleur courait en elle, Vita – ce qui n'était pas surprenant, puisqu'elle descendait d'une grand-mère espagnole («Nous sommes des gitanes dans un monde de petits propriétaires terriens», lui écrivait fièrement Violet, voulant ignorer les contradictions intérieures et la coexistence des contraires). Cette chaleur brûlante, Vita crut longtemps qu'elle était à la source de son inspiration d'écrivain. «Je me sens prise de fureur quand les gens ressortent *Les Édouardiens*, et certes l'*Observer* est encore bien pis.»

Dans ses articles de l'*Observer*, on constatait qu'elle partageait les préoccupations des gens ordinaires, de «ces âmes simples qui n'hésiteront pas à faire un long trajet en bus, un fox-terrier en laisse, pour se pencher sur une étiquette et prendre des notes dans un carnet à un sou...[1]», comme elle l'écrivait avec un mélange de

1. Cette citation et les suivantes sont tirées de *Vita Sackville-West. The Illustrated Garden Book. A New Anthology*, Robin Lane Fox, Michael Joseph, 1986.

complicité et de distance. Ces lecteurs-là lui écrivaient par milliers, changeant pour elle d'habitude et de journal, leurs lettres lui parvenaient par pleines camionnettes. Les sels d'Epsom protègent les pivoines des lapins, leur répondait-elle, mais il faut en remettre une dose après chaque forte pluie ; les arums fleurissent mieux sur un sol déjà utilisé pour des plants de tomates ; et la tige bulbeuse des cyclamens en pot doit être ménagée lorsqu'on enlève les feuilles mortes… On les comprend, ces lecteurs assidus de Vita. Elle écrivait de façon spontanée, concrète, rapide, la plume courait sur le papier, la vie passait, et le mouvement, et un peu de la sensualité dont s'émerveillaient ses amantes.

Ainsi, après avoir cité les plantes qui, selon elle, répandent l'odeur la plus exquise (le peuplier baumier quand il déploie ses feuilles encore poisseuses, une haie de roses musquées, particulièrement la Pénélope…) : « Tout cela dépend de l'acuité de l'odorat et aussi du fait que les plantes exhalent leurs arômes de façon différente selon les moments du jour. Ce parfum varie avec la température, avec le degré d'humidité de l'air et le passage des heures. Peut-être ce côté capricieux le rend-il d'ailleurs encore plus précieux. On remarquera une soudaine bouffée d'odeur émanant d'un buisson de myrte ou de noisetier, indétectable une heure auparavant, ou bien venant de ce petit arbre aux effluves de vanille, l'Azara microphylla. Et le parfum du buis chauffé par le soleil, ou de brindilles de buis écrasées sous le pied. Et celui d'un parterre de giroflées des murailles. Et celui de la giroflée nocturne, cette vivace qui s'épanouit seulement après le crépuscule.

« Mais peut-être rien de tout cela n'égale-t-il les étendues de jacinthes sauvages dans les sous-bois de nos régions, leur teinte bleu-gris semblable à celle d'un feu d'automne, leur parfum lourd comme celui de la rose en été, tandis qu'elles ont en elles toute la jeunesse du printemps, qui est au reste leur saison. »

Dans ce lien charnel avec la terre, dans cette attention précise à ses produits, avec leurs odeurs spécifiques, comme dans le choix des mots qui les décrivent, il y a bien une forme de poésie – du même ordre que celle qui présida à la création de Sissinghurst.

Le monde de l'homme moyen

Ce n'est pas que les Nicolson aient cherché à faire œuvre originale ou à innover. S'ils s'inspirèrent de la littérature sur les jardins, ils n'écoutèrent, en fin de compte, que leur propre inspiration soutenue par leurs observations et leurs nombreux voyages. Ils visitaient des parcs merveilleux en Italie ou en Perse, glanaient les idées au passage, accumulaient notes et images, et puis ils composaient et transformaient. C'est ce côté hautement personnel – on peut aussi l'appeler plaisir – qui ressort de Sissinghurst.

Les thèmes de Sissinghurst n'étaient pas neufs : ni le jardin des herbes, dont les parterres rigoureux contrastent avec la douceur de l'eau dans les douves, ni le jardin monochrome aux mille subtiles nuances de blanc – iris, delphinium, arum, allium, honesty ou onortogon –, ni la promenade des tilleuls, ni les bordures de buis, ni le recours aux roses joufflues et démodées. Non, rien de tout cela n'était nouveau. Gertrude Jekill, célèbre spécialiste au début du siècle, avait eu avant eux l'idée de jardins en une seule couleur, et William Robinson, l'auteur de *The Wild Garden* (1870), avec lequel elle travailla, conseillait déjà le retour à cette exubérance naturelle – en fait soigneusement ménagée – qui évoque la liberté et l'innocence premières. Gertrude Jekyll l'affirmait : « La plus vieille de nos légendes nous raconte les tout débuts de notre espèce : au commencement l'homme vivait dans un jardin, dans un état d'innocence et de bonheur parfait[1].» Certes, ce n'était plus la nature sublime, accordée au besoin d'excès et qui causait à l'homme de «l'étonnement» (selon Edmund Burke, l'auteur de *La Recherche philosophique sur l'origine de nos idées du sublime et du beau*), avec ses gouffres, ses montagnes et ses cascades, telle que l'avait aimée la seconde moitié du XVIIIᵉ siècle. Les jardins, c'est chose connue, reflètent la métaphysique de leur époque.

À la suite du XIXᵉ siècle, les débuts du XXᵉ préférèrent une nature domestiquée, familière et douce, taillée à la mesure de l'homme dans sa vie quotidienne, où il aspire à un bonheur tranquille, plus proche d'une plate-bande fleurie que des précipices romantiques. De nouveau, on rechercha la simplicité rustique, les lieux de taille modeste dont on s'empare d'un seul regard et qui, dans cet espace limité, pourvoient aux besoins du corps et, pourquoi pas, à ceux de l'âme; nulle perspective trop longue ne vient y affoler l'esprit ni brouiller les points de repère. Le cottage et ses joies simples remplaçaient la ruine gothique comme la grotte de l'ermite. C'est le monde rassurant de l'homme moyen, avec son ordre et ses frontières, un domaine privé sur lequel n'empiète pas une société conçue comme dangereuse. «Bien loin de la lugubre immensité de Versailles, le jardin se plie aux exigences de notre climat et respecte les dimensions plus modestes d'une demeure humaine raisonnable.» Miss Jekyll, une âme anglaise, ennemie de la prétention, une moraliste adepte du fameux sens de la mesure cher à Jane Austen et, avant elle, au Dr Johnson, sut comprendre et même devancer les désirs des générations à venir, ainsi que leur méfiance envers un goût de la grandeur lié à un autre âge.

1. Les citations de Gertrude Jekyll sont tirées de *Some English Gardens*, After Drawings by George S. Elgood, notes de Gertrude Jekyll, Longmans Green and co, 1904.

Le jardin ou le chaos

Au reste, qu'enseignait le jardin au botaniste ? Non que l'on peut maîtriser la nature, comme le croyait Le Nôtre, le jardinier du RoiSoleil, qui entretenait avec elle des relations de domination sourcilleuse, mais au contraire, de façon plus humble, que l'on a tout à apprendre d'elle, notamment l'ordre et le sens de l'observation. «Il n'y a rien de tel que le vrai jardinage, écrivait Miss Jekyll, pour exercer les yeux et l'esprit et leur donner l'habitude de l'observation précise […] il est à la source de cette accumulation d'incidents et de circonstances dont nous prenons note mentalement et qui, engrangés par le cerveau, ce merveilleux réservoir, semblent opérer d'eux-mêmes un tri, ordonner, répartir, classifier, éliminer et mettre en ordre, de telle sorte que nous arrivons à connaître ce dont nous n'avions auparavant qu'un aperçu mental.» Ce besoin de précision, loin de la nébulosité ordinaire de l'esprit, serait-ce l'équivalent de la recherche du mot juste dans l'écriture – ce mot que l'on arrache de haute lutte à la confusion de la sensation ou de l'idée encore inexprimée ? Un mot, ou une certitude, un point fixe à opposer à l'état mouvant où nous nous débattons – un mot pour retenir un sentiment que le temps effrite et atténue, pour arrêter ces impressions qui, à peine surgies, s'effacent et disparaissent, pour dessiner d'un contour ferme cette vie informe et éphémère, rongée de néant sur les bords. Un mot pour installer l'ordre et ainsi faire obstacle à la fuite du temps. Addison, un intellectuel qui, au XVIIe siècle, prit position sur nombre de problèmes d'importance, fit au reste un parallèle entre la littérature et l'art des jardins – épigrammes et sonnets ou jardins de fleurs et parterres, bosquets, grottes et cascades ou chansons de geste… les rapprochements semblaient évidents.

Le jardinage est lui aussi une activité qui s'oppose au chaos, une mise en ordre du monde autant qu'un acte de création, une manière sinon de nier la fuite du temps du moins de la ralentir – d'atténuer son mouvement jusqu'à le rendre insensible, jusqu'à le faire se confondre avec la lenteur végétale. Et si les Anglais accordent au fait de jardiner l'importance que d'aucuns attachent à la religion, à savoir qu'ils y voient l'essentiel de leur existence et non, simplement, l'aménagement d'un décor, c'est bien que le jardinage, comme la religion, repose sur un acte d'adhésion, étant une façon de percevoir le monde et de l'accepter – et, en quelque sorte, de s'y tailler une place. Jardiner, un acte concret, modeste, répété de jour en jour, dont les implications ne sont pourtant rien de moins que métaphysiques. Il s'agit après tout de se situer non dans cette société qui est changeante, dure et incertaine, mais dans une entité bien plus vaste et autrement respectable : la nature éternelle, avec les lois qui la régissent. L'homme qui arrose ses plantes, arrache les mauvaises herbes ou met un bulbe en terre, participe à ces lois permanentes de la vie, en son for intérieur, même confusément, il le pense. Jardiner ou *se relier*, coopérer au mouvement irrésistible du renouveau, se mêler au grand courant vital auquel chaque jardinier contribue, dans sa modeste mesure, de façon positive… On ne s'étonne plus que les amateurs de jardins soient légion ni que leur passion prenne si souvent l'allure d'une bataille secrète, mais obstinée, contre un monde en tout point insatisfaisant. Ils extirpent le chiendent et déboutent la mauvaise graine. En jardinant, ils ont rejoint, loin de l'absurdité ambiante, les valeurs et les lois profondes auxquelles ils souscrivent sans réserve, celles mêmes qui règlent la nature et la vie.

Était-ce cette forme d'ordre et de paix que Vita, une personnalité divisée, tourmentée, insatisfaite, venait chercher à Sissinghurst ? Ce sens de l'harmonie, son jardin idéal situé parmi les pentes douces du Kent le communique à coup sûr au visiteur. Il est comme l'image du plein épanouissement de la vie. Un reflet de ce bonheur s'attarde sur le visage des vieux gardiens ; ils vous indiquent dévotement le chemin à suivre et, vous précisent-ils fièrement, ils sont tous des bénévoles.

Fleurs à Chelsea

Dans les rues du quartier de Sloane Square, d'habitude animées, on ne voyait que de rares passants qui se hâtaient, courbés sous leur parapluie, quand, ce matin-là du mois de mai, je me suis dirigée vers le grand déploiement de tentes du Chelsea Flower Show. Pendant quatre jours chaque année, Londres et toute la Grande-Bretagne, et les amateurs de jardins du monde entier, vibrent au rythme de ce gigantesque rassemblement : une grand-messe donnée en l'honneur des plantes. Quatre jours glorieux pour lesquels les horticulteurs de l'Angleterre dépensent des millions de livres, rivalisent de savoir-faire et de talent, composent ces gerbes immenses, ces fragiles édifices, chefs-d'œuvre éphémères, chacun plus beau, plus rare et plus parfait que le précédent, qui, une fois la fête finie, seront dépecés, morcelés inexorablement, vendus pièce par pièce, dispersés de par le monde, distribués comme pain bénit en une grande communion organisée. Et puis les acheteurs repartiront, disparaissant derrière leur précieux fardeau, et l'on ne verra plus, à la place de la foule affairée, qu'une suite étrange de buissons ambulants.

Je suis entrée par le pavillon Est, le plus proche des jardins du Ranelagh. À cette heure de la matinée, on y circulait encore librement. Dès l'ouverture, le stand des fleurs tropicales accrochait le regard, offrant ses plantes lourdes et féroces, Venus Flytrap à la beauté trompeuse :

un piège à mouches armé de dents redoutables ; Monkey Cup du Sud-Est asiatique ; Nepenthus ventricosa : une bourse à clapet, toute en ventre, prête à se refermer sur l'intrus qui sera digéré lentement ; ou Dionae muscipila et d'autres encore aux noms menaçants parmi lesquelles, de façon inattendue, poussent de modestes, d'inoffensives violettes de chez nous, qu'un groupe de vieilles dames, dédaignant visiblement les grâces tapageuses et cruelles d'à côté, photographient dévotement.

Le stand des delphiniums décline tous les tons de bleu, de blanc et de rose, de mauve, qui va vers le violet le plus intense, chaque fleur doublée d'une touche pâle ou plus accentuée, vieux rose qui s'épuise et pâlit ou bleu incandescent de vitrail. Les hautes grappes se dressent côte à côte comme des candélabres un jour de fête. Un célébrant, le préposé au stand, circule crayon en main devant la rangée fabuleuse et renseigne les fidèles venus se recueillir. Humbles et consciencieux, penchés sur leur carnet de notes, ils questionnent, griffonnent, inscrivent, reçoivent la bonne parole, puis repartent avec réticence, pénétrés de la grâce reçue. De temps à autre, certains d'entre eux se concertent, de petits groupes se forment au milieu des allées, mais il ne faut pas s'y tromper, ces échanges n'ont rien de la simple conversation : ce sont des réunions à haut niveau, entre initiés, qui restent abstruses, impénétrables au commun des mortels, les noms savants y remplacent le langage ordinaire et les précisions données relèvent de la science la plus fine. Ils ne paient pas de mine, ces érudits, avec leur sac à dos, leur vieux ciré et leur chapeau à bord mou, mais à les regarder un instant, on devine qu'une même passion les habite, une obsession unique qui les pousse de stand en stand, absorbés par leurs découvertes, aveugles à tout le reste, fixés sur leur but comme le chercheur d'or sur la vision de sa pépite, riches de tous les trésors de la terre une fois trouvé l'objet idéal et leur passion satisfaite.

Le sous-bois alpin composé de mille plantes, Alchemilla erythropoda, digitales en forme de cloches : celles mêmes qu'habitaient les elfes de Richard Doyle, bouleaux, fougères et lupins, et des iris sauvages suavement penchés sur une pièce d'eau qu'embrume une nappe de vapeur, tous ces mystères de la forêt habilement reproduits ne retiennent pas les chercheurs, mais ils s'arrêtent longuement devant le stand Kelways of Langport, du Somerset, où s'épanouit la variété Attention Please, un grand iris pourpre au cœur blanc, traversé d'une langue de fourrure dorée et dont l'arrondi somptueux des pétales augmente encore la splendeur orientale.

Mais ce n'est pas toujours l'éclat qui frappe, ni l'évidence de la beauté, bien au contraire. Devant les Dibleys Nurseries du nord du Pays de Galles, un attroupement s'est constitué. La Streptocarpus cyäneus ou Boysenberry Delight y règne, un modèle de légèreté et de discrétion, une forme minuscule qui participe de l'insecte et de la fleur, une goutte de blanc sur un luxueux fond de vert devant laquelle se déchaîne la mitraille des flashs japonais.

Des colonnes de fraises, en grappes rouges et rondes contre leurs feuilles dentelées, qui pourraient figurer dans les larges bordures des tableaux maniéristes italiens.

De grands lys blancs aux pétales retournés comme des étoiles de mer dont le parfum lourd emplit la tente entière.

Des fleurs délicates aux tons de pastel, promptes à s'ouvrir et à se refermer. Volubilis, pois de senteur, leurs nuances sont infinies, changeantes comme les reflets de la lumière, Evening Glow (feux du soir), rose foncé, un ciel au soleil couchant, ou Dawn (aube), qui a, c'est vrai, le gris tendre du jour qui se lève. Parfois ces pois de senteur portent des prénoms bien anglais, sans prétention, comme pour rassurer le visiteur, tels Richard et Judy (*very highly scented*, au parfum très fort), Jilly, Marion, ou, toute rose et frisottée, Aunt Jane, qui semble sortir d'un roman de Jane Austen, et Anniversary (d'un blanc rosé de bonheur), et Apricot Sprite…

Une dame tout en bleu, Sheila Chapman Clematis, présente sur la queue d'un paon de fer forgé un magnifique éventail de fleurs du même nom, clématites, grandes étoiles, harmonie de mauves subtilement déclinés.

Rhododendrons joufflus et pléthoriques.

Orchidées, roses et séductrices, inquiétantes, qui étalent avec complaisance leur beauté spectaculaire et un peu mûre.

Roses courtes sur tige, toutes droites et raides dans leur bac, alignées en longues rangées sages comme les écolières d'antan.

Puis le stand des légumes, dans le pavillon Ouest, broderie au dessin complexe où le détail se fond dans l'ensemble. Placés à intervalles réguliers, des choux-fleurs ronds et blancs comme des points de ponctuation. L'ombre d'Arcimboldo plane au-dessus de la tour en poireaux qui occupe superbement le centre.

Mon stand préféré, cependant, est celui que la Royal Horticultural Society a un jour distingué pour lui remettre la médaille d'argent. Il est tenu par W. & S. Locker, *specialists growers of all types of Auricula*, deux petits vieux affables, résolument ennemis du naturel, qui présentent chaque fleur dans un cadre doré sur fond de velours noir, soulignant ainsi leur aspect figé et les transformant en œuvre d'art. Étagées sur les terrasses d'une construction en forme de tour, elles portent des noms banals : Twiggy, Polly, Hillview, ou poétiques : April Moon, Nonchalance, Snooty Fox, ou mythologiques, tels Argus ou Bacchus, mais, aux yeux de l'ignorante que je suis, elles ne diffèrent entre elles que par d'infimes détails. Ce sont de petites fleurs, ces auricules ou oreilles d'ours, rondes et parfaitement dessinées, invariablement en deux tons, cœur et pétales, lisses comme des objets de bois peints dont elles ont aussi le brillant. Leur simplicité enfantine me reposait des excès rencontrés auprès de la maison de Blanche Neige et des sept nains : ce conte, joint à l'idée de campagne et de chaumière – des mots qui peuvent être fatals –, avait provoqué chez l'inventeur du jardin une véritable frénésie, un désir de tout dire, de tout montrer. Son enthousiasme avait abouti à ce chaos de fleurs, à cet envahissement par la plante qui ignorait toute limite, celles du bon goût en premier lieu, comme dans ces jardinets où des nains de plastique viennent ajouter à la nature recréée une note sentimentale.

Les tentes peu à peu s'emplissaient de monde. Avant d'en sortir et d'aller voir les jardins extérieurs, je me suis arrêtée près du Romantic Garden Nursery, de Swannington, pour y écouter le bruit des fontaines. Arches, cyprès, arceaux et buis taillés, le jardin méditerranéen tel qu'on en rêve dans les pays pluvieux où les fleurs atteignent pourtant les plus subtiles nuances de rose, d'or et de bleu. Non loin de là commençait le domaine des orchidées. Cabas à la main, comme pour le marché, des ménagères grises et affairées s'en approchaient. Elles examinaient d'un œil de connaisseur les centaines d'espèces précieuses proposées, puis, consultant la liste d'achats à effectuer, demandaient précisément celle qui ne figurait pas dans le surprenant étalage, celle qui n'existait peut-être pas – pas ici tout au moins, au stand d'à côté, qui sait… Ainsi poursuit-on comme une chimère la plante rare, celle qu'on n'a encore jamais vue mais qui quelque part vous attend. Une obsession qui brise les frontières de l'âge, de la classe sociale ou de la race – toute différence se trouvant abolie dans l'amour passionné du végétal. Lancés à la recherche de l'information inédite, de la plante magique et parfaite qu'ils ont longtemps convoitée, ils se retrouvent unis, ces obsédés, adeptes de la même religion, versés dans la même science dont ils possèdent à fond les éléments, désireux avant tout de l'enrichir encore et, pour cela, de communiquer. Sous ces grandes tentes – un lieu où les manies les plus étranges se rencontrent – ils espèrent que le hasard d'un amour partagé leur fera découvrir le dernier maillon qui leur manque. Je les voyais se croiser et converser, campagnards au teint rouge brique, en lourd pantalon et béret sur la tête, venus de leur lointain Yorkshire, du Berkshire ou du Devon où ils possèdent une ferme, propriétaires terriens élégants, chapeautés de velours et vêtus de tweed, vieilles dames éprises de leur carré de jardin ou de leur coin de balcon, couples d'hommes ou de femmes confortablement neutres, sans âge ni sexe bien définis, qu'une commune et unique préoccupation a réunis et qui discutent éternellement de la texture d'un pétale, des différences d'apparence ou de comportement à l'intérieur d'une même variété, un sujet inépuisable pour de fins connaisseurs…

Dehors, un rayon de soleil illuminait les allées. On s'asseyait devant une bière ou un thé. Les imperméables en plastique vert marqués du nom de la Royal Horticultural Society, sortes de sacs poubelle améliorés d'ouvertures dont les dévots s'étaient enveloppés, volaient par-dessus les têtes, et la foule, sans cet uniforme, retrouvait sa diversité.

Divers sens du mot « jardin »

« Apprendre toute une vie grâce au jardin » – un titre pouvant s'appliquer à bon nombre des espaces verts présentés à l'extérieur des tentes, aux centres de recherche, aux associations d'horticulteurs et autres organismes bien fréquentés.

Apprendre à jouir de la vie, se ressourcer, s'évader et rêver, fuir la ville et la réalité, retourner à la nature : être soi, enfin ! Voilà quelques-unes des propositions qui doivent tenter le client éventuel. Dans sa description (présentée sous forme de brochure) le créateur de jardin a pris en compte les malaises de la vie moderne, la situation du client, son âge et sa fatigue, mais aussi le changement des mœurs et l'irrépressible nouveau – autant de questions auxquelles il propose une réponse.

Preuve en est «le jardin de grand-mère». Le mot fait surgir tout autre chose que l'image d'une vieille courbée. «Loin de se pencher sur le passé, nous dit le dépliant, voici un jardin moderne conçu pour une femme *qui a atteint sa pleine maturité*. Ce n'est pas un jardin de vieux, non, après tout Grand-Mère n'est vieille que pour ses petits-enfants, elle a encore dix bonnes années avant de prendre sa retraite, et le jardin, composé de plantes grimpantes et de fleurs à couper, de fruits et de légumes, reflète son expérience et ses besoins de femme active…» Il n'est plus question de vieillesse (sauf pour les petits-enfants, dont la vision est déformée par la petite taille) mais de maturité, d'activité, de liberté. Et cette dernière notion, on l'accentue en reléguant les petits-enfants dans un coin: un espace est prévu pour eux, si bien que la grand-mère moderne va pouvoir mener sa vie sans encombre.

Laissant là les considérations pratiques toujours un peu réductrices, l'inventeur a construit un monde idéal, un paradis miniature où le bonheur est garanti. Pour tous, cette fois.

«Comprendre» surprend d'abord le visiteur en le confrontant aux dures réalités de l'existence, qui sont suggérées par des allées en zigzag, la pauvreté des feuillages et une série d'embûches. Pourtant, le promeneur sera encouragé à avancer par des effets de sons et lumière qui émanent de derrière un écran, éveillant ses sens et leur promettant plus ample satisfaction. Finalement, il va trouver une végétation douce et luxuriante et des plans d'eau successifs dont les reflets représentent le «centre spirituel du jardin, ce cœur que nous tentons d'atteindre dans la vie, le centre de paix». À moins qu'on ne préfère une formule de bonheur à la fois plus simple et plus traditionnelle. Le jardin nommé «Boîte de chocolat» l'illustre. Il promet des «oiseaux qui chantent et des papillons qui volent nombreux au-dessus de fleurs riches en nectar, si abondantes qu'elles débordent toute barrière». Rêverie d'Orient. Luxe, calme, sans volupté surtout : innocence de rigueur. Des parfums délicieux s'échappent du feuillage, un sentier semé de violettes mène à un bassin où les oiseaux se baignent et s'ébrouent, et la douceur des ombrages favorise le repos et la détente de l'esprit, «sous un appentis au toit de chaume, l'on peut se retirer, sentir l'odeur des roses et des fleurs du verger qui monte dans l'air tranquille du soir». Pour vivre heureux, vivons cachés, dans une chaumière, si possible. Des mots magiques, des lieux communs qui tombent drus comme grêle, l'effet est assuré. «Ravissement sans façon» propose un bonheur du même ordre.

Ou bien, on joue au contraire sur le goût de la catastrophe. En proie à une veine prophétique, devançant en une vision hardie les siècles et les cataclysmes à venir, le créateur offre le «jardin du futur oublié», celui qui succédera à l'état de ruine, causé par l'erreur humaine, dans un univers enfin rendu à l'équilibre.

Le jardin du Prince Charles, je n'ai pu en approcher tant l'affluence était grande. Il est vrai que ce «jardin qui guérit», The Healing Garden, «sans angles ni lignes droites», avec l'abri couvert de gazon, les sièges de pierre, la haie et l'étang fleuri, dans sa simplicité étudiée et la richesse d'enseignement qu'elle dissimule – quelque 125 espèces de plantes aromatiques et d'herbes médicinales rangées par terrasses et ordre d'utilité –, avait de quoi séduire ceux qui croient en la bonté de la nature et réprouvent comme lui, la chimie.

Pour les gens qui se défient des offres du new age et au retrait préfèrent l'offensive, l'exposition avait prévu des plantes moins anodines : celles qui sont armées de « formidables défenses contre l'invasion intempestive des hommes autant que des animaux ». Orties, ronces, houx, chardons, épines, herbes coupantes, toutes ces plantes « antisociales » généreusement réparties dans nos campagnes sont appelées à la rescousse, à moins qu'on n'évoque les feuilles toxiques, lierres et fougères, qui, si elles ne tuent pas, sont cause tout au moins de sérieux malaises. Piquer, couper, brûler, hacher, faire mal, ah, quel plaisir ! La plante inflige ces maux qu'on aimerait imposer soi-même. Sous la description minutieuse de la vaillance des plantes et de leurs multiples moyens de chasser l'intrus se font jour des instincts que les dures lois de la vie en société s'efforcent à chaque instant de réprimer. On se souvient, en la lisant, que selon Freud il n'est rien de moins naturel que d'aimer son prochain (une recommandation du Christ que, « raisonnablement, on ne saurait conseiller à personne de suivre »), bien plus normal en fait de le haïr : non seulement cet étranger n'est pas digne d'amour, mais, le plus souvent, il se comporte de façon à s'attirer notre hostilité, les plantes « antisociales » et leurs défenseurs l'ont parfaitement compris.

Lolos et antilopes :
l'odyssée de Henry en Chine

Augustine Henry, dit la brochure éditée par la Société irlandaise des plantes de jardin, fut le plus grand parmi les collectionneurs de plantes de son pays, qui en compte pourtant de nombreux.

Il naquit à Tyanee, dans le comté de Derry, le 2 juillet 1857 et reçut une formation de médecin. En 1881, âgé de vingt-quatre ans, il partit pour la Chine pour y exercer les fonctions de docteur assistant auprès des douanes impériales. Il passa les dix-neuf années suivantes à explorer les provinces de Hubei, Sichan, Yunnan et les îles de Hainan et Taiwan. Et tout le temps il ramassait des plantes. Il constitua ainsi un colossal herbier où 158 000 échantillons de plantes étaient réunis, ce qui représentait 650 espèces distinctes, soit 20 % de la flore chinoise.

À l'époque où il s'aventura en terres lointaines, les botanistes européens étaient persuadés d'avoir déjà répertorié l'ensemble des plantes de la Chine. Ils se trompaient lourdement, puisque, peu après le retour d'Augustine Henry en Europe, le 31 décembre 1900, on s'aperçut qu'il avait découvert près de 1 500 espèces et variétés nouvelles. Il devint la plus grande autorité en matière de botanique chinoise. Son nom fut donné à certaines de ces plantes : il existe un Lilium Henryi, un beau lys moucheté aux pétales recourbés, et un Cypripedium Henryi, à l'étrange silhouette d'oiseau. Et sa femme Caroline fut elle aussi immortalisée sous les noms de Carolinella Henryi et de Lithocarpus Carolinae.

Mais la curiosité maniaque d'Augustine Henry ne se limitait pas aux plantes. Il semble qu'il se soit également intéressé aux espèces animales et aux races humaines. Une petite antilope, que les gens du Yichang appelaient Shang-Yang et dont il avait rapporté le crâne afin de l'identifier, fut nommée Kemas henryanus. Ainsi Augustine Henry continue-t-il de hanter la jungle chinoise, à la fois sous les formes de la fleur et de l'animal. Cependant ce sont les Lolos qui allaient lui permettre de faire ses plus grandes découvertes.

Lors de ses tournées dans le sud du Yunnan, il avait dénombré sept ethnies différentes. L'une d'elles en particulier retint son attention : c'étaient les Lolos. Il revint souvent leur rendre visite dans leurs villages, en pleine jungle, collectionnant leurs mots aussi bien que les notations sur les mœurs et coutumes : il put bientôt écrire un dictionnaire en langue lolo. En 1903, un article intitulé « Les Lolos et autres tribus de l'ouest de la Chine » paraissait également.

Puis, unissant ses deux passions, les plantes et les Lolos, fidèle à sa manie de l'étude exhaustive, il apprit à un Lolo à collectionner les plantes. Ce fut le premier de tous les Lolos à entrer dans l'administration étrangère.

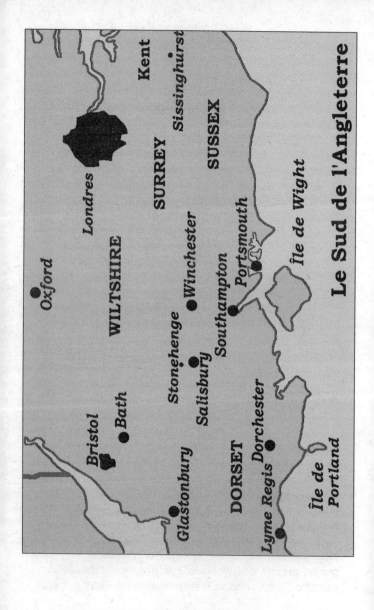

Le Sud de l'Angleterre

La forme d'un diamant
L'île de Wight

Un ange nu et sans défense

L'île de Wight. «*The*» *Island*, comme l'indiquent les cartes anciennes. Autrement dit, l'île sans pareille, l'île par excellence, à vrai dire la seule : celle auprès de qui les autres, qui ne possèdent qu'à un degré inférieur cette précieuse qualité d'île, s'effacent et disparaissent.

On a observé qu'elle a la forme biseautée d'un diamant, bijou dans lequel serait contenu comme en miniature le paysage verdoyant du sud de l'Angleterre : les «Downs», cette longue succession de collines arrondies, existent ici en version atténuée, avec les routes étroites qui les chevauchent, les villages anciens abrités dans des creux de verdure, et cette lumière propre aux îles qui va s'éclaircissant vers les lointains.

Tennyson est son poète ; il y vécut des années dans une maison éventée au bord d'une falaise ; et Victoria sa reine : elle s'y retira à la mort du prince Albert pour n'en plus repartir ; comme il se doit, elle y mourut, ce qui donne à l'île un lustre et un sens supplémentaires. Les petites villes de la côte Est, dit l'écrivain J. B. Priestley, ont encore l'air un peu étourdies d'avoir vu passer le prince consort. Posées à flanc de colline, elles font mine de se cramponner à la pente et de grimper au mépris des lois de l'équilibre pour mieux surprendre le touriste par leur charme paisible : villes

157

d'eaux et de loisir, maisons de poupée, ruelles escarpées, lampadaires et casinos, elles brillèrent de leurs mille feux au temps d'Édouard VII. La gloire a passé ; elles ont aujourd'hui la joliesse un peu conventionnelle d'un décor d'opérette.

J'étais allée à Wight plusieurs fois pour rendre visite au poète David Gascoyne, qui, dans son vieil âge, était revenu à Cowes, non loin de la prison de Parkhurst (dont Priestley affirmait qu'il aurait volontiers choisi d'y séjourner, si on avait dû le condamner), mais pour ce poète qui, selon Kathleen Raine, ressemble à l'ange d'une histoire de Tolstoï, envoyé sur terre nu et sans défense, armé de sa seule sagesse angélique, qu'était donc l'île de Wight sinon une prison ?

C'est à Paris que je l'avais rencontré pour la première fois, au début des années 1980. Je travaillais alors au British Council et j'avais pu l'inviter pour une lecture publique de certains de ses poèmes. La plupart de ses amis le croyaient mort. Depuis longtemps on ne l'avait plus vu, et, ne le voyant plus, on l'avait oublié – en France tout au moins, car en Angleterre on commençait à redécouvrir son œuvre. Il avait fallu, avec l'aide des surréalistes survivants – puisqu'il avait fait partie du groupe lors de son arrivée à Paris à dix-sept ans –, retrouver le fil perdu des lieux où il avait évolué. Et peu à peu ils avaient reparu, les anciens amis des années 1930, stupéfaits d'apprendre que ce personnage égaré, dénué de tout sens pratique et qui semblait surgir d'une planète inconnue, avait pourtant traversé ces décennies, telle une créature d'une autre espèce que préserve son innocence ou quelque invisible protection. Passé la guerre, et la folie qui l'avait longtemps enfermé, il émergeait en plein jour, sain et sauf. Il était à peine changé, sa haute silhouette un peu voûtée, l'humour de son sourire et ses yeux de voyant. Il avait épousé Judy Lewis, une femme généreuse, aussi terrienne et implantée dans le quotidien qu'il l'était peu, rencontrée à l'hôpital psychiatrique où elle faisait la lecture aux patients. Ce jour-là elle leur avait lu un poème de Gascoyne, « September Sun ». Au son de ses propres vers, cet homme jusqu'alors plongé dans une sorte de stupeur s'était animé, il avait affirmé « ce poème est de moi ». Tout d'abord Judy pensa que c'était là un effet de son délire. Mais non, les mots du poème, tel le fil d'Ariane qui conduisit Thésée hors du labyrinthe, l'avaient ramené au monde et à la vie. Puis Judy le fit sortir de l'hôpital et elle l'épousa.

En compagnie de ce couple étrange, je traversais à présent, sous la pluie, les rues de Montparnasse et du quartier Latin. Négligeant le ciel gris et les flaques d'eau, elle était en robe longue, sandales de cuir et vaste capeline de paille, lui marchait comme dans les nuages, en proie à sa vision, un piéton de l'air. David se souvenait ou, plutôt, il s'éveillait d'un long sommeil, et le monde autour de lui n'avait pas changé. Il avait vécu entre les deux accolades d'une parenthèse, quarante ans se trouvaient ainsi abolis. André Breton était à nos côtés, assis dans ce café, et Péret, perché sur le trottoir de l'autre côté de la rue, s'apprêtait à traverser pour nous rejoindre. Sans effort David reprenait la conversation interrompue. Parce qu'il était sorti du temps, sa présence effaçait le temps. En arpentant les rues de Paris, il m'était donné de vivre avec lui l'aventure essentielle que j'avais manquée et qu'il poursuivait avec simplicité.

Puis je traduisis son *Journal de Paris et d'ailleurs*, commencé en 1936, arrêté en 1942. Perdu pendant bien des années, une suite de hasards invraisemblables permit qu'on en retrouve des fragments ici et là, dans des malles, chez des amis, des âmes de bonne volonté qui avaient hébergé Gascoyne, l'aidant au long de sa vie de galère. En le lisant, je découvris que son état personnel avait étrangement devancé l'état du monde : l'approche de la folie au-dedans, celle du chaos au-dehors – le poète, comme un sismographe, enregistrant jusque dans son corps et son esprit les oscillations et le vertige de l'univers extérieur. «J'ai la conviction que la schizophrénie marque de son sceau tout événement important dans le monde moderne», écrit-il dans ce *Journal*. Il ne s'agissait pas de se soustraire aux forces déclenchées mais bien de s'y soumettre afin d'en rendre compte. Devin autant que bouc émissaire, le poète, par une telle soumission, devenait l'instrument capable de recevoir, et de formuler, l'intuition la plus profonde et la moins exprimée qu'ont les êtres humains de leur commune destinée. Et, parce que Gascoyne rejoignait cette commune destinée et le point où naît la souffrance d'exister, il ne m'était pas difficile de traduire ce texte comme si les mots venaient de moi. C'était ma vie intérieure et cachée que j'analysais ; en reformulant ses phrases en français, j'approchais à travers lui de mon centre propre. Travail d'empathie, voire d'identification, que j'effectuais sans peine puisque, avec David Gascoyne, comme avec Kathleen Raine, j'avais trouvé une famille d'esprits à laquelle appartenir.

L'éclat humide et neuf d'une nature intacte

Cette fois, j'habitais chez des amis dont la maison, entourée de son arpent de fleurs et de verdure, longée par des sentiers envahis d'herbe, faisait face à la mer.

Lorsqu'on se réveille dans un lieu inconnu, l'un des premiers gestes qu'on aime à faire est d'aller vers la fenêtre et d'écarter les rideaux. Dehors, de bon matin, un homme se promenait avec son chien. Rien que de banal, une image comme on en voit partout. D'où venait, alors, l'impression que cet homme-là faisait corps avec le paysage, qu'entre lui et la terre où il marchait circulait la même sève, que tous les éléments de l'image étaient liés et qu'ils formaient un tout ? L'homme appartenait au lieu, c'était évident, il aurait pu se promener ainsi pour l'éternité, l'équilibre de l'ensemble exigeait sa présence, et il le sentait. Hors du temps et du changement. Être en un endroit, y être tout entier rassemblé, sans qu'aucun désir, aucune tension, aucune curiosité insatisfaite ne pousse l'esprit à explorer l'ailleurs ou à l'imaginer. Sans qu'un fragment de l'être s'échappe, vagabonde et doute, tenté par tous les possibles que la minute présente ne lui offre pas. Le lieu où je suis à présent est le mien – celui où, loin de la division, je me rejoins, où j'existe dans la totalité de moi-même. Ce sentiment d'appartenance et de calme profond, cette certitude de se trouver dans le seul endroit au monde qui lui correspondait, je pouvais l'affirmer, l'homme en cette minute les éprouvait (une telle correspondance étant une question d'identité : c'est là que je suis vraiment moi, tout entier moi-même, là que je me reconnais).

Et même s'ils ne mettent pas tant de mots sur une sensation de bien-être et de paix retrouvée, c'est bien cette tranquillité qui, comme une bulle protectrice, semble envelopper les promeneurs anonymes le long des sentiers de campagne. « J'habite Londres, mais je vis dans le Suffolk », entend-on dire, ou dans le Kent, ou le Dorset, le Somerset ou le Hampshire, les variations sont nombreuses, la différence entre les verbes – habiter, vivre – toujours la même.

L'île a valeur de refuge. Retour aux valeurs anciennes liées à un mode de vie rural, loin des abominations dues au développement industriel. Le vieux thème, développé dans toute la littérature anglaise, de la ville et de l'expérience, contre la campagne et l'innocence. Semblables à l'aristocratie d'antan, dans sa crainte de changements qui menaçaient la structure sociale établie, les retraités qui s'y sont installés en nombre et les vacanciers du week-end se félicitent d'avoir un pied, ou même les deux, loin de la terre mère où se déroulent tant d'horreurs, il n'est qu'à regarder la télévision. Sans doute l'Angleterre n'est plus une île. Le tunnel sous la Manche a changé la géographie et l'histoire. Fort heureusement reste l'île de Wight, dernière retraite, dernier paradis où subsiste inchangé ce que le temps défait ailleurs.

De petites routes bordées de haies, si étroites que ne s'y croisent pas deux voitures, s'enfoncent dans les collines. Et dans ces nids douillets, ces soyeux vallonnements, dorment des villages. Sous leurs lourds toits de chaume, les maisons attendent depuis cent ans et davantage, en proie à quelque enchantement, que passe le prince charmant, rien ne bouge, seul un ruisseau brille et chante, et les fleurs, pervenches, jonquilles et giroflées, droites sur leur plate-bande, resplendissent de tous leurs pétales épanouis. L'image est parfaite, attendrissante comme un conte pour enfant (manquent apparemment les cruautés que racontent ces histoires). Pourtant, il s'en faut d'un détail de trop, qui souligne le charme évident, et l'image tourne à la sentimentalité bavarde. La conscience de soi transparaît, et la pose : certaine façon de se regarder, de s'admirer, de se donner à voir qui transforme le lieu en spectacle et lui enlève toute vie propre – toute authenticité. Dès lors, il n'est plus qu'une reproduction, une mauvaise copie de l'original, tel le petit village de Bonchurch, dans cette même île de Wight, «enseveli, écrit Henry James, dans des flots de verdure, emmitouflé de pelouses lisses et de buissons fournis [...] un village modèle constitué de matériaux d'imitation et gardé sous une grande vitrine ; le gazon pourrait être fait de velours vert et le feuillage de papier coupé [...] et les rosiers sur leurs murs ont l'air d'être attachés avec un ruban assorti» (*English Hours*).

Les charmes de la pastorale

Distance de la reproduction à un original toujours absent. Mais où est donc l'original ? Est-ce un village réel, une maison dans son parc, construite en des temps toujours meilleurs, qu'on aurait préservée et reproduite au long des siècles, avec sa pièce d'eau calme et ses saules pleureurs ? Ou bien un rêve de bonheur et d'innocence, un désir diffus et tenace, alimenté par une littérature abondante qui pourrait remonter jusqu'aux Grecs et aux Latins ? Un tel désir aurait alors survécu à tous les changements. En fait, il serait une réaction à ces changements : il proclamerait la survivance d'un état d'esprit appelant l'ordre et la permanence au-delà des tourbillons de l'Histoire. Il est vrai que les attitudes mentales et les aspirations, entretenues d'une génération à la suivante, subsistent bien après qu'on a annoncé leur mort et imprègnent encore longuement les consciences, alors même que les sociologues ont enregistré un tournant décisif dans les habitudes et les mœurs. (Qui pourrait affirmer, sans crainte de ridicule, qu'après les années 1960 la libération sexuelle a gagné la société tout entière, et que, cinquante ans après, il ne reste pas ici et là, à la campagne, en province ou ailleurs, les mêmes positions conservatrices que par le passé ?) Ainsi le besoin d'un retour au temps jadis, l'idéal d'une société « traditionnelle », semblable à la société féodale fondée sur un ordre social qui reflétait, croyait-on, un ordre plus vaste – un ordre naturel –, resurgissent-ils aux moments les plus variés, s'ils ont jamais vraiment disparu des esprits, et cela sans égard pour l'avancée de l'Histoire. Image même de la stabilité, surgie d'un « naguère » toujours présent, la maison de campagne s'inscrit dans un univers ancien dont la continuité rassure. Tout est à sa place – qui plus est, une place déterminée par la nature et ses lois intemporelles.

Poussons le raisonnement plus loin, laissons de côté l'histoire et la succession des âges, et les attitudes conservatrices, pour suivre quelques fantasmes bien implantés. Ici le changement n'a pas cours ; rien de ce qui oppresse, tourmente, affole l'homme dans l'univers mouvementé et hostile de la ville ; aucune des peurs, des menaces ni des secousses qui le guettent à chaque pas : en quittant le centre urbain pour regagner sa maison de week-end, il est en fait entré dans un enclos magique situé hors du temps où les agressions liées à la société contemporaine sont absentes. Il est en sécurité. Il a regagné la vraie vie, qui est faite de paix, d'ordre et de nature, contrairement à ce qu'on croit souvent.

Autant le dire clairement : la maison de campagne, vision idyllique d'innocence, appartient à l'ordre du désir.

Le passé aussi, qui est recréé à la mesure de notre nostalgie : du fait qu'il est incertain comme le souvenir, mouvant comme la mémoire, il est toujours meilleur que le présent, qui lui a la couleur gris plombé d'un réel inéluctable. L'ancienne Angleterre rurale des années 1820-1830 vivait au rythme éternel de l'agriculture et des saisons. N'était-elle pas plus heureuse que celle de l'âge industriel, avec ses machines et ses fumées ? Mais avant même cette période, il y eut au début du XIXe siècle, en 1830, les *Rural Rides* de William Cobbett, qui lui aussi se retournait vers son enfance, vers les années 1770, en songeant que juste après, un grand changement s'était produit, pour le pire, bien entendu. Et il en va de même pour tous les écrivains : chacun aura dans sa vie contemplé « la » grande mutation. « Oh, heureux éden de ces années dorées », écrivait John Clare, un fils de laboureur, chantre de l'Angleterre rurale et de l'amour perdu, en 1809, avant qu'il ne s'enfonce dans la folie. Du coup, « la vieille Angleterre » (Old England), ce pays de cocagne, perdait sa place dans l'histoire et sa situation dans la géographie. Jusqu'où fallait-il donc remonter pour en trouver l'origine ? Un monde dominé par les Saxons valait certes mieux que celui de la conquête normande, avec ses pillages et ses viols – la tapisserie de la reine Mathilde, à Bayeux, en dit long sur la question. Mais les Celtes, avant que les Saxons ne remontent les fleuves, n'étaient-ils pas des occupants moins barbares, plus imaginatifs en tout cas – et l'imagination est bien une force civilisatrice ? À force de reculer le passé se brouille et devient indistinct comme un rêve.

Peut-être est-ce dans l'enfance que, comme un fleuve, il a sa source. L'enfance dont nous tirons notre connaissance du paradis, disent les poètes.

L'éden n'est pas un lieu, c'est un état, et, par la suite, un souvenir auquel on se reporte de loin en loin. Un état d'unité avec le monde, avant que ne commence la séparation. Un état de paix et d'abondance, quand tout nous était donné sans compter, parce qu'il n'existait pas de distance entre la conscience et l'objet regardé. Tout était à nous, parce que tout était nous. «Tout m'appartenait, coïncidait avec mon regard», écrit le poète Kathleen Raine (*Adieu prairies heureuses*), ou : «Le Paradis est l'état dans lequel réalité intérieure et réalité extérieure coïncident en une harmonieuse fusion entre l'univers et l'imagination.» Dès lors, comment ne serait-on pas tenté de continuer à unir ces deux réalités en projetant sur le paysage la couleur de nos désirs, d'agir en sorte que se rejoignent la vision réelle et la vision idéale, comme le fit toute la littérature de la pastorale, depuis Théocrite et Virgile – dont l'Arcadie, dans les églogues, devint le siège d'une existence idyllique –, jusqu'aux poètes de la Renaissance et du classicisme, tels Pope ou Sidney, qui chantèrent à qui mieux mieux la beauté et les dons de la nature ? Le XVIIᵉ siècle ne fut pas en reste, l'Arcadie faisait toujours rêver, elle s'implanta dans un lieu réel, comme en témoigne encore la poésie de James Thomson dont les *Saisons* (1726) devint le livre de chevet de toute l'Angleterre. Quant au roman, la maison de campagne anglaise est pour ce genre littéraire, chacun le sait, une source d'inspiration inépuisable. Abandonnant les campagnes, la population s'était depuis longtemps transportée vers les villes, l'économie avait changé et la société en même temps, que le roman traitait encore sans signe de fatigue des charmes inaltérables de la vie campagnarde – chasses au renard, sonneries de trompes, départs au petit matin… Pour juger de l'actualité du thème, il n'est qu'à voir avec quelle âpreté les partisans de la chasse à courre ont défendu hier encore ce sport menacé par de nouveaux venus, habitants des villes en général, qui s'érigent en défenseurs des animaux et pourfendent une prétendue cruauté, alors que, selon les premiers, ils ne connaissent rien à la nature ni à ses lois et assouvissent surtout une rancune de classe.

En admettant que nous fassent défaut les images d'une enfance idyllique, ou que nous ne soyons pas d'humeur à questionner nos souvenirs, il n'en reste pas moins ce vaste héritage littéraire, qui est devenu partie intégrante de notre mémoire collective (point n'est besoin d'avoir lu, les traces d'un si long rêve se sont déposées partout, dans les magazines et dans la publicité). À notre insu, il teinte notre perception des choses et donne à la simple vision d'une maison de campagne ancienne – manoir ou chaumière – la profondeur, la patine, le velouté qui proviennent de siècles de songerie amoureuse.

Freshwater

Perchée au creux d'une falaise, on aperçoit Farringford, une grande maison sans grâce où vécut Tennyson vers le milieu du XIXe siècle. Freshwater est situé non loin de là ; les marins venaient s'y approvisionner en eau douce.

Le décor grandiose et solitaire semble accordé à l'humeur de la famille Tennyson, qui était instable et hautement mélancolique. (George Tennyson, le père, alcoolique au dernier degré, mourut en 1831. Il était en outre affligé d'épilepsie. Alfred Tennyson craignait d'avoir hérité de ces dispositions.)

Autant de considérations qui n'empêchèrent pas la jeune Virginia Woolf d'écrire, sous forme de pièce de théâtre, une petite farce désopilante intitulée *Freshwater*, où se retrouvent, dans l'île de Wight, Tennyson, déjà connu, et sa voisine, la célèbre photographe Julia Margaret Cameron qui avait fondé là avec son mari une colonie d'artistes.

Dans les années 1920 et 1930, le groupe de Bloomsbury s'amusait ferme. On organisait force soirées, on donnait des représentations de pièces écrites ou interprétées par les divers membres, on passait du *Comus* de Milton à des sketchs d'une «sublime obscénité», selon l'expression de Woolf, on reprenait les classiques ou l'on s'inspirait de faits divers. Comme dans *Don't be Frightened, ou Pippington Park*, une comédie satirique qui mettait en scène un scandale de l'époque : un riche gentleman avait plus ou moins violé une inconnue dans un parc ; Vanessa Bell, la sœur de Virginia, jouait le rôle de la victime et l'histoire se terminait gaiement sur un pas de deux (exécuté par Maynard Keynes et sa femme). Ou bien c'étaient des ombres chinoises représentant la fin de saint Jean Baptiste dont la tête coupée, confectionnée par Duncan Grant avec du carton-pâte, ruisselait de gélatine rouge.

De *Freshwater*, il existe deux versions qui témoignent du soin qu'apportait Virginia à tout travail ; pour chaque personnage, elle s'était abondamment documentée. Elle imagine un petit groupe d'amis réunis autour des Cameron qui se préparent à partir en Inde ; on n'attend plus que les deux cercueils qui vont les accompagner. Ellen

Terry (interprétée par Angelica Bell, la nièce de Virginia), la femme-enfant du peintre Frederick Watts, s'enfuit avec un bel officier de marine, John Craig, qui lui promet de vivre de pain, de beurre et de saucisses, et non plus de rossignols, d'abeilles et de pommiers, ces clichés de la poésie dont elle a les oreilles rebattues. Enfin les cercueils sont apportés, un événement éclipsé par l'arrivée inattendue de la reine Victoria. Cette dernière n'apparaît que pour prononcer quelques fortes paroles qui sonnent en fanfare et, bien sûr, ont trait au mariage. « Que l'esprit de mon bienheureux Albert nous contemple du haut du ciel. » Rideau. La pièce, fidèle à l'esprit de dérision de Bloomsbury, se moque des institutions, crève les baudruches, dénonce la prétention, raille la pompe et ses fastes, joue des ridicules physiques, s'empare du (faussement) sublime pour montrer le (véritablement) trivial, en passant par l'absurde et un doux délire. D'un comique irrésistible. L'œil aigu de Virginia Woolf ne fait grâce à personne – Tennyson, le poète lauréat, enfoncé dans sa propre statue, n'est guère qu'un vieux barbon qui s'extasie sur d'anciens succès et s'enivre de ses propres vers (dont Woolf, en changeant un mot, tourne le lyrisme en mièvrerie : « le merle melliflu joue sa flûte sur le gazon ») ; comme son ami Watts au reste, avec sa barbe vénérable et son goût radoteur pour la beauté (« Rien n'est trop beau pour la Beauté ») ; comme Mrs Cameron, une excentrique, une hippie avant la lettre, éprise d'elle-même et de sa folle inspiration, indifférente à tout le reste, dont l'obsession est de partir en Inde ; comme Mr Cameron, une mauvaise imitation de druide, soumis aux images faussement poétiques dont son épouse a la tête farcie : il est « un philosophe à la barbe inondée de lune ». La pièce débute d'ailleurs par ses plaintes : à la veille d'un nouveau départ en Inde, Mrs Cameron entreprend, comme avant chaque voyage, de lui laver les cheveux.

En regardant la maison grave et isolée sur son pic, je me souvenais de la reprise de *Freshwater* en France, en 1982, lors du centenaire de Virginia Woolf que j'avais organisé au British Council, avec l'aide de quelques amis, en utilisant les ressources de l'imagination. Les différents personnages de la pièce devaient être interprétés par des écrivains connus. Ionesco était Tennyson, sa barbe se décollait à chaque instant et il perdait le fil de son texte, Nathalie Sarraute, pour laquelle on avait créé un rôle de majordome, traversait la scène, silencieuse et digne, quant à la reine Victoria, c'était un romancier à la mode, depuis lors oublié, dont les traits secs, comme sculptés dans du bois, faisaient un peu penser au faciès de Polichinelle ; il portait les atours sévères d'une grande dame : capeline et mantille noires et ruchés de dentelles, qui avaient appartenu à Lady Firbank ; je les avais acquis à Sotheby un jour de folie et les avais prêtés pour l'occasion. L'esprit à la fois incisif et loufoque de Bloomsbury était respecté, le groupe reconstitué, le rire assuré, tout au long des répétitions d'abord, dans les salles de par le monde ensuite : la pièce eut un immense succès et fut reprise à Londres, à New York, en Italie…

La terre promise

Aujourd'hui la dépouille de Tennyson repose dans l'abbaye de Westminster. Les tombeaux de sa famille, cependant, se pressent dans une petite église normande de l'île de Wight. Partout dans la campagne anglaise ces églises normandes à la tour carrée, solides et trapues dans leur champ, recouvertes d'une couche uniforme de lichen qui, le soir venu, dans le soleil couchant, prend une chaude couleur d'or. Entourées de pierres tombales qui s'élèvent sans façon parmi les herbes folles, elles ont une allure simple et paisible qui donne l'envie de s'y arrêter. J'entrai dans celle-là. Elle était déserte. Les bancs de bois en rangées régulières, les bouquets de lys de chaque côté de l'autel, et, comme prie-dieu, de petits coussins aussi soigneusement brodés que l'appuie-tête d'un fauteuil favori ; l'église devenait le prolongement d'un lieu familier, la prière, une activité parmi d'autres, qui bénéficiait de la même intime préparation qu'un repas à la maison. C'est tout au moins ce qu'il me sembla lorsque je pénétrai dans cet endroit tranquille. Pour apprécier le climat apaisant qui en émanait, il n'était pas besoin de croire. On peut après tout se rendre à l'église comme on va à son club : deux démarches semblables dans un mode d'existence dont tous les éléments sont intégrés, en bon ordre – habitudes si serrées qu'elles forment comme un tissu aux motifs cohérents illustrant la permanence et la stabilité. Et en effet, dans chaque cas, on appartient à une communauté choisie qui a depuis longtemps fait ses preuves. La brûlure de la foi n'est pas nécessaire, il faut, plus modestement, s'en tenir à une ligne toute tracée : suivre, simplement suivre, la tradition du groupe et de la famille, ces rites anciens qui vous situent dans le temps et l'espace et qui, dans ces régions préservées, se perpétuent de père en fils, et même, si l'on remonte assez loin, se fondent dans le cours de l'Histoire où ils vous assurent une place, rien de moins. Modeste sans doute, cette place, mais certaine fierté s'y attache. Faire partie d'une longue et illustre lignée dont on recueille au passage un peu du lustre et de l'ancienneté. Cette douceur de s'en remettre à d'autres du soin de sa destinée (cette facilité de ne pas avoir à penser), voilà ce que me rappelait cette église de campagne avec ses tombes bien tenues et ses inscriptions funéraires.

Les plaques comme les vitraux le proclamaient : un roi, un dieu, une foi. Un devoir tout désigné. « Un », l'expression de l'unité : tout est simple, le doute n'existe pas. L'orgueil de servir contre la tentation de penser.

C'est l'Angleterre d'avant Darwin – avant que *L'Origine des espèces*, qui apprenait à toute une époque que l'homme descend du singe et que Dieu n'existe pas, ne vienne perturber les esprits et désorienter les vies. On mesure, à voir ces églises comme laissées en dépôt par un autre temps, la faille creusée par cette découverte monstrueuse : l'évolution des espèces et la loi de la sélection naturelle. C'était l'abîme qui s'ouvrait. Il n'était plus de garde-fou pour empêcher qu'on n'y tombe la tête la première. Une secousse sismique de première importance avait fait voler en éclats un paysage vieux de milliers d'années.

Mais ici, le tracé de la campagne a résisté. Comme l'architecture des maisons, au reste, et leur regroupement en petites unités (ainsi le village de Yarmouth avec ses trois clubs de voile, gloire de la population), et l'église à laquelle fait face un pub, si bien qu'on passe de l'une à l'autre sans trop d'encombre au cours d'une matinée de dimanche bien remplie. Tout cela dit assez le refus d'entendre Darwin, ce prophète de malheur et, refermant sur lui la parenthèse, la volonté d'en revenir à des temps plus simples et linéaires.

Dans le cimetière, j'observai la tombe d'un officier qui avait accompli soixante-cinq ans de service en Inde. Il revint mourir à Freshwater, dont il avait dû rêver toute sa vie, sous des latitudes étouffantes, comme à un havre de verdure et de fraîcheur. En fin de course, la terre promise.

Osborne House

Les victoriens eurent beau construire des villas de style italien, rien ne rappelle moins l'architecture de ce pays que leurs lourdes constructions tout empêtrées de tours, loggias et terrasses. Témoin : Osborne House.

La reine Victoria et le prince Albert, alors à la recherche

d'un endroit où vivre heureux et cachés, découvrirent dans l'île de Wight – dont la reine avait conservé le meilleur souvenir – une propriété correspondant en tout point à leur rêve. Elle était protégée du «peuple impudent et inquisiteur» par d'épaisses frondaisons. Le bois, tel un rideau, descendait jusqu'à la mer où il s'ouvrait sur une petite plage, face à la côte Sud de l'Angleterre. La vue était sublime. Albert fut enthousiasmé. L'île de Wight lui apparut comme une sorte de Riviera anglaise ; la mer, bleue et calme le jour de sa visite, lui rappelait Naples. Le nouvel Osborne serait sa propre création ; assisté d'un «maître constructeur», il en serait l'architecte ; évidemment, il s'inspirerait du style italien. La maison devait être une vaste composition où entreraient le paysage et la vue.

Aujourd'hui la construction nous semble surchargée et pompeuse, un ensemble insolite et disproportionné, avec ses deux campaniles asymétriques, ses loggias et son toit plat – un monument à l'ordre bourgeois, paré de grâces qui, loin de l'alléger, ne font que l'appesantir. Plus intéressant est l'emploi de techniques nouvelles et économiques, tels ces piliers métalliques recouverts de plâtre peint qui imite le marbre. Mais il est à peine besoin d'entrer (alors la première impression devient certitude) pour se faire une idée de l'homme qui inventa cette demeure. L'esprit curieux et entreprenant, doté d'une formidable capacité de travail, désireux que se réalise *sa* conception de la maison familiale où devaient régner l'ordre, la hiérarchie et un chef.

Albert avait dressé le portrait de la femme idéale : «Jeune et bonne, sans volonté propre quand vous discutez des choses avec elle, mais avec une influence sur vous au moyen de son intelligence.» La femme, grâce aux lumières de son esprit, pouvait éclairer l'homme de façon intermittente, en aucun cas le diriger, ni tracer une voie commune. Que Victoria fût reine ne changeait rien à l'affaire. Elle n'avait pas pour autant plus de lumières à sa disposition, seulement des charges plus nombreuses et donc davantage besoin de l'aide de son mari. Quant à son rôle de femme, Albert n'allait pas tarder, là aussi, à faire en sorte qu'elle le remplisse pleinement. Victoria eut neuf enfants (dont quatre dans les cinq premières années de mariage) et ne dut son salut qu'à l'intervention de son médecin : celui-ci prédit une grave dépression en cas de nouvelle naissance. Après une belle résistance, elle abandonna une bonne partie de son pouvoir à son mari. Le « nous » remplaça le « je ». Albert l'avait dit : « Un couple marié doit être enchaîné, inséparable. Les époux ne doivent vivre que l'un pour l'autre. » Plus lourds et contraignants étaient ces liens (écrivait-il à son frère, un libertin, comme le reste de sa famille), et mieux cela valait : immobilisé, amarré au sol par ses principes, l'homme retrouvait cette sécurité de l'enfance qui est l'un de ses besoins essentiels. Cette stabilité lui permettait de donner l'exacte mesure de ses forces, d'œuvrer pour le bien de la communauté. Désormais Albert régna sous l'œil admiratif et protecteur de la reine. La royauté était devenue conjugale.

Qui peut dire quel fut l'élément moteur de cette adaptation – l'amour de Victoria, qui voulait « suivre partout » son bien-aimé Albert, ou les conceptions de ce dernier, si fortes et obstinées qu'elles supprimèrent toutes les velléités de rébellion ? Toujours est-il que naquit ainsi une image du couple et de l'amour d'une solidité à toute épreuve. Elle était austère et résolue, cette image, forte de son sérieux, sombre comme ces photos de la famille royale où les personnages, harnachés de châles et de chapeaux, ont la mine tendue et renfrognée de ceux sur qui pèse l'idée de devoir. Elle était compacte, au point qu'il n'y existait pas de faille par où puisse s'introduire le doute. Si l'aristocratie trouva qu'elle manquait d'élégance – le rigorisme étroit d'Albert, son esprit de système et sa moralité ennuyeuse démontraient assez qu'il restait un étranger –, les classes moyennes, en revanche, adoptèrent ce modèle de bonne conduite qui les mettait à distance des classes inférieures et de leur infernale dissipation. Pour un siècle et davantage, une stricte moralité fut à la mode.

L'effet de lourdeur dans l'architecture proviendrait-il des principes à l'œuvre sur la pierre – de la rigidité de l'idée organisatrice ? Les tours italiennes restent impuissantes à soulever la masse : la pesanteur domine, celle qui présida à l'édification.

À se conformer à des modèles si exigeants, on risque l'étouffement. La poitrine se comprime, la respiration manque, l'air arrive mal et ne circule plus. Il y avait pourtant une occasion de libérer tant d'émotions réprimées : le deuil. La mort. Elle permettait d'idéaliser le défunt et, ainsi, de reconstruire un passé qui n'aurait jamais dû varier de la ligne droite, mais, mieux encore, elle permettait aux émotions de se donner libre cours. La licence et l'excès contre l'interdiction et l'économie. Cela en toute bonne conscience. Le décès du père d'Albert (qui ne s'était jamais soucié d'inviter ce parent en Angleterre) fut l'occasion d'une débauche de douleur : déluge de larmes, étalage de sentiments, protestations d'amour éternel, échanges de reliques – tels des mèches de cheveux, un couteau à fruit ou tout autre fragment du corps ou de la vie.

La mort avec son appareil s'installait au centre de l'existence. C'était mieux qu'un rappel ou une tolérance : un goût, un penchant.

Il fallait contrôler le mouvement par crainte des débordements (Albert avait interdit au palais les tables de jeu et les plaisanteries osées). L'immobilité de la vie s'accommodait d'une immobilité plus grande encore. Dans son bureau le prince consort, quand il cessait de travailler, pouvait voir des moulages en marbre des pieds et des mains de ses enfants. Plus tard, la reine Victoria, dans chaque lit où elle coucha, fit attacher au-dessus de l'oreiller, sur le côté droit, une photo du masque mortuaire et des épaules de son époux, surmontée d'une couronne d'immortelles ; et ainsi, nuit après nuit elle dormit avec cette image de la mort. Objets, reliques, morceaux brisés de la vie, à tout jamais retenus. À la disparition du prince Albert, la mort prit possession des lieux – la mort, ses fastes et ses pompes. Osborne House ne quitta plus ses draperies noires. Le temps s'était arrêté.

Le cher petit favori de la reine

Dans l'un des bosquets du jardin d'Osborne, une plaque de granit informe le visiteur que ci-gît Waldmann « le cher petit dachshund de la reine Victoria, qui le rapporta de Baden en avril 1872 ; il mourut le 11 juillet 1881 ». Aucune des précisions voulues ne manque.

Victoria avait hérité de biens considérables, porcelaines, bronzes, meubles et assiettes, sans compter ses propres achats effectués au cours d'une longue vie et le flot incessant des présents expédiés des latitudes les plus lointaines. Sur cette énorme masse d'objets, elle exerçait un contrôle absolu. Témoins de son existence, ils étaient le gage, par leur multitude, d'une vie riche et bien remplie. Elle les considérait avec satisfaction : chacun reflétait sa puissance. En eux elle contemplait, indéfiniment reproduite, son image dont ils étaient comme l'émanation flatteuse. Ils mettaient à ses pieds tous les pays du monde : régnant sur leur présence docile, elle s'assurait à chaque instant de sa propre grandeur. Ce monde, qu'elle avait constitué elle-même, où chaque élément restait à la place désignée, opposait une barrière palpable, une ligne de défense au temps et à la mort. Et pourtant les objets s'altèrent et se brisent, le monde qu'ils avaient rassemblé s'éparpille, se dissout et meurt, comme meurt celui qui l'avait créé. Pensée insupportable. Victoria avait en elle assez de volonté pour ne pas la tolérer. Rien ne serait jeté, tout serait gardé, fixé à tout jamais à la place attribuée, les robes et les poupées, les bonnets et les manchons, les fourrures, les timbales de l'enfance et, bien sûr, les innombrables photos de la famille à tous les âges, dans toutes les circonstances, qui couvraient par régiments entiers les tables et les bureaux. Portraits, clichés, statues en pied ou figurines, médaillons et miniatures, les morts installés dans un cadre ou sur un socle l'entouraient d'une présence discrète et tenace, ils étaient retenus auprès d'elle, ils n'avaient aucun droit de déserter, pas même les chiens ni les chevaux qui eux aussi figuraient parmi les chers disparus – Boy et Boz changés en statues de bronze par un coup de baguette magique et couchés ensemble sur un lit de fleurs éternelles. Aux fragments du passé, elle avait donné la solidité immuable du métal ou du marbre. Cependant, ces mesures désespérées ne suffisaient pas. Elle décida que l'ordre de la collection serait arrêté pour l'éternité, fixé en l'état comme par un décret de Dieu. Afin d'être certaine que nul ne modifie jamais l'emplacement d'un objet, ne le change ou ne le remplace, elle fit photographier chacun d'eux sous tous les angles, puis plaça ces clichés dans une série d'albums richement reliés. En face de chaque image, elle indiqua le numéro de l'article en question, le numéro de la pièce où il était conservé, sa position dans cette pièce et ses caractéristiques principales. Dieu lui-même ne pourrait rien contre tant de précautions. «Et Victoria, écrit Lytton Strachey dans sa biographie de la reine, avec un ou deux des volumes gigantesques de son interminable catalogue toujours posé à ses côtés, afin de pouvoir le parcourir ou de méditer […] put se dire avec un double sentiment de satisfaction qu'elle avait vaincu le côté transitoire du monde par l'ampleur de son pouvoir.» Là se trouvaient consignés non seulement les faits et les pensées, mais les humeurs, et les moments de la vie. À ces traces arrêtées, on ajouta des commémorations, cérémonies d'anniversaire, rappels des naissances, des mariages et des morts, avec le rituel approprié à chaque occasion – pour chaque journée mémorable le sentiment qui convenait, joie ou deuil, et pour chaque sentiment le mode d'expression qui convenait. Tout était ainsi déterminé à l'avance, accompli avant d'être vécu, conforme à un modèle inaltérable : les événements de l'existence déjà sortis du temps, entrés dans l'éternité, prêts pour la collection qui était l'aboutissement final. Ces rituels constituaient comme un hommage de la vie à la mort et réglaient d'ailleurs le cours de l'existence, les départs et les retours, vers l'Écosse par exemple, où chaque année on devait fleurir au jour anniversaire de son décès la tombe de John Brown. La mort, seul absolu, seul point fixe dans le changement perpétuel, était au centre des cérémonies : il s'agissait de conférer à la vie une rigidité post mortem, de faire échec aux outrages du temps qui nous donne et nous retire à son gré ce que nous avons de plus précieux, suivant le rythme qui lui plaît et au mépris du nôtre.

Le souvenir prit une forme concrète et durable. Obélisques, pyramides, tombes, statues mortuaires et tumulus s'élevèrent à Balmoral, le siège de maints épisodes familiers. Au pied de la statue en bronze d'Albert en costume des Highlands, Victoria et sa cour, sa famille, ses serviteurs et ses fermiers venaient chaque 26 août se souvenir et boire en mémoire du disparu. À sa description détaillée d'efforts prodigieux, qui devinrent une obsession ou une manie, Lytton Strachey ajoute les cérémonies, secrètes celles-là, qui se déroulaient autour des appartements d'Albert, un lieu sacré à tout jamais interdit au commun des mortels. Rien n'y avait changé

« À la bière du courage »
Portsmouth

Spice Island Inn

Portsmouth est une ville aussi décevante que le dit Henry James, des artères qui se croisent indéfiniment et ne mènent nulle part, des arches, des ponts, passages et carrefours où l'automobiliste prisonnier tourne en rond entre des immeubles récents, briques rouges et façades uniformes. Jusqu'au moment où un discret écriteau, OLD PORTSMOUTH, le guide vers la ville ancienne – quelques vieux pubs, des maisons géorgiennes rescapés de la guerre et de l'industrie galopante – et le port, les docks historiques, où attendent côte à côte, depuis la fin de la Seconde Guerre mondiale, de grands cuirassés, tels des insectes aux ailes plombées, lourds et inutiles, aujourd'hui curieusement démodés. Parmi eux, restes d'une gloire ancienne savamment entretenue, trois vaisseaux héroïques à jamais échoués : des bornes posées dans l'Histoire. *H.M.S. Victory* sur lequel mourut Nelson en 1805, *H.M.S. Warrior* destiné à défendre l'Empire, et le *Mary Rose*, le vaisseau amiral de Henry VIII qui coula dans le port en 1545, avant même d'entreprendre son premier voyage.

Le soir, les ferries venus de l'île de Wight, chargés de leur cargaison de passagers nostalgiques s'en retournant vers Londres, glissent silencieusement le long des quais déserts. Le port est pris dans le grand flamboiement orange du soleil couchant que surplombe un ciel noir. Une forêt de mâts en silhouettes rythment cet horizon dramatique. Des enseignes qui portent des noms aux fortes sonorités font rêver d'un ailleurs chargé d'épices et d'aventures : Spice Island Inn, Fortitude Tap…, des pubs où les marins venaient boire, jouer, parier, rire et oublier, avant de partir en mer pour de longues traversées, nombre d'entre eux enrôlés de force parmi les prisonniers de droit commun, pour une vie qui ne valait guère mieux que la prison. Aujourd'hui ces lieux malfamés sont transformés, pour beaucoup, en de coquets bed and breakfasts sur lesquels règnent des hôtesses diligentes : volants, dentelles et fanfreluches garnissent les lits et abat-jour, introduisant l'indispensable note de kitsch qui témoigne de l'adoucissement des temps.

«Dieu merci, j'ai fait mon devoir»

Pour le prix modeste de 6 livres 50, passé la porte du petit musée de la Marine, on est plongés en pleine bataille de Trafalgar, parmi les râles des blessés, la canonnade, les hurlements et les appels, les ordres des officiers, les craquements des mâts brisés. Chaque jour et à chaque heure se rejoue la victoire écrasante de la flotte anglaise sur la France pour le bénéfice des touristes et écoliers, et chaque jour Nelson expire, pâle comme un linge, entouré de ses officiers en pleurs, après avoir déclaré : «Dieu merci, j'ai fait mon devoir.» Éternellement, l'Histoire se déroule, les siècles sont abolis. Entre les flancs évasés du *H.M.S. Victory*, la marine anglaise est toujours victorieuse et les peuples médusés s'inclinent devant sa puissance. Les artisans cachés de cette grandeur, pauvres matelots retirés à leurs campagnes, se familiarisent avec le monde flottant et ses lois impitoyables : ils sont là, attablés dans la lumière rare du pont inférieur, parmi le bétail errant, porcs, brebis, chèvres et poules gardés comme viande fraîche, aujourd'hui enfermés pour cause de gros temps – des centaines d'hommes pas lavés, revêtus de leurs hardes humides, qui attendent l'unique repas chaud de la journée : de la viande salée, si dure qu'on dirait du bois, et un morceau d'une sorte de biscuit où les charençons et les asticots ont élu domicile (« un biscuit qui vous refroidit la gorge à cause des asticots dedans qui sont froids quand on les mange, comme de la gelée de pied de veau », écrit un enfant de onze ans à ses parents, avant de dégringoler d'un mât trois ans plus tard), de l'eau qui a la couleur brunâtre de l'écorce et où flottent des centaines de petites bêtes, et du vin épais comme du sang de bœuf qu'on aurait mêlé de sciure. Sans compter les punitions et les supplices dont on voit les moyens à la fois grossiers et inventifs, variables selon l'offense commise, qui sont appliqués au moindre manquement : trente-six coups de fouet pour s'être enivré la veille de la bataille, douze pour avoir fait du tapage… des lois existent bien pour limiter les coups, mais les cours martiales en prennent à leur aise.

La population aimait ses marins ; sur les caricatures de l'époque, on les voit toujours de joyeuse humeur ; corpulents, rouges et rigolards, ils tirent sur leur pipe, jouent aux cartes, ébauchent un pas de danse : l'homme du commun tel que le définissait la vieille Angleterre, fort de son optimisme et de sa bonne santé morale, prenant avec la même jovialité le bon et le mauvais de la vie. Quant au voyage en mer, c'était, à en croire ces gribouilleurs de talent, une vraie sinécure, on s'y amusait ferme.

Il n'en va pas de même pour le héros, l'être d'exception, qui a le teint pâle, les traits creusés, la mine songeuse. Il est promis à une mort précoce et il le sait, et ce pressentiment l'entoure d'une aura romantique : Nelson à la veille de la bataille de Trafalgar, tel que le représente un tableau de Charles Lucy. Sa manche, vide, est repliée sur sa poitrine ; de l'autre main, il soutient sa tête lourde de pensées ; il a revêtu comme à l'habitude ces décorations qu'il avait une vanité enfantine à exhiber et qui, dit-on, le désignèrent au feu de l'ennemi. Devant lui, le fameux codicille par lequel il confiait Emma Hamilton à son roi et à son pays : « Ce sont les seules faveurs que je demande à mon Roi et à mon Pays en cet instant où je vais livrer leur Bataille. » « Leur » bataille.

Le héros serait-il celui qui, pour une cause extérieure, tel le bien commun, saurait faire le sacrifice de sa vie ? Juste avant l'ordre d'attaquer, Nelson fit hisser un dernier signal, un message personnel à la flotte, en quelque sorte. « L'Angleterre compte que chacun fera son devoir. » Il fut bien quelques matelots, sur le *Victory*, pour bougonner que leur devoir, ils l'avaient toujours fait, que ce signal, pour l'heure inutile, ils le connaissaient assez, les hourras n'en retentirent pas moins de vaisseau en vaisseau – trois fois pour chacun, l'embrasement de la flotte entière. Le mot « devoir » n'avait rien appris à personne. Le message de Nelson visait-il autre chose : à fournir l'occasion de faire corps, de se rassembler dans l'amour d'un homme – comme semblent le prouver les hourras – et dans la perspective de la mort qui venait ? Les clameurs se fondant en une seule longue vague d'enthousiasme démontraient au moment crucial que tous étaient unis. L'ivresse donnée par cette force, on peut l'imaginer.

Les hommes se couvrirent les oreilles pour se protéger du bruit des canons, bandèrent leur front pour éviter que la sueur ne les aveugle, certains affûtèrent une fois de plus leurs couteaux, « d'autres dansèrent même la gigue ».

La gloire du pays, l'idée de devoir : pouvait-on mourir pour des notions aussi abstraites ? Toutefois, si un être incarnait de telles valeurs – les rendait humaines, personnelles et pour ainsi dire réelles, vivantes –, alors l'admiration pour lui, et l'affection, pouvait vous insuffler l'élan voulu pour consentir au sacrifice de soi. Faire leur devoir, bien sûr, ils ne pouvaient guère l'éviter, mais le courage de mourir, seule le leur donnait la solidarité humaine. Être ensemble dans l'attente de la mort.

Peut-être le héros était-il celui qui, par son humanité et sa bravoure – joignant la double nature de l'homme et du dieu –, savait provoquer parmi ses hommes cette solidarité absolue d'où vient le don de soi. Il est l'exemple. Il centre sur sa personne la masse éparse des émotions, leur donnant une forme, une direction, un sens. Les portant à ce degré d'incandescence où le reste, et même la mort, devient indifférent ou secondaire. L'individu s'efface, perd ses limites pour entrer dans une réalité *autre*. On raconte que Nelson, tel saint Paul sur le chemin de Damas, fut un jour frappé par la certitude de sa vocation. Il n'avait alors guère plus de quinze ans. Épuisé par les fièvres attrapées en Orient, à demi mort et souhaitant en finir, désespéré de son insignifiance, il luttait à peine. Le *Dolphin* cinglait vers l'équateur et, au-delà, vers les mers du Nord. Ce fut à ce moment qu'il eut la vision d'«un orbe radieux», un feu s'alluma en lui, en lequel il reconnut l'ardeur du patriotisme. Dorénavant, il serait un héros sans peur et sans reproche, un destin dont il ne douta plus.

✕ La fascination des héros

Aujourd'hui, à l'heure où l'on s'ingénie à dégonfler les vieilles valeurs comme autant de baudruches, les héros, ces personnages d'un temps révolu, provoquent la méfiance. Au reste, existent-ils vraiment ? Déjà, dans *La Marche de Radetzky*, un roman de Joseph Roth, le «héros de Solférino», qui dans cette bataille sauve la vie de l'empereur François-Joseph, se bat farouchement contre le mensonge de ce prétendu héroïsme, contre l'Histoire que recréent en sa faveur les manuels scolaires et même, il démissionne de l'armée, car cette tromperie, il ne la supporte pas. Mais l'Histoire a besoin de héros, et les foules d'admirer des modèles, et les rois et les empereurs de satisfaire l'idéalisme de leurs sujets.

Aujourd'hui, on s'emploierait plutôt à souligner les faiblesses de ces grands hommes : opinion exaltée de soi-même, mythomanie, narcissisme, orgueil, goût de l'exception, sens défaillant du réel et d'autrui... En conséquence, on dénonce par la même occasion la naïveté de ceux qui, au mépris de leur faculté critique, les suivirent aveuglément. Et bien sûr, renoncer à son propre jugement est dangereux, l'Histoire l'a prouvé – dangereuse la tentation qui pousse les hommes à s'en remettre du poids de leur destin à une autorité non questionnée. La cause est entendue.

Cela dit, il suffit de pénétrer dans le Musée naval pour constater que toutes ces précautions ont une influence limitée et que le goût des héros a la vie dure – la fascination de ces personnages qui, mécontents de la mesure commune, travaillèrent à se dépasser et éblouirent de leurs exploits un monde fatigué qu'ils rendaient ainsi plus beau, plus rêveur, plus habitable.

Nelson, quand il se montrait, électrisait le «froid tempérament anglais» (selon Lady Elizabeth Foster), des cris, des applaudissements le suivaient, une femme s'approchait pour toucher son manteau, les enfants hurlaient de joie, on se bousculait aux fenêtres et sur le seuil des portes... La ferveur fut la même à la mort de la princesse Diana. «Aucune envolée de l'imagination ne permet de voir là un comportement typique de la part d'une nation dont l'impassibilité devant l'émotion est l'une des caractéristiques majeures, au point que les humoristes l'ont parodiée avec succès.» Jeremy Paxman, l'auteur de *The English* et de ces lignes (écrites à propos de Diana), a la mémoire courte. Se pourrait-il que le culte du héros se soit transformé en culte de la victime?

Si précaire que nous paraisse son pouvoir, il nous reporte à une époque où la vaillance d'un seul être pouvait encore relever l'univers chancelant, rétablir l'ordre là où régnait le chaos, faire triompher le bien là où menaçait le mal. Le vieux rêve de l'humanité éprise de Bien et de Justice, avant que le «Bien», un concept trafiqué pour les besoins d'une cause douteuse, ne serve à la manipulation des masses, mensonge derrière lequel les gouvernements cachent avantageusement tous les crimes.

Superman, redresseur de torts, succéda à Zorro dans les films et les bandes dessinées; à l'âge de l'informatique, Largo Winch le suit, et d'autres encore, le personnage est éternel, comme le besoin qui le crée. Le peuple tout entier ovationnait Nelson dans les rues, voyant en lui son sauveur. Le peuple fit sa gloire, non les grands, que d'ailleurs il haïssait, ni la cour, qui lui reprochait son inconduite, ni le roi, que sa mort laissa froid. Blessé, amputé, borgne et manchot, affaibli par les fièvres, Nelson n'en était pas moins victorieux, toujours – le triomphateur du mal, c'est-à-dire de l'ennemi qui cherchait à ternir la gloire de l'Angleterre. Imagine-t-on la haine et la peur causées en ce temps par la France révolutionnaire et l'ogre Bonaparte, le démon dont on menaçait les enfants? À lui seul, Nelson arrêtait la grande ombre qui avançait sur le monde. Au musée de Greenwich, son courage surnaturel est exalté: on le voit tout jeune se battre contre un ours blanc; au musée de Portsmouth, son buste à l'entrée, avec la recommandation «sentez-vous libre de toucher», procure au visiteur, pour le modeste prix d'un billet, une sensation d'intimité avec la grandeur. L'exposition «L'homme et le héros », sous le prétexte d'introduire une subtile problématique, se livre en fait à un culte éhonté de l'idole. L'image de Nelson se déploie à l'infini, tandis que résonnent à travers les pièces les mots d'amour fou qu'il adressait à Emma. Des films vidéo tremblotent sur les écrans, on assiste à la mort du héros, version 1918, sur une musique sautillante ; version 1942, romantique à souhait, sous les traits du beau Laurence Olivier ; version 1973, où il redit trois fois : « Dieu merci, j'ai fait mon devoir », sa voix déclinant toujours plus. La figure de Nelson en pots, en vases, en chopes de bière, en porcelaine, en verre, en jouets, en pichets, sur fond d'assiette, peinte et sculptée, en pied et en buste, réduite ou grandeur nature – un mannequin de cire, qui a, dit-on, ses proportions exactes, cette petite taille, cette allure frêle qui décevaient tant les dames, ce côté « ordinaire » dont se moquaient les grands et qu'il compensait par l'étalage flamboyant des médailles sur sa poitrine. Les reliques de Nelson – montre, cure-dent et carte de visite –, « traitées avec révérence, comme les reliques sacrées des saints », précise un écriteau, et un masque de Nelson exécuté de son vivant à Vienne, paupières closes, austère, l'expression résolue, presque brutale, et le pli de la bouche, lourd, exigeant.

À sa mort, le chagrin populaire fut immense. « Aucun homme ne se sentait étranger l'un à l'autre, écrit le poète Coleridge alors à Naples, tous se retrouvaient dans la même angoisse […] Nombre de gens s'arrêtaient et me serraient la main, car, voyant des larmes dans mes yeux, ils en déduisaient que j'étais anglais et certains fondaient en larmes eux-mêmes. » Du frère de Nelson, qui n'était pour rien à l'affaire, on fit un comte et un homme riche. Tandis qu'Emma Hamilton, son « ange gardien », comme il l'appelait (un titre non reconnu par la société, il est vrai), allait mourir pauvre et abandonnée.

« Mon ange gardien »

Elle avait une nature ouverte, démonstrative, exubérante même, une propension à déborder, certain goût pour l'outrance qu'elle ne voyait nulle raison de brider, ayant l'amour du théâtre et de la représentation plus que du secret ou de la mesure. Elle était chaleureuse et spontanée, libre dans ses gestes et ses paroles, elle parlait haut et chantait fort, ajoutant, quand la voix ne suffisait plus à exprimer l'excès de vie, quelques pas de danse effrénés (comme ce jour où, de joie, elle entraîna sa suivante dans une tarentelle dont la lascivité horrifia les visiteurs de marque). Elle misait de fortes sommes à la table de jeu sans se soucier de choquer son entourage, les cartes n'étaient pourtant rien de moins que le vestibule de l'enfer. Bref, elle était l'incarnation parfaite de ce que l'aristocratie détestait le plus au monde : la liberté de comportement. Emma Hamilton semblait ignorer les lois qui régissaient la dure bonne conduite de leur univers clos. Cette indifférence, qu'on aurait peut-être tolérée chez une femme du même milieu, y décernant alors de l'audace, devenait infamante lorsqu'elle trahissait une basse extraction et donc une absence de savoir-vivre plutôt que le défi. Il est vrai que le défi est une forme de respect inversé, tandis que l'ignorance n'est rien de tout cela : aussi la nommait-on vulgarité. La bonne société n'oublia jamais qu'Emma Hart était fille d'un forgeron et qu'elle s'était sans doute prostituée avant d'épouser William Hamilton, l'oncle de son amant, ambassadeur à Naples.

« Elle est toute Nature et cependant tout Art ; c'est-à-dire que ses manières sont pleines d'aisance – non de cette aisance que donne la bonne éducation, cependant, plutôt la facilité d'une fille de bar. » En France, Madame de Boigne n'était pas plus indulgente que Sir Elliot : « Rien n'était plus vulgaire que Lady Hamilton. » De visage, elle était belle, sans doute, et ses fameuses « attitudes » avaient pu frapper Goethe à l'époque, mais « de corps si énorme qu'elle en est devenue monstrueuse, et chaque jour, elle grossit encore » (note Sir Elliot).

La taille, pléthorique, débordante, ne faisait qu'ajouter aux autres excès qui étaient comme l'envers d'un creux, d'un vide, d'une absence centrale : celle de la naissance. L'éducation, qui apprend à retenir et contrôler – retenir ses impulsions, contrôler ses instincts –, prépare les êtres à l'état de soumission qu'exige la vie en société. Or la société dont dépendait Emma obéissait à des règles particulièrement rigides. Contre la maîtrise de soi et la prudence qu'elle implique, contre l'économie des sentiments et la nécessité de calculer sans cesse, de s'ajuster, de feindre et se taire, elle osa être elle-même, c'est évident, osa suivre et affirmer ses élans. Non qu'elle fût une rebelle : simplement une femme douée d'un prodigieux appétit de vivre, à laquelle sa position sociale et sa passion pour le héros du jour donnèrent l'assurance voulue pour aimer et agir à sa guise. Trop de chair, trop de voix, trop de gestes, des mouvements intempestifs, désordonnés (après les « attitudes » si finement réglées qui faisaient s'exclamer Goethe), son chant puissant et sans subtilité, son amour trop voyant pour Nelson, son mauvais goût revendiqué (« Des pieds à la tête, ma robe est à la Nelson. Mes boucles d'oreilles sont les ancres de Nelson... »)... en excès, tout était en excès. Choquants au plus haut point ses apartés en public avec le héros dont elle avilissait l'image. Ne l'avait-elle pas réduit à l'état d'enfant docile ou, si l'on préfère, autre comparaison utilisée, d'ours enchaîné qu'elle traînait à sa suite ? Elle l'entourait de soins, le choyait comme un bambin, puis l'admirait, le désirait, le flattait, gestes et exclamations à l'appui, comme sur une mauvaise scène de théâtre. Cette vanité étalée de part et d'autre, ces médailles luisantes comme une armure sur la poitrine du petit homme, ces sonnets chantés par Emma à la gloire de Nelson... On ne savait de quoi s'indigner le plus, de la débauche d'amour de soi ou de l'étalage de sexualité triomphante. Nelson, le héros invincible d'Aboukir, s'était transformé en «un prince d'opérette», en «un petit homme sans dignité», caparaçonné comme une bête de foire, les critiques envenimées fusaient de toute part, visages grimaçants, persiflage et méchanceté.

Mais lui ne ressentait nulle gêne. Il acceptait ces attentions, il en semblait même heureux et fier, indifférent à la désapprobation générale et à l'obsédant souci de respectabilité. Rentrés en Angleterre, à Merton Place, ils se contentèrent de vivre à l'écart, Nelson, Emma et son mari, Lord Hamilton, un amateur d'objets d'art à qui l'observation objective de la beauté avait sans doute appris le détachement, ou tout au moins la sagesse.

Au-delà de leur attirance évidente l'un pour l'autre, on peut penser que tous deux surent se reconnaître à leur goût théâtral de la démesure : cette dimension-là les éloignait de la loi commune et les apparentait profondément. Elle les soustrayait à la société, à sa division en castes et à ses règles trop étroites. Désir d'une dépense d'être, besoin de flamboiement, exigences d'un narcissisme impérieux. Et cela, ils le satisfaisaient l'un par l'autre.

À la mort de Nelson, Emma, seule de son espèce maintenant, continua de vivre selon sa propre pente intérieure, mais ce mouvement de son être, qui ne rencontrait plus rien que le vide – le jeu, la boisson, les dettes –, finit par la détruire. Elle fut arrêtée pour endettement et s'enfuit à Calais. Là-bas, elle vécut dans des conditions sordides, une alcoolique vieillie avant l'âge, puis elle mourut dans la misère. L'Angleterre, à qui Nelson l'avait confiée, lui refusa son aide. La bonne société ne l'avait jamais acceptée ; elle se contenta d'ignorer sa déchéance et sa fin.

La statue d'Alfred
Winchester

Le miracle de saint Swithun

Winchester, paisible ville provinciale, vit toujours à l'époque tourmentée et glorieuse où le roi Alfred le Grand, cinquième fils d'Ethelwulf, régna sur le Wessex après en avoir chassé l'envahisseur viking et unifié l'Angleterre, qui ne comprenait alors pas moins de sept royaumes. À en croire la légende, c'était un homme accompli, le plus grand de l'Histoire, il n'était pas de domaine dans lequel il n'excellât : grand guerrier, il rendit à son pays la liberté ; philosophe, il sut changer la conception de la royauté ; administrateur, il réforma les lois, donnant aux esclaves des jours de congé ; protecteur de l'Église et érudit, il traduisit du latin *Cura Pastoralis* de Grégoire le Grand, *Historia Ecclesiastica* de Bède, *De Consolatione Philosophiae* de Boèce, un peu de saint Augustin, aussi… Ces traductions n'allaient pas sans quelques arrière-pensées intéressées, soupçonne-t-on. Il attirait les lettrés à sa cour, entre autres choses pour consigner l'Histoire en train de se faire et chanter sa gloire au passage. La connaissance que nous avons de son règne, nous la tirons de tels écrits (ainsi *The Anglo-Saxon Chronicle*). Notre époque avisée pense que la vision d'un monarque juste, moral et bon est quelque peu biaisée et qu'en réalité il fut sans doute aussi impitoyable que ses prédécesseurs. Mais l'Histoire n'est-elle pas écrite par les vainqueurs ? Et puis que faire pour la corriger quand le rêve et la légende s'y opposent, s'étant emparés d'un personnage pour lui conférer *leur* forme de réalité, tellement plus forte que les simples faits ? Comme le roi Arthur, qui peut-être n'exista pas, Alfred appartient à un passé héroïque et au domaine du désir. Une Angleterre étrange, spectrale, une île mystique faite de songes compensatoires, de mythes et de présages, se rassemble autour de la forme géographique modelée par la mer et par l'Histoire. À travers les âges, les chroniqueurs ont relaté des événements surnaturels et des miracles selon lesquels, Alfred, visité par les esprits de saint Cuthbert et saint Neot, aurait appris qu'il bouterait le barbare viking hors de la terre anglaise, effaçant l'humiliation de la défaite. La suite des siècles reposerait sur ce moment de révélation : l'expérience mystique vécue par le roi, alors que pendant sept semaines il s'était retiré dans les marais sauvages du Somerset pour y méditer sur les Écritures. Face aux ordres venus de l'Au-delà et aux signes qui s'imposent à l'imagination que peuvent les froides remontrances de la raison ?

Épée brandie, bouclier au côté, casquée et barbue, respectable à souhait et guerrière tout de même, la statue monumentale d'Alfred, exécutée par un certain Hamo Thornycroft, orne depuis 1901 la place centrale de Winchester, à l'entrée de « the Broadway », la large chaussée qui date du temps des Romains. Le visiteur qui arrive à Winchester est ainsi d'emblée plongé en plein héroïsme. Pourtant, il est un autre personnage tout aussi important qu'Alfred le Grand aux yeux de la ville, malgré la modestie des faits qui le recommandent à la mémoire. C'est saint Swithun. Il n'accomplit qu'un miracle durant sa vie : une vieille femme avait laissé choir son panier d'œufs, il le lui rendit intact. À sa demande, on ensevelit Swithun dans une simple tombe du cimetière d'Old

191

Minster. Est-ce sa douceur et son humilité, ces qualités qui font les saints plutôt que les héros, et l'attention qu'il prêtait aux petites choses de la vie, toujours est-il que les pèlerins ne cessaient d'affluer vers lui, remettant à ses bons soins leurs maladies et leurs petites misères. Il avait choisi d'exercer son pouvoir de façon si discrète que ses manifestations prenaient un tour comique : point de corps ressuscité, point de vie rendue – rien d'aussi spectaculaire, mais des œufs recollés. Les fidèles ne s'y trompèrent pas : ils avaient trouvé un homme à la mesure de leur vie dure et besogneuse.

Un jardin des sens

Tout à côté de la statue d'Alfred, les jardins de la mairie offrent une curiosité : un « jardin des sens » destiné aux aveugles, des buissons d'herbes odorantes. On se penche sur des plantes anémiques malmenées par le climat anglais. Une odeur imperceptible s'en dégage que recouvrent par vagues les effluves plus consistants de graisse cuite venus du restaurant d'en face.

Puis, négligeant le pont construit, dit-on, par saint Swithun, le saint patron de Winchester, on tourne à droite pour suivre la rivière Itchen. Du fameux mur construit par l'occupant romain – qui, se plaît-on à reconnaître, unifia la Grande-Bretagne, la dotant d'un splendide réseau routier et d'une économie et d'une culture sans précédent –, de cette enceinte si vantée ne restent, dans un réduit protégé par une grille de fer, que quelques pierres émoussées par l'âge. Devant ce tas informe courent une pelouse verte et la rivière, romaine elle aussi, à en croire les écriteaux, gonflée et rapide, bordée d'un mur croulant sur lequel poussent des giroflées de feu. Pour mettre une touche finale à ce tableau de paix, deux canards, tel un point plus foncé, dorment l'un contre l'autre sur leur lit de feuillage, au faîte du muret. De petites maisons peintes déploient jusqu'en bordure de l'eau leurs jardins couverts d'arbres fruitiers en fleurs. De tous côtés des merles chantent. Ce chant liquide, ces notes filées dont le timbre, selon John Cowper Powys, n'appartient pas au plein jour, moment de la maturité, mais à l'heure qui précède l'aube, à cette « vie qui n'est pas un son, qui n'est qu'un souffle suspendu, le souffle des bourgeons froids, pas encore verts », ce chant du merle tel que Gerda l'imite pour Wolf Solent, le héros éponyme du livre, il nous semblait aujourd'hui, par ce beau jour du mois d'avril, surgir de chaque arbre, de chaque branche. Une vieille dame émerveillée nous croise au long de sa promenade vespérale, tant de bonheur l'incite au partage. « *Birds* », nous dit-elle. Puis, se retournant, encore une fois, « *birds* ». Un mot suffit. Oiseaux. La mélodie vibrante et fraîche, les notes lancées puis suspendues en plein essor, comme une question appelée à rester sans réponse et qui ouvre à tous les commencements. Seuls un ciel de ce bleu particulier et ce feuillage tout nouveau pouvaient servir de décor à de tels sons. Peu de temps auparavant, nous avions remarqué un vieil homme barbu, à l'air doux, que suivait obstinément un vol de pigeons. Quand il s'assit, les oiseaux se posèrent sur lui et le recouvrirent. On ne voyait plus à travers la palpitation de leurs ailes que son sourire heureux.

« La putain de Winchester »

Longeant l'enceinte médiévale, on arrive à Wolvesey Castle. Un champ de ruines limées jusqu'au sol d'où émergent quelques piliers mangés par le temps et tout hérissés de pierres. L'œuvre de Henry de Blois, un moine de l'abbaye de Cluny auquel son oncle, le roi Henry Ier, avait fait don de Glastonbury, avant de lui remettre trois ans plus tard l'évêché de Winchester. Monastères et abbayes étaient les fers de lance de la pénétration coloniale normande. Ils contribuaient à répandre la langue et la culture françaises, devenues le symbole de l'appartenance à une élite. Le langage populaire se parsemait de mots français, des dizaines de mots, autant de signes d'allégeance, que seul l'accent incorporait au flot des phrases, et qui peu à peu prirent l'orthographe désignée par les sons, devenant anglais et s'installant tout de bon. Henry de Blois, le prélat le plus riche et puissant d'Angleterre, incarnation de cette élite chargée de répandre les arts et les lettres en pays barbare, sut conserver pendant quarante ans ses titres et sa fortune, un laps de temps qui lui permit de construire palais et châteaux et de les orner à sa guise – par exemple de statues païennes rapportées de Rome pour leur seule beauté (cet esthétisme le fit surnommer « la putain de Winchester » par son contemporain, l'austère Bernard de Clairvaux).

De l'édifice spectaculaire, destiné, comme les cathédrales de Durham et Ely, à dominer l'ennemi par sa grandeur, l'histoire a fait ce tas de ruines. Revanche tardive sur l'humiliation infligée à ceux dont la langue même était devenue un signe d'esclavage.

Au-delà des quelques murs restés debout apparaît la cathédrale, trapue, massive, gris pâle, avec sa tour carrée.

La douce distance anglaise

En sortant de l'enclos, on tombe sur le palais de l'évêque, bâti en 1680, abandonné pour un temps, puis repris par les prélats.

Le soleil déclinant illumine les petits bouquets de feuilles dorées des deux grands hêtres devant les fenêtres en ogive du palais. L'herbe verte, les jonquilles.

Au pied des arbres, un mélange de jacinthes sauvages et de giroflées dans un désordre harmonieux. Le sortilège à nouveau s'exerçait. La paix. Et cette fraîcheur comme inaltérable. Au point que, séduit par cette vision, isolé comme dans une bulle légère, l'on se prenait à croire à ses promesses. Le monde entier était vert, innocent et tranquille. Des gens vivaient là dont l'âme était aussi lisse et propre que les pelouses.

Et pourtant, en poursuivant sa rêverie, il n'était pas impossible d'imaginer dans ce décor parfait la guerre larvée, les assauts de mesquinerie, les prodiges de férocité sournoise auxquels se livraient, au long de leur vie minuscule, les membres du clergé de l'époque – tout au moins si l'on en croit Anthony Trollope qui ne consacra pas moins de six volumes à la description de leurs guerres intestines.

Trollope, le plus victorien des écrivains victoriens, auteur de quarante-sept romans écrits entre 1847 et 1882, avait créé une île au sein de l'Île : le monde du comté de Barset, celui des campagnes, des chasses, des clergymen et des vieilles familles terriennes, des gazons moelleux et des jardins clos – un espace immobile, ennemi du changement, où s'étaient réfugiées toutes les anciennes vertus anglaises. Il l'opposait au monde de la ville et de la finance, des manufactures, du vice et du paraître, essentiellement Londres, en proie à une agitation perpétuelle. Ces univers antagonistes, il les représentait dans deux suites : les six romans de Palliser (où l'on voit jouer les mécanismes de l'ambition politique) s'emboîtaient dans les six romans de Barchester (où l'on observe les menées de la majestueuse et terrible Mrs Proudie, la femme du nouvel évêque, une intrigante au sein de l'Église). L'époque, comme l'œuvre de Trollope qui l'exprime au plus près, était partagée entre deux craintes : celle de rester immobile étant presque aussi forte que celle de bouger.

Changement contre permanence, deux aspirations égal_
ment nobles, sous lesquelles le jeu du pouvoir fait
rage, qu'il s'agisse du pouvoir politique à Londres ou
de celui du rituel religieux en province.

Dans le palais qu'idéalisaient les rayons du soleil couchant, je replaçais sans trop de mal les personnages de
Trollope : le Dr Proudie, « insignifiant petit dindon » que
domine son épouse, « la Médée de Barchester », représentants tous deux de la Haute Église, avec leur associé, le chapelain servile et cauteleux, le déplorable
Dr Slope, et, face à eux, la faction rivale incarnée par le
distingué archidiacre Grantly et le révérend Harding,
héros par absence qui traverse les six romans avec une
résignation courtoise, le regard tourné vers le passé,
immobile. Tandis que tous s'agitent pour servir au
mieux leurs intérêts, Harding est tenté par le repli sur
soi et la fuite. Paisible, inefficace, il n'entend rien aux
affaires de ce monde, mais, parce qu'il se tient en marge
de la lutte, hors de ce mouvement frénétique par lequel
les êtres progressent dans la société, il est aussi plus près
qu'eux du cœur des choses – en harmonie avec le courant profond et lent de la vie, et la fatalité du temps qui
passe. Harding incarne les vertus de la permanence.
Anachronique sans doute, il est toujours vrai et juste,
quand les autres, livrés à leurs passions, se trompent et
s'épuisent en gesticulations inutiles.

J'imaginais leur lutte sans merci autour d'une question de toute première importance : qui sera le nouveau
directeur de l'hospice local ? Mais peu importent le
mobile et sa place dans l'échelle des valeurs ; si dérisoire soit-il, il est une étape à franchir dans la course à
l'argent et au pouvoir et, en tant que tel, il requiert toute
l'attention et l'énergie disponibles.

Les intrigues vont bon train et révèlent au passage
quelques vérités sur le comportement de l'individu
en société. Sachant qu'il doit sortir armé, l'homme aux

instincts de prédateur va vaincre à tous les coups celui qui, ne possédant pas ces instincts au même degré, se laissera prendre au dépourvu. Le premier méprisant le second tout aussi sûrement. Mais, ajoute Trollope, qui n'enseignait pas l'indignation ni la révolte – plutôt la réconciliation avec le monde tel qu'il est –, « l'homme est un idiot ou un ange, qui, après quarante ans, tente d'être juste envers son prochain ». Devant tant d'agitation risible, la bienveillance est de mise, nuancée d'amusement, et non l'amertume.

Sans doute la grandeur modeste, la splendeur sans arrogance de Barchester sera-t-elle peu à peu engloutie par les forces du changement, transformée alors en images, en coutumes, en passé, en nostalgie, en instants d'attendrissement, tel celui que je vivais ce soir-là en regardant la demeure des évêques dans son paisible cadre de verdure. Un monde meurt. Il en émane encore, comme d'une étoile lointaine, un rayonnement plein de douceur. La lumière basse du soleil en accentuait la présence, nimbant de rêve le palais et ses habitants – des fantômes maintenant – et les combats implacables qu'ils menèrent.

Le mouvement des choses ne conduit pas à l'abîme, ni à une catastrophe finale ; non, il nous achemine sans trop de heurts vers une décadence mélancolique, tout en nuances et demi-teintes.

Le conflit qu'entrevit Jane Austen entre tradition et nouveauté se trouve ici résolu avec un pessimisme souriant.

Trollope avait trop le goût du réel, et pas assez celui de l'héroïsme, pour s'insurger contre l'ordre, ou le désordre du monde. Il regardait la société changer et ne s'en offusquait pas. Un peu de regret seulement, et la distance prise par l'humour. Sa prose, sûre indication de son état d'esprit, néglige d'ailleurs l'enflure et les effets. Rapide, sûre, aisée, invisible pour ainsi dire, elle nous restitue ce que James nommait en un compliment ambigu « sa faculté d'appréciation entière de l'habituel ». L'habituel, ce qui nous sert d'ancrage et nous rassure, nous retient un instant dans le mouvement qui nous emporte continûment. À la lire, on découvre qu'un regard ordonnateur et ferme a fait remonter jusqu'à nous, comme sur une photographie jaunie, « la douce distance anglaise » – cette distance qui tient peut-être autant au climat, aux lointains brumeux, à l'étendue des pelouses dans les parcs où s'amenuisent les silhouettes, qu'à un certain goût du passé et, surtout, à cette vertu cardinale : l'humour. Le contour trop aigu des choses s'en trouve comme atténué, enveloppé de nostalgie.

Images

Un muret entoure le doyenné de Winchester, depuis le XIIIᵉ siècle la demeure du prieur de la cathédrale. Si l'on a la curiosité de jeter un coup d'œil par-dessus, l'on découvre, encadrée de buissons, une image parfaite du rêve anglais : aucun ingrédient ne manque. Un premier plan de vert idéal et d'arbres en fleurs. En contrebas, dans un jardin, un groupe de jeunes gens vêtus de blanc ; ils s'exercent au cricket ; un peu plus loin encore, la tour à clochetons de Winchester College qui protège de son illustre présence cette scène rituelle de jeu. Les ombres longues dessinées sur la pelouse par le soleil couchant. La lueur que projette l'astre sur les briques rouges du collège, les revêtant de gloire et d'éternité calme. L'Histoire est là, illustrée ; chaque élément du tableau – architecture, végétation, activité humaine – correspond à un aspect d'une tradition immémoriale. L'image pourrait être sous-titrée : « hors du temps ». Une fois de plus, la parenthèse se referme sur l'Angleterre ancienne. Dans la trouée de verdure, telle une ouverture sur la durée, la partie de cricket se déroule à tout jamais.

Certes, l'Angleterre contemporaine ressemble peu à cette vision intemporelle. La scène urbaine d'aujourd'hui a envahi livres et écrans de son vacarme, tandis que les séries télévisées prolongent l'idylle champêtre, robes à volants, thé et porcelaine fine, flattant la nostalgie des spectateurs et le regret du bon vieux temps, enjolivé pour les besoins de la consommation.

Le changement est à l'œuvre jusque dans les campagnes les plus reculées. Pourtant, les adeptes de la permanence auraient tort de s'alarmer, le phénomène n'est pas nouveau. Jane Austen nous avait déjà montré que, dans ces cercles fermés, des nouveaux venus se glissent, des « étrangers » qui déparent l'unité de la petite société locale, et Mrs Gaskell, une autre dame pleine de sagesse, dans sa biographie de son amie Charlotte Brontë, évoquait ces « familles déchues dont les terres ancestrales sont une à une cédées, par nécessité, sous la pression de riches industriels ».

Aujourd'hui la notion d'« étranger » pourrait recouvrir les nouveaux riches de la mondialisation dont la montée en puissance s'est faite en un jour, comme la pousse des champignons, et dont les fortunes, édifiées en deux décennies, dépassent de loin celles de l'ancienne aristocratie, ducs et comtes d'autrefois, possesseurs de vastes territoires, malchanceux dans leurs investissements, plus ou moins ruinés pour bon nombre d'entre eux. Aux intrus de naguère ont succédé ceux qui font la une des quotidiens : financiers de tout poil, chefs d'entreprise, promoteurs immobiliers, avocats, banquiers, agents de change ou assureurs, millionnaires de l'informatique, couturiers audacieux, chanteurs ou acteurs... C'est à eux que seraient dû le « bond en avant » du pays et la transformation récente de ses attitudes : ils ont surmonté les inhibitions liées au fait d'appartenir à une société ancienne et atteinte d'ankylose, ce que prouveraient par exemple leur absence de défiance devant la classe sociale et leur dédain des préjugés contre la richesse trop vite amassée ; ce sont les habitants d'un monde neuf, que son Premier ministre, dans un louable souci de saluer ce renouveau, nomma «Cool Britannia». Tels les capitaines d'industrie d'antan, on les dit capables de travailler nuit et jour, sinon de profiter de leurs loisirs, ou même de les imaginer. Transformer l'argent en plaisir : un art qui requiert de l'entraînement. Ce manque d'imagination leur facilite peut-être l'adoption d'un mode de vie tout prêt (ready-made), propre à les installer pour de bon dans cette vertu spécifiquement anglaise : la respectabilité. Car il reste à ces nouveaux riches tout clinquants d'or à revêtir l'habit qui fait le noble, comme on dit «fait le moine», et qui manquait à leur garde-robe : celui de l'ancienneté, si cher aux Anglais. Les voilà donc occupés à racheter la terre – depuis toujours, le meilleur garant du statut social –, les manoirs grandioses et vermoulus qui s'y trouvent, et le genre de vie correspondant. Les annonces de *Country Life* vantent les charmes de châteaux restaurés, avec piscine, communs, chapelle, tennis et potager et, surtout, les hauts murs, les grilles, les dogues et le système d'alarme qui garantissent la sécurité et protègent la jouissance. Parcs enchanteurs et forteresses. L'argent coule à flots, les splendeurs passées renaissent, fêtes et bals somptueux se succèdent et une domesticité digne de l'avant-guerre s'agite dans les étages. Dans un louable effort pour s'intégrer, les nouveaux châtelains pratiquent aussi le cricket, la chasse à courre et le polo, ils mettent leurs rejetons dans les meilleures écoles privées et vont parfois jusqu'à faire don de sommes rondelettes aux bonnes œuvres locales. Peine perdue. Les pop stars, musiciens, joueurs de foot, qui eux ne prétendent pas changer de classe, seraient plutôt mieux acceptés que «ces pauvres diables de millionnaires », comme le disait déjà Bagehot au XIXe, un écrivain plein d'humour, qui fut aussi banquier, journaliste, économiste… La gentry des campagnes tient à bonne distance le monde de l'argent. Jane Austen veille, la gardienne des valeurs, comme au temps où Ellinor (*Raison et Sentiments*) s'inquiétait à juste titre des antécédents de Willoughby, le vil séducteur.

Il suffit de s'écarter du kaléidoscope de la scène urbaine et du bruit qu'il fait en tournant pour que devienne perceptible la rumeur de l'arrière-pays, persistante, légère, continue. Celle de l'ancienne Angleterre des campagnes dont on annonce régulièrement la mort sous l'effet des coups de boutoir du présent, mais qui, telles les traditions implantées depuis des siècles, demeure en suspens, insaisissable, tenace et insidieuse, discrète et insistante comme le vert gazon des parcs.

College Street

En face des ruines de Wolvesey, Winchester College, la plus ancienne école privée d'Angleterre, dresse sa tour et ses bâtiments comme l'assurance d'une vie meilleure. Il fut fondé en 1382 par l'évêque de Wykeham, dont on voit l'effigie dans la cathédrale, étendue paisiblement sur son tombeau, ronde de figure et débonnaire, avec à ses pieds trois petits prêtres en robe noire chargés de veiller sur son repos. L'aristocratie des pays de l'ancien Commonwealth et plus généralement d'Asie ambitionne de voir ses rejetons acceptés à Winchester College, le sanctuaire de l'élite, un creuset de la réussite sociale, et bon nombre d'entre eux le sont effectivement, traversant les océans, les langues et les climats, pour venir s'initier aux durs secrets du pouvoir et du succès dans ce quadrilatère de verdure ancien comme la civilisation anglaise.

On arrive devant l'entrée dont la voûte richement ornée de sculptures ouvre vers une première cour ; une deuxième porte s'y profile qui mène à une autre cour... l'enfilade se poursuit, serrure complexe d'un monde rêvé et peut-être accessible.

La demeure du headmaster, le principal du collège, est un bâtiment pompeux doté de hautes cheminées et de fenêtres en ogives. Juste à côté, la petite maison à deux étages, avec sa façade jaune et unie, où Jane Austen est venue mourir, comme l'indique une plaque : DANS CETTE MAISON JANE AUSTEN VÉCUT SES DERNIERS JOURS ET MOURUT LE 18 JUILLET 1817. Dans sa discrétion absolue, elle constitue comme un commentaire muet sur les splendeurs hautaines du palais voisin, un rappel au bon sens, à la raison, à la commune mesure, surtout – à la modeste vie quotidienne qui n'a rien à faire des héros, de leur gloire et de leurs clameurs, requérant des qualités dont ils sont peu coutumiers, notamment la patience et le courage d'endurer. Ce contraste entre une façade à l'ornementation tapageuse et la retenue de la petite maison me rappelait les silences éloquents de Jane Austen, son art du non-dit et de la suggestion. Il s'agit toujours de faire sentir la tension d'une lutte : des émotions profondes et muettes s'agitent sous la surface sans jamais parvenir à se libérer. Car si Jane Austen mesurait avec une lucidité parfaite le degré de cruauté, de répression, de méchanceté qu'autorisait l'observance des formes sociales, et la détresse qu'un tel respect pouvait causer, elle savait aussi qu'une société où chacun pratiquerait la sincérité, clamant bien haut la vérité de ses sentiments par désir d'affirmation de soi – être soi-même, préserver sa forme propre quitte à blesser les sentiments de l'Autre –, une telle société équivaudrait à l'anarchie, la « forme » personnelle de chacun tendant à oblitérer celle des autres.

Seule la place accordée aux conventions et à l'apparence donne la mesure de la force employée à juguler les crises intérieures. La maison jaune constituait un parfait exemple d'une mort bienséante, effectuée sans tambour ni trompette, avec en outre ce brin d'ironie (un art pratiqué par Jane Austen) qui naît de la comparaison avec la grandeur inutile de sa voisine, plus noble et plus ancienne.

Pour plus de précision dans le commentaire, une seconde pancarte, collée à la fenêtre celle-là, était venue s'ajouter à la plaque officielle. Elle annonçait qu'un chat à poil ras du nom de Gizmo avait disparu et réclamait tout détail susceptible de fournir une piste menant à sa découverte. Jane Austen n'eût pas dédaigné cet épisode.

Puis on parcourt les quelques derniers mètres qui séparent College Street de King's Gate, surmonté par l'église minuscule dédiée à saint Swithun, pour entrer dans le vaste espace de la cathédrale et de ses dépendances. Par un triste jour de juillet, le corbillard dut suivre ce bref trajet, accompagné de quelques membres de la famille Austen, dont Cassandra, l'inséparable, entre les bras de qui mourut Jane et qui disait de cette sœur tant aimée : « Elle était le soleil de ma vie, la source de toute joie, la consolatrice de tout chagrin. » Frederick Bussby, le chanoine résident de Winchester, publia en 1991 un petit opuscule appelé au succès. Cinq nouvelles éditions suivirent. Il rassemblait pieusement les quelques souvenirs de Jane Austen possédés par la ville, deux bourses, dont l'une brodée de perles, les manuscrits de deux poèmes… et racontait avec moult détails les derniers jours de l'écrivain, ceux qui appartiennent à Winchester. Il faisait état de l'ignorance étrange où l'on avait tenu le public de son activité de romancière. En lisant l'inscription sur sa tombe, une simple plaque de marbre noir frotté par une multitude de pas, « nous n'apprenons rien de ce génie créateur qui la fit connaître du monde entier et qui a rendu captifs d'innombrables admirateurs », constatait-il. En effet, l'inscription s'applique à souligner «la bonté de son cœur et la douceur de son caractère» – qualités qui certes ne caractérisent pas ses écrits –, mentionnant en dernier lieu et de façon vague les «dons extraordinaires de son esprit». Il est évident que ces dons, comparés aux vertus féminines et chrétiennes, n'avaient aux yeux de l'époque qu'un intérêt secondaire. Son frère Henry ajoute au reste qu'à considérer sa vie un trait dominait, qui ôtait toute importance aux autres : Jane «était profondément religieuse et pieuse», aussi incapable d'offenser Dieu que de garder rancune à ses semblables (ce dont on peut douter). Quant à ses opinions, elles se conformaient de la façon la plus exacte à celles de l'Église établie.

On mesure, à ces discours, la toute-puissance d'une loi morale qui empêchait ses adeptes de voir et de penser, leur prêtant une vision conventionnelle aussi stricte que l'uniforme obligatoire des pensionnaires, apte à recouvrir les différences et les imperfections – une vision qui consistait en fait dans le refus de voir. On mesure également la force qu'il fallut à Jane pour penser par elle-même dans un tel contexte. Et son audace pour accueillir et analyser des sentiments si effrayants que mieux valait, pour le commun des mortels, moins intrépide, en ignorer l'existence.

Bien des années plus tard, on apposa une large plaque de cuivre sur le mur nord de la nef, près de sa tombe. Sa qualité d'écrivain y était enfin reconnue.

Une longue nef de pierres grises

On contourne la cathédrale pour atteindre le côté ouest, où, comme en pointillé, simple dessin de briques dans le sol, est indiqué le tracé de l'ancienne cathédrale d'Old Minster (datant du VIIe siècle, précisent les brochures). Aux environs de l'an 1000, Old Minster était l'une des plus grandes églises d'Angleterre, mais cette gloire devait être de courte durée. Le règne des Saxons touchait à sa fin. En 1070, l'évêque Stigand fut remplacé par un Normand du nom de Walkelin. Old Minster fut détruite et une cathédrale plus vaste encore, propre à impressionner les foules et à leur faire sentir la puissance de l'adversaire, fut édifiée à sa place. Une politique de grandeur qui voulait que chaque nouvel occupant surpasse le précédent et laisse sa marque pour les siècles à venir. Cependant il en fut de l'église de Walkelin comme des autres : la majeure partie fut refaite – aujourd'hui ne subsistent de l'époque normande que la crypte et les transepts –, et la taille imposante de la cathédrale comme l'humble pointillé blanc qui en signale l'origine semblent témoigner, non de la richesse d'une époque ou du prestige d'un homme, mais du temps qui passe, de son œuvre de démolition et de la persévérance humaine.

Vue de son flanc ouest, la cathédrale n'est plus la masse lourdement assise que l'on aperçoit de Wolvesey, mais une longue nef, un déploiement rythmé d'arcs-boutants et de pierres grises.

Ne serait l'élévation de la voûte, l'intérieur pourrait rappeler un mausolée tant la mort y est présente. Des tombes partout, d'imposants monuments pour les évêques de Winchester logés dans des chapelles, de simples plaques de marbre noir à l'écriture usée par le frottement de pas sans nombre ou, plus humblement, de longues listes de noms qui se lisent comme une litanie, une suite de sons où disparaît l'individualité. Seul parmi les prélats raides et solennels engoncés dans leur chasuble, Richard Fox, qui finit aveugle et très vieux, offre une image réaliste et torturée de la mort. Cou renversé, masque crispé, côtes saillantes, son corps dénudé semble se débattre dans les affres de l'agonie – un rappel brutal de la difficulté d'en finir, au plus loin de la tranquillité replète des chanoines endormis. Un homme en tenue de tweed, l'image parfaite du gentleman à la campagne, astique les plaques de cuivre d'un chiffon soigneux. Dans les chapelles latérales, de pâles gardiens, qui vivent dans une pénombre perpétuelle à la lueur des bougies, s'affairent en silence à l'immense œuvre d'entretien.

La promenade de Keats

Il paraît que Keats a écrit sa fameuse ode «À l'automne», alors qu'il résidait à Winchester en 1819. Il aurait marché chaque jour le long de la rivière et des prairies, depuis la cathédrale jusqu'à l'hôpital Sainte-Croix, trouvant dans la suavité de ce paysage l'inspiration voulue pour composer l'un de ses plus beaux poèmes, celui où il chante l'abondance d'une nature gorgée de sucs et de miel, une plénitude enivrante, avant que s'annonce le premier frisson de l'hiver et qu'un peu d'effroi se glisse dans le chant des oiseaux. Le chœur plaintif des insectes parmi les saules de la rivière. Le rythme du vent léger qui souffle ou meurt soudain, soulève, dépose les éphémères, un nuage sans consistance. La douceur du jour finissant. L'épanouissement pléthorique qui précède de peu le déclin. Toute cette beauté déchirante parce qu'elle va finir, telle que la symbolise le trille du rouge-gorge surgi d'un jardin clos. Winchester s'enorgueillit d'avoir fourni à Keats les éléments de son poème. Comme la tombe de Jane Austen, il fait partie du patrimoine local.

Mais ce jour-là, une matinée de printemps pourtant, alors que nous empruntions le chemin de Keats, un vent du nord glacial soufflait. Nous marchions tête baissée pour éviter sa morsure, ne jetant que de rapides coups d'œil à un paysage romantique à souhait : les prairies inondées, la rivière qui courait et, ondoyant au fil de l'eau, de longues chevelures d'algues vertes sur lesquelles aurait pu reposer Ophélie, comme dans le tableau de John Everett Millais où, le visage en extase, paumes ouvertes vers le ciel, elle dérive dans son écrin d'herbes et de fleurs.

Nous sommes arrivés au village de St Faith et à l'hospice, terme de la promenade de Keats. Au coin de la rue, il y avait une maison si vieille et si chenue, toute ployée sous son manteau de lierre, que seuls pouvaient y habiter une sorcière ou des nains. À travers les carreaux, on apercevait dans la salle obscure l'éclat rouge du cuivre bien astiqué. Constants rappels du merveilleux. Il est là, sous une forme si évidente qu'on aurait tendance à s'en détourner, comme de ces images trop précises, trop fignolées pour laisser place à l'imagination. Le trait est en quelque sorte forcé. Et pourtant, pour peu que l'on arrête un instant son esprit critique, ce gâcheur de plaisir, l'on retrouve, dispersées dans la campagne anglaise, les images des livres qu'on lisait enfant, la chaumière de Blanche Neige et des sept nains, ou la maison de Boucle d'Or. Oublions que le but final est de provoquer l'attendrissement : restent la surprise et le mystère suscités par ces maisons de guingois, lourdement chapeautées de chaume, rabougries par l'âge au point qu'on ne leur suppose pas la force d'abriter des êtres humains, tout au plus la présence plus légère des elfes et des fées.

La noble pauvreté

« Treize hommes, faibles et de force si réduite qu'ils ne peuvent, ou à peine, se tenir debout sans aide, résideront de façon permanente dans cet hôpital : leur seront remis par le prieur de l'établissement un lot de vêtements et des lits convenant à leurs infirmités, une miche de bon pain chaque jour, trois plats pour le repas de midi et un le soir, et à boire en quantité suffisante…

«Outre ces treize hommes, une centaine de personnes démunies, aussi méritantes que possible, seront accueillies à l'heure du repas… »

Telles étaient les dispositions qui fondèrent l'hôpital Sainte-Croix. On dit que Henry de Blois, récemment arrivé de France avec l'envahisseur normand et nommé évêque de Winchester grâce à son ascendance royale, en 1129, à l'âge de vingt-huit ans, se promenait un jour dans les prairies le long de la rivière Itchen quand il fut arrêté par une jeune fille qui portait dans ses bras un enfant. Elle plaida que la guerre civile avait ruiné son peuple : il se mourait de faim. Henry de Blois vit en elle une image de la Vierge Marie. Aussi, lorsqu'un peu plus loin il découvrit les ruines d'un couvent incendié par les Danois, il décida de le restaurer et de le consacrer aux pauvres. La jeune fille et l'enfant sont peut-être un embellissement de l'histoire, le moyen pour le peuple de revendiquer une part d'initiative et de cette charité qui dépendait entièrement du bon vouloir des grands. Toujours est-il que Henry de Blois, une puissante figure, tout à la fois moine, guerrier et homme politique, fonda l'hôpital Sainte-Croix.

Aujourd'hui, l'austère construction médiévale, rythmée par ses hautes cheminées, continue d'accueillir des pensionnaires nécessiteux. Ils sont vêtus de l'uniforme d'antan, comme de vieux et dignes écoliers, robe noire pour les Frères de l'institution la plus ancienne, robe grenat pour la plus récente – l'ordre de «la Noble Pauvreté», fondé par Beaufort –, et ils portent en sus une large toque assortie, étrange auréole de tissu qui les renvoie loin dans le temps. Tel celui des juges ou des pairs du royaume, l'habit qui les distingue témoigne de leur élection. Leur pauvreté en fut la raison – leur «noble pauvreté». Ces hommes âgés, venus d'horizons divers, sont ainsi rassemblés, unis, et même confondus, intégrés dans une longue lignée qui remonte aux temps obscurs du Moyen Âge.

À les voir assis sur des bancs, vieillards anonymes appuyés sur une canne, ou bien en contemplation devant la longue pelouse du jardin calme, on peut supposer que dans leur digne immobilité se glisse la fierté d'incarner une famille ancienne – si ancienne qu'ils sont en quelque sorte déjà sortis du temps. Ils sont là depuis toujours, devant ce bassin d'eau où, seul élément de vie, nagent quelques canards qui introduisent sur un mode discret l'idée de mouvement ; ils sont là comme d'autres avant eux, d'autres tout pareils à eux – et savoir qu'ils s'intègrent dans une si longue et si illustre chaîne leur donne peut-être un sentiment d'ordre et de paix. C'est tout au moins ce que suggère le guide des lieux, simple plaquette qu'on remet au visiteur à l'entrée : il fait état de ce « sens d'une paix hors du temps, qui est le trait essentiel de Sainte-Croix ».

L'individu se fond dans la génération et celles qui la précèdent, dégagé du poids de son destin et de la tâche ardue de définir sa place au sein d'une société vaste comme le chaos. Il est assuré de son appartenance comme d'une identité qui lui revient de droit. On peut imaginer qu'il en éprouve une modeste satisfaction. Une vie individuelle après l'autre, comme les grains du chapelet qui glissent entre les doigts, chacune pareille à la précédente – une goutte d'oubli dans la chaîne du temps où elle s'insère en se faisant discrète au point de passer inaperçue. Peut-être est-ce là le parti qu'ils ont pris : accepter que défilent les grains sans plus de bruit qu'un murmure, accepter le passage silencieux et l'oubli.

Sortir du temps. Ou bien s'installer en son centre immobile, là où s'affirme la continuité, la permanence. Hors du mouvement qui génère l'angoisse, trouver la paix, c'est-à-dire une forme de renoncement et de silence intérieur. Cette tranquillité de l'esprit, le grand jardin entre ses murs et la pièce d'eau immuable la symbolisent. Dans le monde végétal, les plantes et les heures ne mesurent plus l'écoulement d'un monde fluide, mais la permanence d'une existence compacte. Marvell l'affirmait dans son poème «Le Jardin» : «Comment des Heures si douces et si pleines/Pourraient-elles se mesurer, sinon avec des herbes et des fleurs!» Pour les vieillards, qui ne partagent pas nécessairement l'extase de ce poète métaphysique, un peu d'ennui doit allonger parfois le temps qui passe, mais nul n'est là pour le crier. On est en droit de penser que cet enclos a sur eux une influence apaisante – qu'ils y connaissent des instants de vraie présence au monde.

Lord North, ou le ver dans le fruit

À y regarder de près, cependant, l'histoire des lieux n'est pas aussi paisible que l'annoncent la pelouse et le rituel inchangé. Le conflit entre changement et permanence, mis en scène par Trollope, s'est emparé de cet endroit préservé au point d'y créer le scandale. L'hospice en est demeuré si secoué que les guides continuent de relater l'affaire en détail, afin que tous s'en indignent pour les siècles à venir. Le nom de Lord North est désormais synonyme d'infamie.

Le révérend Francis North avait été nommé à la tête de Sainte-Croix, en 1808, par son père qui était alors évêque de Winchester ; lequel avait lui-même obtenu ses fonctions grâce à l'influence de son frère Lord North, Premier ministre de George III. (Un népotisme courant à l'époque, remarque la notice, qui ne fait aucun commentaire sur la notion de famille et son élargissement possible.) Or, au cours de l'exercice de son pouvoir, Francis, entre-temps devenu Lord North, « se servit » dans la caisse dont il retira 250 000 livres, une somme pharamineuse à l'époque.

Le procès dura six ans, Lord North fut finalement arrêté, l'hospice était plus ou moins ruiné. Trollope utilisa le scandale dans son quatrième roman *The Warden* (Le Directeur), le premier de la série du Barsetshire.

Lord North avait introduit le mal dans l'enceinte même du paradis. Les lieux dont on a chassé toute laideur, mais aussi tout malaise, pour ne laisser subsister que la beauté intemporelle seraient-ils mensongers ? Des lieux, comme des couvents, retirés du monde et de ses sollicitations, noyés dans un vert silence où se perdent les pensées importunes comme les passions mauvaises. Des lieux semblables à l'éden créé avant la faute, où tout parle d'innocence et de repos. Et ces treize hommes élus, élevés à la hauteur de symbole, retirés à leur condition de pauvres par la charité commune. Un alibi, l'hospice et ses vieillards ? Une goutte d'eau dans l'océan d'une misère qu'on ignore ainsi à bon compte ? La pauvreté isolée, ennoblie, rachetée ? On peut arguer bien sûr que les treize hommes dans leurs robes grenat et noires, que les pelouses bien taillées et le bassin au centre, que tout ce décor de « paix hors du temps » occulte l'aspect cruel et tragique de la réalité, la misère sans nom qui fait rage dans le monde, et, de cette manière, diront les bien-pensants, s'en fait presque le complice dans la mesure où il la cache et la fait oublier. La douceur du vert partout répandu, la beauté des bâtiments, l'uniforme qui distingue l'élu tout en le rattachant à la force de la tradition, autant d'éléments qui pour le visiteur tiennent lieu de discours positif et rassurant, l'entretenant d'une harmonie qui, au-delà de la rotondité de l'étang et de la symétrie parfaite des édifices, exprime l'harmonie des sphères. On pourrait reprocher à cette perspective, à ces présences vêtues d'intemporalité d'exclure l'idée même du mal, de ne lui laisser aucune place. Ni à la douleur folle, ni à la détresse absolue, ni au désespoir : à ces forces de la destruction partout présentes dans le monde. Une paix établie sur la négation.

On le pourrait en effet, si l'on refusait de considérer l'ordre spirituel, dont ici tout témoigne. Car ce n'est pas la simple recherche du bien-être qui a guidé ces choix ni inspiré le patient entretien de l'endroit, mais la quête d'une vision de nature différente – verticale celle-là, et non horizontale, ayant à voir avec la croyance en un ordre supérieur au chaos et avec le désir de progresser vers un tel ordre. Que cet esprit se retire et disparaisse, alors ne restent que des lieux plaisants et vides de sens, beaux sans doute, mais dont on a tôt fait de se lasser.

Des jardiniers éreintés

Pour analyser Barchester et ses activités, Trollope ne s'attarde pas sur les grandes envolées du désir, mais sur les petits côtés des gens et des choses. Point d'effort spirituel ni d'appels intérieurs, mais l'affirmation de tendances pas toujours nobles : *errare humanum est*, l'erreur est humaine, constatation bien acceptée. Les pensionnaires de l'hospice ne sont pas les dignes vieillards que semble proclamer leur robe, mais des « jardiniers éreintés, des fossoyeurs décrépits, des bedeaux sexagénaires », qui pensent moins à la « paix hors du temps » qu'à de viles questions d'argent : de l'argent, ils en reçoivent trop peu à leur gré, le directeur empoche ce qui devrait leur revenir. L'envie, la frustration, la jalousie vont bon train, la belle étendue des prés ni la rivière n'y peuvent rien.

À sa façon indulgente et amusée, Trollope glisse le trouble dans l'éternité du paradis. Dans l'Église comme ailleurs, les passions larvées sont à l'œuvre. Mais ces passions, Trollope les relativise en les affrontant à l'impulsion contraire, celle qui pousse les êtres vers le bien. La coutume, la tradition avec ses pesanteurs, le respect de l'usage sont du côté du bien, contre les grandes idées réformatrices.

212

Plus tard, d'autres romanciers, instruits par leur époque, montreront que ces forces négatives, qui, faute de mieux, ne se déploient que furtivement, mesquinement, à petites doses dans le cadre de la vie quotidienne, provoquent, une fois amassées, les révolutions, les guerres et les régimes totalitaires : « Je pense que l'impulsion formidable qui saisit l'Allemagne provint de la présence de ces forces chez des millions de gens – pas seulement chez Hitler, a dit Ivy Compton-Burnett. Sans Hitler, ces forces n'auraient pas été utilisées de cette façon spécifique. Mais elles n'en auraient pas moins été là, prêtes à éclater. »

Trollope avait des êtres et de la vie une vision moins sombre que cette romancière dont l'œil grand ouvert, tel celui des oiseaux de nuit, resta, au long de quelque quarante romans, fixé sur des profondeurs intimes et effroyables. L'hospice de Sainte-Croix, que je contemplais à présent sous une pluie fine et dans le vent glacé, se trouvait, par ce « chantre de la vie ordinaire », rendu à l'équilibre, ancré dans une réalité familière, c'est-à-dire au plus loin des sommets comme des abîmes.

Un champ de ruines
peuplé par les moutons
Salisbury

Old Sarum

Sur la place centrale, médiévale à souhait avec ses maisons à colombages, le marché bat son plein malgré la pluie drue qui tombe sans relâche. Il témoigne de l'ancienne vocation de Salisbury, une ville qui établit sa fortune au Moyen Âge tout banalement sur le commerce de la laine – même si ses origines furent plus nobles et plus guerrières. Le petit musée où nous nous sommes réfugiés le fait remarquer : Salisbury existe depuis la nuit des temps. Des hommes peuplaient la grande plaine et, plus généralement, tout le sud du Wiltshire il y a cent cinquante mille ans déjà, voyez celui-ci dans sa tombe – un guerrier de l'âge de bronze qui fit suite au Néolithique, des panneaux bien placés l'apprennent au visiteur –, il se battait sur les lieux il y a quelque deux mille ans, comme le prouve la pointe de sa flèche enterrée près de lui. Son ossature et sa dentition sont irréprochables. On passe rapidement devant l'âge de fer (700 avant J.-C. à 43 après J.-C.) et les débuts d'Old Sarum, une fortification que devaient reprendre les Romains et vers laquelle ils firent converger pas moins de cinq routes. L'endroit, cependant, situé au sommet d'une colline, était, tous les guides le précisent, sinistre et éventé, particulièrement en hiver, si bien que le clergé normand, soucieux de sa santé et de son confort, choisit

S'élevant d'un jet, fine et blanche…

Au premier plan, la douceur de l'eau sur laquelle nage un cygne, le pâturage vert et brillant, le bouquet de saules – un spectacle inchangé depuis le temps où Constable peignit cette vue (il avait en outre posé quelques vaches s'abreuvant à la rivière et l'indispensable tache rouge d'un châle). Puis, s'élevant d'un jet, sans effort, fine et blanche, la flèche dans sa splendeur, comme surgie de l'étendue plane. Elle possède la même harmonie de proportions que la prairie où coule la rivière, que le cygne sur l'eau et les arbres dont elle émerge – l'expression d'une alliance, dûment recherchée, entre l'art et la nature. La relation est ici portée à des sommets rarement atteints : la flèche est comme l'émanation du paysage qui s'organise autour d'elle, elle lui ajoute un point final, elle lui est en quelque sorte nécessaire ; par elle se trouvent justifiés la platitude des champs, la position du cygne, l'eau et le groupe d'arbres qui s'assemblent en un *tout* homogène. L'exigence architecturale implique non seulement sa présence, mais celle de tous les éléments naturels qui l'entourent. De sorte qu'isoler une partie de l'ensemble reviendrait à considérer non un objet fini, mais la fraction d'une *unité*.

Parfaite au point qu'elle paraît irréelle, la flèche ressemble à un dessin léger tracé à la pointe d'argent sur le fond à peine plus soutenu du ciel. Vision de beauté suave, si souvent décrite et contemplée qu'elle en est devenue, soupçonnait Henry James, comme la Vénus de Milo ou l'Apollon du Belvédère, un peu «*banale*», ou même «*bête*» (écrit-il en français et en italique) : la flèche est belle et elle l'est avec tant d'évidence et de simplicité qu'on ferait aussi bien d'en rester à cette constatation et à une première réaction d'admiration respectueuse, les facultés d'analyse n'ayant plus rien à saisir par la suite. Il y a des gens, conclut James, que les beautés indéniables ont tôt fait de lasser, «l'effet de la cathédrale de Salisbury, pour ce qui est de l'architecture, est équivalent à celui que produisent des cheveux de lin et des yeux bleus, pour ce qui est de la physionomie» (*English Hours*). Autant dire que cette vue sans défaut lui paraissait fade (il lui préférait la façade toute «noire et rugueuse» d'Exeter). Réflexion qui nous éclaire davantage sur l'art de Henry James, maître des ombres et du non-dit, des vastes territoires cachés de l'âme, que sur l'église de Salisbury dont la claire perfection, selon lui, ne laisse aucune place au côté sombre de l'imagination ni au goût de l'ambiguïté.

L'espèce des fanatiques

Ce qui est parfait a pourtant le pouvoir d'éveiller les forces obscures et l'envie d'annihilation, c'est tout au moins ce qu'affirme *Le Pavillon d'or*, le roman de Mishima. L'on y voit une construction d'une si grande beauté qu'il n'y est pas de réponse possible – ou alors la détruire. Parce qu'elle correspond à un désir de l'esprit, un absolu inaccessible, plutôt qu'à la réalité humaine dans sa complexité, l'idée de perfection touche à la mort. Elle pousse celui qui prétend s'en saisir à l'intolérance (nier toute autre valeur, nier le réel, impur, puisqu'il procède d'un mélange) et à la perversion (sacrifier autrui, ou soi-même, à cet unique idéal). L'aspiration à une pureté impossible implique le mépris de ces autres composantes dont est fait l'homme, pour fondamentales qu'elles soient. Telle est la démarche qui sous-tend tous les fanatismes – privilégier la pureté de l'idée abstraite ou du désir fou et, au nom de ce but, détruire, tuer. Donner à cette idée le nom de Dieu. «Un homme qui croit est comme une bête qui a faim», disait Onetti.

218

Pendant des années, l'écrivain William Golding habita Salisbury. Il y enseignait l'anglais à l'école du Bishop Wordsworth, dans l'une des jolies maisons anciennes qui entourent la cathédrale. Chaque jour il voyait la flèche. Est-ce l'écart entre la routine tranquille dans une ville de province, ces brèves allées et venues que bornait immanquablement le jaillissement irréprochable de la pierre, toujours est-il que cette vision de suavité suscita un roman hanté, chargé de tourment et de noirceur, peuplé d'anges et de démons, plein de désirs réprimés et de souffrance inutile, où la soif d'élévation (dans un double sens, puisqu'il s'agit avant tout de construire la flèche de la cathédrale) voisine avec le mal. D'ailleurs Golding fut hanté par ce problème du mal sur lequel, de roman en roman, il revient.

Le doyen Jocelin, qui voulut cette construction, dans *The Spire*[1], appartient à l'espèce des fanatiques (comme Gerald Crich, dans *Femmes amoureuses*, qui, lui, était attiré par la pureté brillante des glaciers – l'une des formes possibles de la mort, selon Lawrence). Rien ni personne ne lui importe, il sacrifie sans remords les vies et les amours humaines, seule compte la réalisation de l'impossible : la flèche qui va s'élever en plein ciel et dont l'idée lui fut transmise durant une vision. La flèche est esprit, volonté pure, sublimation de la passion, elle l'obsède jusqu'à la folie et à l'extase, états où l'on se perd de vue, soi comme autrui. À l'opposé se trouve la fosse grouillante de larves et d'immondices. Mais ces bas-fonds de l'univers sont directement reliés aux pierres qui montent et chantent.

Le déchirement mis en scène par Golding nie l'esprit du monument – cette grâce simple qui a sa place dans un paysage de mesure et d'harmonie. À la cathédrale

1. Littéralement « la flèche », traduit en français par *La Nef* (Gallimard, « L'Imaginaire », 1981).

convient mieux, me semble-t-il, la naïveté sentimentale d'un petit poème composé par un curé de Salisbury et vendu en 1895 sous la forme d'un mince livret, pour la somme modique de 6 pence. Ce curé lui aussi regardait la flèche chaque matin, et il se sentait rassuré par sa présence qui avait traversé les siècles ; sa vie changeait, peu sans doute, mais assez pour qu'il s'inquiète ; le doute, l'idée du temps qui passe parfois l'assaillaient. Alors la vision de la flèche immobile le rassérénait. Devant l'affirmation qu'elle apportait, les choses se remettaient en place. « Vision de la foi ! que jamais ne courbe la tempête, / La première à sourire quand s'éloignent les nuages noirs / Toujours ta forme calme et assurée pointe vers le ciel / L'image immuable d'un cœur chrétien... »

La banalité de la mélodie n'altère en rien la bonne volonté immense que ranimait la flèche, pas plus que l'uniformité de la vie n'affaiblit l'intensité avec laquelle chacun vit la sienne. L'âme retrouvait sa direction, pointée vers le ciel bien sûr, comme par l'aiguille d'une boussole.

Un tombeau à trois trous

La petite brochure consacrée à saint Osmond, évêque de Salisbury de 1078 à 1099, et vendue à la librairie de l'église montre, en quatrième de couverture, une effigie du saint qui se trouve dans la crypte de la basilique Saint-Pierre, à Rome. Visage lisse aux grandes orbites creuses, surplombé d'une mitre immense, auquel l'inclinaison du cou prête un air de douceur désolée. Cette image compatissante n'évoque que de très loin la figure considérable qui domina son époque, fut canonisée après moult débats – par le pape Calixte III, en 1457, clôturant ainsi la brève liste des saints anglais, puisque peu après Henry VIII rompit avec Rome – et, depuis neuf siècles, fait l'objet d'un culte fervent de la part du peuple. Au musée de Salisbury, un immense mannequin vêtu de rouge, offert par la corporation des tailleurs, le dernier témoin des défilés magnifiques qui avant la Réforme glorifiaient chaque année le souvenir de saint Osmond, est le garant de la haute estime dans laquelle la ville continue à le tenir.

Osmond fit partie de l'élite normande lors de la conquête. Ses origines restent mystérieuses – un élément favorable à la naissance d'une légende. Longtemps on affirma qu'il était le neveu du Conquérant, rien de moins. Ce ne fut vraisemblablement pas le cas ; pourtant, quatre ans après la bataille de Hastings, on le retrouve déjà chancelier du roi Guillaume. Or, comme le montre la longue bande dessinée de Bayeux, la tapisserie de la reine Mathilde, ce roi et sa suite tuèrent, pillèrent, violèrent, incendièrent, vidant les églises de leurs trésors pour les transporter en Normandie, décimant l'aristocratie anglaise et la dépossédant de ses châteaux pour s'y installer. Il s'agissait de détruire une culture et d'humilier un peuple, en commençant par lui ôter ce qu'il avait de plus sacré – une méthode sûre, toujours en usage. L'envahisseur affichait son mépris de l'Église anglaise et même de ses saints vénérés. Osmond, cependant, semble avoir systématiquement inversé les signes qui marquaient la colonisation. Tout d'abord, il adopta pour saint patron un Saxon, Aldhelm, mort quatre siècles plus tôt.

Saint Aldhelm avait écrit un livre en hommage à la virginité. C'était un érudit qui, loin de s'en tenir aux richesses nationales, alla puiser aux sources les plus diverses. La première vertu d'Osmond, dit-on, fut son irréprochable chasteté. Austère, juste, modeste, il rompit avec la politique de grandeur de l'occupant dont les monuments gigantesques élevés çà et là dans le pays étaient une démonstration de puissance propre à démoraliser l'adversaire plutôt qu'à l'édifier : il reprit les plans d'Old Sarum élaborés par son prédécesseur, qui avait prévu pour le clergé un discret petit bâtiment, et il se contenta de l'achever. Il y fit venir trente chanoines ; ces derniers avaient fait vœu de célibat et ils vécurent là en communauté, selon la règle qu'Osmond établit à leur intention. Osmond se considérait comme leur père et participait à leurs travaux. Il réforma la liturgie, leur enseigna le chant, embellit les services. Si, au milieu du XIIIe siècle, Salisbury brillait comme le soleil de midi sur le pays, disent les historiens, c'est à saint Osmond qu'on le doit.

La bibliothèque d'Old Sarum s'honorait de son éclectisme : elle possédait, collectionnait ou empruntait des manuscrits de provenances diverses. Des ateliers s'employaient à les copier, dix-sept scribes travaillaient de conserve, l'effervescence intellectuelle était grande. Il ne s'agissait pas seulement de ces livres splendides dont chaque page, couverte de signes minuscules et d'une régularité parfaite, s'orne en outre de précieuses enluminures, mais de petits ouvrages sans prétention, usés par un emploi constant, avec, dans leurs marges, des annotations serrées qui révèlent l'intrusion passionnée du lecteur. Il y a quelque dix siècles, Osmond, ou peut-être son archidiacre Hubald, griffonna D. M. (*dignum memoriam*) devant les passages qui lui plaisaient le plus. Deux lettres qui soudain abolissent le temps et nous rapprochent de ces hommes, dont les vies nous sont pourtant en tout point étrangères, jusqu'à faire d'eux nos semblables, nos frères.

Ces chanoines épris de lecture provenaient de tous les horizons. Osmond, préoccupé du « processus de paix », avait introduit dans la communauté certain multiculturalisme ; le peuple vaincu y figurait en bonne part, ainsi que des Italiens et des Français, tous unis par une langue commune, le latin de la liturgie. Sagesse, sens politique ou charité, peu importent les mobiles du prélat, le peuple lui fut reconnaissant et l'aima.

Il ne manquait que quelques miracles pour faire d'Osmond un saint. Sa tombe, autrefois dans la cathédrale d'Old Sarum, aujourd'hui dans la chapelle de la Trinité à Salisbury, est creusée de trois grands trous sur chaque face, de sorte que les fidèles qui cherchent à se rapprocher de lui peuvent toucher les parois de son cercueil. Les miracles eurent lieu, toujours des guérisons. Les maux les plus anodins – ceux qui vous harcèlent et vous gâchent la vie sans vous tuer – étaient pris en compte. On vit là un effet de la bonté d'Osmond. Il aurait soulagé plus de cent rages de dents, le fait est consigné. Saint Osmond, cet homme sévère qui n'hésita pas à appuyer et seconder le roi dans la condamnation des barons jugés rebelles (emprisonnement à vie, mutilation ou mort), devint ainsi une figure paternelle et indulgente, qui veillait aux devoirs les plus humbles et sortait la nuit de sa tombe pour agiter l'encensoir près de l'autel, un sacristain rapporta l'anecdote. Mais n'avait-il pas accompli sa tâche principale dès son arrivée sur le sol anglais, en adoptant Aldhelm, le Saxon, pour saint patron et en rendant ainsi sa fierté au peuple vaincu ?

Les pierres de Stonehenge

Vues dans la distance de la plaine de Salisbury, ce ne sont que de fins traits gris perdus dans l'immensité. Leur petitesse frappe. Et leur solitude. Les pierres sont isolées dans l'espace, seules entre ciel et terre, aussi bien que dans l'Histoire où rien, depuis les milliers d'années qu'elles sont posées là, ne rappelle ni n'explique leur énigme. Dressées sur l'étendue dont les vagues vertes, tandis qu'elles s'éloignent et roulent vers les lointains, semblent symboliser le mouvement continu des siècles qui ont passé, elles sont – simplement cela : elles sont. Telle une affirmation abrupte.

Une impression que dégagent en particulier les pierres les plus hautes : celles qui, horizontales, reposent sur leurs deux piliers, formant une sorte de portique ; celles-là semblent repousser la voûte du ciel et tout à la fois la soutenir. Dans *Les Enchantements de Glastonbury*, John Cowper Powys voyait en elles des « nudités suspendues qui ne recouvraient pas moins que les seins de la terre » et sur qui « ne reposait pas moins que le ciel de l'univers ». L'érotisation de la nature tout entière divinisée, l'accouplement du ciel et de la terre. « Pas moins. » La nudité, la femme – terre ou pierre –, un corps immense, puis l'enlèvement, le viol : « Sabines cyclopéennes portées par des ravisseurs », prodigieuses dans leur passivité, elles étaient changées, ces pierres, « par l'acte muet d'une création de quatre mille années, en réalités divines véridiques ». John Crow, l'un des protagonistes des *Enchantements*, s'abîme dans leur contemplation et les prie. L'extase qui le saisit à leur vue, pareille à une transe religieuse où se mêlent érotisme et sentiment du divin, touche-t-elle aussi les milliers de visiteurs, druides et nomades, membres de sectes diverses, qui, chaque année, viennent fêter le solstice à Stonehenge – renouer avec la force cosmique et le sens du sacré ? Stonehenge suscite les fantasmes. L'édifice ne pouvait qu'enflammer l'imagination powysienne.

Mais si, comme Henry James, on a l'esprit simplement méditatif, une humeur que favorise la contemplation du Temple du vent, on peut voir dans ces formes élémentaires, qui veillent depuis quelque cinq mille ans seules sur les collines dénudées, les témoins de mystères si anciens qu'ils se confondent avec celui des origines – elles sont comme le soubassement obscur de notre civilisation, des « voûtes sans chemin sous la demeure de l'Histoire ».

On se rapproche des blocs colossaux, grossièrement taillés. Un silence venu du fond des âges les enveloppe. On a beau les interroger, devant leur immobilité, les questions meurent, l'esprit se tait. Seuls le vent de la plaine et leur présence solitaire. Sur l'autel, la grande pierre renversée, le lieu des sacrifices, Tess d'Uberville, l'héroïne de Hardy, s'est couchée, épuisée, pour passer sa dernière nuit, puis, à l'aube, les policiers venus des divers points de l'horizon se replièrent sur sa forme endormie.

De longs vallonnements doux
Dorchester

Une âme comme la flamme et la nuit

Higher Bockhampton est un minuscule hameau constitué de sept maisons, dans la campagne du Dorset, non loin de la ville de Dorchester, nommée Casterbridge dans les romans de Thomas Hardy. C'est dans l'une de ces maisons isolées, adossées à la lande, qu'il est né, en 1840. Son arrière-grand-père, maçon de son état, était arrivé à pied à Bockhampton avec ses outils pour tout bagage ; il y construisit un cottage que la famille eut l'autorisation d'habiter, selon le vieux système manorial anglais, « pour trois vies », c'est-à-dire trois générations. Un peu plus haut, on aperçoit les grandes fermes à moutons et l'église de Stinsford où son père et ses oncles, qui faisaient partie du chœur du village, allaient chanter des psaumes et les accompagner au violon.

Avec ses longs vallonnements doux, l'étendue de Bockhampton (qu'il appelle Egdon Heath dans ses ouvrages) ne ressemblait en rien à l'image que m'avait laissée la lecture du *Retour au pays natal*, l'un de mes romans préférés : cette lande au « visage d'isolé où s'inscrivaient des possibilités tragiques » et qui avait l'ouragan pour amant et le vent pour ami. Non loin de là, un peu plus à l'ouest, dans le Wessex de Hardy, j'avais découvert un lieu dont l'âpreté me semblait plus appropriée à l'histoire tragique d'Eustacia. Eggardon Hill, une colline fortifiée. Tout autour, le paysage se tend et se creuse, les pentes abruptes happent le promeneur, le précipitent de façon vertigineuse vers un fond, puis, lors de sa lente remontée, l'aplatissent contre terre, contre la pente longue, tandis que lentement il progresse vers l'horizon – vers « les bords lointains et accolés du ciel et de la terre ». Aussi je continuais de relier Eggardon Hill à l'Egdon Heath de Thomas Hardy, non seulement en raison de la similitude des noms, mais pour les moments que j'y avais passés, me rappelant Eustacia lors de sa première apparition, forme immobile dans le lointain, confondue avec les contours du tumulus sur lequel elle se tient, Eustacia dans le vent déchaîné de la lande, Eustacia ployée sous le poids de sa mort prochaine, passant un bref instant dans la lumière de la chaumière des Nonsuch, puis, seule comme un condamné à mort, rentrant dans la nuit. Eggardon Hill. Le vent y soufflait sauvagement. Et cette violence me semblait convenir à sa rébellion, à ses accès de mélancolie, à sa soif d'intensité, à l'« ardeur étouffée et triste » qu'elle portait en elle. Son âme, à laquelle Hardy avait donné une couleur, était comme la flamme et la nuit.

« L'irrépressible Nouveau »

Bockhampton Heath avait changé depuis la description que Hardy en avait faite. La lande ne correspondait plus à son exigence d'austérité : elle ressemblait à un parc, comme tout le sud de l'Angleterre. À contempler les calmes ondulations vertes, il était difficile d'imaginer la brune monotonie, l'habit terne et invariable d'un pays qui, selon lui, s'accordait à la nature de l'homme – « ni effrayant, ni haïssable, ni laid, ni banal, ni soumis, mais, comme l'homme, méprisé et endurant ». Un lieu, en outre, immense et mystérieux, où ses personnages apparaissent telles d'infimes silhouettes, de simples traits dans la distance – fragiles inscriptions qu'efface incessamment le mouvement du cosmos. Ils travaillent courbés vers la terre et l'étendue contre laquelle ils se détachent les rend à leur faiblesse et à leur dignité.

Ce sol, dont on sent la présence et l'odeur, les hommes font corps avec lui. On imagine Hardy cheminant à travers le Wessex, familier de la terre qu'il foule au point qu'il en perçoit la consistance – c'est Tess d'Uberville, la nuit, passant du terrain sec de Flintcomb-Ash au sol argileux et gras du val de Blackmoor qu'elle identifie à sa senteur. Il en connaissait aussi la constitution profonde, pour ainsi dire verticale : ces paysages disparus accumulés sous la surface tels des alluvions déposés par les siècles, ces strates du passé toujours prêtes à affleurer. Surgissent au détour d'une roche ou d'une colline les traces d'un Wessex archaïque encore ancré dans des cultes préchrétiens. Lors de sa longue marche, Tess l'affligée traverse « un plateau calcaire irrégulier, renflé de tumulus semi-sphériques, comme si la déesse Cybèle aux nombreuses mamelles y était indolemment couchée ». Chaque irrégularité du sol renvoie à la préhistoire, chaque canal est une chaussée ancienne qui n'a pas changé tout au long des siècles, chaque motte de terre évoque le temps des Césars où déjà elle fut retournée. Le proche et le lointain s'interpénètrent, se confondent ; à tout moment le sol libère des pans de passé, des fragments de légendes – cerfs fabuleux, sorciers et esprits malins émanent de ses replis.

Hardy n'aimait pas les lieux ayant « l'éclat du neuf » ni les paysages « agréables », « irritants par temps d'épreuves », a-t-il affirmé dans *Le Retour au pays natal*. Or les épreuves, dans ses romans, sont comme la marée lunaire, comme les influences cosmiques : parties inhérentes de ces Forces qui roulent les hommes tels des galets dans la détresse et le malheur. L'âme humaine lui semblait plus en unisson avec les paysages empreints d'une sauvage tristesse, avec la lande ingrate, symbole d'endurance et de patience, de permanence, aussi. La lande incarnait cette stabilité séculaire qui est un besoin fondamental de l'esprit, même si, dans la réalité des jours, l'absence de changement amène la pesanteur et la monotonie. C'est ce sentiment de durée, loin des variations des modes et de l'Histoire, qu'il allait chercher en une fin d'après-midi de novembre, au moment où s'achevait le jour, où commençait la nuit, alors qu'il était à moitié couché sur une souche d'épine dans la vallée centrale d'Egdon et que «l'œil ne pouvait rien voir du monde au-delà des ondulations de la lande qui bornaient sa vue». «Savoir que toutes choses autour et au-dessous de soi demeuraient, depuis l'époque préhistorique, aussi immuables que les étoiles au-dessus donnait de l'équilibre à l'esprit ballotté par le changement et harcelé par l'irrépressible Nouveau.»

Les traces laissées par le temps sur les choses et les visages sont comme des signatures; elles sont lisibles, et c'est à partir d'elles que se racontent les histoires. Dans son œuvre, les lieux et les objets semblent sculptés par d'innombrables frottements qui sont l'indication, marquée comme par un instrument de mesure, du nombre des années écoulées. L'espace, comme usé, porte une infinité de signes déposés par les générations qui se sont succédé.

Or «l'irrépressible Nouveau» menaçait ce monde ancien ainsi que l'art du conteur. Hardy, du temps qu'il était architecte dans un chef-lieu de comté, une ville d'assises où l'on trouvait déjà le chemin de fer, le télégraphe et les journaux londoniens du jour, eut tout le loisir de songer à la distance qui séparait ce monde nouveau de celui auquel il appartenait: chaque jour il la couvrait, cette distance, alors qu'il s'en venait à pied d'un lointain hameau de bergers et de laboureurs où les progrès modernes, loin d'être compris, apparaissaient comme des miracles. Il fut le témoin de la disparition soudaine des traditions orales du Dorset. En 1849, il avait assisté à une fête des moissons, l'une des dernières, dit-il, au cours desquelles on chanta de vieilles ballades. Le chemin de fer, ce grand fauteur de troubles, avait atteint Dorchester ; « les refrains transmis oralement pendant des siècles furent tués d'un coup par les chansons comiques venues de Londres ». Ses personnages eux-mêmes sont comme déracinés, coupés du pays de leurs ancêtres, situés souvent entre deux univers, entre deux cultures – tels Jude, le tailleur de pierres, contemplant au loin les clochers de l'inaccessible Christminster, « la cité merveilleuse », la « nouvelle Jérusalem », ou Tess à mi- chemin d'une morale individuelle tirée du monde moderne et d'une culture collective et anonyme, fondée sur d'anciennes croyances. De là provient leur malheur.

Mais c'était aussi une « dégradation croissante de l'expérience » (selon l'expression de Walter Benjamin) liée à la ville moderne qui menaçait l'existence même du récit traditionnel. L'isolement des vies à la campagne, ou dans quelque village endormi, était propice au travail du rêve et de l'imaginaire. On y avait le temps de suivre en soi-même le cheminement de la sensation ou de l'émotion, comme on suit des yeux jusqu'à l'effacement complet les rides que forme sur l'eau le jet d'une pierre. En ville, en revanche, on est perdu dans la masse des informations, les impressions se succèdent, aucune n'a le temps de pénétrer en nous et de s'étendre (Hardy quitta bientôt Londres où il avait travaillé pour un architecte). On n'y perçoit pas la rumeur légère de ces récits qui semblent encore flotter dans l'air, comme ces « vieux appels de trompette et le cliquetis des harnachements » qu'il était impossible à Hardy de ne pas surprendre, alors qu'il traversait la nuit des lieux solitaires, «parmi les rafales de vent sur les graminées et les chardons».

Son œuvre fut écrite à un moment où les temps bougeaient: un monde disparaissait lentement, un autre se mettait en place.

Une vie d'économie et de calculs exacts

La recherche de la permanence, le retrait de l'épisodique et du mouvement, n'était-ce pas ce que traduisaient à leur manière ces villages de la campagne anglaise comme soustraits au temps, ces maisons amoureusement conservées, ces paysages verts et fleuris, semblables à un rêve, l'imitation fidèle des aquarelles peintes par Helen Allingham, où enfants, oiseaux, chats et lapins fraternisent parmi les lys et les delphiniums? Même si, comparé à l'aridité éternelle de la lande, ce genre de cadre a quelque chose de dérisoire, une tentative factice pour nier la marche du temps?

La chaumière où était né Hardy, avec son toit de chaume, ses murs de briques et de torchis, ses ouvertures étroites envahies par le feuillage, ressemblait, elle aussi, à une maison de conte de fées, faite pour une vie simple et heureuse, selon la formule.

Il suffit pourtant de pénétrer dans les pièces sombres et petites, si basses de plafond qu'il faut presque s'y tenir courbé, pour comprendre qu'elles abritaient une vie d'efforts. Sans tomber dans l'image conventionnelle du travailleur agricole entretenue à l'époque – une représentation misérabiliste fortement contestée par Hardy (Hodge, le paysan illettré, était imbécile, hébété, crédule et misérable…) –, on mesure, à en faire le tour, la différence entre les apparences, façonnées par un XXe siècle nostalgique en une vision toute de charme, et la réalité de ce temps, telle que la révèle la simplicité du décor : l'écart même entre un passé idéalisé, revu et corrigé par la pastorale, et un monde bien éloigné de notre rêverie, doté de sa propre et complexe existence – Hardy qui l'explora longuement l'a démontré.

C'est d'abord, au fond de la deuxième pièce, passé l'âtre qui occupe tout un pan de mur dans la grande salle d'entrée, le petit secrétaire où trois générations de la famille firent leurs comptes et tinrent leur argent, ne le sortant qu'à date fixe et par liasses dûment mesurées afin de payer les ouvriers – une opération qui se faisait sans danger par une ouverture minuscule pratiquée sur la gauche : *the pay window*. Une vie d'ordre, d'économie et de calculs exacts. À l'étage, on voit la chambre virginale et toute blanche des deux sœurs, qui étudièrent à Salisbury pour devenir institutrices. Puis celle des parents, à peine plus grande – un lit, celui où naquit Thomas, nouveau-né si chétif et mal en point que d'abord on le crut mort. Puis la troisième chambre, où il vivait avec son frère Henry, pas de meubles là non plus, au reste les pièces sont trop exiguës, le strict nécessaire, se mouvoir et survivre. Assis sur le rebord de la fenêtre, le regard plongeant dans le jardin et, au-delà, dans le bois, il écrivait. Il aurait composé là *Far from the Madding Crowd* (*Loin de la foule déchaînée*) et *Under the Greenwood Tree* (*Sous la verte feuillée*). Mais au musée de Dorchester, où l'on a reconstitué le grand bureau qu'il occupait à Max Gate – une étrange bâtisse, vaste et austère, isolée derrière un rideau de pins noirs d'Autriche, qu'il fit bâtir sur ses plans –, l'on a pieusement recueilli une petite table de cuisine à la peinture écaillée : celle où il écrivit ces deux ouvrages. Elle voisine avec un meuble imposant (où ses plumes alignées en bon ordre sont gravées du nom de ses divers romans). À les voir côte à côte, la petite table et le bureau solennel, on mesure la distance parcourue et le succès de l'œuvre (à laquelle l'époque reprocha pourtant son pessimisme, voire son immoralité).

Partout le portrait de Hardy, différent et toujours semblable, un vieil homme austère et digne à la moustache
tombante, aux yeux absents. Je pensais à ce qu'avait
écrit de lui Jean-Jacques Mayoux, mon maître et ami,
qui lui avait rendu visite dans sa maison de Max Gate,
alors qu'il allait bientôt mourir. Hardy était assis dans
son salon vieillot, «comme un vieux paysan de ses campagnes, sa tête large appuyant sur le petit corps fané… ».
Il avait la même modestie d'expression et les mêmes
yeux absents que j'observais à présent sur les portraits
– « plus lointain que jamais, il semblait regarder à distance de ses yeux pâles et presque incolores le mystère
de son œuvre, comme si elle l'eût désormais quitté » [1].
Ce mystère d'une œuvre et d'une vision qui transcendent les mots, transcendent le temps et les modes, et
même son pays, parce que, partant d'un coin de sol si
limité, il l'exprime sur un plan si profond.

La rencontre du parapluie et de la machine
à coudre

Le musée de Dorchester s'est efforcé d'embrasser
dans son modeste espace toutes les époques que traversa
la ville, depuis qu'elle s'appelait Durnovaria et abritait
d'élégantes villas romaines jusqu'au XXᵉ siècle, qui vit
s'installer dans des cottages aux environs une colonie
d'écrivains. Mieux, il remonte à la préhistoire, à la
période crétacée, il y a quelque 135 millions d'années,
quand les dinosaures laissaient sur le sol du Dorset
d'immenses empreintes, aujourd'hui exposées au
musée, et même, au jurassique, époque où la mer recouvrait encore la région et où ces grands dragons, les ich-

1. *Le Retour au pays natal*, introduction de Jean-Jacques
Mayoux, Nouvelles Éditions latines, 1947.

tyosaures, nageaient parmi les ammonites et autres coquillages (dont le musée présente un ensemble honorable).

Ce souci d'exhaustivité aboutit à un étonnant bric-à-brac. On a, en le découvrant, la même surprise émerveillée qu'en se faufilant dans une très vieille grange ou un grenier de campagne. Chaque siècle a déposé là ses trésors, la ville et la nature ont rivalisé dans leur contribution. Les cercueils de pierre romains et les vastes mosaïques voisinent avec des poupées de porcelaine aux yeux écarquillés et de sautillantes musaraignes des champs dûment empaillées ; des carrioles, des charrues et autres instruments de la terre s'entassent pêle-mêle à côté d'un âne de carton-pâte grandeur nature. Une voiture de boucher datant de 1919 : le cheval et les figures humaines furent exécutés en papier mâché par le sculpteur Peter Rush. Chacun y est allé de son invention. L'endroit a cette poésie qui vient des assemblages d'objets insolites, accumulés par le temps et le hasard, choisis non pour représenter quelque catégorie reconnue, mais parce qu'ils sont à leur façon étonnants ou précieux, ou qu'ils témoignent d'une créativité spontanée. Visiblement aucun esprit régulateur ne s'est préoccupé de mettre bon ordre à tout cela. Plus distantes les réalités associées, plus absurde cet assemblage, et plus propice au rêve et à l'imaginaire – comme la rencontre, sur une table de dissection, du fameux parapluie et de la machine à coudre proposée par Lautréamont.

Dans la galerie, non loin du bureau de Hardy et des salles réservées aux fossiles, une pièce est consacrée à la famille Powys dont plusieurs frères habitèrent Dorchester. (Leur père officiait à l'église St Peter. Llewelyn y était né et Theodore Francis, qui y fut élevé, ne quitta plus la région. Quant à John Cowper, il s'y installa à son retour des États-Unis pour travailler à son roman *Maiden Castle* [*Camp retranché*], l'un des sites archéologiques dont le musée fait grand cas.) Dans un coin de cette même salle, une photo de Sylvia Townsend Warner qui, en 1930, acheta le cottage de Miss Green, en face de l'auberge de Chaldon Herring, pour y vivre avec Valentine Ackland, son amour. Elles s'étaient rencontrées chez Theodore Francis, un habitant du lieu.

Chaldon Herring, le chaudron des sorcières

Un village non loin de la côte dont le nom étrange évoque sans doute l'époque où, peuplée d'une manne de poissons, la mer s'étendait sur tout le Dorset, mais aussi, pour peu qu'on veuille rapprocher les sonorités, le mot « caldron », ce chaudron des sorcières, rempli d'une mixture de composition mystérieuse, que les noires créatures tournaient longuement avant d'en tirer leurs potions magiques.

Or, Chaldon Herring attira les magiciens ; ceux qui s'y retrouvèrent l'étaient tous, ce qui, bien sûr, n'est pas un hasard. Dans ce village, Sylvia Townsend Warner s'éprit de Valentine Ackland. Elle était venue rendre visite à Theodore Francis Powys, un esprit ami (dont elle s'employa à faire publier l'œuvre). L'excentricité, l'ironie, la révolte et l'humour, des traits qui définissent une famille d'esprits bien représentés dans la littérature anglaise. Ils eurent le sens de l'invisible, le goût de l'étrange et de l'inquiétant, le sens du mystère de la nature. Plutôt que d'être soumis aux lois oppressantes de la société et à la pesanteur tout aussi forte du réel, ils préférèrent traiter avec les sorciers, démons et magiciens, les elfes et autres sirènes, sur lesquels ils avaient des renseignements de première main, et qui, au besoin, les aidaient à se métamorphoser ou à expédier le gêneur dans un autre monde. La frontière est mince entre les animaux malicieux et sauvages et ces écrivains en rébellion pour qui passer d'une espèce à l'autre, d'une forme à l'autre, ne semblait pas poser de problème particulier, lorsqu'il s'agissait de s'évader – de sortir par la plaisanterie d'un univers à leur goût trop limité. Sortir, en premier lieu, du cercle de l'origine, le plus étroit de tous en ces temps victoriens, et le plus contraignant : celui de la famille, dûment dirigée par son chef et tyran.

L'esprit de liberté

Theodore Francis Powys, le troisième des onze enfants du révérend Charles Powys, s'était quant à lui retiré dans son cottage du Dorset. Il avait épousé Violet Dodds, une fille du village, selon la déclaration faite à ses frères : « Je veux un petit animal malicieux. Je n'aime pas les dames du monde. » Soliloquant et ruminant, il se promenait dans la campagne, notant à son retour le fruit de ses ruminations. Un mode d'existence qui dura quarante ans. Le monde s'arrêtait à la colline de Madder. On y entre, dans cette création tout droit sortie de la Bible, comme dans une image merveilleuse où des silhouettes vêtues de gris se déplacent dans une herbe verte et brillante, au soleil. La substance du quotidien y a pris une apparence neuve, un air de poétique irréalité, qui pourtant n'efface ni l'angoisse ni le mal, toujours à rôder en quête de quelque mauvais coup, prêt à s'emparer des créatures et à les faire souffrir.

Ces romanciers-là ne théorisèrent pas sur leur inadaptation à la société et ils n'eurent pas la volonté de changer le monde (quoique Sylvia Townsend Warner se soit engagée à la fin des années 1930 au parti communiste, comme une bonne part des écrivains anglais de sa génération, elle ne montra pas, là non plus, de conformisme, puisque, journaliste en Espagne républicaine, on la voit écrire une note favorable aux anarchistes. L'ironie dominait, et un esprit de liberté qui s'arrangeait mal de l'engagement). Ils surent participer à l'Histoire, pourtant, et lutter, tomber comme d'autres au champ d'honneur (tel H. H. Munro, alias Saki, l'un des plus insolents parmi ces magiciens, mort au cours de la Première Guerre mondiale). Mais, tout au fond d'eux, restaient le sens de la révolte, celui de leur essentielle différence et, surtout, le besoin d'explorer leurs visions et leurs rêves. C'est même le sujet de *Laura Willowes*, l'un des plus beaux romans de Townsend Warner.

La vie de Laura Willowes est plus ou moins assimilée aux objets qui l'entourent : immobile comme eux, et soumise aux mêmes conventions immuables. Pourtant Laura conserve, intacte en elle-même, la notion d'un mystère avec lequel elle se confond – une sorte d'appartenance secrète encore à découvrir. Puis un jour, elle a une vision, une image nocturne et magique qui lui révèle tout ce qu'elle va faire. Alors, le rythme du livre change, le vent le parcourt en tous sens. Laura Willowes (*willow* : le saule) a partie liée avec les arbres, le vent et les nuages. Bientôt elle rencontre Satan, son maître, qui, sachant reconnaître un esprit frère, ne dérangera pas la dormeuse étendue sur un lit de feuilles sèches.

Contre tous les empiétements du monde extérieur, la liberté conquise consiste essentiellement à être soi-même. Au plus loin de la confusion qui serait de croire qu'être libre c'est pouvoir faire ce qu'on veut. Ces écrivains-là se voulurent libres – libres dans leur esprit, libres de se retirer du monde et de créer, en eux-mêmes comme sur le papier, l'univers qui leur correspondait le mieux – et cette liberté-là est infinie.

Pour Sylvia : un récit honnête

Sylvia Townsend Warner écrivit jusqu'à sa mort, sept romans et des centaines de nouvelles, une biographie sur l'auteur d'un roman arthurien, T. H. White, et la traduction du *Contre Sainte-Beuve*, de Proust. Dans les toutes dernières années de sa vie, alors qu'elle avait quatre-vingts ans, elle s'était mise à composer des récits sur les elfes, des créatures invisibles et mortelles, assez déplaisantes. Selon son éditeur, William Maxwell, ces nouvelles sont «d'une grande beauté; leur mystère, leur apparence d'authenticité» rappellent le compte rendu de l'enterrement d'une fée par William Blake, un écrivain qui, comme Sylvia, conversait sans façon avec les démons et les anges. À cet âge, elle s'était au reste physiquement rapprochée des créatures qu'elle avait toute sa vie fréquentées (un phénomène qu'on a souvent l'occasion d'observer, puisque deux très vieux époux souvent se ressemblent comme frère et sœur, ou, parfois, un maître et son animal familier, ce que démontre parfaitement une nouvelle de Saki intitulée «La Réforme de Groby Lington», où l'on voit un homme tranquille, célibataire endurci, prendre successivement les traits et le comportement de son perroquet solennel et bavard, de son singe, qui est vif et méchant, enfin d'une tortue lourde et lente – et c'est la fin de Groby Lington). Sylvia Townsend Warner était devenue semblable à une sorcière : «Elle était toute courbée, cassée, avec un visage en casse-noisettes; il ne lui manquait que le balai pour être prête à s'envoler», écrit Peter Pears, dans sa préface à *Douze Poèmes*.

Quant à sa prose, à son brouet magique, il y entrait les ingrédients les plus hétéroclites. Dans sa préface au livre de S. T. Warner, T. F. Powys l'écrivait : «Des choses, des choses excellentes, comme un morceau de patchwork assemblé en 1746, une paire de grands chandeliers, un feu de bois, une bouteille de vieux vin, une pelote de fil avec une aiguille, le tout orné d'une pantoufle rouge.» Dans sa correspondance, les animaux, dans leur parfaite beauté, sont eux aussi des magiciens qui ont le pouvoir de faire surgir des mondes, chows-chows à la langue froide et bleu plomb, canards noir charbon qui défilent comme «un congrès de clergymen non conformistes» (et portent au reste les noms d'illustres mystiques ou d'hommes d'Église), chats somnolents dont les yeux bleus s'ouvrent parfois pour cligner d'une pensée unique (l'heure du dîner), renardeau à l'odeur de géranium, dont les pattes sont «douces comme des framboises»... Elle vécut à la campagne, en compagnie de Valentine Ackland, d'abord à Chaldon Herring, puis sur les bords de la rivière Frome qu'on entendait courir au bas de la maison.

Valentine était sauvage et solitaire, comme le petit renardeau recueilli par Sylvia. Une enfance perturbée, une sœur jalouse et méchante qui ne cessait de l'épier, à dix-neuf ans un mariage malheureux, annulé, et la vie de bohème dans le Londres des années 1920, les aventures sans lendemain avec des hommes et des femmes... Puis la rencontre de Sylvia qu'elle ne quitta plus jusqu'à sa mort, en 1969. Sinon, brièvement, pour une autre femme dont elle était tombée éperdument amoureuse. Sylvia leur laissa la maison et alla s'installer à quelque distance de là – ce qui «assurerait à Valentine la présence continue des arbres, des livres et de son travail [...] de loin le meilleur plan», commente-t-elle dans une lettre. Confrontée à cette crise, Valentine, en 1949, écrivit un livre dans lequel elle disait à Sylvia son amour pour elle (*For Sylvia: an Honest Account*) : «Nos vies se sont rejointes imperceptiblement, et se sont ajustées sur toute leur longueur.» Elle ne pouvait supporter l'idée d'être séparée d'elle. «Je sais, sans aucun doute, que mon être tout entier prend racine en Sylvia – que, provenant de moi, si mauvaise et

239

dégradée que je sois, cet amour sans pareil a poussé, qui est l'amour qu'elle a pour moi, l'amour que j'ai pour elle.» Au nom de ce sentiment et d'une promesse autrefois prononcée, elle demandait à Sylvia de ne pas l'abandonner. «Je pense qu'elle [son amour] ne me laissera jamais seule, même quand je serai un fantôme; et si elle veut bien marcher auprès de moi, nous serons heureuses – comme nous l'avons toujours été, même dans le désespoir, quand nous étions ensemble.»

Elle confessait aussi que, pendant les dix-neuf ans qu'avait duré leur liaison, elle lui avait caché qu'elle était alcoolique. Elle décrivait à Sylvia la lutte permanente, la tentation quotidienne, l'horreur des rechutes, la peur et la honte, la haine contre elle-même, la culpabilité et la solitude – l'enfer où elle vivait à l'insu de Sylvia. Et son espoir au début de leur liaison: «Peut-être si quelqu'un d'une bonté aussi entière, aussi transparente, quelqu'un qui possède une telle intégrité, tant de passion et de franchise […] et qui est doué de si grande force intellectuelle, peut-être si quelqu'un comme *elle* m'aime, alors je saurai me sortir de ce marécage puant, de cette horreur et cette honte…» Elle achevait cet aveu en constatant que sa vie, malgré toute cette souffrance, avait été l'une des plus heureuses qu'on pût imaginer. Sans doute n'avait-elle pas mérité l'amour de Sylvia, mais il y a dans le mot «mériter», disait-elle, l'implication d'un échange – vendre, acheter – qui ne peut s'appliquer à l'amour, tout au moins pas à celui que lui prodiguait Sylvia; celui-là était de nature divine, il ne se mesurait pas, il se déversait, il s'épanchait. Et elle avait confiance en lui. Puis elle citait un passage de Juliane de Norwich que Sylvia lui avait lu peu de temps auparavant: était-il dû à la foi en la vie, cet état de paix que décrivait la mystique et qu'elle-même ressentait? «Au-dedans de [son] esprit», il y avait plus d'espoir que de crainte, plus de paix que de trouble.

Leur amour allait résister à la secousse d'une autre liaison, la plus forte qu'il traversa. Sylvia avait le besoin de donner et de protéger et Valentine celui d'être protégée et rassurée. Pour une fois, semble-t-il, l'amour protecteur, celui qui se nourrit de la faiblesse de l'autre, n'était ni dominateur ni vampirique, mais généreux. Pourtant, après que ce mécanisme a été mis en lumière, rien n'a encore été dit d'un sentiment pour lequel il faudrait dérober, si on voulait le décrire, une plume à l'aile d'un ange.

The Oak Room, la pièce lambrissée de chêne

Dorchester s'étage le long d'une colline. Non loin du musée, à l'intersection de la rue principale et de South Street dans la ville moderne, le célèbre salon de thé nommé The Oak Room ne désemplit pas. Un petit dépliant publicitaire cartonné et fort bien fait, qu'on vous remet à l'entrée, signale que dans cette pièce se déroulèrent les « Assises sanglantes », en 1685, quand le duc de Monmouth et son parti furent défaits, jugés et condamnés. Aujourd'hui, se félicite le dépliant, la pièce, restaurée, est transformée en un délicieux salon de thé. On y consomme de gros gâteaux au chocolat, des scones et des cappuccinos mousseux recouverts de l'épaisse crème fraîche de la région. L'entrée est située dans le sentier de l'Antilope, une sorte de tunnel aux fantômes, comme on en imagine dans les foires. Des affiches terrifiantes partout placardées rappellent les horreurs de l'histoire et les supplices endurés par les vaincus, parmi une débauche de mièvreries dans les magasins à touchetouche : boîtes à bonbons, rubans et mignardises, dragées, porcelaine, poupées vêtues de dentelles, fleurs séchées dans leurs bocaux, chichis en tout genre – le kitsch trouve un regain d'effet et de vigueur dans ce rappel de la cruauté. Le frisson d'émoi procuré par la violence d'une époque assez lointaine pour ne plus faire peur, la vague de plaisir déclenchée par la vue des suaves figures en vitrine. Le rapport entre la sentimentalité – cet attendrissement qui n'a rien à voir avec la vérité du sentiment – et la fascination de la souffrance, celle des autres. Ici on le voyait à nu, ce lien, il se montrait en toute innocence ; ce n'était, il est vrai, qu'un vague énervement des sensations dans une ville de province plutôt morne. L'exploitation de l'épisode tragique rappelait pourtant que certains des grands criminels de l'histoire eurent de ces émois et de ces tendresses qui font croire à de la bonté.

L'aimable publicité racontait que le duc de Monmouth avait débarqué à Lyme Regis, maintenant une tranquille station balnéaire, pour faire valoir ses droits à la succession du trône de Charles II. Avec 3 000 hommes, il s'était dirigé vers Sedgemoor, dans le Somerset. En moins d'un mois, le roi Jacques le vainquit. 1 300 hommes furent faits prisonniers. On convoqua cinq juges à Dorchester, parmi eux le juge Jeffreys, de sinistre mémoire, surnommé « celui qui pend ». Dans la belle pièce lambrissée de chêne, les jugements furent prononcés : 292 hommes furent condamnés à mort ; 74 d'entre eux furent pendus, éviscérés et écartelés, et leurs têtes plantées sur des piques dans tout le Dorset ; d'autres, plus chanceux, subirent le supplice du fouet, puis furent déportés. À la suite de quoi, le juge Jeffreys, qui avait accompli les basses besognes, fut nommé lord chancelier. Mais un jour le roi fut renversé et le juge Jeffreys à son tour emprisonné. Il mourut enfermé dans la Tour de Londres. On dit que son cadavre fut ramené à Dorchester et scellé dans l'un des murs de la fameuse pièce où de paisibles vieilles dames boivent aujourd'hui leur thé. Sa demeure, quant à elle, encore debout dans High West Street, a été transformée en pub ; l'on ne manque pas, là non plus, de vanter les exploits sanguinaires du juge pour vous inciter à consommer.

Les martyrs de Tolpuddle

C'est ainsi qu'on les nomme, bien qu'ils ne fussent ni suppliciés ni mis à mort : six hommes, six travailleurs agricoles natifs du village de Tolpuddle, près de Dorchester, qui s'étaient réunis, afin de protester contre la détérioration de leurs conditions de vie. George Loveless était leur chef. Un homme digne, qui jouissait d'une forte autorité.

Le sort des paysans avait pâti de la mise en place du système des «enclosures», par lequel se trouvaient encerclées et transformées en propriété privée des terres autrefois communales et laissées en jachère. L'espace cultivé était de ce fait agrandi et rationalisé, drainé et asséché, dûment rentabilisé, et le pays, comme quelques grands propriétaires, y trouva son profit. Tous les droits dépendant de ces terres communes, où les moins fortunés avaient leurs habitudes de vie – le ramassage du petit bois pour se chauffer en hiver, par exemple, et le pré où paissaient librement les animaux –, leur furent du même coup progressivement retirés. Peu de lois causèrent autant de révolte que celles-là qui reprenaient la terre à ceux qui en avaient toujours bénéficié – et la grande cause de la modernisation n'atténua pas les violentes flambées de rébellion. On arracha les barrières. Rien n'y fit, le progrès avançait. Les pauvres furent les premiers à souffrir, mais aussi les petits propriétaires, qui, jusqu'au XVIIIe siècle, avaient pu conserver quelques parcelles. En un siècle, quelque 4 000 actes du Parlement soumirent 2,4 millions d'hectares au système des enclosures. Les petits paysans perdirent leur lopin de terre, ils se louèrent à de riches fermiers ou dérivèrent vers la banlieue des villes ; ceux qui ne possédaient que leur cottage se virent réduits à un régime de pain et de fromage tout au long de la semaine. Les plus chanceux, qui avaient un jardin, faisaient pousser des légumes et conservaient quelques poules. William Cobbett, un campagnard de vieille souche, au bon sens solide et à l'esprit concret, parcourait l'Angleterre, écrivant ses célèbres *Rural Rides* et s'indignant de ces transformations : « Il y a un fermier dans le nord du Hampshire, qui a presque 8 000 acres de terrain... Il occupe l'espace qui autrefois nourrissait 40 fermes ! Ce n'est pas étonnant que la pauvreté augmente... »

En outre, une nouvelle classe de propriétaires, qui avaient fait fortune dans le commerce et la finance et qui étaient uniquement préoccupés de profit, s'étaient récemment introduits dans la vie ancienne et bien réglée de la campagne. Loin de partager les habitudes de la gentry traditionnelle, dont l'existence était depuis toujours mêlée à celle des paysans, et à qui l'ardeur de la tâche quotidienne faisait oublier parfois les distinctions de classe, ils ne venaient visiter leurs terres que pour s'en retourner à leurs affaires en ville, ils « ne prenaient pas vraiment plaisir aux distractions de la campagne, se montraient distants et hautains, considéraient la terre comme un simple objet de spéculation », bref, selon Cobbett, ils ne concevaient leur influence qu'en termes de crainte et de pouvoir, non de bon voisinage.

Ces riches n'avaient aucun savoir-faire ; en même temps que leur montée en puissance, on constatait une aggravation de la pauvreté – un phénomène qui s'est reproduit dans l'histoire. Cette « pseudo-gentry », sans manière et mal dégrossie, n'était d'ailleurs pas plus acceptée par l'ancienne aristocratie, parmi laquelle elle rêvait pourtant de s'introduire (un manège qui a fourni le sujet d'innombrables comédies), que par les gens du lieu. Le mélange s'effectuait mal. Il fallait attendre que la patine des générations se dépose sur ces personnages trop rutilants. Il fallait attendre, longtemps encore, le déclin de l'élite héréditaire, dont les privilèges reposaient à la fois sur le titre et la propriété de la terre. Ceux-là avaient pour eux la naissance – un avantage considérable, une inscription dans le temps qui, en Angleterre, revêt encore une importance très spéciale. Et même s'ils devaient perdre peu à peu une part de leur fortune, ils continueraient d'imposer leur pouvoir d'une décennie à la suivante – serait-ce sous la forme d'une influence impalpable, insidieuse mais très réelle, à travers des attitudes et des comportements si ancrés dans les esprits qu'ils en étaient devenus une suite de réflexes. Autant dire que les bourgeois entreprenants et laborieux issus de la révolution industrielle n'avaient pas exactement rang d'exemples ni de modèles.

Le temps aidant, certaines différences finirent pourtant par s'atténuer. Hommes d'affaires et banquiers, politiciens de tout poil, policés il est vrai par des années d'exercice de père en fils, s'imposèrent à Londres comme dans les fiefs traditionnels de l'aristocratie, les *stately homes* du sud de l'Angleterre : ils s'étaient appliqués à acquérir non seulement l'argent (par des moyens autres que l'industrie), mais ces qualités qui font le vrai gentleman, ou tout au moins son apparence (un mot intraduisible, «gentleman», une définition autrefois enviée, un produit longuement mûri, le résumé d'une éthique et d'une vision sociales, dont le secret se trouve peut-être dans les pages de Jane Austen. À propos de cette récente upper class, on parla d'ailleurs de «gentlemen capitalistes», une association de termes qui montre bien la subtilité des différences et le souci de les respecter).

Donc, le vieil ordre des choses changeait tout de même, le tissu social bougeait, tiraillait, gonflait çà et là, se creusait de dépressions… En 1830, les ouvriers agricoles du sud de l'Angleterre s'étaient soulevés. Ils mouraient de faim. Une caricature, au musée de la Vie rurale à Reading, présente un squelette conduisant une charrue, tandis qu'un homme gras et cossu le regarde. 3 des protestataires furent pendus, 420 déportés en Australie.

Quant aux martyrs de Tolpuddle, George Loveless et ses compagnons, ils furent condamnés en 1834 – sept ans de bagne, la même peine que pour un braconnier qui aurait pris au piège, la nuit, un lièvre ou un lapin. Pourtant, depuis 1824, les syndicats n'étaient plus interdits. Il avait donc fallu trouver un autre chef d'accusation ; ce fut d'avoir prononcé un serment illégal ; on se servit de la loi contre les mutineries, élaborée en 1797 pour des cas tout différents (et on mit en garde les paysans : adhérer à une société ou à un groupe en prêtant serment devenait illégal). La félonie du procédé provoqua l'indignation générale. « Si nous avons enfreint une loi, ce ne fut pas intentionnellement ; nous n'avons fait de tort à personne, n'attaquant ni les caractères, ni les réputations, ni la propriété ; nous nous sommes unis pour nous défendre, nous, nos femmes et nos enfants, pour ne pas tomber dans une déchéance totale ou mourir de faim… » La défense de Loveless était digne. Pour le soutenir, lui et ses amis, la lutte s'étendit. Manifestations, marches silencieuses, signatures. Robert Owen, l'un des fondateurs du socialisme anglais, William Cobbett et d'autres n'eurent de cesse qu'on gracie les hommes condamnés. 800 000 signatures furent recueillies. Sous la pression de la masse, le gouvernement finit par céder. En 1836, le trade-unionisme anglais avait gagné l'une de ses grandes victoires : les six coupables étaient libérés, ramenés du bagne.

Un musée et six cottages au toit pointu portant chacun le nom d'un des six travailleurs, plantés sur une hauteur près de Dorchester, rappellent au touriste cet épisode décisif d'une longue bataille. Parmi les six condamnés, seul un homme resta en Angleterre. Les cinq autres émigrèrent au Canada, loin d'un passé trop pesant et de la scène de leurs souffrances. Ils y furent, dit la brochure, des « citoyens respectés ».

Le mystère des origines

Lyme Regis

La chute de Louisa Musgrove

La petite ville de Lyme Regis n'a pas en elle-même de beauté particulière, Jane Austen ne s'est pas fait faute de le signaler dans la description qu'elle en donne dans *Persuasion*. Pourtant, le groupe joyeux des jeunes gens, Louisa Musgrove en tête, est follement excité à l'idée de s'y rendre. «La situation remarquable de la ville, avec la rue principale qui se précipite vers l'eau, la promenade vers le Cobb qui encercle la plaisante petite baie […] le Cobb lui-même avec ses merveilles anciennes et ses améliorations récentes, et la très belle ligne des falaises qui s'étend à l'est de la ville, tout cela frappera l'œil de l'étranger.» Quant aux environs de Lyme, ils sont plus intéressants encore que le pourtour immédiat, et certainement, conclut Jane Austen après avoir détaillé les charmes de Charmouth, d'Up Lyme et de Pinny, ils valent bien les paysages si réputés de l'île de Wight.

Elle ne décrivait pas les hautes falaises noires et friables, ces pentes abruptes et ravinées d'où se détachent d'énormes blocs de pierre, ni les dessins énigmatiques, vieux de millions d'années, que viennent chercher les visiteurs fascinés. À deux pas de là, il est vrai, la «parade», bordée de ses petites villas victoriennes aux teintes pâles, ignore l'étendue de la mer à laquelle elle fait face et raconte une histoire – moins sauvage et moins ancienne – de soirées, de danses, de jeux et de potins : la vie au début du XIXᵉ, telle que Jane Austen la vécut, alors que le port de Lyme avait cessé d'accueillir les grands vaisseaux en partance pour l'Afrique, les Caraïbes ou l'Amérique. « Il fallait absolument que j'aie un peu de fièvre et une légère indisposition, c'était le dernier chic cette semaine, à Lyme. » On utilisait des parasols et des bonnets de plage, en dépit de quoi le temps chaud empêchait toute élégance… Cependant, Louisa Musgrove, toujours impétueuse et entêtée, négligeant les conseils de la raison, sautait du Cobb par un jour de grand vent, manquait les bras tendus du capitaine Wentworth et s'écrasait quelques mètres plus bas sur le sol. Bien entendu elle se remettait de sa chute, la tragédie intervenant non pour semer la mort – rien d'aussi radical –, mais pour mettre à nu un aspect des caractères jusqu'alors caché. Des générations de lecteurs, Tennyson le premier, se sont ingéniées à retrouver l'endroit exact où Louisa était tombée, et Bay Cottage, où les Harville la soignèrent, aujourd'hui transformé en pub, profite de ce drame minuscule dont les conséquences, si l'on en juge par l'afflux des lecteurs de Jane Austen, semblent n'avoir pas de fin.

Darwin et l'ichtyosaure

La chute de Louisa, c'était admettre dans le roman un peu de la violence du vent qui souffle sur les falaises. Il manque de tuer. Depuis lors – depuis que le monde clos de Jane Austen a volé en éclats – ce sont ces escarpements chargés de révélations vertigineuses sur le mystère des origines qui ont captivé l'imagination des romanciers, non plus la « parade » de Lyme, avec la routine des jours et des plaisirs. Un gouffre s'était ouvert, qu'on n'allait plus cesser de sonder. Avec la publication de *L'Origine des espèces*, bombe à retardement qui déchira la société victorienne, le doute et le désespoir s'emparèrent de l'esprit humain.

Ces fossiles, ces ammonites aux formes gracieusement enroulées ne posaient-ils pas comme autant de points d'interrogation la question des origines ? À plus forte raison, l'ichtyosaure de trente pieds de long que découvrit en plein XIXᵉ Mary Anning, une fillette de douze ans, habitante de Lyme, qui, non contente de gagner deux livres en vendant le squelette, trouva ainsi la gloire parmi les empreintes d'un autre monde. Un ichtyosaure, un monstre surgi de l'au-delà des temps, témoin d'une époque si lointaine qu'elle précède celle de la création de l'univers, selon les Écritures – si lointaine que le fait de son existence se confond inévitablement avec celui de son extinction. C'était seulement maintenant, en ce XIXᵉ siècle pathétiquement localisable, qu'on prenait conscience que l'ichtyosaure avait existé. Ces débuts de la vie... il y avait de quoi donner le vertige, de quoi ramener l'homme à la réalité de son insignifiance.

L'ichtyosaure : la longue mâchoire plantée de dents pointues, le grand œil rond qui fixe l'éternité des siècles à venir. En le découvrant, incrusté dans la falaise de Lyme, soudain surgi d'une aube inconnue, Matthew Pearce, le héros victorien de Graham Swift (*À tout jamais*), se sent tomber, tomber en lui-même, sombrer dans un vide inimaginable, et à cette chute il n'est pas de fin, puisqu'il n'existe pas de terrain solide pour l'arrêter. Matthew Pearce perd la foi, comme tout son siècle la perdit. Était-il vraiment nécessaire d'élucider le mystère, de découvrir la vérité ? Darwin se livra obstinément à sa recherche, soucieux seulement de la mener à terme, oublieux de la question qu'elle posait et qui désormais tourmenterait l'humanité : Dieu existe-t-il ? D'où vient la vie ?

Darwin. Moins un homme qu'une condition abstraite – une couleur sombre qui s'étendit sur le monde vers le milieu du XIXᵉ siècle, suggère Graham Swift. Dieu était mort, rien n'avait plus de sens ; les lois incompréhensibles de la nature admettaient un gâchis colossal et une profusion non moins grande ; des naissances inutiles et des morts tout aussi inutiles ; l'homme, comme les autres créatures, soumis à ces lois prodigieusement arbitraires, perdu dans le temps qui recule ou s'étire, qui s'enfonce dans l'obscurité des origines ou s'avance dans l'inconnu et la peur panique. L'homme, sans but, ni raison d'être, ni place ; l'homme qui n'est plus à l'image de Dieu, le centre de l'univers, mais un accident parmi d'autres.

Ainsi, entre les falaises sauvages et l'élégante « parade », se trouvait déployé le XIXᵉ siècle dans tous ses états : ses humeurs sombres et gaies, et le plus grand des bouleversements qui l'affecta. Des fossiles, on en trouve encore, la source semble inépuisable, et, dessinés sur les galets de la plage, des formes d'étoiles, de fusées, de flèches et de cercles, des pointillés étranges, des inscriptions mystérieuses, semblables à des codes secrets, à jamais illisibles.

Je regardais sur le cadran les noms des pics et des plages qui se succèdent le long de la côte : Stonebarrow Hill, Golden Cap, Chideok et Eype, puis West Bay et, par-delà Burton Cliff, Bradstock et Swyne, et Chesil Beach, où furent dispersées les cendres de John Cowper Powys et, plus loin encore, fermant la parenthèse ouverte à Lyme Regis, l'île de Portland.

Il y a 12 000 ans : la Cornouailles

La Cornouailles, cette langue de terre lointaine, si différente par son aspect et sa culture du reste de l'Angleterre, nous ne la visitâmes que tardivement, après tous les autres voyages dans ce pays, peut-être en raison même de cet éloignement ou, c'est plus probable, parce que nous en attendions quelque révélation majeure longtemps différée par plaisir. Et puis l'occasion de partir ne se présentait pas : il faudrait bien une semaine entière, ne serait-ce que pour visiter quelques sites, et ce voyage-là n'ouvrait sur aucun autre, on était loin de tout, il était en quelque sorte clos sur lui-même... À travers les années qui passaient sans que la visite se fît, cette perspective était devenue un sujet de plaisanterie : aller en Cornouailles, disions-nous, et c'était un peu comme parler d'un personnage célèbre qui, dans la pièce de théâtre dont il est pourtant le centre, ne se montre jamais en scène. Nous n'irions pas en Cornouailles, nous nous contenterions d'en rêver. Et peut-être le rêve, et l'humour dont il était entouré, valaient-ils mieux que sa réalisation ? Ces paysages imaginaires que rien, aucune confrontation avec la géographie ne viendrait corriger resteraient une promesse. Ainsi nous étions-nous consolés, presque résignés maintenant à laisser un blanc sur la carte, un espace vide dans notre découverte progressive et fragmentaire de l'Angleterre, appelée, de toute façon, à rester inache-

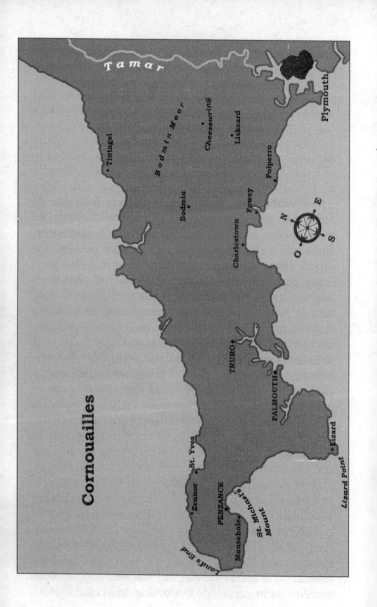

vée, puisque aussi bien il est illusoire de vouloir connaître le tout d'un pays.

Mais un jour, après avoir exploré l'ensemble du territoire des pieds à la tête, jusque dans ses moindres recoins, nous avons pris la décision. Pourquoi, de quelle manière ? Sait-on jamais pour quelle raison l'on passe à l'acte et comment un songe vieux de quelques décennies devient réalité ? Par un été de canicule à Paris, alors que les trottoirs chauffaient et que la poussière montait en tourbillons des parcs jaunis, nous nous étions senti une grande envie d'espace : partir, appareiller, repousser tous les murs. L'image de ces côtes sauvages, gardée tel un germe dans un coin de notre esprit, s'était alors imposée à nous non plus comme un songe, mais comme une nécessité. Et nous étions partis.

Quelques heures encore, puis nous nous étions retrouvés sur le ferry en route vers Portsmouth. Le vent soufflait, les lointains s'ouvraient, la mer était calme. Salisbury, Exeter, Launceston… une ville provinciale après l'autre, des banlieues vertes ou grises, un moutonnement de toits, nous ne faisions que rouler, avaler la distance. Miles après miles, les voitures à la queue leu leu sur des routes de vacances toujours plus étroites et encombrées, nous avancions vers Lizard's Point, la pointe extrême de la Cornouailles, plus loin nous n'aurions pu trouver, au-delà c'était le grand large, l'océan Atlantique dont on entendrait battre les vagues, un grondement continu.

Nous avons traversé des villages et des forêts, franchi des ponts, attendu aux carrefours que se dénouent les files enchevêtrées des voitures, exploré des dizaines de pubs en bord de route afin d'y passer la nuit. Peine perdue, c'était le mois d'août et la plupart du temps ils affichaient complets, «*no vacancies*», un signe fatidique pour celui à qui la fatigue fait miroiter comme bien suprême un lit, un simple lit garni de draps blancs. Nous poussions plus loin la recherche. Les repas, nous nous en préoccupions une fois le logis assuré, trop tard, souvent, pour trouver un restaurant encore ouvert. Ainsi avons-nous amassé un certain nombre d'éléments qui nous ont permis de mesurer à quel degré d'ennui et de désœuvrement on peut parvenir, surtout quand on est jeune et bourré de vitalité, passé neuf heures du soir, dans ces lieux sinistrement éclairés où l'on ne voit plus personne, pas même une ombre furtive.

Quiconque ne s'est pas trouvé, à la nuit tombante, dans une petite ville de la province anglaise, quand tout est fermé et que les pubs ont déclaré forfait (pour la nourriture tout au moins), errant désespérément sous la lumière jaune des réverbères à la recherche d'un maigre dîner, pour finalement échouer dans le restaurant thaï du coin – une salle sinistre, badigeonnée de vert pisseux et ornée de bouddhas en plastique, éventuellement d'une photo de Lady Di –, celui-là n'a pas vraiment tâté à la désolation anglaise.

Je pourrais aussi bien dire «aux charmes de la vie anglaise», puisque, pour celui qui ne fait que passer, ces moments-là comportent aussi leur part d'imprévu, de cocasserie et, donc, de plaisir: ces errances nocturnes l'estomac vide dans des villes abandonnées, les tours et les détours dans la lueur pauvre des lampes, puis, à l'instant de céder au désespoir, non, ce soir, décidément nous n'aurons rien à manger, nous dormirons le ventre creux, la découverte soudaine d'un endroit éclairé, l'entrée dans la salle paisible où le visiteur tardif fait tourner toutes les têtes, le bol de soupe chaude posé devant lui et la sérénité enfin retrouvée. Ces instants-là font partie intégrante du voyage, autant que la pluie et le soleil, le passage des nuages ou le grand vent de mer.

Saint Yves et le musée de Dame
Barbara Hepworth

Nous avions espéré visiter Saint Yves, cette petite ville de la côte nord dont le charme et la lumière ont attiré toute une population d'artistes, dans des conditions acceptables, c'est-à-dire à la faveur d'un rayon de soleil. Il y pleuvait à verse. Non une bruine discrète et verticale, ni l'un de ces insidieux crachins qui larmoient, comme nous en avions souvent croisé au long du voyage, ni même cette pluie lourde et persistante que le nord de l'Angleterre offre volontiers au touriste déconfit, mais un déluge installé de toute éternité, un martèlement incessant, un pilonnage furieux sur la toile tendue de nos parapluies, provenant d'un nuage gris qui enrobait ville, mer et collines et déversa sur nous, tout au long de la journée, ses réserves d'eau inépuisables. La ville était déserte, aucun vacancier, même aguerri, n'avait pu résister à ces hallebardes, les mouettes elles aussi avaient disparu dans la brume. Enrobés de plastique, les couples et leur nichée s'étaient réfugiés dans les quelques pubs du lieu ou dans les magasins de souvenirs. Que faire, sinon visiter un musée ?

Au coin d'une rue dérobée, nous nous sommes glissés par une porte ouverte dans une pièce étroite et blanche. Elle était décorée de photos, de vitrines et de panneaux portant quelques citations entourées de guillemets que j'entrepris de lire. Nous étions dans le musée Barbara Hepworth. Depuis longtemps, j'aimais son œuvre : des sculptures abstraites, en bronze, en bois ou en pierre, en marbre ou en acier, à la fois massives et légères, géométriques et sensibles, puissantes, féminines. Lisses et courbes comme des pétales de fleurs, des formes sphériques ou ovales, évidées en leur centre, traversées d'espace et de lumière, délicatement tendues de cordes en ce point d'ouverture, étamines, pistils, et leur fine vibration dans l'air… En lisant les légendes des photos, j'avais repéré le nom de ma chère amie, le poète Kathleen Raine. Son volume, *Stone and Flower*, «Pierre et Fleur», poèmes datant des années 1935-1943, qui avaient été publiés avec des dessins de Barbara Hepworth, figurait là, dans une vitrine, en bonne place. Ainsi me retrouvai-je par le hasard d'un jour de pluie au sein d'une famille d'esprits qui m'était proche ; celle qui aimait la nature et sa beauté, recherchant dans la multiplicité des gestes de la vie quotidienne la relation avec ces formes qui, disait Barbara Hepworth, sont «éternelles dans leur signification».

Elle s'était installée là, en Cornouailles, au moment de la guerre, en 1939, pour se rapprocher, semble-t-il, des paysages accidentés de son enfance. Alors, elle parcourait en voiture avec son père le West Riding, dans le Yorkshire, s'imprégnant de ces masses et contours, de ces textures qui furent, dit-elle, ses premiers souvenirs et que lui restituaient les escarpements de la Cornouailles, cette longue avancée de terre dans la mer.

Étrangement, c'est lors de cette journée d'opacité et de grisaille, tandis que nous avions renoncé à voir le paysage effacé par la pluie, que je compris, ou ressentis le mieux – c'est-à-dire de l'intérieur, comme faisant partie de moi – la configuration particulière de cette région, la plénitude de ses courbes et de ses creux, de ses replis. Je l'avais sillonnée pendant des jours, roulant sur des routes si étroites que chaque voiture croisée nous précipitait, ou peu s'en fallait, dans l'accident, montant les côtes, contournant les collines, dévalant les pentes, longeant la mer… je découvrais le pays, une particularité après l'autre. Mais, devant les sculptures de Barbara Hepworth, dans son jardin trempé de pluie, m'était venue de façon entière, globale pour ainsi dire, la «connaissance» de cette extrémité de la terre.

«Les collines étaient des sculptures, les routes définissaient une forme. Surtout, il y avait la sensation de se
déplacer physiquement le long des rondeurs et des
concavités, dans les creux et sur les pics – sentant, tou-
chant, regardant, avec l'esprit et la main et les yeux.
Cette sensation ne m'a jamais quittée. Moi, le sculpteur,
je *suis* le paysage.»

Dans le jardin que nous arpentions maintenant, profi-
tant d'une brève accalmie, nous voyions, entremêlées à
la forêt exotique qui s'étageait en paliers, les sculptures
de Barbara Hepworth : elles se fondaient dans la végétation, elles y avaient intimement leur place – grands mats
africains, totems ou menhirs, blocs granitiques semblables aux éperons rocheux dans la mer… La courbe de
la route qui se creuse, s'étire puis se hausse, douce et
bombée, le renflement des collines, la dépression des
pentes : un mouvement que le sculpteur avait ressenti
jusque dans son corps. Celui du paysage qui est saisi,
retenu dans la pierre ou le bois : sa forme pure, dégagée
de l'accident, ramenée à l'essentiel, concentrée en un
objet unique où s'exprime la variété de ses rythmes.
Comme, dans un dessin de Rembrandt, la multiplicité
des traits possibles se trouve réduite à un seul, nécessaire, qui contient et exprime tous les autres. Mais ici,
nous regardions de l'art abstrait. «Ce n'est pas seulement
le désir d'éviter le naturalisme dans la sculpture qui
mène à l'œuvre abstraite. Je sens que c'est la conception
elle-même, la qualité de la pensée qu'elle exprime, qui
doit être abstraite – une vision impersonnelle qui s'incarne et s'individualise dans la pièce exposée.»

Ce plein, cette rondeur, ou ce vide enrobé de pierre, ils
expriment quelque chose d'aussi impalpable, d'aussi
fort qu'une émotion : ce ne sont pas seulement les
contours du paysage, mais les sentiments qu'il inspire,
solitude ou fusion, qui sont captés : l'invisible. Aussi
bien, ce pourrait être le rapport entre deux êtres, entre

une mère et son enfant, par exemple. «Dans toutes ces formes, l'expression de ce qu'on ressent devant l'homme et la nature doit être communiquée par le sculpteur en termes de masse, de tensions intérieures et de rythme, l'échelle étant établie par rapport à notre taille humaine…»

Enveloppées de pluie et de nuages, les sculptures de Hepworth, pierres magiques, fleurs, calices, pétales, sphères ou lyres, souvent nommées «formes», comme pour en souligner l'universalité, nous avaient communiqué leur vie secrète en dépit de l'hostilité persistante du climat local. Nous faufilant le long des murs de la ville, nous allions reprendre notre périple, monter, descendre, tourner, écrasés contre la pente, projetés vers l'horizon, suivant les rythmes du paysage et ceux des grandes figures qui continuaient de s'imposer à notre regard.

La pointe du lézard

Nous logions à Lizard, à l'extrémité de la pointe sud du croissant de lune – en fait une large baie – qui clôt de son arc précis ce qu'on a coutume d'appeler le «West Country», cette vaste région qui englobe la (ou les) Cornouailles. Une mince bande de terre déchiquetée qui s'enfonce audacieusement dans l'océan, seule et aventureuse, loin des paysages verts et apaisés du centre de l'Angleterre.

Notre maison, la dernière du village, un peu isolée, faisait face à la mer. Lorsque je m'asseyais devant la fenêtre basse, j'avais l'impression d'être postée dans un phare en plein Atlantique, sans plus de côte en vue, sans plus de terre autour de moi. J'apercevais à mes pieds la sombre pente de la falaise et, gris, de mille nuances de gris, du plus pâle au plus sombre, le ciel immense où passaient les nuages. Parfois, de lourdes nuées noires couraient dans l'étendue, poussées par un vent meurtrier qui ployait et tordait les arbres, la pluie cinglait les vitres, le paysage s'était replié, à l'horizon on ne distinguait plus la ligne de la mer prise dans le bloc compact du ciel et de la terre. Puis un rayon de soleil filtrait et ourlait d'argent l'obscurité des lointains. Cette riche dramaturgie offerte par les éléments, je ne m'en lassais pas. Je lisais des heures durant, levant de temps à autre la tête pour faire entrer le paysage dans les pages de mon livre (choisi en raison de son harmonie avec les lieux, c'était, je m'en souviens, *La Vie parfaite*, de Catherine Millot, qui étudie les figures de Jeanne Guyon, Simone Weil et Etty Hillesum) aussi bien que dans mon esprit échauffé par tout ce mouvement et cette solitude.

Les landes de Bodmin

Un jour nous avons quitté ce bout du monde pour en trouver un autre : les landes de Bodmin. Situées entre Tintagel, le château où serait né le roi Arthur, une ruine spectaculaire et mélancolique, et Liskeard, une rassurante petite ville acquise tout entière à la réalité quotidienne, ces landes sont à elles seules toute la Cornouailles : elles en expriment l'esprit, l'isolement, la sauvagerie – et la puissance de rêve. Le riche imaginaire. Ainsi que le recours aux légendes et aux mythes pour rendre compte de l'inexplicable : ces monuments massifs posés sur la lande, entourés de silence et de solitude, qui nous viennent du fond des âges et qui retiennent dans leurs formes simples l'énigme du temps et de la persévérance humaine.

Le mystère des origines. De petits guides illustrés, destinés aux touristes, nous en livre bravement la date, de façon un peu approximative il est vrai : « On suppose que l'histoire ou, plutôt, la préhistoire de la Cornouailles a commencé quelque 10 000 ans avant Jésus-Christ. C'est la date habituelle à laquelle on place la fin de la période glaciaire et l'apparition de chasseurs en tribus, venus du sud.»

Ainsi, depuis plus de 10 000 ans, arpentant ces landes sauvages, des hommes avaient-ils célébré leurs dieux et les esprits des morts auprès des sources, des rocs, des arbres et des cours d'eau. À l'époque mégalithique, continuait notre guide, au troisième millénaire avant Jésus-Christ, les bâtisseurs avaient élevé leurs monuments – ces empilements de pierres colossales destinées à des célébrations rituelles – en tenant compte de l'emplacement des anciens sites sacrés.

Alors pourquoi s'étonner que des lieux où ces rites, prières et pratiques magiques s'étaient déroulés continûment au fil des millénaires, les imprégnant de leur influence occulte, en aient conservé les traces et comme des effluves mystérieux ? Au point que, très sérieusement, on a tenté de mesurer les pouvoirs magnétiques que dégageaient les «cercles de pierre». Des sourciers auraient en toute bonne foi prétendu que des sources d'eau vive couraient sous leurs pieds, peut-être même que se manifestait l'esprit de la terre, et des recherches scientifiques (des noms de spécialistes sont cités) auraient également confirmé – sans se prononcer davantage ni proposer de schéma précis – l'existence en ces lieux de «certaines anomalies dynamiques».

Devant ce paysage habité, nous étions, nous aussi, tout prêts à croire en ces «anomalies», à rejoindre la cohorte des esprits illuminés, en quête de mystère, de cultes païens et d'énergie cosmique : à recueillir dans nos pauvres carcasses fatiguées un peu de ces courants telluriques propres à les ranimer. La puissance formidable du cosmos, ces blocs de pierre brute dressés solitaires en plein ciel paraissaient la rassembler, l'exprimer. Elle émanait de leur forme étrange et de leur isolement absolu. Nous étions restés médusés devant eux, dans la même disposition d'esprit, peut-être, que les hommes qui les avaient empilés là, il y a quelque cinq mille ans.

En divers points de cette étendue désertique, comme à l'extrême pointe de l'Angleterre, une intense activité religieuse éleva un nombre important de dolmens, menhirs et autres pierres étranges, notamment celles qui, renflées en leur sommet, sont sculptées d'une croix.

Sur la lande de Bodmin, nous avions vu les Stripple et, non loin de là, les Trippet. Ce sont deux gigantesques cercles constitués de grandes pierres hautes posées dans l'étendue ; situés à petite distance l'un de l'autre, ils sont reliés de façon évidente, puisque l'entrée du premier est orientée vers le second. On assure que ces cercles, dont on a retrouvé plusieurs, furent conçus et bâtis suivant des observations astronomiques : partant de leur centre, des alignements de pierres les reliaient (en se tenant debout près de l'une, on apercevait nettement à l'œil nu la suivante) qui indiquaient la position de certaines étoiles à certains jours spécifiques de l'année. Ces jours-là on célébrait des fêtes rituelles pour marquer le passage d'une saison à l'autre.

Pointillés blancs lancés à travers le pays, qui répondaient au rythme du jour et de la nuit, à la course dans le ciel de la Terre et des étoiles. Sur le sol, ils dessinaient le parcours de processions rituelles. On en tira la conclusion que l'astronomie, à l'époque, n'était pas une science abstraite, séparée de la vie quotidienne, mais le cadre à partir duquel s'organisait une cérémonie aussi longue que la vie, faite de magie et d'enchantement, de réjouissances et d'interdictions – une sorte d'envoûtement, ou de charme, grâce auquel les prêtres de l'âge du bronze auraient maintenu la population du pays sous leur pouvoir.

Nous n'avions pu observer le cercle des Merry Maidens,

les « gaies jeunes filles », aussi nommé le cercle des « pierres qui dansent », mais nous en connaissions l'histoire : la punition qui affligea ces malheureuses, décidément trop gaies, trop zélées et ardentes dans le plaisir. Comme dans les contes de fées, elles furent changées en pierres pour avoir désobéi aux grands prêtres, et sauté, dansé, tourné, valsé... jusqu'à en perdre la tête et la vie. Était-ce là un reflet tardif de l'ancienne culpabilité chrétienne projeté sur cet âge qui, on peut l'imaginer, eut la chance de l'ignorer (mais qui sait ?), une interprétation qui n'a rien à voir avec l'esprit du temps, mais tente d'établir, entre l'énigme des pierres étranges et nos vies tourmentées, une forme de lien par la loi morale, une explication susceptible de les intégrer à notre récente histoire ? Les légendes font usage des mêmes éternels ingrédients, un seul schéma qui se répète avec des variantes infinies : interdiction, désobéissance, plaisir et culpabilité, châtiment – l'enchaînement bien connu. Ainsi de ces Pipers, deux menhirs dressés non loin des cercles de pierre, qui seraient des musiciens, eux aussi pétrifiés pour avoir ensorcelé les danseurs en jouant, jouant comme en un rêve, jouant sans plus pouvoir s'arrêter – probablement en dehors du moment autorisé par le rituel – de leurs merveilleux, de leurs redoutables instruments.

Devant l'étendue rêche de la lande immuable, inchangée depuis la nuit des temps, semblable à celle que décrivait Thomas Hardy dans *Le Retour au pays natal*, nous avons rêvé d'Icknield Street. « Les sites de saint Michel, nous avait-on dit, sont bâtis le long d'une ligne droite établie à partir de Land's End, qui se poursuit jusqu'au sanctuaire préhistorique d'Avebury, dans le Wiltshire, et ils constituent l'un des grands mystères de ces époques reculées. »

La ligne droite évoquée partait donc de Land's End. Cette «fin de la terre», la plus lointaine avancée de la terre dans la mer, l'endroit où cesse le monde solide, nous avions tenté de nous en approcher. Nous espérions contempler le paysage que promettait le mot «fin»: rocs, lames, écume, une haute falaise, le rugissement des vagues qui se brisent, puis l'océan à perte de vue, mais nous avions fait demi-tour bien avant. De très loin, avant même que nous n'atteignions le vaste terre-plein recouvert par une marée de voitures, nous avions aperçu un mur rose bonbon par-dessus lequel remuaient en signe d'appel les gigantesques mains en plastique d'un guignol – un avant-goût des attractions promises en ce bout du monde à ceux qui auraient le courage de rentrer dans le capharnaüm. La société des loisirs battait son plein. Mais nous n'étions pas dans l'humeur voulue, nous ne verrions pas la «fin de la terre» telle que la présentait une grande marionnette niaise et rigolarde dont la fonction était peut-être de mettre le rire à la place de l'effroi, ce qu'on ne pouvait lui reprocher: nous avons lâchement rebroussé chemin.

En d'autres temps, au Ve siècle, on avait bâti non loin de là, à proximité de la côte, sur une large base granitique, une église inspirée par la vision de l'archange saint Michel. Puis, quelque trois siècles plus tard, ce fut un monastère celte; puis, au XIe siècle, construit par Édouard le Confesseur sur le modèle de notre mont Saint-Michel (également inspiré par une vision du saint), un oratoire que nous regardions aujourd'hui, ignorants des transformations qui eurent lieu au cours d'une histoire agitée, assis sur la longue plage éventée qui lui fait face. Nous pensions encore à ces empilements de pierre, aux rochers de Cheesewring sur la lande de Bodmin, déposés eux aussi le long de cette ligne invisible qui, aux dires de certains, traverse l'Angleterre d'est en ouest, passant par Glastonbury Tor et Avebury, réunissant en une seule longue chaîne spirituelle, bien avant que les Romains ne viennent construire leurs routes, précise notre guide fantaisiste, ces monuments préhistoriques ainsi que les divers sanctuaires consacrés par la suite à saint Michel. On raconte qu'en ces lieux sacrés les ermites des temps chrétiens, comme auparavant les druides, entretinrent des feux permanents afin de guider les voyageurs et peut-être aussi de ranimer la spiritualité défaillante des gens de l'île par cet effet d'enchantement. Icknield Street, la route sacrée, échappant au regard, dont l'émergence la plus surprenante est sans conteste le monument de Cheesewring devant lequel nous nous étions attardés un soir, alors que la nuit tombait.

Il avait fallu ramper comme des fourmis jusqu'au sommet d'une colline où nous avions vu, telle une couronne de ruines, les restes d'un rempart néolithique. À l'intérieur de ce cercle, parmi les pierres gigantesques empilées au hasard, dont les arêtes vives révélaient qu'elles avaient autrefois été taillées et assemblées, il y avait cet entassement monstrueux au nom prosaïque : Cheesewring. Des blocs immenses et de forme plate posés les uns sur les autres, la base plus étroite que le sommet, une construction improbable, cauchemardesque, sur le point de s'effondrer et qui résiste pourtant depuis des millénaires. Pendant longtemps on jugea impossible que des hommes aient pu construire cette colonne fantastique qui, depuis les soubassements de l'Histoire, élève ses galets prodigieux vers le ciel. Elle est pourtant là, isolée, un signe posé dans l'au-delà des temps, un dernier témoin. Mais témoin de quoi ? Le mystère de sa présence reste entier. Le lieu même, jonché de ces blocs massifs – habitations détruites, temples rudimentaires dont les fragments se dressent à la jointure du ciel et de la terre –, garde sans faillir son secret. La question continue d'être posée. Non de façon abstraite, par des scientifiques au travail, mais par les pierres elles-mêmes, debout dans la lande déserte que seul habite le sifflement du vent. Car les pierres ont un langage. Parfois il est perçu, mais de façon confuse, par ceux qui tendent l'oreille et l'interrogent avec assez d'insistance ; il est presque inaudible, et pourtant véhément. Que nous disaient-elles, les pierres sur la lande de Bodmin, quel était le sens de leur présence ? Nous cherchions ardemment à le déchiffrer, mais à notre question seule répondit autour de nous la profondeur du silence.

Restait, dans l'obscurité qui montait, la sensation de la colossale présence émanant des formes de la terre, la ligne dure de l'horizon parfois renflée par le monticule d'un tumulus, les ruines noircies de hauts-fourneaux en déshérence plantés dans la plaine par l'industrie au XIX\ siècle, et quelques pitons de granit abandonnés là, au hasard, pour l'éternité.

La romancière et les contrebandiers

Puis nous avons pris le chemin du retour, longeant la côte sud et ses criques, faisant de fréquentes haltes.

Non loin de Fowey, se cache la grande demeure où s'était installée Daphné Du Maurier. Menabilly fut habitée par sa famille de 1943 à 1969. On ne la visite pas (c'est une propriété privée), mais à Fowey, dans le centre qui est consacré à cet écrivain, on aperçoit sur les murs d'une salle reculée – atteinte après avoir traversé une coquette papeterie et regardé au passage les œuvres des artistes de la région, d'anciens hippies amoureux de la nature qui ont produit une débauche d'aquarelles aux couleurs suaves – quelques cartes postales représentant la célèbre maison, ainsi qu'une précieuse collection de photos de la romancière prises à divers âges et dans des postures variées : en jeune vamp décidée, en vieux loup de mer, la casquette sur l'œil et le menton en avant, arborant l'air résolu des capitaines, postée derrière une barrière ou, sans ladite casquette, toujours aussi volontaire, assise face à sa machine à écrire.

Mais Daphné Du Maurier, qui s'inspira du paysage sauvage de la Cornouailles pour écrire ses romans hautement imaginatifs, ne pouvait se laisser emprisonner entre les murs étroits d'une boutique de village, ni comprimer sous la surface jaunie de quelques images, si parlantes soient-elles : c'est chaque crique en contrebas de la route périlleuse, chaque éperon acéré de ce littoral romantique qui l'évoque, et l'esprit de ses livres a pénétré jusqu'au moindre recoin de cette côte devenue tout entière le décor de *Frenchman's Creek* (*L'aventure est née de la mer*). Tel est le pouvoir de la littérature – ou celui des lieux sur l'imaginaire, selon le point de vue adopté.

Dans le petit catalogue qui lui est consacré et que j'ai dûment acheté, étant une fidèle lectrice de ses romans, on la voit debout devant une maison recouverte d'un épais manteau de lierre. Le feuillage est si dense qu'il bouche à peu près toutes les fenêtres et issues. «Ma maison aux secrets, mon insaisissable Menabilly», disait-elle. Lorsqu'elle vit pour la première fois cette demeure dont elle allait s'éprendre, et qu'elle voulut rendre à la vie sans qu'aucun obstacle ne l'arrête plus, «les fenêtres en étaient étroitement fermées, toutes blanches et bloquées par des grillages. Du lierre couvrait les murs gris et poussait ses vrilles autour des ouvertures. Le monde, comme la maison, était endormi… »

Tandis qu'elle était assise au bord de la pelouse et la contemplait, elle songea au sphinx dans le désert : comme lui, la maison n'était qu'un bloc de pierres façonné par l'homme pour son usage – «et pourtant, elle avait une personnalité bien à elle, en dehors de toute intervention humaine». En d'autres termes, la maison possédait une existence propre et un mystère qui ne devait rien aux hommes.

Menabilly devait devenir Manderley, « secrète et silencieuse, sa pierre grise luisant dans la lumière de la lune, comme dans mon rêve », ainsi que le dit la narratrice de *Rebecca*, le plus célèbre des romans de Du Maurier. Et à son tour, chassant l'auteur du livre, Manderley, « la demeure sépulcrale de Rebecca », vivrait de sa vie propre. Si bien que celle qui l'inventa eut un jour l'impression d'y entrer en intruse, enfreignant les lois de la propriété, tout comme la première fois qu'elle était venue à Menabilly : une intruse dans une maison abandonnée à ses songes. Par le truchement de cette maison que nous voyions partout représentée sans y avoir accès, la Cornouailles montrait la façon dont travaille l'imagination et chemine le rêve.

Et je rêvais. J'imaginais l'écrivain, assise à sa table de travail, sa machine à écrire devant elle, matant les mots comme elle bravait le vent et les embruns, les prenant de front, le menton levé, dans un esprit de conquête. Et les mots venaient à elle, lui obéissaient, se présentaient en rangs serrés, il n'est qu'à voir le nombre de romans qu'elle écrivit : *L'Auberge de la Jamaïque, Rebecca, Ma Cousine Rachel, Le Bouc émissaire, Les Souffleurs de verre, Le Vol du faucon, La Maison sur le rivage* et tant d'autres histoires d'aventures qui semblaient se bousculer dans sa tête, alors qu'elle habitait cette maison reculée, dissimulée au milieu des bois, invisible de la côte et défendue contre les intrus par sa position isolée, par des grilles, des ponts, des arbres… « J'étais Scott dans l'Antarctique. J'étais Cortés à Mexico. »

J'enviais sa faculté d'écrire dans un lieu retiré, inspirée par sa seule imagination débordante, sans le soutien d'aucune stimulation extérieure. Elle avait réuni, à l'intérieur d'un petit cercle dont elle occupait magnifiquement la circonférence, ce qu'elle aimait le mieux :

sa famille, sa maison, le paysage, écrire (sans que je choisisse un ordre ni des priorités), et elle vivait ainsi dans l'harmonie des éléments qui composaient sa vie – dans une forme d'unité entre la nature qui l'entourait et les pages qu'elle écrivait, passant sans rupture de l'un à l'autre, du paysage au livre et de la marche à l'écriture. Et il me semblait que c'était là un mode de vie idéal – cette concentration de tout ce qu'on aime, chaque composante s'ajustant à l'autre, l'appuyant, la soutenant. Où peut-être était-ce mon imagination à moi qui m'adressait cette vision idyllique formée à partir de mes regrets et de ma nostalgie, assez éloignée de sa réalité à elle, Daphné Du Maurier. Qui sait ?

De l'imagination, il m'en fallait beaucoup pour retrouver, devant les petites criques bordées par une eau turquoise où s'étageaient des villages de poupées, le décor farouche de la vie des contrebandiers et d'une industrie alors florissante.

Polpero, «Catch French», «Ready Money Cove», Charlestown, Mousehole, Polridmouth Cove où Rebecca trouve la mort par l'eau… Sous une lune voilée de nuages d'un noir d'encre des ombres portant des torches se pressent devant une grotte que pénètre une mer écumeuse. Ou bien, cheminant lentement à partir de l'épave d'un navire dont on a provoqué le naufrage, ployant sous leur fardeau, ces mêmes ombres hissent leur butin, de lourds barils d'alcool qui seront dissimulés au creux d'une cave, dans quelque auberge ou repaire de brigands. La Jamaïca Inn, par exemple, une auberge au nom exotique située en pleine lande de Bodmin, si mal famée qu'elle inspirait aux gens du pays une terreur insurmontable. Une diligence roule à fond de train dans la nuit obscure. Son cocher n'a accepté d'entreprendre le voyage qu'après moult discussions. C'est que la belle passagère – incarnée par Maureen O'Hara dans le film tiré du roman – lui a demandé de la déposer à l'auberge de la Jamaïque (elle doit y rejoindre sa tante, la sœur de sa mère récemment décédée), un lieu dont le nom seul «était suffisant pour lui faire fouetter son cheval et la laisser retrouver son chemin comme elle le pourrait». Dans le vent qui cingle le toit et les torrents de pluie, la voiture parcourt ainsi douze miles de lande stérile. «De chaque côté de la route, la campagne s'étendait, sans limites. Pas d'arbres, pas de chemins, aucun groupe de chaumières, aucun hameau, mais, mile après mile, la lande aride, noire et inexplorée, se déroulant comme un désert vers quelque invisible horizon.» Une région dévastée, telle est la lande de Bodmin, une terre où «les enfants mêmes devaient naître aussi tordus que les touffes de genêts», où «nul être humain ne pouvait vivre et rester semblable aux autres». Daphné Du Maurier, comme pour préparer le lecteur aux calamités qui vont suivre, imagine un accord étroit entre le paysage ingrat et ceux qui l'habitent. Elle leur prête «un esprit contourné», «des pensées mauvaises, à force de vivre au milieu des marécages et du granit».

Oppressé par cette influence maléfique et craignant quelque mauvais coup, le conducteur du coche ne s'arrête que le temps de déposer au sol la jeune fille avec son maigre bagage, avant de filer comme le vent dans la direction opposée. Ce qui arrive ensuite à Mary, ou à l'intrépide Maureen O'Hara, quand elle est livrée à son oncle, Joss Merlyn, le patron de la Jamaïque, un brigand décidé à tout... seule la lecture de ce roman palpitant peut nous le dire.

Les légendes abondent. Écrivains et artistes, dans une veine romantique ou caricaturale, on a le choix, s'en sont donné à cœur joie. Les contrebandiers de Cornouailles continuent de promener leurs habits loqueteux et leur mine patibulaire le long d'un rivage pourtant nettoyé depuis longtemps de leurs méfaits.

À cause de son nom évocateur, nous avions voulu voir

Ready Money Cove, la «baie de l'argent facile». Il en reste une petite plage où quelques touristes frigorifiés s'étaient réfugiés contre un mur, assis sur de minces serviettes, les genoux repliés contre eux pour lutter contre le vent aigrelet. Ils regardaient mélancoliquement la mer, tandis que des gamins s'occupaient tant bien que mal à faire des ricochets sur l'eau. Du linge séchait dans une arrière-cour.

Puis nous sommes allés, non loin de là, à Charlestown, espérant que ce petit port de pêche encore en activité, équipé de sa poste et de son «musée des naufrages», nous offrirait une image plus juste de la Cornouailles. C'était par un jour de grisaille. Sous un ciel de béton, écrasée par la sombre falaise, l'unique rangée de petites maisons basses qui ceint le port prenait une allure austère – pierres d'ocre gris, toitures d'ardoises, fenêtres closes devant les grands voiliers prisonniers du port, témoins de jours plus glorieux ; la mer dessinait un cercle immobile et plat, aussi grise que le ciel ; des gosses couraient, couraient éperdument en criant comme des mouettes ; quelques couples de vieilles dames arpentaient d'un pas résolu, canne à la main, les sentiers étroits qui grimpaient le long de la falaise entre les inévitables boules d'hortensias bleus et roses. On imaginait qu'avec un rayon de soleil, ce décor triste aurait pu prendre des allures de Riviera, la mer s'éclaircir, les couleurs briller, les touristes cesser de manger et enfin sourire. Mais, tel qu'il était, plombé par le gris universel, il me semblait plus fidèle à ce que je savais de ce pays sauvage. Le gris lui ôtait sa joliesse de décor, son apprêt.

Parfois, en surplombant ces criques profondes auxquelles on accédait par des routes en lacets qui plongeaient vertigineusement vers la mer, on pouvait un instant se dire : ça y est, on l'a tout de même atteinte, la Cornouailles, ce pays rêvé dont on avait en soi l'image. Tout concordait : les éperons granitiques, les blocs de rochers massifs, la végétation pauvre et rase, la sauvage aridité des lieux… Mais cette impression se dissipait l'instant d'après. Dès qu'on touchait au but, l'image se défaisait, n'en restait qu'un coquet village auquel, pris dans la file serrée des voitures, on était parvenu à grand-peine. Invariablement, il était aménagé pour accueillir le flot incessant des touristes, avec son alignement de boutiques regorgeant de cartes postales et d'un bric-à-brac de souvenirs.

On quitte la Cornouailles comme on y est entré : en franchissant – sur Tamar Bridge, à la hauteur de Plymouth – le fleuve Tamar qui marque la séparation entre l'Angleterre et cette région.

« Être en Cornouailles, c'est comme de se tenir à la fenêtre et de regarder l'Angleterre », a dit D. H. Lawrence, qui passa plus d'un an à Zennor, où il écrivit *Femmes amoureuses* (avant d'en être chassé « comme un crapaud », écrit Virginia Woolf, par les autorités locales qui le soupçonnaient d'espionnage). Une région que toucha à peine la conquête romaine et qui garda longtemps, bien longtemps après qu'elle fut ailleurs éradiquée (en Angleterre par les Saxons), des restes de l'ancienne culture celte. Malgré les lignes noires tracées sur toute sa surface par les fourmis besogneuses, interminables files de voitures et colonnes affairées des touristes, elle a préservé un peu de l'ancienne sauvagerie et de l'espace vierge. Cet espace nu, Lawrence l'aimait. Il y voyait pour l'homme une possibilité de se régénérer. « Ce qui me plaît », disait Virginia Woolf, qui pourtant n'appréciait guère ce donneur de leçons, « ce sont les soudaines images ; le grand fantôme bondissant au-dessus de la vague ». Elle était alors en train de lire un volume de lettres de Lawrence dont certaines étaient expédiées de Cornouailles. Cette vision d'un grand fantôme bondissant au-dessus de la vague, c'est elle que

271

j'emportais avec moi en quittant ces confins. Elle disait tout : la mer, l'invisible, le mouvement fou et libre, la sauvagerie des lieux et des âmes.

Une fois franchi le pont de Tamar, on entre dans le Devon, puis, si l'on veut s'attarder un peu en terres de légende, on traverse le Somerset jusqu'à Glastonbury où, quelques années auparavant, nous avions rendu visite aux mânes du roi Arthur : de Tintagel, qui le vit naître, à l'ancienne abbaye où fleurit encore l'épine enchantée près de sa tombe, la route n'est pas longue. Prairies qui ondulent en pente douce jusqu'au lointain horizon, étroits chemins de campagne sous le vert toit des haies, cottages au toit de chaume à demi dissimulés par les fleurs : le voyageur se croit revenu à l'époque de l'Angleterre préindustrielle dont le paysage, soigneusement entretenu, lui offre un aperçu idyllique. Un pont, un fleuve, deux terres : l'abrupt des contrastes.

Les mânes du roi Arthur
Glastonbury

Un clerc gallois, Caradoc de Llancarfan, dans la *Vie de saint Gildas* (vers 1136), rapporte que le prince du Somerset, Melvas, enleva la femme du roi Arthur, Guennuvar. Le roi la rechercha pendant une année et finit par apprendre qu'elle était retenue à Glastonbury, « la ville de verre », réputée difficilement prenable à cause des marais qui l'entouraient. Est-ce cette transparence, semblable à celle des châteaux invisibles et mystérieux qui dérobaient aux yeux des chevaliers le Saint-Graal, l'objet de leur quête déposé en ces lieux, toujours est-il que Glastonbury devint le point de convergence des mythes et légendes qui hantent l'esprit humain depuis toujours. Ajoutons que la religion chrétienne établit ici l'un de ses premiers monastères. La ville détenait un record : celui d'une continuité ininterrompue de la vie spirituelle ; depuis le Ve siècle, avant peut-être, la foi en l'invisible était sa définition principale. À cette longue et respectable tradition, le XXe siècle a ajouté quelques touches colorées.

Le Graal – dans le mythe celtique, une coupe de vie associée à la terre malade, mais aussi le plat creux où fut disposé l'agneau pascal, ou le calice qui recueillit le sang du Christ – fut apporté à Glastonbury, ainsi le veut la légende, par Joseph d'Arimathie, le premier missionnaire chrétien sur l'île. L'histoire, si farfelue qu'elle paraisse, ne manque pas de justifications concrètes :

273

Joseph d'Arimathie, un marchand aisé, possédait une mine de plomb dans les Mendips, non loin de Glastonbury ; il aurait rendu de fréquentes visites à sa propriété, accompagné peut-être de la Vierge, qui était sa nièce, et du Christ, possibilité à laquelle Blake fait allusion dans *Jérusalem* (au début de *Milton*).

Puis Joseph confia le Graal à ses descendants, les «Rois pêcheurs», qui le gardèrent caché en leur château de Corbenic. Les chevaliers du roi Arthur partirent à sa recherche. Le vase miraculeux qui nourrissait le corps et l'âme, le Roi pêcheur mutilé, la terre aride, malade de l'impuissance de son roi, la lance qui saigne sans nulle cesse, la question qui sera posée afin que soit guéri le roi blessé et la fertilité restaurée – images riches et obscures qui semblent remonter du fond des âges et proviennent en fait d'un mythe celte où l'on voit, entre autres merveilles, un héros mortel pénétrer dans le royaume de l'autre côté du monde.

L'imagination chrétienne, s'appuyant sur un prodigieux ensemble de correspondances, prit naturellement et sans effort la suite de l'imagination païenne (reconnaissant, par exemple, dans la lance, «dont la pointe pleure le beau sang tout clair qu'elle sue», l'instrument de la nouvelle rédemption, celui qui perça le flanc du Christ). Et les romanciers-poètes du XIIIe siècle, qui puisèrent dans le fond mythique pour infléchir cet héritage vers une interprétation chrétienne, n'eurent qu'à mettre en relief les similitudes extraordinaires entre le christianisme et les grands mythes surgis de l'inconscient.

Glastonbury était le creuset magique où s'opéraient ces transformations, le lieu où l'imagination poétique devenait Histoire, la preuve que les mythes disaient vrai, puisqu'on avait retrouvé les traces des événements qu'ils avaient décrits. Le tombeau du roi Arthur était bien là, au milieu des ruines de l'ancienne abbaye, avec l'épine qui fleurit chaque Noël et chaque Pâques autour du bâton que Joseph planta dans le sol, avec l'île enchantée d'Avalon : l'endroit où fut porté le corps souffrant d'Arthur parce que, dans cette île miraculeuse où la nature n'avait nul besoin d'être cultivée pour tout produire en abondance, le roi, soigné par Morgane la guérisseuse, avait toute chance de recouvrer la santé.

L'ombre et la substance

Le roi Arthur est peut-être le personnage le plus célèbre de l'histoire d'Angleterre, l'un de ceux dont les hauts faits ont traversé les siècles jusqu'à nos jours – bien qu'il n'ait peut-être jamais existé. Mais n'est-ce pas justement cette absence de réalité définie qui permit que les désirs et les fantasmes se greffent sur les événements passés pour composer ces légendes merveilleuses où s'aiment et se croisent belles dames et chevaliers : Lancelot du Lac, qui était la beauté et le courage mêmes, et la reine Guenièvre, son amour, et Galaad, le pur, tous compagnons de la Table ronde, héros par leur bravoure, modèles de courtoisie et de largesse, qui se lancèrent un jour dans la quête du Saint-Graal ? L'amour et l'héroïsme étaient mêlés, et la conquête du Bien et d'une vie plus haute ; chaque époque fit ses ajouts et modifications, chaque auteur colora de sa vision propre ces légendes pour en tirer des aventures palpitantes ou pour édifier et instruire le lecteur – de Geoffroi de Monmouth ou Chrétien de Troyes à Thomas Malory, en passant par Robert de Boron et tous les romanciers anonymes qui reprirent ces récits –, mais où que l'on se tourne, du côté de l'histoire ou de celui du mythe, l'ombre du roi Arthur se profile, à la fois immense et indiscernable.

Au Ve siècle, alors que les hordes anglo-saxonnes déferlaient sur l'Angleterre et que les Romains étaient repartis, un roi puissant en vint à incarner la lutte des habitants de l'île contre les barbares. Un poème de l'an 600, environ, mentionne Arthur, puis ce fut au tour d'Aneirin au VIIe siècle et de Nennius au IXe... le roi et ses batailles étaient déjà enveloppés dans les brumes du mythe. Au début du XIIe siècle, quand Geoffroi de Monmouth, un clerc gallois, écrivit, en latin et en douze volumes, son *Historia regum Britanniae*, l'histoire d'Arthur s'était implantée en terre celte, dans le Pays de Galles, en Cornouailles et en Bretagne, centrée autour d'un espoir dominant. Sous le joug de l'occupant, les habitants attendaient le retour d'Arthur qui les délivrerait. Il apparaissait comme le champion des Bretons, mais aussi comme le conquérant de l'Écosse, de l'Irlande, de l'Islande, de la Norvège et du Danemark, et de la Gaule pour faire bonne mesure – bref, il était l'égal de Charlemagne et d'Alexandre, et sa cour un centre de rayonnement et de chevalerie.

Le succès de l'ouvrage fut tel que, vers 1155, un clerc anglo-normand du nom de Wace en fit une adaptation en langue vulgaire : le *Roman de Brut*, dédié à Aliénor d'Aquitaine, épouse du roi d'Angleterre, Henri II Plantagenêt. La reine, quittant bientôt sa cour d'amour languedocienne, emmena avec elle en Angleterre ses troubadours. C'est par elle et par eux que les trouvères anglo-normands reçurent le code secret de l'amour courtois. Les influences se croisaient, voyageaient, passaient les frontières, celles de l'Italie également, où l'on retrouva, à l'archivolte du portail de la cathédrale de Modène, une frise représentant l'emprisonnement de la reine Guenièvre que tentent de délivrer Arthur et ses chevaliers... La conquête normande avait ouvert la voie à la circulation des langues, en Angleterre, on parlait le français, et en France, les cours accueillaient les bardes gallois et leurs poèmes. Dans les trente ans qui suivirent la publication du *Roman de Brut* apparurent le roman de Tristan (l'un de Bréoul, un Normand, l'autre de Thomas, un Anglais), les lais de Marie de France et les romans de Chrétien de Troyes, qui reprenaient l'histoire d'Arthur et de ses chevaliers. Les romanciers en Angleterre à leur tour allaient être influencés par les poèmes des troubadours du Midi... Pas de division, mais une circulation fluide des idées, l'Europe de la culture existait. Cependant, a-t-on suggéré, une interaction si rapide ne peut s'expliquer que par une parenté entre le Midi de la France précathare et les Celtes gaéliques et bretons. L'ancienne religion druidique avait elle aussi une conception dualiste de l'univers – lumière contre ténèbres, jour contre nuit – et elle faisait de la femme, comme la doctrine de l'amour courtois, le symbole du divin : la femme était l'élan divin matérialisé, son support corporel.

Du roi combattant, dont la figure est glorifiée par les mythes celtes, du personnage rebelle qui était partie intégrante du vieil héritage païen, Arthur, perdant ces attributs dangereux, allait devenir rêve et modèle – celui des rois anglais. L'un des plus beaux exemples de récupération d'un mythe par le pouvoir en place. La vogue extraordinaire des romans arthuriens contribua à cet oubli de l'origine. Un oubli qui fut surtout l'œuvre des autorités officielles, désireuses d'enlever Arthur aux Celtes et de faire de lui l'un de ces Anglo-Saxons qu'il s'était en fait ingénié à chasser d'Angleterre. L'acte décisif de cette appropriation fut la « découverte » en 1190 du corps d'Arthur à Glastonbury, qui était devenu, vers le XIe siècle, le monastère le plus riche d'Angleterre. À cette richesse, il n'était pas mauvais d'ajouter un prestige qui rejaillirait sur la monarchie. Et puis, avec cette preuve tangible de la mort du roi, disparaissait l'espoir que revînt un jour le champion d'un peuple opprimé. La découverte des moines fut reconnue par le souverain. Mais nombreux furent ceux qui ne purent se résigner à le voir tué : c'est qu'avec Arthur mourait l'idée de délivrance.

Une hardiesse au-dessus de l'humain

Pourtant, la vraie vie du roi Arthur ne faisait que commencer. Tandis qu'en France la popularité du cycle des romans de la Table ronde s'épuisait vers le XVIᵉ siècle (mais il n'y eut pas moins de sept éditions de la *Quête du Graal* entre 1488 et 1533), on assistait en Angleterre à une prodigieuse renaissance du mythe dont les effets se prolongent jusqu'à nos jours. Il est vrai que l'Angleterre, à la différence de la France, ne craint pas le merveilleux qui s'empare du réel et le modifie sans retour, ne se sentant jamais tenue de lui rendre des comptes.

Vers 1460, Sir Thomas Malory, un chevalier du War-wickshire, croit-on, passa quelques années en prison sous l'accusation de viol et de vol (mais probablement pour des raisons politiques). Il fut relâché sans procès, puis joua un rôle minime dans la guerre des Deux-Roses. Pendant son incarcération, il avait écrit *Le Morte D'Arthure*, une version des romans de la Table ronde qui ne faisait que peu de cas de l'enseignement chrétien, mais privilégiait les prouesses et l'idéal chevaleresque, avec l'orgueil qui l'animait. Le culte d'Arthur flambait de nouveau haut et fort. Laissons passer un siècle. Edmund Spenser identifia le personnage du monarque, la reine Elizabeth Iʳᵉ, avec le roi Arthur, flatterie dont, au XIXᵉ siècle, Albert, le prince consort, fit également l'objet de la part de Tennyson, dans ses *Idylls of the King*, une immense parabole sur le déclin de la civilisation moderne. En 1832, celui-ci écrivait son premier poème arthurien, « La Dame de Shalott ». La femme victime, égarée et solitaire, livrée à ses fantasmes ou à sa folie, telle que Holman Hunt ou John William Water-house la représentèrent dans un tableau du même nom ; la barque est immobilisée sur l'eau par les herbes ; seule dans ce décor, comme prisonnière d'un enchantement, la dame, vêtue d'une robe blanche sacrificielle, s'en va vers son destin cruel. Ou la femme fatale, légendaire et mystérieuse, longs cheveux, longue gorge, lèvres sinueuses, parée d'atours chatoyants et dorés, prête à donner la mort, telle que les préraphaélites l'ont imaginée. Tuer ou être tué, l'amour conçu dans ses limites extrêmes. Cela sous l'œil lointain et redoutable de la déesse celtique Morgane qui, au cours de sa longue carrière, changea souvent de vocation et fut peut-être l'inspiratrice de la femme fatale : d'abord déesse Terre et symbole de la fertilité, de surcroît guérisseuse, elle devint sous l'influence chrétienne, qui ne pouvait tolérer cette image de libre sexualité, sorcière et nymphomane, puis nécromancienne, comme il se doit, le glissement était prévisible, la fin de siècle fut éprise de la mort. Partout se dressaient ses victimes, des chevaliers en armes, beaux et terribles comme des apparitions. Les *Idylls of the King*, dont la première partie fut publiée en 1859, eurent un succès phénoménal : 10 000 exemplaires vendus en une semaine. Un souffle épique, un élan de tout l'être mêlé au sens de la mort. Le besoin d'exaltation et de rêve illimité resurgissait en une période qui l'éteignait singulièrement.

Imprégné de nostalgie, le mythe d'Arthur exprime le regret d'un temps heureux et à jamais perdu. Que ce soit la période de l'occupation romaine, où régnaient l'ordre et la paix, ou l'âge d'or de la chevalerie, de sa noblesse, de ses hauts faits, le passé que l'on n'a pas connu est toujours meilleur que le présent, que l'on connaît trop bien. Rêve contre réalité : la bataille est inégale. Mais pendant l'ère victorienne où régnait l'idée de progrès, avec son lourd harnachement de brides, de sangles, de mors et de courroies (devoir, travail, famille, moralité et bonne conduite, autant de limites que la société et la religion conseillent à l'homme dans le but d'endiguer son énergie et de la diriger massivement vers un but), en cette époque où le travail prenait en outre un aspect si rébarbatif (c'était la grande explosion économique due à l'industrialisation, la multiplication des usines, la pollution des villes recouvertes de fumée noire, une pauvreté accablante), ne pouvait-on, par besoin de compensation, concevoir le désir d'une autre vie, imaginaire celle-là ? Les forces emprisonnées se libèrent et s'épanchent, les tentations réprimées se font jour. Contre les notions de moralité et de bonheur – qui réclament une discipline de fer –, le goût de l'excès, l'envie de se perdre : la souffrance, l'attrait du néant. On les constate chez certains peintres préraphaélites dont les œuvres reprennent les thèmes et les personnages des romans médiévaux, tels Guenièvre, Merlin, Morgane ou la demoiselle du Saint-Graal, mais pour en exprimer les aspects négatifs, moins l'énergie vitale que l'attirance pour la mort.

Spenser, Tennyson, Chrétien de Troyes, Malory… les uns et les autres représentaient « une hardiesse au-dessus de l'humain », des aspirations que ne sauraient entretenir des hommes fondus dans le nombre, entourés d'images petites et mesquines, où l'horizon fait défaut et la marchandise bloque le regard. Vivre entre quatre murs étroits et calculer jour après jour la mesure chiche de son existence. Or ces poètes remettaient l'homme au centre du monde et lui rendaient sa puissance, c'est-à-dire l'audace de ses désirs.

Échappées vers l'ailleurs

Il s'agit toujours d'amour et d'exploits, de repousser une limite, d'aller plus loin, aussi loin qu'on le peut, et puis plus loin encore, cela sans que jamais cesse l'exigence.

Lancelot, le «premier chevalier du monde», accepte la honte, bien pire à ses yeux que la mort, et l'humiliation d'être tenu pour lâche, parce que Amour le veut ainsi. Pour retrouver la reine Guenièvre, il monte dans la charrette d'infamie, un acte qui le place au niveau des réprouvés, des parias, des exclus. «Il doit vivre désormais dans la honte, le mépris et le malheur[1].» L'amour lui dicte des comportements excessifs qui l'exilent de l'ensemble des hommes. Il va ainsi aussi loin que possible dans la dépossession et le renoncement à soi, il atteint un absolu qui le met du côté de la folie, et bientôt de la mort. Les limites tracées par la raison sont outrepassées ; la mesure n'a plus cours, ni l'équilibre (que représente au contraire Gauvain) auquel se reconnaissent la prudence d'être et le milieu tempéré de la vie quotidienne. Mais, parce qu'il a choisi la folie d'Amour, qui réside dans le cœur, contre une raison de convention, qui réside «dans la bouche», à savoir le qu'en-dira-t-on, Lancelot découvre au fond de la soumission et de la déraison l'étendue de sa liberté. Liberté intérieure – celle d'aimer au point de s'oublier, au point de se perdre. Lancelot est soustrait au monde. Il s'abandonne à une rêverie profonde où s'efface le sentiment de sa propre existence : ainsi son extase au moment du passage du gué. «Il ne sait s'il est ou s'il n'est pas, il ne sait son nom, il ne sait s'il est armé ou non, il ne sait où il va ni d'où il vient. Il ne se souvient de rien sauf d'une seule personne, et c'est pour elle qu'il a oublié tout le reste ; c'est à elle seule qu'il pense si intensément qu'il n'entend, ne voit ni ne comprend rien.» Dans cet état

1. Cette citation et les suivantes sont tirées de Chrétien de Troyes, *Lancelot ou le Chevalier de la charrette*, édition Mireille Demaules, traduction Daniel Poirion, «Folio», 1996.

irréel provoqué par l'obsession, cette tension continuelle de l'esprit habité d'une pensée unique, la frontière entre l'être et le non-être s'efface, si bien que le sentiment de détachement de la vie évolue naturellement vers un désir de mort. Abîmé dans sa contemplation de la reine qui passe en contrebas de la tour où il se trouve, Lancelot est attiré par le vide, où il manque de se laisser tomber – en ce moment de sa vie le plus intense, il rejoint l'envie du néant, n'être rien : « De sa fenêtre, notre chevalier la reconnut : c'était la reine. Il la suivit constamment du regard, fasciné, ravi, le plus longtemps possible. Et quand il lui fut impossible de la voir encore, il voulut se laisser tomber, son corps basculant dans le vide. » Gauvain le retiendra, lui montrant la déraison de sa conduite.

Gravité et mélancolie de ces histoires où s'allient l'amour et la mort et qui, toutes, parlent de la dépense d'être : prouesses guerrières ou amoureuses, le but est le même.

Une autre échappée vers l'ailleurs : la présence constante du merveilleux. Rencontres insolites, arrivées inopinées de personnages dépourvus d'identité – tel le nain maléfique de la charrette – et qui sont les maîtres des épreuves à venir, apparitions oniriques, incongrues et répétées, chevauchées dans des landes désertes ou dans d'épaisses forêts. Des chevaliers hostiles se présentent, qui défient Lancelot ; traversant un espace vide, surgie de nulle part et juchée sur une monture dont la couleur rappelle celle des flammes de l'enfer, une demoiselle se matérialise soudain, comme prend corps un fantôme, « voici qu'arrive à travers la lande une jeune fille sur une mule fauve marchant à l'amble ». La tête de son ennemi, telle est la demande qu'elle adresse à Lancelot. C'est l'une des multiples demoiselles qui se relaient sur la route de son errance pour le mettre à l'épreuve ou le guider. Dans leur identité confondue, ces femmes semblent n'être qu'une émanation de la forêt, sauvage, immense, pleine de dangers. Mais il faudrait parler aussi des objets poétiques – ainsi le pont de l'épée, un paradoxe, puisque le pont relie et que l'épée divise – qui ouvrent sans fin l'horizon. Loin des progrès du monde civilisé et de la perte de force qu'ils impliquent, on retrouvait, en lisant ces romans, une jeunesse de l'imagination et des désirs.

L'amour courtois

De l'abbaye de Glastonbury, on ne voit tout d'abord que de hautes arches brisées. Rien ne subsiste du puissant monastère fondé au IVe ou Ve siècle, agrandi par saint Dunstan et détruit par le feu en 1184 ; les murs et les colonnes dispersés sur une vaste étendue sont les restes de l'abbaye qui lui succéda et dont Henry VIII ordonna la dissolution en 1540, en même temps que celle de tous les monastères. Un gazon paisible déployé sur des hectares de terre recouvre de son épaisseur silencieuse les chaos et les violences de l'histoire. Est-ce une réponse au fracas sanglant, muette comme l'oubli ? Élégance des piliers et des arches posés sur la platitude douce. Il est difficile d'imaginer le mouvement. Au milieu de la pelouse, une pierre noire marque l'emplacement du tombeau d'Arthur et de Guenièvre. Voici qu'une femme en survêtement arrive et s'y installe, elle s'assied jambes croisées et, les yeux fermés, commence ses exercices.

Connaissait-elle, cette adepte de la vie saine et d'un bien-être physique autant que spirituel, les règles ardues observées par les chevaliers qui entouraient le roi Arthur ? Les règles de l'amour courtois, par exemple, avant que la doctrine chrétienne ne les détourne et n'en change l'esprit à son profit ? Elle était là, à méditer sur la pierre tombale du roi, dans ce lieu de croisement des influences, entre paganisme et christianisme, espérant trouver une inspiration dans sa recherche intérieure et, probablement, les moyens d'une vie plus épanouie. Restait à savoir si les préceptes en vigueur à la cour du roi l'auraient séduite. M'étant munie, pour mieux visiter Glastonbury, de quelques ouvrages solides sur les troubadours, le roi Arthur et le Saint-Graal, je revenais aux pages que j'avais lues les jours précédents. La méditante ne bougeait pas, l'intérêt du spectacle était limité, autant s'instruire.

Les principes en vigueur à la cour étaient en accord avec la poésie des troubadours, une poésie qui ne prenait pas source dans la réalité sociale (où la femme était loin d'occuper une place privilégiée), mais dans les lois de l'amour courtois, les lais d'amour au lyrisme savant qui, en peu de temps et sans qu'on sache comment, avaient surgi et rayonné, poèmes raffinés et complexes, inspirés sans doute par l'atmosphère religieuse plus que par les formes de la société.

L'amour selon les troubadours n'était pas l'amour comblé et satisfait, qui se suffit à lui-même. Ni la recherche du plaisir ni celle de l'accord avec la vie. Non, c'était l'amour perpétuellement insatisfait, celui qui pousse l'homme, dans une progression infinie, vers le dépassement de soi et vers l'unité – vers son dieu. Il supposait deux personnages : le poète, l'amant, qui sans cesse réitère sa plainte et sa demande, et sa dame, qui toujours dit non. D'où vient que cette rhétorique fervente, que cette conception de l'amour comme une tension à la fois exaltante et douloureuse, comme un *désir sans fin* continue de nous hanter ? Elle a modelé notre idée de la passion, nous donnant les mots pour vivre et comprendre ce qui nous arrivait, qu'on accepte la complexité malheureuse de ce sentiment ou qu'on refuse – au nom de la recherche du plaisir – la construction élaborée dont il est porteur. L'amour courtois s'éloigne de l'idéal chrétien pour célébrer l'amour hors du mariage, puisque le mariage signifie l'union des corps et la procréation, tandis que l'« Amor », qui est l'Éros suprême, est aussi l'élancement de l'âme non vers la matière, mais vers l'union lumineuse, au-delà de tout amour possible en cette vie.

Dans cette perspective, l'attrait sexuel n'est que le moyen de l'amour mystique qui le transcende, fuyant la tentation de s'accomplir en ce monde, afin de n'embrasser que le tout. La sexualité, une force à utiliser et dépasser. Les difficultés de l'entreprise ont détourné d'elle des époques moins éprises de progrès intérieurs et davantage de plaisirs plus substantiels, ou plus immédiats, en tout cas moins élaborés que ces raffinements de l'ascèse.

Cet amour exigeait donc la chasteté (« d'amour vient chasteté »). Il suppose un rituel complexe et une soumission absolue à ses lois exigeantes. Ainsi les épreuves inouïes que la reine Guenièvre – dominatrice et souveraine, comme le veut l'idéal courtois – impose à Lancelot, épreuves auxquelles il se plie avec ferveur : « Tout ce qui lui plaît contente mon désir. » Elles sont, ces prouesses, de plusieurs ordres : guerrières, comme de bien entendu ; lors d'un tournoi, la reine commande au chevalier de « faire au mieux » ; son honneur s'affirme alors avec éclat, il est heureux et fier. Mais, plus difficile, le héros doit aussi « faire au pire », lorsque la reine le lui ordonne, et offrir à sa dame un bien cher entre tous : la gloire, sa réputation. Alors il essuie l'humiliation, l'opprobre, les railleries. Il domine ses désirs les plus forts, il renonce à la valeur qui le définit aux yeux du monde. Ainsi le parfait chevalier, pour l'amour de sa dame, qui est un idéal, gravit-il peu à peu les degrés qui le préparent au détachement.

L'amour sans fin – ce désir qui prévaut, «bien que fait de délire / Sur tout autre… », cette soif qui ne se satisfait de rien – est gage que l'amant n'est pas retombé dans les pièges de la tentation ordinaire, ni de «la joie vilaine» : «Plus m'agrée donc de mourir / Que de joie vilaine jouir… » La tension vers l'absolu domine, qui peut-être le conduira, une fois dépassés les désirs et la dépendance envers le monde, à un parfait détachement de la matière. Cette conclusion, si elle ne s'impose pas à la lecture des poèmes amoureux, dont certains s'enveloppent d'incertitude et font naître un sentiment d'équivoque (le désir de la femme idéale, à jamais inaccessible et qu'on aime pour cela même, ne se confond-il pas avec le désir de la divinité des grands mystiques ?), est tout au moins suggérée.

Ainsi l'amour défini par les troubadours – la *cortezia* – donna-t-il sa forme à notre idée de la passion qui est fondée sur l'obstacle et l'impossibilité pour les amants de se rejoindre ou de s'aimer. On a souvent mis en contraste ce sentiment, narcissique par nature, avec l'amour (agape) qui est tourné vers l'autre, pour préférer la générosité de ce dernier et insister, par opposition, sur la stérilité d'une ardeur «qui ne crée ni ne procrée».

Mais pour parler ainsi de stérilité, il faut ignorer les prolongements spirituels possibles de la passion et s'en tenir aveuglément aux limites d'une époque, la nôtre, coupée de toute idée de transcendance. Il faut vouloir tout mesurer en termes d'horizontalité – la notion d'une hiérarchie entre divers niveaux de conscience n'existe plus –, alors que la passion, qui peut favoriser l'accession à un autre plan de réalité, appelle l'idée d'une verticalité de ces degrés de conscience. Un raisonnement qui se bornerait à utiliser les valeurs contemporaines ne ferait que mettre en lumière l'absence de compréhension envers un phénomène tout de même important (puisqu'il couvre des siècles d'histoire et de littérature) et une dimension humaine, qu'on pourrait nommer mysticisme, ou élan vers le divin, pendant longtemps prédominante.

C'était un exercice de l'esprit étrange et cocasse que de se replonger, en ce lieu, dans le souvenir de ces romans héroïques et merveilleux, où de magnifiques chevaliers traversaient aventures et périls au nom de leur idéal. La gymnaste était toujours assise en tailleur sur la tombe d'Arthur. L'éloignement des siècles apparaissait ; et l'influence durable d'une fiction, moins présente par son contenu et les modèles qu'elle propose que par la lumière d'enchantement qui continue d'émaner d'elle.

L'idéal du gentleman

En relisant les conseils que donne le roi Bagemadu à son fils Méléagant (*Lancelot ou le Chevalier à la charrette*), on ne peut s'empêcher de penser que les romans de la Table ronde, qui eurent en Angleterre une si longue influence, contribuèrent à former cet idéal d'excellence qu'était le gentleman anglais (ne sachant plus très bien si le mot s'utilise et si le gentleman existe encore – le titre d'une étude sur le costume, intitulée *Today There are no Gentlemen* et publiée par Nick Cohn en 1971, affirmait le contraire –, j'emploie ici un imparfait de prudence quitte à revenir au présent pour lui donner à l'occasion une survie hypothétique).

Le chevalier était brave, tout d'abord, et magnanime, sans pareil pour la courtoisie et le savoir-vivre, loyal et discret en amitié comme en amour. Il ne se lançait pas dans des querelles vaines ni ne se battait pour la possession de biens matériels. Son idéal était plus haut. Il n'accablait pas son adversaire plus faible, mais savait lui faire grâce…

Certes, les héros du Graal ne trouvaient d'apaisement que dans l'excès, en allant jusqu'au bout de leurs forces, jusqu'à ce que mort s'ensuive. Leurs combats et leurs exploits en témoignent, dont le fracas assourdissant résonnait bien au-delà de leur champ d'action pour répandre de par le monde la nouvelle de leur valeur et leur exemple. Le passage des siècles a déplacé les sujets de fierté, l'idéal guerrier n'a plus cours (quoique, à l'occasion, on trouve utile de le stimuler de nouveau) et le courage physique (qui requiert tout de même d'autres qualités, telle une bonne dose d'empire sur soi-même) a fait place à des vertus moins éclatantes. Le gentleman, si l'on accepte qu'il pouvait être un lointain descendant des chevaliers d'antan, a tout au contraire le sens de la mesure, une prudence longtemps exercée, et le (bon) goût de ne jamais tomber dans l'outrance et l'orgueil où se complaisaient ses ancêtres. Signe des temps, affadissement des mœurs. Jane Austen, qui use et abuse du mot « gentleman », aurait d'ailleurs sursauté à la seule idée d'excès et dénoncé un défaut majeur, un manque d'éducation notoire et, surtout, de bon sens, cette vertu cardinale qu'elle opposait à la sensibilité vue comme une source de rêveries romantiques et, donc, dangereuses. Le coupable se serait vu refuser le titre de gentleman.

Il est donc entendu que l'homme en question appartient à une espèce en voie de disparition, sinon tout à fait éteinte. D'où provenait-il, de quelle sphère particulière dans le complexe panorama anglais ? La réponse n'est pas simple, puisqu'on ne peut évoquer à son sujet les classes sociales de la même façon qu'on le ferait en France, en opposant les valeurs de la bourgeoisie et celles de l'ancienne aristocratie. La discussion, pourtant menée par de bons esprits, n'a pas abouti à une conclusion – on ne sait toujours pas où se situait exactement la frontière entre aristocratie et gentry, un « terme utilisé du XVIe au XIXe siècle pour désigner les familles de gentlemen, c'est-à-dire de petite noblesse », généralement associé à un autre mot-clé : « *landed* », précise mon dictionnaire d'histoire britannique. Les familles de la gentry possédaient de la terre. C'est même d'une telle possession que leur venaient le goût de la continuité de l'histoire et le sens de l'évolution des lois, lente comme la pousse des plantes, et comme elle naturelle : la loi de la nature mettait de l'ordre dans les mouvements de la vie et elle l'acheminait avec sûreté à travers le temps, c'est pourquoi la terre conférait à celui qui la possédait une forme de sagesse.

Le propriétaire terrien était patient et tolérant, un peu lourd parfois, un peu terne, comme le sol qu'il cultivait, mais c'était là un extérieur qui annonçait des qualités de fond, bien différentes du flamboiement de l'aristocratie, qui, comme l'ont prouvé de nombreux exemples – le plus illustre étant celui de Lord Byron –, mène à l'épuisement.

On s'accordait d'ailleurs à établir une nette différence d'esprit entre la haute aristocratie – que des avantages extérieurs, tels le prestige, le pouvoir, le rang social, l'argent, suffisaient à définir : il ne restait rien à prouver – et le gentleman, qui, lui, devait témoigner, pour justifier cette appellation, de vertus solides. Les mêmes que par le passé, un peu défraîchies sans doute, dépourvues de leur éclat spirituel, mais ne révélant pas moins un sens de la hiérarchie des valeurs, certaine qualité humaine, dont l'éducation, qui enseigne les bonnes manières, permet d'acquérir sinon la réalité, du moins l'apparence : courtoisie, discrétion, respect des règles et de la justice, auxquels s'ajoute ce scepticisme de bon aloi qui fait éviter les enthousiasmes trop violents comme les jugements trop virulents, sources, les uns et les autres, de désaccords ouverts. Le gentleman vivait comme sa terre, en climat tempéré. Il savait maintenir autour de lui cette douceur : poli et plaisant avec ses inférieurs, respectueux, sans être servile, avec ses supérieurs. Les notions de supériorité et d'infériorité ayant été bannies au profit d'une égalité d'ailleurs toute relative, plus revendiquée qu'effective, il est évident que le gentleman a aujourd'hui perdu certaines des bases et motivations secrètes de son savoir-vivre.

Revenons-en donc à Jane Austen, pour qui être un gentleman n'était pas tant une question de naissance – une condition nécessaire mais non suffisante – que d'intelligence et de moralité. Le gentleman, selon elle, n'était pas dirigé par la crainte d'une autorité supérieure, fût-ce la crainte tyrannique du qu'en-dira-t-on, mais par son jugement propre et sa conscience – une boussole intérieure qui ne trahit jamais ceux qui choisissent de la consulter plutôt que de s'en remettre au jugement d'autrui. Ainsi, seule l'indépendance d'esprit, qui repose sur une observation patiente, sur le retrait en soi et la force morale, peut-elle produire un gentleman ou son équivalent : ces nombreuses héroïnes, discrètes et effacées, mais qui par leur discernement constituent le pivot de leur petit groupe, celles vers qui l'on se tourne dans l'indécision et qui, toujours, indiquent la bonne direction. Dans une société implacable, cette direction-là permet d'éviter les écueils et d'accéder à la vie la moins malheureuse possible. Souvent, ces femmes ne bénéficient pas de l'admiration qui leur est due, mais après tout, ne rendant de comptes qu'à elles-mêmes, elles se préoccupent assez peu du regard d'autrui et de son approbation, et il se trouve toujours un homme raisonnable à leurs côtés pour reconnaître leur valeur.

Modestie

Le roi Bagemadu avait un sens aigu de l'honneur et du bien ; son plus grand souci était de défendre et de pratiquer partout la loyauté. Tandis que son fils Méléagant était tout le contraire : ne « s'ennuyant jamais dans le mal, la trahison et le crime ». Aussi Bagemadu ne perd-il pas une occasion de lui faire la leçon, exaltant par contraste la conduite de ce parfait chevalier qu'est Lancelot du Lac. Bien sûr, au lieu d'être édifié par cet exemple, le fils ressent une jalousie furieuse et, pour impressionner son père, se vante de sa propre vaillance qu'il croit au moins égale à celle du chevalier. Mais « il ne convient pas à un homme de bien de faire l'éloge de son courage pour rehausser ses actions ; les faits parlent d'eux-mêmes ». La leçon est claire : l'éloge que l'on fait de soi-même, au lieu de vous grandir vous abaisse. La définition de « l'homme de bien » ne l'est pas moins.

Était-ce là l'une des distinctions infinies au moyen desquelles les Anglais au cours des siècles allaient discerner la qualité d'un individu, sa situation sociale, son éducation, son milieu d'appartenance ? George Orwell remarquait que la Grande-Bretagne était le pays sous le soleil le plus dominé par la notion de classe ». En 1979, une sociologue [1], après avoir peiné sur de multiples définitions, affirmait encore – et cela fit du bruit – que la « classe sociale se portait bien, qu'elle était même omniprésente dans *l'esprit des gens* » ; elle imprégnait leur vision des jardins, de la nourriture, de la boisson, de la santé, des arts, du sport, du sexe, de la religion, de la mort. Quoi encore ? Elle modulait l'accent, les gestes, les attitudes, elle définissait les différences, elle établissait entre les individus une distance le plus souvent irrémédiable. Plus tard encore, en 1989, Martin Amis, dans *London Fields*, concluait à propos d'un de ses personnages prolétaires : « Le système de classe ne sait tout

1. Jilly Cooper, *Class*, cité par David Cannadine, dans *Class in Britain*, *op. cit.*

simplement pas fermer boutique. Même un holocauste nucléaire, je crois, ne saurait y faire ne fût-ce qu'une entaille.» Keith, le personnage en question, n'a jamais pensé à la classe en tant que telle; pour lui elle fait partie d'une époque révolue, il ne sait pas laquelle, et c'est d'ailleurs le cadet de ses soucis. Keith aurait donc été fort surpris si on lui avait dit que «c'était la *classe* qui empoisonnait tous ses moments de veille jusqu'aux derniers». Qu'on en soit conscient ou non, elle s'immisce dans les rapports que les gens entretiennent entre eux, pire, dans la vision qu'ils ont d'eux-mêmes, en conséquence dans leur comportement.

La modestie, cette vertu précieuse entre toutes, cette qualité éminemment anglaise que le roi Bagemadu recommandait à son vaurien de fils, faisait partie des enseignements requis par toute «bonne éducation», tout au moins par celle qui était dispensée aux élites. Se mettre en avant, parler de soi, se faire valoir, gesticuler afin d'être mieux vu... des exercices exigés par un ego souffrant et revendicatif qui dénotent un manque de contrôle proche de la vulgarité, à tout le moins l'ignorance des usages d'un monde où chacun savait, sur la plus petite indication – point n'était besoin de ces manœuvres lourdes –, jauger et placer son interlocuteur. Devant cette réserve un brin supérieure, cette modestie affichée, l'étranger, peu averti de codes aussi subtils, se sentait parfois perplexe.

Seulement voilà, ce monde a disparu, ou bien s'est réfugié si loin qu'il n'en est plus question: autant dire que ce n'est plus lui l'arbitre des bonnes mœurs.

Selon les observateurs les plus écoutés – mais il suffit de circuler un peu en Angleterre pour leur donner raison –, la musique discrète d'une bienséante modestie, pour peu qu'elle subsiste, a cessé d'être entendue. Des sonorités plus fortes accaparent l'oreille. Une «super class» (selon une expression d'Andrew Adonis) aurait pris le pouvoir. Bien distincte de l'ancienne upper class, elle ne se soucie nullement de discrétion, tout au contraire. Une méritocratie qui a gagné argent et privilèges à la sueur de son front, en l'espace d'une génération, c'est ainsi qu'elle se voit. La richesse, elle y a droit et elle le fait savoir. De l'argent juste et mérité, par un travail tout neuf, non par les droits anciens de l'héritage, rien à redire. Il ne s'agit pas de le redistribuer, ce que l'upper class, par tradition, faisait parfois au moyen des bonnes œuvres, mais de clamer haut et fort sa puissance, comme autrefois on épinglait l'insigne de la croix sur la poitrine des écoliers, pour signaler à tous l'effort effectué et la supériorité acquise sur les autres élèves. Ignorant sans état d'âme la volonté de cohésion sociale qui fut de mise après-guerre, la nouvelle élite professionnelle et dirigeante profite de sa fortune récente et «ne voit pas pourquoi elle devrait s'excuser devant l'explosion dans la différence des revenus[1]».

Fierté et bonne conscience, richesse colossale et pauvreté extrême : on en revient à un XIXe siècle triomphant.

Dans toute cette clameur, «l'idéal du gentleman s'était évaporé», comme l'écrit Anthony Sampson, auteur de *The Anatomy of Britain* (1962). L'euphémisme, cette figure de style typiquement anglaise qui dit le moins pour sous-entendre le plus était remisée parmi les vieilleries : on l'aurait prise au pied de la lettre. Le modeste, tenté d'affirmer «Non, en réalité je n'ai pas fait grand-chose», une dénégation usuelle chez les gens bien élevés, courrait aujourd'hui le risque d'être cru.

Qu'était donc devenu l'homme-fort-et-silencieux-qui-serre-les-dents-et-garde-son-calme (*the strong, silent*

---

1. Cette citation et les suivantes sont tirées d'Anthony Sampson, *Who Runs this Place. The Anatomy of Britain in the 21st Century*, John Murray, 2004.

man with a stiff upper lip)? On l'associait à la perte de l'Empire et au déclin économique, et son prestige s'était émoussé. En ses lieu et place régnait un nouvel Homo sapiens : « l'homme de la télévision au baratin intarissable ».

En même temps que le gentleman anglais s'effaçaient les images qui longtemps ont symbolisé l'Angleterre. Aujourd'hui ces vignettes sont devenues aussi ternes et grises que John Major, l'homme qui les utilisa : le terrain de cricket du village, la bière tiède, la banlieue fleurie, les amoureux des chiens... pas vraiment de quoi exciter l'esprit. Le vieil establishment lui-même, cette pépinière de gentlemen, était repoussé à l'arrière-plan par une nouvelle génération vantarde et voyante, constituée en grande partie de magnats populistes qui lient les affaires aux médias et à la politique, et, moyennant finances, offrent au peuple du pain, des jeux, du sport et des voyages – mer bleu turquoise, îles paradisiaques, sexe à volonté... bref, ce qui était autrefois l'apanage des riches. En somme, des bienfaiteurs issus des couches populaires.

Non, il ne s'agissait plus de pratiquer en silence le « noblesse oblige » d'antan, qui, dans les meilleurs des cas, impliquait le sens d'une responsabilité sociale, mais tout simplement de crier sur les toits qu'on était les ennemis de l'élite, c'est-à-dire de la différence, de la séparation, des privilèges ; moyennant quoi on pouvait espérer profiter paisiblement desdits privilèges – jouir en toute quiétude, sans contestation, de l'inégalité régnante. Nul besoin de grands gestes, ni de pose philanthropique, de dons encore moins, quelques mots suffisaient, assénés avec la conviction voulue – l'étiquette « anti-élitiste », par exemple, qui vous situe du côté de la foule, et la fortune la plus colossale cessait d'être un avantage qui vous isole. « Ils formèrent bientôt un nouvel establishment, doté de ressources plus grandes et de liens plus forts que le précédent – puisque ces liens reposaient sur l'argent. Pour la première fois dans l'histoire des démocraties occidentales, la société est dominée par une élite anti-élitiste.»

Confronté à cette situation nouvelle, le roi Bademagu aurait sans nul doute révisé ses notions de «l'homme de bien» et songé à mettre au point une définition de ce mot fluctuant : l'élite. Et constatant que, contrairement à son affirmation, les faits ne parlent pas d'eux-mêmes, mais que l'éloge fait de soi a plus d'autorité, il se serait dûment interrogé sur les conseils à donner à son fils.

Le puits du calice

Le Tor, une colline de forme conique qui s'élève de façon abrupte à un mile de Glastonbury, sur la plaine du Somerset, était autrefois une île entourée de marais que cernait une brume épaisse. Dans le mythe celtique, le Tor était Ynis Witrin, l'île de verre, un labyrinthe en trois dimensions et l'entrée secrète du monde des esprits. C'était là qu'on avait placé Avalon, le château de verre, dernière destination du roi Arthur. Aujourd'hui, on se contente d'affirmer que le Tor recèle un espace creux en son centre. Ce creux, il appartient à chacun de le peupler au gré de son imagination ; les légendes accumulées au cours de deux mille ans d'histoire nous y aident, et les souvenirs de nos lectures où se croisent elfes, lutins et démons, ou même les hobbits de Tolkien, ces petites créatures paisibles qui vivent dans des trous à flanc de colline et sont, comme le roi Arthur, amenées à se lancer dans de terribles batailles qu'elles ne désirent pas (Tolkien était au reste un grand connaisseur des mythes celtiques). Les pénitents d'autrefois en gravissaient les degrés avec des cailloux dans leurs souliers, afin de rendre la pente plus longue et plus ardue. Ils ne pouvaient donc sentir les vibrations issues des courants jumeaux qui vont de la Cornouailles au Norfolk et que viennent chercher ici les pèlerins modernes. Arrivant un peu essoufflés au sommet de leur escalade, ceux-là auront en sus une vue grandiose : le paysage qui se déploie sans fin et la tour, éventée et tragique, où fut pendu, sur ordre du roi Henry VIII, Richard Whiting, le dernier abbé de Glastonbury.

Au pied de la colline s'ouvrent les jardins du puits du calice, un monde réservé à l'aspirant mystique, qui va pénétrer avec un respect teinté d'émotion dans la sphère dont il a rêvé. Il va pouvoir vérifier l'existence des visions qui lui peuplaient l'esprit : la source du Saint-Graal, lira-t-il sur le dessin bien tracé qu'on lui a remis à l'entrée (le Graal y serait caché), la cour du roi Arthur, avec la cascade et la piscine des pèlerins (une eau miraculeuse, comme à Lourdes), et encore le robinet où se déverse l'eau du calice : teintée d'un rouge ferrugineux, il pourra en remplir son verre, la boire en fermant les yeux et même en acheter une bouteille au magasin – quelques gouttes chaque jour, mélangées à du vin ou à toute autre boisson naturelle, détiennent un pouvoir de guérison surprenant. «Tandis que l'on foule le sentier pierreux, on laisse derrière soi le tumulte du monde et ses distractions créées par les hommes. Pensez que vous marchez sur les traces de vos ancêtres venus en ce lieu naturel et sacré au cours de milliers d'années.» Les mots magiques sont là et l'allusion à des temps si lointains qu'ils ne s'inscrivent plus dans l'histoire des hommes, mais la dépassent pour s'enfoncer dans le monde du divin. De ces origines imprécises, non situées et, donc, éternelles, le lieu tire un surcroît de légitimité et de prestige ; il s'enveloppe d'une aura de sacré. Les gardiens du jardin, en commerçants avisés, ont veillé à mêler les mythes celtiques, grecs ou égyptiens, saupoudrés d'un

zest de christianisme et d'un soupçon de rites drui-
diques. Ils ont cité quelques noms antiques à l'appui,
telle Gaïa – une précision destinée à garantir le sérieux
de la brochure illustrée et à appuyer la demande de
fonds qui accompagnent le billet d'entrée.

Yeats, Blake, Gaïa et Cie

Glastonbury, disent les guides les plus sérieux, est un
centre d'occultisme et de mysticisme. C'est-à-dire qu'un
salmigondis de culture superficielle et de boniment
commercial s'y déverse à profusion, publicités, affiches,
livrets, revues, enseignes, opuscules, tracts, brochures,
publications… des emprunts mal assimilés aux sources
les plus diverses, couchés pêle-mêle, pour l'effet et la
sonorité des mots. Mots tirés de la Bible ou de tout autre
texte sacré, mots mélangés, secoués comme de petits
papiers dans un chapeau, ressortis au hasard et dont l'autorité s'augmente du mystère et de l'obscurité qui les
entourent. Un frottis de Blake, de Yeats ou de Lawrence
(prophètes ou visionnaires chez qui on a pris le plus
simple : la méfiance envers la raison, sans voir la complexité et les paradoxes inhérents à leur pensée), un syn-
crétisme qui tient de la bouillie, ce mélange compact et
fade, plus que d'une construction appuyée sur la connaissance ou sur un effort de synthèse, avec la rigueur qu'il
exige. Il est question de la «nature inépuisable de la force
de vie», des voiles séparant l'existence humaine de l'esprit plus grand (ici, ils s'affinent), de l'énergie cosmique
et des rythmes de la terre, de lignes de force qui la sous-
tendent (leur intersection se situerait dans le jardin, à
l'endroit de la cour d'Arthur), du pouls de notre monde
et de la force vitale qui le soutient, de l'élixir de la déesse
Gaïa qui coule en ce jardin, lui-même une coupe de vie à
l'image du Graal… Toutes ces notions baignent dans un

vague confortable qui laisse supposer une profondeur de pensée insondée. Chacun, dans cette soupe où flottent les ingrédients les plus divers, pêche ce qui lui convient, sans obligation, rigueur ni contrainte.

Le bouddhisme y est bien représenté, que l'esprit du temps assimile au new age. Chacun se dit plus ou moins bouddhiste, une définition qui vous rapproche d'un Orient imaginaire et convoité. La quête de perfectionnement correspondrait à un désir de « réalisation » de soi. Se perfectionner, se réaliser, même combat. Le flou des termes – qui aboutit à un contresens – fait partie du rêve de liberté. Se réaliser ? Le « moi d'abord ». Et qu'importe si cette disposition d'esprit non seulement n'a rien d'oriental, mais se trouve aux antipodes de cette sagesse ? Le bouddhisme n'exalte pas le moi, mais affirme son inexistence, ce qui est tout le contraire. Le moi, une succession d'états, se défait sans cesse, se délite d'instant en instant, tombe par pans entiers dans l'oubli, puis meurt tout de bon, il est une illusion. Mais il est difficile pour les Occidentaux de concevoir et d'accepter cette « inexistence de soi » qui est le fondement même de l'enseignement du Bouddha. D'où ce tour de force du new age qui a changé l'idée de libération, impliquant un si grand travail sur soi-même et une discipline de chaque instant, en une recette pour épanouir le moi dont la moindre impulsion se trouve sacralisée.

C'est l'ego soufflé, souffrant et ahanant, toujours tirant, toujours peinant. Le bouddhisme revu et corrigé à la lumière de notre bon vieil individualisme. Que la recherche de réalisation du moi se recommande d'une doctrine qui en prône l'abandon, voilà qui peut paraître cocasse aux maîtres bouddhistes intéressés par la question. Ils y voient sans doute la preuve de l'incurable égocentrisme occidental.

Le Bouddha a revêtu les habits dernier cri du monde postmoderne. Bricolage intellectuel ou désarroi sans fond, fuite en avant ou vrai besoin spirituel, je n'étais pas là pour en juger, et c'était tant mieux.

La nuit du champ des haricots

Sur les bancs du jardin, ou près de la source, au détour d'un chemin, des gens méditent en position du lotus. Immobiles, isolés, retirés en eux-mêmes, conversent-ils avec les mânes du roi Arthur ou ceux de Lancelot ? Tentent-ils de capter les courants souterrains et subtils qui émanent du sol à cet endroit ? La ville avec ses pubs et cafés massés sur la place ressemble à un carnaval permanent, quand elle n'évoque pas une cour de récréation où l'on aurait réuni une belle collection d'excentriques. Chacun s'y adonne à ses marottes et soigne son apparence – recherche d'une image qui l'exprime, lui et ses convictions. Le dehors doit correspondre au dedans, ainsi l'exige la liberté. Que les vêtements, ou leur absence, se recommandent de l'Inde, d'un hippisme renaissant, d'un culte ancien de la virilité, des druides d'antan, avec leurs barbes et cheveux longs, ou de diverses peuplades exotiques qui tiennent encore commerce avec les dieux, cette poursuite est le prétexte à l'habit le plus extravagant. Le poncho se porte bien, simple voile jeté sur la nudité, et pour la tête, le toupet, la queue-de-cheval, ou le dessin obtenu par un rasage savant, à moins que le poil, laissé à sa pousse naturelle, ne suive l'anarchie ambiante.

Glastonbury, le lieu de rendez-vous des rebelles et marginaux de tout poil, des dissidents, exclus, alcooliques, illuminés ou défoncés, des utopistes en tout genre et des rêveurs invétérés, qui, refusant la société matérialiste, entendent donner à la vie une dimension nouvelle et, pour ce faire, se recommandent du new age ou d'autres courants de pensée.

Les travellers, nomades mystiques des temps modernes,

sont là en grand nombre, accompagnés de leurs chiens. Ils vivent par familles entières dans des camionnettes stationnées en longues files – véhicules bringuebalants et cabossés, envahis de matelas, lampes, sacs, coussins, bidons qu'ils ont remplis à la source sacrée, de sonotables de mixage, de bidules et autres instruments variés, d'alambics étranges servant à la préparation non de l'or mais de la drogue. Des vagues sonores s'échappent des guimbardes. Le retour à des formes anciennes, à un paganisme exalté, se fait aux rythmes d'une musique techno qui «vous emmène où vous voulez aller»: vos désirs sont exaucés, quels qu'ils soient. Planer. Font-ils partie, ces travellers de Glastonbury, du petit contingent d'utopistes, ceux qui nourrissent de belles idées et rêvent à une société meilleure, ou bien proviennent- ils du noyau dur des nomades, qui n'ont pas eu le choix parce qu'ils ont tout perdu, travail, amis, famille? Ils ont fait de la prison, ou ils se droguent, ou ils ont des problèmes de santé mentale – des «rebuts que personne n'accepte», me dit l'un d'entre eux, mais qui, parmi le groupe, ont trouvé une famille, c'est-à-dire des gens qui ne les jugent pas, et le soulagement de ne plus avoir à lutter.

Le mouvement, né dans les années 1960, avait atteint ses jours de gloire au début des années 1980; un bref éclat qui précédait de peu la chute, l'événement qui devait tout changer, «la nuit du champ des haricots»: le 1er juin 1985.

Les nomades avaient des prédécesseurs et des modèles – anciens hippies, punks, mystiques du new age, anarchistes ou drogués, peu importait d'ailleurs, puisque tous avaient la même foi: le monde allait bouger. Leur grand rassemblement avait lieu chaque année à Stonehenge, lors de la célébration du solstice. Alors on voyait arriver un défilé hétéroclite et sans fin de vieilles camionnettes aux couleurs vives, d'autobus déglingués, de camions et de taxis londoniens, de voitures de pompiers et autres bagnoles qui n'avaient en commun que la rouille et l'ancienneté. En 1985, la procession, pompeusement baptisée le Convoi de la paix, ne comptait pas moins de cent cinquante véhicules. Qui prit l'initiative de leur interdire l'accès de Stonehenge ? La police, le conseil régional, le National Trust qui veille à la préservation des lieux, les amis de Stonehenge soucieux de ménager les pierres fabuleuses, menacées comme tous les monuments du monde par l'afflux plus ou moins coordonné des touristes… ? Une coalition de ces forces ? On ne sait ; toujours est-il que, devant leur refus d'obtempérer, la police entra en action. Le festival avait été interdit, la route fut bloquée, le convoi paralysé. Les nomades renversèrent une clôture et se réfugièrent dans un champ de haricots. Pendant plusieurs heures, ils firent face aux forces de l'ordre qui les sommaient de se rendre. Puis la police chargea. Boucliers, matraques, bris de vitres, tabassages, nez brisés et dents cassées – le sang versé, que filmait la télévision. Le mouvement perdit son sentiment d'impunité et d'innocence. On ne prit plus la route, comme l'avait fait Kerouac, pour y trouver la liberté. La route était devenue une galère comme une autre, les autorités vous forçaient à circuler sans relâche, le monde n'était plus si jeune ni si ouvert, le rêve s'était terni. La Cornouailles, haut lieu des légendes celtiques, le siège des châteaux du roi Arthur, est l'un des derniers refuges des nomades – et Glastonbury, où ils sont de passage, il est vrai. Aussi l'idéalisme des travellers s'est-il un peu émoussé ; ne restent, dit-on, que les « purs et durs », autrement dit, ceux qui n'ont pas le choix.

Bladud of Bath
Bath

Au départ de Paddington

À la gare de Paddington, d'où part le train pour Bath, une pancarte au milieu du passage des voyageurs :

> PIGEONS
> Nous désirons améliorer le site de la gare de Paddington
> C'est pourquoi nous voulons réduire
> Le nombre de pigeons dans ces lieux
> Afin d'y parvenir, nous essayons de nouvelles méthodes, modernes et plus humaines, qui nous évitent d'avoir à piéger les pigeons. Nous voulons les encourager à vivre à distance de l'aire d'affluence.
> Aussi préférerions-nous que vous vous absteniez de les nourrir et nous aidiez à faire de ce programme un plein succès.

Ce souci de moralité, de décence si l'on donne au mot son sens le plus profond, cette volonté de convaincre sont encore affichés dans l'Angleterre d'aujourd'hui, au milieu d'une gare, comme ils le furent à travers les siècles, au bord des massifs de fleurs ou sur les pierres tombales dans de grandioses abbayes. Ainsi ce petit discours, adressé au passant dans l'abbaye de Bath, qui prend prétexte de la mort, bien naturelle, d'une vieille demoiselle :

En mémoire de Miss Rebecca Bowen, seconde fille du défunt William Bowen, Esq. de Trocdyraur dans le Cardinganshire, qui mourut le 4 juin 1827, à l'âge de soixante-treize ans. Cette plaque est apposée par sa sœur.
Sa foi était vive et ferme
Sa charité libérale et dénuée d'ostentation
Son amitié chaleureuse et fidèle
Sa patience
Au cours d'une maladie longue et pénible
Exemplaire
Sa conduite de bout en bout
Digne d'une vraie chrétienne.

La mort d'une vieille demoiselle, le renvoi de volatiles gênants, on insiste sur les mêmes qualités de fond. La méthode nouvelle employée envers les pigeons récalcitrants requiert, elle aussi, une patience exemplaire. Vertu cardinale.

À Paddington, en route vers Bath. Comme beaucoup de trains anglais, celui-ci a des sièges en peluche rouge chamarrée (parfois, des fleurs remplacent ces dessins), ce qui donne aux wagons l'air de salons roulants, vieillots et confortables ; le voyageur s'y effondre plutôt qu'il ne s'y enfonce et là, amolli et somnolent, regarde défiler le paysage. En face de moi, un teenager anglais, rose et gras, les yeux dans le vague, dont la main, avec la régularité et l'automatisme d'un piston, tire d'un sac des cacahuètes qu'il fait craquer bruyamment entre ses dents, me rappelle qu'il est bien des moyens d'exercer de menues vengeances contre le monde, ses habitants et leur système nerveux. Me reviennent en mémoire les caricatures de Giles, peuplées d'écoliers en uniforme sombre à peine échappés à la terrible férule d'un maître, et qui, telle une nuée d'insectes dévastateurs, s'apprêtent à fondre sur le monde qui les a mécontentés.

La légende fondatrice de Bath

Un jour, par temps froid, Bladud, le père du roi Lear, qui avait été chassé de la communauté en raison de sa maladie, vit ses porcs se vautrer dans un bourbier. En s'approchant, il constata que la boue était chaude et que ses porcs aimaient la chaleur. Bientôt, il remarqua que les animaux qui s'étaient baignés n'avaient plus ni plaies ni croûtes ; alors, il se baigna lui-même dans les eaux et fut guéri de sa lèpre. Restauré dans ses droits, il fonda la cité de Bath autour des sources chaudes.

Tel est le mythe de l'origine de Bath. Geoffroi de Monmouth, qui écrivit au XIIe siècle, fut le premier à consigner les aventures de Bladud, mais on dit que le mythe remonte à des temps plus éloignés encore, à la tradition orale des Celtes, qui incluait nombre de légendes sur la régénération des corps et le pouvoir de voler (selon une légende, le roi Bladud, une fois guéri, ne s'arrêta pas en chemin mais apprit à voler). John Wood l'Ancien, qui construisit certains des plus beaux bâtiments de Bath, croyait fermement en la légende de Bladud qu'il considérait comme le chef des druides et, en signe d'hommage et de continuité, il ponctua façades et frontons du très ornemental gland druidique que je contemplais aujourd'hui un peu partout dans la ville.

Les moralistes du XIXe siècle, telle la chaste Jane Austen, qui réprouvait la vie de plaisirs et de mondanités que, dès le XVIIIe, on vint en foule chercher à Bath, auraient pu s'exclamer sur le fait, symbolique sans aucun doute, que la buvette de Bath, rénovée en 1790 afin que puissent s'y presser des curistes plus avides de rencontres que soucieux de leur santé – cette pièce élégante où aujourd'hui encore on prend en musique un thé accompagné de scones ou de muffins –, soit située très précisément sur le lieu où se vautraient les porcs de Bladud quelque deux mille ans plus tôt. À une extrémité, logée dans un petit temple gracieux ouvert en direction du public, une fontaine soutenue par trois dauphins dispense à la demande les eaux miraculeuses qui autrefois s'écoulaient, dédaignées, dans la boue. On dit que quarante-trois minéraux s'y mêlent, qui, à l'époque médiévale, soignaient paralysie, colique et goutte… Pour 45 pence, vous pouvez boire un grand verre d'eau chaude d'où monte une légère odeur de fer et d'œuf pourri, et, fermant les yeux pour ne pas voir les touristes attablés, oubliant la musique douce que joue le trio attitré de la ville, parcourir les âges jusqu'à ces temps barbares dont les traces souterraines sont recouvertes et démenties par l'architecture la plus légère, la plus harmonieuse que la civilisation anglaise ait produite.

Ce contraste étrange entre le salon des plaisirs raffinés où flottent les accords d'une musique de chambre, où s'écoule l'eau sacrée en un jet modeste et soigneusement endigué, et les salles obscures d'où cette même eau surgit, brûlante et bouillonnante, à raison de 1 106 400 litres quotidiens (dit la brochure), ne laisse pas de parler à l'imagination. Quittant la lumière du jour et ses inoffensives réjouissances, on s'enfonce, après avoir longé le Grand Bain romain, sous les sombres voûtes de pierre pour rejoindre l'origine, l'eau qui remonte de profondeurs insondées, la source sacrée. Elle est là, verte et opaque, contenue dans un petit bassin aux arêtes brisées, et les bulles qui constamment agitent la surface sont comme le souffle émis par les entrailles de la terre. Une respiration continue, qui depuis des milliers d'années s'élève, la preuve de l'existence d'une force inconnue, irrépressible et toute-puissante. Les Romains furent fascinés par cette mystérieuse profusion, cette chaleur généreuse accordée à ce pays brumeux et froid comme un présent des dieux. La source pendant des siècles avait été consacrée à la déesse celte Sulis, les Romains y ajoutèrent Minerve et, tout en préservant le lieu du culte, tout en faisant la part du sacré, du terrible, ils se préoccupèrent de dompter les eaux jaillissantes, aménageant l'endroit pour leur bien-être et leur plaisir. On jetait des offrandes dans la source, des messages gravés sur des plaques d'étain portant des menaces de vengeance et de meurtre. Afin de donner plus d'effet à ces désirs, des animaux étaient sacrifiés à quelques pas de là, sur un autel. Leur sang se mêlait aux fumées et à l'eau sacrée. Ne sont-ils pas plus réels que les grâces déployées à la surface, ces souhaits retrouvés au fond d'une source, qui prévoient une mort brutale, et quelques tortures à l'appui, pour ceux qui avaient commis une offense : membres arrachés, perte de la vue pour une paire de gants volée ? Cette violence essentielle confiée à la source profonde et que contredit, à l'étage au-dessus, le gracieux trio de musiciens dont les notes promettent, année après année, une illusoire harmonie, elle est là, à peine enfouie sous terre. Et la force de l'eau jaillissante confirme cette rage – ces flots qui s'écoulent continuellement parmi les tourbillons d'une vapeur chaude, ensanglantant la pierre. Ainsi cette Pump Room, littéralement Chambre des pompes, dont le nom justifie à lui seul l'humour du regard que portait Rowlandson sur les lieux de plaisir de Bath, offre-t-elle au voyageur, lorsqu'il se soucie de relier cette jolie pièce et sa buvette à la source sacrée sur laquelle elle est fondée, comme une allégorie de la division qui affecte la littérature du XIXe et la civilisation anglaise : celle qui existe entre surface et profondeurs. Car bien souvent on observera dans ces romans que marquent la moralité du propos et le rythme régulier de la phrase, tels ceux de Jane Austen, la résurgence des forces ignorées, une humeur d'une noirceur particulière… Mais n'est-ce pas de ce jeu constant entre surface et profondeur, entre le calme à grand-peine maintenu et la violence toujours sous-jacente que ces livres tirent leur énergie ? Quelques décilitres d'une eau chaude et ferrugineuse pris à la buvette où venait boire Catherine Morland, l'héroïne de Jane Austen dans *Northanger Abbey*, nous en disent long sur le chemin parcouru depuis le jour où les porcs de Bladud se roulèrent dans les marais sauvages. Boire un verre d'eau ou mesurer la distance qui sépare la civilisation de l'état sauvage, c'est-à-dire une seconde nature, soigneusement construite, d'une première nature, qu'il n'est pas «souvent possible d'admirer», si l'on en croit Ivy Compton-Burnett.

La ville de Bath tout entière affirme une volonté d'équilibre et de beauté. Un équilibre qui repose sur un sens exquis de la mesure, comme je le constate en atteignant The Circus, cette place qui donne son plein sens au mot «régularité», posée en hauteur, à mi-flanc d'une colline, au-dessus de la ville, comme une couronne au sommet d'un fronton dont elle exalte la perfection. On y accède en montant par degrés réguliers entre les façades classiques des maisons qui s'échelonnent jusqu'à cette ouverture. Aucun excès ni désordre, rien qui échappe à la maîtrise souveraine des lignes droites. Groupées deux à deux, les colonnes se succèdent en une danse au rythme serein. La place est comme composée d'une façade unique. Que Jane Austen n'ait pas aimé Bath, en raison de la superficialité des plaisirs qu'on y trouvait, me semble une incongruité, une inconséquence, tant la ville ressemble à ses romans, avec son sens parfait de l'élégance et de la précision : une harmonie fondée sur le calcul.

Ce bref séjour à Bath (où je me rendis en 1995 pour m'entretenir avec l'écrivain Anthony Powell qui habitait aux environs), les splendeurs de l'architecture palladienne, le verre d'eau ferrugineuse pris à la buvette : un concentré de l'Angleterre d'autrefois.

VERS LE NORD

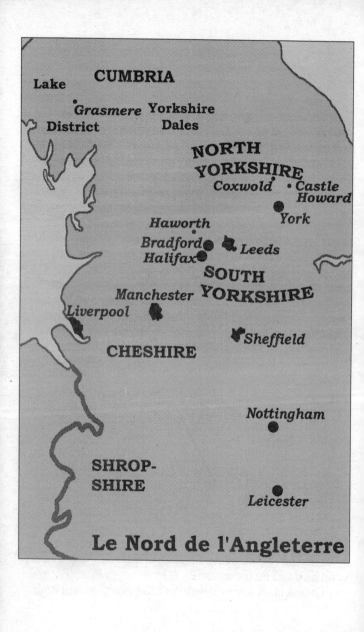

Le Nord de l'Angleterre

Une campagne sauvage
Le Yorkshire

La lande

Cette fois nous étions partis vers l'Angleterre du Nord, vers les grandes villes pluvieuses et froides plantées de hauts-fourneaux, dont les voyageurs du XIXe siècle ont laissé une image apocalyptique, suie, fumée, charbon et misère : Leeds, Bradford, Sheffield, Manchester, mais aussi York – Eboracum du temps des Romains, capitale de l'Empire pour les territoires de l'Europe du Nord, où s'installa Hadrien afin de lancer ses campagnes et où Constantin le Grand fut proclamé empereur. Une ville qui à elle seule, comme l'affirma George VI, *est* l'histoire de l'Angleterre. La révolution industrielle la laissa de côté et du coup elle perdit sa place de première ville du pays après Londres ; aujourd'hui lui reste le plaisir mélancolique d'étaler aux yeux des touristes, inscrite sur ses façades anciennes et dans ses ruines, la longue suite des siècles accompagnée de l'écho assourdi des guerres, des triomphes et des défaites. Nous allions en même temps retrouver la campagne du Yorkshire, l'une des plus sauvages du pays, et, plus au nord encore, logé dans la discrète avancée qui s'insère entre l'Écosse et le Pays de Galles, le Lake District, cette région de lacs et de montagnes qui se sont assemblés là pour faire de l'Angleterre un haut lieu du romantisme.

Quand nous avons débarqué à Douvres, la nuit était

tombée ; du pont du bateau, j'avais vu la masse immense et pâle des falaises se dessiner peu à peu dans l'obscurité. Elles semblent garder l'île de toute intrusion, comme un formidable bouclier naturel fourni par la géographie, et je m'étais fait la réflexion que, pour aborder ce pays, pour *voir* les formes de son paysage et capter l'esprit qui les habite, c'était de ce point précis qu'il fallait partir – de ces hautes falaises et de la mer qui les entourait, du relief escarpé, de ce retrait farouche –, de ces éléments qui, au long de milliers d'années, lui ont donné la légèreté de sa découpe en même temps qu'ils modelaient les creux et les sommets, les méandres de son histoire.

L'Angleterre, nous l'avons le lendemain traversée d'un trait, sans trop de révérence, égrenant les villes et les kilomètres au long de la M1, pour atteindre notre destination le soir, une ferme du Yorkshire où nous attendait un ami et d'où, chaque jour, nous partirions visiter une ville nouvelle.

Le village de Caldbergh, un hameau perdu dans les Yorkshire Dales, était le dernier bastion avant que ne commence la lande : quelques maisons austères, groupées à flanc de colline, entre lesquelles venait finir la route. Au-delà du village, passé la barrière qui en marquait la limite, on entrait dans un autre monde – longues pentes désertiques et douces plantées de quelques arbres tordus par le vent, puis, seule, sans conteste ni partage, l'aridité de la bruyère, au loin sur les sommets.

Pour atteindre notre maison, il fallait franchir cette barrière, et, après, emprunter à pied un sentier escarpé parmi les prairies. On cheminait, tournait, grimpait, soufflait, entourés du chœur bêlant des moutons en masque de bal et bottines noirs – des shetlands tondus de frais –, on gravissait le raidillon pierreux qui dissimulait la ferme au regard. Soudain on la découvrait, logée dans un repli de terrain, un long bâtiment bas aux ouvertures étroites solidement accroché au sol pentu. Tout contre la fenêtre de ma chambre, je voyais s'élever la colline, les prés où étaient posées des vaches, avec leurs murets de pierres sèches qui ondulaient le long de la terre – un épais trait noir au fusain sur le vert brillant que touchait le soleil. Plus haut, au-delà de cette limite, l'étendue brune de la lande et, plus haut encore, très nette contre le ciel, la ligne arrondie du sommet qui refermait le paysage, le séparant du monde. Le soir, la lande entière se teintait de rose sous les rayons du soleil couchant. Ce lieu désert, ouvert à tous les vents, était pourtant, comme le Capitole, gardé par des oies, des animaux stridents et agressifs qui, à intervalles réguliers, faisaient sans raison apparente entendre leur menace glapissante.

Notre ami habitait avec sa femme à quelques centaines de mètres de notre maison, dans une autre ferme.

Un homme du Yorkshire

Je l'avais connu journaliste à Londres, puis à New York, montant dans la carrière, efficace et distant, capable d'agir au mieux dans le moment présent, sans perdre de vue ce qui était pour lui l'essentiel – le centre de sa vie, qui était ailleurs. «*My heart is in the Highlands*», disait Robert Burns, une phrase susceptible de variations innombrables. Parmi celles-là, le Yorkshire. Le Yorkshire était son ancrage, un point fixe dans une vie toujours provisoire. C'était là qu'il voulait vivre, là qu'il était vraiment, même si, pour un temps, on voyait son double se promener aux antipodes. Le reste, Londres, Paris, New York, des lieux de passage. Seules étaient réelles, d'une réalité immuable et éternelle, les collines du Yorkshire. Aujourd'hui, je retrouvai Robert chez lui. «Home», le but unique, le terme des errements, un idéal en même temps que la plus solide des réalités, il y était enfin revenu, après avoir acheté sur la terre familiale deux fermes qui seraient sa dernière demeure – « je n'en partirai plus qu'à ma mort », disait-il avec soulagement.

Il était d'une famille de militaires. Son frère aîné, comme son père, avait servi dans le Yorkshire Regiment of Light Infantry, dont on voyait encore quelques illustrations encadrées dans le salon vert. Bien sûr, on l'avait élevé dans le respect d'une armée qui avait conquis le monde. Que l'Empire se soit depuis peu effondré – un fait incontestable – ne changeait rien à l'atmosphère qui avait entouré son enfance, ni aux valeurs familiales qu'il continuait à défendre. L'esprit qui a régné pendant des générations ne meurt pas d'un coup, il subsiste bien au-delà des événements qui l'ont fait naître et alimenté, se prolongeant comme les sons dont l'écho étouffé nous parvient dans la distance. Robert était anglais, la seule définition qu'il se souciât de donner de lui-même. Et à entendre cet « Anglais » où résonnait l'histoire passée dans sa grandeur et sa continuité, on voyait la vaste étendue des mers et l'île qu'elles distinguaient, à jamais différente des régions de l'Europe qui, dans une promiscuité difficile, se partagent depuis toujours le même sol. Un pays dont la géographie, à elle seule, indiquait suffisamment la particularité. Certes, Robert ne pouvait refuser que le temps de la domination était révolu et même, à l'époque où se forme l'Europe, celui de l'indépendance. Mais cette constatation, avec les déductions qu'elle entraîne, le mettait mal à l'aise, puisqu'elle menaçait les lignes de force qui sous-tendaient non seulement sa vie, mais l'Histoire dont cette vie tirait son sens.

Il était à mes yeux l'incarnation d'un type d'Anglais, en voie de disparition sans doute, comme il le disait lui-même avec un humour nuancé de regret, et qui pourtant, avec son aplomb indéfectible et sa longévité dans les siècles, pouvait sembler éternel. Les esprits hâtifs l'auraient placé sans trop d'hésitation dans la catégorie des «privilégiés qui vivent à cheval et meurent sur leur terre», la cible facile des moqueries : une petite caste, aussi isolée dans l'Angleterre d'aujourd'hui que certaines tribus africaines. Il faisait partie de ces gens qui, très tôt, ont reconnu la forme de leur désir – une forme tangible, incarnée, matérielle, comme peut l'être celle d'une femme pour un amoureux, et dont la possession, longtemps convoitée, loin de les lasser, les émerveille à chaque instant. Cette forme, ce n'était pas une femme, mais la terre : les collines sauvages du Yorkshire où sa famille était implantée depuis des lustres.

En cela, il avait un côté romanesque. C'est dans le roman, plus que dans la réalité où il existe pourtant, qu'on trouve à l'état pur ce type d'homme, à peine modifié par le passage des siècles – un type aussi ancien que l'Angleterre elle-même, profondément attaché à la terre ancestrale et aux valeurs qu'elle enseigne. De ce lien essentiel, sa famille était le dépositaire et elle le transmettrait à travers les générations – avec le sentiment qu'il y a, dans ce passé et ces valeurs, dans la lente émergence des lois, une nécessité que la décision de l'esprit, brutale et artificielle, ne peut que détruire ou mettre en danger.

Natural. Comme pour William Cobbett, un seul mot résumait les préférences et les peurs de notre ami, un mot qui était un article de foi. Et son contraire : *unnatural*. Il fallait naviguer un peu dans le temps pour en comprendre l'importance.

Robert avait allègrement sauté par-dessus les siècles, remontant les âges jusqu'à l'époque où la gentry vivait sur ses terres, avant que la révolution industrielle ne vienne remettre en question ce mode de vie aisé et tranquille. *Natural*, la tradition l'était, qui avait tissé les relations entre les êtres de façon pour ainsi dire organique, tel le réseau complexe et ramifié composant la racine d'une plante qu'on ne peut diviser sous peine de la mettre en péril ; *unnatural*, ce qui brisait cette unité. Par exemple, l'individualisme et ses exigences qui avaient triomphé de l'esprit de communauté. Deux siècles après Burke, Robert, sur sa terre du Yorkshire, continuait de suivre à la lettre les théories de cet écrivain, qui fut aussi un homme politique très écouté : « La nation, avait dit le philosophe, est faite de circonstances particulières, d'occasions, de tempéraments, de dispositions, des habitudes morales, civiques et sociales des gens, toutes choses qui ne se révèlent que dans la durée. » La durée, Robert avait fait de son mieux pour s'y installer. Il me semblait la vivante incarnation de l'aptitude anglaise à se relier au passé en ignorant les changements qui, comme des alluvions successives, viennent le recouvrir sans jamais l'effacer tout à fait.

Il nous expliqua qu'il préférerait léguer cette terre à un parent éloigné, pourvu que celui-là respecte les mêmes traditions, plutôt qu'à l'un de ses fils si ce dernier n'avait pas le même fort attachement à ses racines. Car c'est moins l'individu qui compte, disait-il, ou le lien affectif, que la prolongation dans l'histoire de la lignée où il s'insère et qui donne à sa vie sens et direction. « Ce ne serait pas juste que l'un de mes enfants vende cette terre que nous avons gardée depuis le XVIe siècle ; si ce devait être le cas, je la laisserais plus volontiers à mon neveu qui, lui, a le sens de ce qu'elle représente. » Cette valeur de la permanence, aucune passade – et la volonté d'un seul n'est jamais qu'une passade – ne devait, selon lui, pouvoir l'altérer. La possession de la terre en était le garant.

Inutile d'insister sur le fait qu'il adhérait sans état d'âme à la foi des conservateurs les plus endurcis dans les traditions du vieux monde. Une vision d'ailleurs assez largement partagée jusqu'à une époque récente, y compris dans des milieux moins favorisés que le sien, petits-bourgeois et ouvriers, qui acceptaient leur situation sociale sans rechigner, croyaient dans le bien-fondé d'une société hiérarchique et voyaient dans la monarchie, les lords, l'Empire et la campagne les incarnations du meilleur système possible sous le soleil. Comme Churchill, ces Anglais-là étaient convaincus qu'il existait un ordre naturel, social, métaphysique presque – une hiérarchie sacrée qu'il n'était ni possible ni souhaitable de renverser. Puis, vers le milieu du siècle, les choses changèrent. Que les dirigeants issus de l'aristocratie et des public schools – les anciens de Harrow et Eton – aient peu à peu été remplacés, à partir de la fin des années 1960 et dans les années 1970, par des gens venus d'un tout autre horizon (Edward Heath, par exemple, dont le père était charpentier, ou Mrs Thatcher, fille d'un épicier), que la Chambre des lords se soit en grande partie vidée de ses nobles héréditaires, que la perte de l'Empire et de ses fastes ait terni l'image d'une hiérarchie triomphante... autant de signes de la poussée des temps que notre ami ne pouvait ignorer, même dans son coin perdu de campagne, on était informés de ces choses-là. Seulement, ce présent lui importait peu : le sien était fixé à la terre, c'est-à-dire éternel.

Je voyais en Robert l'un de ces témoins que le passé, en se retirant comme une vague, a laissés, intacts et résolus, afin que les nouveaux venus puissent juger de quoi l'époque précédente était faite. Afin qu'ils sachent que, pendant un temps qui peut être long, les attitudes récentes coexistent avec de plus anciennes plutôt qu'elles ne s'y substituent. À le voir marcher à grandes enjambées sur la lande en compagnie de son chien, son bâton à la main, une pipe éternelle à la bouche, l'image même de la satisfaction paisible, on comprenait qu'il était formé de la même matière que ce sol – qu'il y avait

Des arcades légères
Leeds

Les sous-vêtements d'Ali Baba

Notre retraite dans les Yorkshire Dales a pris fin. Nous voici de nouveau sur l'autoroute du Nord, nous dirigeant vers Leeds, la plus proche des villes industrielles. La pluie cingle le pare-brise, régulière, infatigable. Leeds, Bradford, Halifax… Nous savions que dans ces villes, au XIXe siècle, s'était concentrée l'industrie textile, autrefois disséminée dans des monastères sur la lande, et qu'à la lente patience du travail à la main avaient succédé la mécanisation, la noirceur et la suie, à l'espace libre des *moors*, la surpopulation dans les villes, et la misère. « Un endroit infect, l'un des plus déplaisants que je connaisse », écrivait Dickens à propos de Leeds. Il est vrai que romanciers et poètes ont rivalisé pour décrire l'horreur de ces villes, selon eux, les antichambres de l'enfer. Nous avions à l'esprit les «*dark satanic mills*» de Blake, ces « noires fabriques de Satan », selon le titre d'un poème de D. H. Lawrence, sans compter les quelques passages forts tirés des livres dont nous avions emporté une cargaison. Nous espérions sans doute nous familiariser avec des paysages assez désolés pour rebuter le voyageur le plus aguerri : grandes carcasses délabrées de la civilisation industrielle, imprégnées d'une crasse sombre que des décennies de travail puis d'oubli avaient solidifiée, épaissie – des restes grandioses, sans doute, mais qui contribuaient à faire de ces villes de briques livrées à la pluie incessante et, la nuit, à la lumière pauvre des réverbères parmi les lieux les plus sinistres de la planète.

Riche et retapé, pimpant avec ses bâtiments victoriens repeints et mis à neuf, Leeds offre un visage affairé. Bien sûr, dans les pourtours de la ville, nous avons vu quelques usines abandonnées, bien sûr nous avons traversé le décor habituel aux banlieues : entrepôts et magasins de gros, ici mode et confection, sous leur tôle récente Sharma Hosiery, Alibaba Clothes et, plus tentant encore, Sweetheart Hosiery qui promet des sous-vêtements affriolants, puis nous avons longé les rues bordées de maisons sales toutes semblables devant lesquelles se tiennent de petits groupes de jeunes désœuvrés. Mais le centre de la ville témoigne d'une confiance toute neuve, avec ses façades rouges incrustées de pierres crème fraîchement nettoyées et la débauche de motifs qui les ornent, les transformant en gâteaux de fête : colonnettes, clochetons et petits lions, et, dans les galeries, les arcades légères qui, tel un labyrinthe de métal et de verre, s'enchaînent et se répondent : Queen's Arcade ou The County Arcade, une longue structure métallique rythmée de coupoles et de mosaïques, de guirlandes de fleurs et de feuilles qui en notes vertes et orange s'étirent et dansent tout au long des balcons de fer forgé, et Thornton's Arcade, étroite et bleue, une structure néogothique dont le carillon est composé de quatre personnages médiévaux – un chevalier, un Robin des Bois tout de vert vêtu, un forgeron et un moine en robe courte – qui frappent à qui mieux mieux sur une cloche, rappelant que l'histoire passée continue de régler notre temps et que, en dépit des rumeurs, elle fut forte et joyeuse, ainsi l'affirment ces sons robustes et sans nuances.

Un peu plus loin, Kirkgate Market. Un monument édouardien qui a le charme précis d'une maison de poupée. Il offre ses étals bien ordonnés dans un décor de briques vernissées, de piliers et d'arcades. Ce marché ancien est maintenant un lieu intime et soigné où les marchandises prennent des airs d'objets précieux – de banals fruits et légumes sans doute, mais exposés comme autant de natures mortes. Décliné à l'infini, avec de subtiles variations, le thème du sous-vêtement dont la confection, après la production de la laine, est devenue l'une des activités de la ville : en coton, en soie, en dentelle, en nylon, ajouré, découpé, audacieux ou couvrant, puis les instruments qui s'y rattachent, machines à coudre, ciseaux, fil, aiguilles, boutons et passementerie, la boîte à ouvrage au grand complet des dames du temps jadis. Un souci d'exhaustivité qui aboutit à la lingerie miniature déposée autour d'une poupée sur un éventaire, depuis la blanche robe de mariée jusqu'au minuscule soutien-gorge de dentelles, des éléments toujours plus petits, réduits, secrets, invisibles presque – le goût de la période victorienne pour un univers intime et clos, dérobé au regard, qui a pour corollaire celui de l'affirmation grandiloquente dans l'architecture.

Ainsi l'hôtel de ville de Leeds, lourd, pompeux, monumental et gris, surmonté de sa tour et de son dôme, décoré de colonnes corinthiennes. On y pénètre. Une enfilade de couloirs. Une porte à franchir. Soudain on est au centre d'une colossale pâtisserie de sucre glacé travaillée de couleurs vives. Le blanc et le pourpre, le bleu éclatent, le balcon et l'orgue repeints de neuf ressemblent à des jouets pour un enfant gargantuesque. Ce côté enfantin, la naïveté de ce triomphe tapageur. Le guide, un jeune habillé de noir et paré de piercings, évoque longuement les thés, danses et concerts qui s'y déroulent régulièrement, nous précisant que le parquet est en ces occasions poudré de talc.

Leeds s'est emparé des vestiges de l'histoire récente, leur rendant un éclat et une fierté que la critique du xixe leur avait ôtés. Les voilà lavés, vidés de leurs fantômes, débarrassés de leur association avec l'Empire ou la révolution industrielle, transformés en un décor touristique, lisses et vernis de neuf, prêts pour la consommation. Témoin le Corn Exchange, un bâtiment ovale décoré de pierres biseautées, qui ressemble à un vaisseau spatial, à une nef, à un zeppelin dont l'ossature légère par où pénètre le ciel abrite sur deux étages des magasins qui ont plus à voir avec la célébration du sexe qu'avec le commerce de la laine.

King Ludd et la tour de Babel

Pour écrire *Shirley*, le seul de ses romans qui se situe dans le passé et prenne en compte les troubles sociaux, Charlotte Brontë avait demandé le *Leeds Mercury* des années 1812-1814, c'est-à-dire la période des révoltes luddites. Ned Ludd, le mythique «King Ludd», qui, comme Robin des Bois, avait, dit-on, trouvé refuge dans la forêt de Sherwood, apparaissait alors comme le défenseur de la classe ouvrière en proie à la misère et au chômage : usines envahies, machines détruites, patrons attaqués, menacés… Le mouvement, parti des environs de Nottingham en 1811, s'étendit au Yorkshire ; les machines toutes neuves étaient en cause, elles contribuaient à enlever leur travail aux ouvriers.

Robert Moore, le héros de *Shirley*, est un hardi capitaine d'industrie qui fait face à la foule déchaînée après la livraison de nouvelles machines. Les ouvriers vont envahir sa fabrique et saccager son matériel, ils sont armés et font feu. Cependant tout se passe dans les règles de l'honneur, puisque Moore et ses alliés ont attendu ce moment pour riposter et tirer eux aussi. Caroline, qui non loin de là observe la scène en compagnie de Shirley, commente : «Il a su montrer de la patience, personne ne peut l'accuser de précipitation, ils ont tiré avant lui ; ils ont cassé ses grilles et ses fenêtres… »

Voici comment se passa dans la réalité la scène qui inspira Charlotte Brontë ; Mrs Gaskell la raconte dans sa biographie[1]. «Des centaines d'ouvriers affamés se rassemblèrent dans un champ près de Kirklees […] et furent armés par leurs meneurs avec des pistolets, des haches et des massues […] La foule maussade et silencieuse s'approcha de Rawfolds en cette nuit noire [la fabrique de Mr Cartwright] ; leur cri sauvage réveilla Mr Cartwright en sursaut, annonçant que l'attaque tant attendue avait débuté […] il n'avait que quatre hommes et cinq soldats. Ces dix hommes parvinrent toutefois à maintenir un tir de fusils si nourri et d'une telle précision qu'ils repoussèrent les tentatives désespérées de la multitude.» Mr Cartwright devint un héros aux yeux des industriels du voisinage : ils lancèrent une souscription à son profit et purent lui offrir 3 000 livres. Des ouvriers tués ou blessés, il ne fut plus question.

Charlotte Brontë, sensible à la justice, réserva à Robert Moore-Cartwright la riposte, elle y insiste. Son comportement le grandit. C'est ainsi que la romancière réussit ce tour de force : concilier héroïsme romantique et direction d'usine.

Énergique, froid, dur, inflexible, agissant dans le seul intérêt de son affaire (et ces qualités, qui souvent sont liées à la virilité, ne sont pas pour déplaire à celle qui créa Mr Rochester), Moore est pourtant incapable de bassesse ou de cruauté délibérée. S'il n'est pas sensible au sort de ses ouvriers, c'est qu'il est un étranger, explique l'auteur – une considération, un alibi qui, à l'époque, constituait une puissante explication : être

1. Elizabeth Gaskell, *Charlotte Brontë*, traduit par Lew Crossford d'après la première édition anglaise, Éditions du Rocher, 2004.

étranger signifie qu'on ne peut comprendre ni vivre dans son corps l'histoire d'un lieu et de ses habitants. Mr Cartwright, tout comme Moore, « avait du sang exotique dans les veines ; cela se voyait à sa haute stature, à ses yeux ou à sa peau sombre, et à ses manières étranges bien qu'elles fussent celles d'un gentleman. Il avait en tout cas longtemps séjourné à l'étranger et parlait le français couramment, circonstance suspecte en elle-même en ces jours de nationalisme exacerbé » (Mrs Gaskell). Il est évident que le modèle original, comme le héros fictif, enflamma l'imagination des deux auteurs. Un gentleman à la peau sombre et qui, de plus, parlait français…

Moore est juste, mais il est indifférent. Cette indifférence, même si elle a l'excuse de la naissance, mérite d'être punie : aussi manquera- t-il de mourir. C'est amoindri, défait, exsangue, tout comme Mr Rochester dans *Jane Eyre*, qu'il comprendra enfin son erreur : il y a, dans la vie, quelque chose à chercher « au-delà de son propre intérêt personnel ». En outre sa blessure expiatoire lui fournit l'occasion de découvrir la douce et patiente Caroline qui l'aime en secret depuis longtemps (comme à Jane Eyre, l'auteur n'accorde à celle-ci le droit d'être aimée que par un homme diminué et dûment ramené à l'état d'épave).

D'autre part, argue Robert Moore, peut-on arrêter l'évolution du progrès, mettre un terme à la mécanisation qui est en marche maintenant ? Les changements que lui, Robert Moore, effectue sont nécessaires, il n'est d'ailleurs pas le seul à les pratiquer, tous s'y sont mis. La fermeture de l'usine soumise à la loi de la concurrence n'aiderait pas les ouvriers. Ces questions, dans une course à la réussite qui fit tant de morts et de misère, certains se les posèrent vainement, à moins qu'elles n'aient servi de justification à l'indifférence, voire à la répression. L'Angleterre avait peur ; l'esprit révolutionnaire s'était, à la fin du siècle, répandu dans toute l'Europe ; la réaction contre les mouvements ouvriers fut à la mesure de cette peur (entre autres contre celui des Luddites : 12 000 hommes déployés contre eux, 17 rebelles pendus).

Charlotte Brontë n'a pas voulu noircir ces briseurs de machines, mais faire preuve d'objectivité. L'héroïsme de Moore n'exige pas l'infamie des rebelles. Shirley remarque : « Avec quelle fermeté ils marchent. Il y a de la discipline dans leurs rangs [...] ils ont en eux assez de souffrance et de désespoir – des motivations qui les font aller de l'avant. » Pourtant, selon l'auteur, qui adhère au point de vue de sa classe, ce ne sont que des malheureux trompés par quelques meneurs qui n'ont rien à perdre, et non des hommes doués d'un jugement et d'une initiative propres. Poussés à bout par la misère. Et des agitateurs sans scrupules profitent d'eux pour exercer leur vengeance contre la société.

Le cri de la revanche et de la haine qui éveille la même haine en retour, Charlotte Brontë l'entendit-elle un jour monter jusqu'au presbytère de Haworth ? Elle en fait une description si vive et effrayée qu'on pourrait le croire. « Un cri suivit cette démonstration [des jets de pierres lancés contre les fenêtres] – le cri des émeutiers issus du Nord-de-l'Angleterre, du Yorkshire, du West Riding, de la région-de-la-confection-dans-le-West-Riding-dans-le-Yorkshire. Peut-être n'avez-vous jamais entendu un tel cri, lecteur ? En ce cas, c'est tant mieux pour vos oreilles – et pour votre cœur. » Un cri poussé par des hommes qui ne parlent pas la langue de leurs adversaires. Les mêmes mots peuvent avoir un sens différent, on le sait, tout étant affaire d'interprétation.

Au-delà de son analyse soigneuse, c'est ce cri qui continue de résonner, une fois qu'on a refermé le livre et que s'est effacée l'image finale de la nouvelle usine et de son haut-fourneau, « ambitieux comme la tour de Babel » – une tour où les langues se mêlaient sans se répondre.

Du portrait de Gott à la caricature de Cruikshank

L'usine de Robert Moore, peut-être l'avions-nous sous les yeux. Ou une autre toute semblable, Armley Mills, à quelque deux kilomètres de Leeds, l'une des plus importantes manufactures de laine, jusqu'à sa fermeture en 1969.

Située au-dessus d'un canal aux eaux croupissantes, elle est l'un de ces grands palais d'une industrie défunte que l'on voit aujourd'hui abandonnés aux abords des villes. Sa façade de pierres jaunes, envahie d'une lèpre noire qui s'étend en grandes taches irrégulières autour de la béance des fenêtres, abrite des étages entiers de salles immenses et de machines inactives. Vides. Nous les parcourions sans comprendre, dans un silence où résonnaient nos pas, à la recherche d'indices. Depuis l'instant où, fraîchement tonte, la laine s'élève en piles blanches et mousseuses, jusqu'à celui où, tournant sur des bobines, un fil émerge de ces flocons, c'est tout le processus de fabrication qui était retracé sur des panneaux. Mais les machines se taisaient. Nulle trépidation, aucun écho du vacarme infernal qui vous rendait sourd, nulle silhouette assise devant les machines à coudre placées côte à côte en longues rangées dans l'atelier de confection.

L'homme qui fonda la puissance d'Armley Mills, alors qu'un incendie l'avait détruite peu après son acquisition, porte le nom révélateur de Gott, un dieu, en effet, si l'on en juge par les critères victoriens : l'énergie, l'« intellect vigoureux, la force de décision » et même le « bon goût », des qualités que ne manque pas de rappeler sa nécrologie ; la phrase finale est pourtant empreinte de prudence : « Personne ne jouit de plus haute considération ni de plus grande estime dans son cercle que Mr Gott. » Qu'en était-il donc en dehors de son cercle, parmi ses ouvriers, par exemple ? Compta-t-il parmi le petit nombre des patrons éclairés, soucieux du sort de ceux qu'ils employaient ? Et sur quel labeur fut fondé son succès rapide et prodigieux ? L'histoire admirative ne le dit pas, ni son portrait officiel, tout de noir et de pourpre, où se trouvent alliés une discrète élégance, le confort d'un fauteuil de velours et la suggestion d'un horizon lointain. L'homme est assis bien droit et fixe sans peur l'avenir. L'ensemble révèle une foi sans nuances dans la tenue et la discipline, dans la capacité de l'individu à construire. En l'espace d'une génération, plus rapidement qu'en tout autre pays européen, la révolution industrielle, qui bouleversait l'apparence même du paysage – cette nature qu'on avait cru éternelle –, avait créé ses dieux et ses parias.

Gott exporta ses marchandises en Amérique du Nord et du Sud, en Europe et en Orient, des vaisseaux chargés de ses produits sillonnaient les océans puis revenaient, approvisionnant le monde au passage. Il devint l'un des plus gros employeurs d'Angleterre et l'un des plus riches. Son influence s'étendit à la politique locale, il fut maire de Leeds en 1799 et, pour fignoler ce portrait d'une réussite exemplaire, y ajouter la touche de beauté indispensable, il se montra « un patron enthousiaste des arts ». Ses fils introduisirent la première machine à vapeur en 1850 afin d'accroître la puissance des moulins à eau. Peu à peu les machines se perfectionnaient, Armley Mills restait une industrie de pointe en matière de technique.

Puis, pour rendre l'histoire plus significative encore de ces temps de succès et de misère, l'usine fut rachetée en 1907 par la firme de Stewart Tempest, un homme qui avait commencé à travailler à Armley Mills à l'âge de six ans, dans les années 1840, alors que mourait Gott. Sa sobre photo, près du portrait héroïque, révèle les mêmes qualités d'audace et de clairvoyance, et, tel un hommage aux seules vertus du travail, une fermeté orgueilleuse qui se passe des signes de la richesse. Mais l'usine déclinait. Il ne suffisait plus, pour la maintenir, des qualités victoriennes. La perte des marchés tandis que l'Empire s'effondrait, l'accroissement de la compétition avec les pays étrangers, la découverte de fibres synthétiques… l'époque était passée de la laine et de ceux qui fondèrent sur elle leur gloire. Il restait à faire de l'usine un musée, dernier avatar, marque d'une mort définitive.

Nous arpentions les salles maintenant désertes. Rouleaux, engrenages, tubes, courroies, chaînes, poulies, pistons, griffes et pointes. Les machines étaient figées dans une immobilité éternelle, effrayantes malgré tout, le rappel d'une puissance aveugle capable de broyer les vies tout comme de transformer la matière. « George Dyson, âgé de treize ans, est mort, pris dans l'engrenage de cette machine à carder. » Une pancarte discrète. Une mort commémorée par un petit poème (« Il se leva, s'habilla, sans crainte du danger. De bonne heure ce matin se rendit au travail / Avant midi c'était un cadavre »), une mort parmi d'autres. Un témoignage parmi d'autres : celui de William Hall, datant de 1826, qui, à sept ans, travaillait dans une usine de coton. La longueur de la journée de travail – en 1815, quatorze heures en moyenne pour un enfant de dix ans – et les besoins du rendement que renforçait une compétition féroce impliquaient tout un système de châtiments corporels. « Je me levais tôt et je travaillais tard… Une fois j'ai été en retard de quinze minutes. On m'a battu, fouetté, donné des coups de pied pendant si longtemps que ça paraîtrait incroyable si je donnais un chiffre exact… Je pouvais à peine me tenir debout quand mon tourmenteur a arrêté, mais il a fallu que je me remette directement au travail… À la suite de quoi j'ai perdu l'appétit pendant des semaines. » Parfois, le travail commençait à cinq heures le matin, finissait à neuf heures le soir, les enfants de huit à dix ans tombaient de sommeil, des coups de lanière distribués par un contremaître diligent les tenaient éveillés. Un dessin de Cruikshank, le génial illustrateur de Dickens, montre deux figures d'ogre vociférantes qui brandissent fouet et bâton, tandis que des êtres chétifs et difformes filent devant eux sans parvenir à se faire entendre. Ces dessins au trait nerveux, chargé, tourmenté, en révélant au monde les dessous cachés de la prospérité, firent beaucoup pour convaincre qu'il fallait voter de nouvelles lois. L'image en tant que moyen de pression. Une humanité fébrile et crispée, des personnages rabougris ou démesurés dont le corps supplicié s'étire, se plie, s'amincit, se contorsionne, des corps à peine humains, modelés par l'effort en des formes étranges, des insectes aux membres mécaniques. C'était la vision d'un peuple nouveau, issu de la révolution industrielle et des sociétés de tempérance.

Il était en tout point opposé à celui qu'on trouve chez un autre caricaturiste célèbre, Rowlandson, qui, lui, représenta l'esprit du XVIIIe siècle, et cela de la façon la plus extrême, juste avant que cet esprit ne meure. C'était encore une Angleterre flamande, sensuelle et débauchée, un peuple pour qui la vie était dominée par le côté physique et la chaleur du sang. On vivait en plein air, à la campagne. Rowlandson, qui s'adonnait par ailleurs au dessin pornographique, montre un énorme carnaval qui semble durer d'un bout de l'année à l'autre. La santé des corps, la gloire des sens, l'ardeur du plaisir, et comme seule morale : la vie. Cette force de la vie et du sang, telle qu'il la capte dans ses dessins sauvages, elle existait encore dans le peuple à la veille de l'asservissement industriel.

Nous étions à présent dans les ateliers de travail à la chaîne, même position, même mouvement, même rythme, même précision exigée, cela du matin au soir,

La violence des éléments
Haworth

Installée de toute éternité, la pluie

Matin ou après-midi, la pluie. Nous nous morfondions. La voiture garée dans quelque lointain parking, les pièces dûment glissées dans l'appareil, nous avions deux heures pour errer dans la ville, accrochés à un parapluie insuffisant malgré sa taille.

La pluie sur ces villes du Nord, nous avions eu le temps d'en étudier la densité et la couleur. Ce n'était pas la pluie fine et cinglante de l'automne français, ni l'averse parisienne qui astique le pavé et le fait reluire, ni même le fin crachin breton, retenu, discret, léger, encore moins le déluge tropical, soudain et violent, dont nous gardions au cœur le chaud souvenir, non, la pluie du Nord anglais n'a ni début ni fin : elle est installée là de toute éternité – elle ne provient d'ailleurs pas du ciel et des nuages, mais de l'air même que l'on respire, des plantes et des arbres, de tout le paysage saturé d'eau comme une éponge, elle dissout les volumes, gomme les couleurs, estompe les frontières, noie les formes, constituant comme une masse grise indistincte dans laquelle on avance à tâtons.

Nous nous étions arrêtés dans une auberge près de Bradford pour y passer la nuit. Le matin, par la fenêtre, la ligne de la colline affaissée sous le poids du ciel. Au loin, la forme à peine visible d'une ferme, simple trait gris dans la distance. Depuis la veille, la pluie tombe sans discontinuer. On n'imagine plus que le paysage puisse exister sans elle ; nous le savons maintenant : il est la matérialisation de la pluie, fait d'eau à peine solidifiée, constitué de vapeur comme un nuage, dont il a d'ailleurs l'apparence, il est mouvant et sans substance, parfois il disparaît tout à fait pour resurgir un instant plus tard, pâle et flou, fantomatique. Sur la colline, on aperçoit des chemins qui montent et s'enfoncent dans le brouillard, se perdent.

Non loin de notre halte, le presbytère de Haworth où vécurent les Brontë. Le chemin dont je voyais le bout était l'une des promenades qu'Emily aimait à faire. À la description de la pluie, pourtant présente dans son livre, elle a préféré les hurlements du vent ou le silence glacial des rafales de neige. Faute de la tourmente des éléments dont est issu tout le roman, de la tempête qui fait rage dedans et dehors, dans les esprits et sur la lande, je voyais cette lourde chape de brume qui noyait le paysage et l'isolait, un ciel léger m'aurait déçue.

Je m'étais toujours refusée à visiter leur maison. Par crainte peut-être. Emily Brontë, j'avais vécu en sa compagnie pendant des années en me promenant sur la lande de mon enfance, non celle du Yorkshire sans doute, mais tout paysage un peu aride où pousse la bruyère me ramenait à son roman. Bien au-delà de mon adolescence, quand je le lus, il ne cessa de me hanter, comme ces œuvres majeures sur lesquelles on ne cesse de s'interroger et dont, pourtant, aucune réponse ne suffit à expliquer le pouvoir. Rien, à mon avis, dans toute la littérature, n'égalait ce livre, une œuvre d'art, évidemment, ce que l'on n'a pas assez démontré, mais aussi une œuvre d'être. Emily Brontë, pour beaucoup de ses lectrices, fut sans doute d'abord un modèle, puis une tentation, puis, la vie passant, une nostalgie – celle d'une exigence, ou peut-être d'une nécessité si profonde qu'à leur différence elle ne s'en écarta jamais, «ces sauvages Désirs», écrivait-elle dans ses poèmes, que nul ciel promis ne saurait combler, même à demi, «cet insatiable vouloir» qu'aucun enfer brandi ne pourrait dompter. Aussi je craignais de voir cette présence, si intimement associée à la nature et à la liberté de l'espace, se réduire à des souvenirs, des choses mortes, ternes objets flétris à l'abri de leur vitrine, le peigne qui lui échappa des doigts parce qu'elle était trop faible, le canapé sur lequel elle mourut un jour d'hiver. Des reliques, les «trésors de la collection», comme le dit la brochure, doublement morts, ces souvenirs, d'être devenus des objets de culte, aquarelles ou dessins, bijoux, lettres et colliers de chien, pieusement isolés. On m'avait décrit la maison, ses petites chambres, l'ordre impeccable qui y règne, les meubles de poupée et les souliers de Charlotte, pas plus grands que ceux d'un enfant. Un musée. Sans doute la taille même des pièces, leur proximité, et la présence des instruments de la vie quotidienne en disent long sur l'existence des Brontë et ce qui l'opprima. Mais je ne m'attendais pas à les comprendre mieux pour avoir vu ce décor étroit. Les possessions, les détails extérieurs ne nous permettent pas nécessairement d'approcher d'un être, moins en tout cas que le lieu où il s'est senti vraiment lui-même – celui auquel il s'est identifié. Exercice d'empathie. Et ce lieu, dans le cas d'Emily, n'était pas le petit presbytère, mais, tout autour, la lande – «de longues landes basses assombries de bruyères enfermées en de petits vallons où un ruisseau baigne çà et là une frange de taillis rabougris», un paysage qui, selon Charlotte, n'a rien de romantique, pas même d'intérêt poétique, et auquel seuls peuvent prêter du charme «l'amour pour la nature sauvage» et l'Imagination avec un grand i, comme elle l'écrit. Tel était pourtant le paradis d'Emily Brontë, «... nul ne désire autant un Ciel/Plus semblable à cette Terre».

Aussi est-ce vers cette terre que nous nous sommes tout d'abord dirigés. Il suffit de contourner la maison, de longer le cimetière qui est devant, tout de suite la lande est là, au bout d'un court chemin d'herbe. PENISTONE HILL. Un écriteau rappelle ce lieu du roman, interdit et rêvé, puisque, pour l'atteindre à partir du manoir de la Grive, il faut passer par la ferme de Hurlevent où le mal est embusqué. Comme un mur rugueux et brun, la crête de la colline barre le ciel. Les rochers, dont Emily tira la tête de Heathcliff – une «tête sauvage, boucanée, sinistre» –, les eaux qui dévalent entre les pierres, les touffes de bruyère et le vent soufflant sur l'étendue. La lutte, l'âpreté, la violence des éléments. Arrivé au faîte de la colline, il n'y a que la ligne des sommets qui ondule et le paysage inculte, bruyères brunes et mauves, sans plus d'habitation. Rien n'arrête le regard ni ne distrait la pensée, les détails se fondent dans l'immensité. L'harmonie entre univers intérieur et extérieur, quand il n'existe pas de différence entre les deux, pas de séparation, que le paysage contemplé est comme l'émanation des formes de notre esprit, Emily dut la trouver ici. Le monde qu'elle portait en elle s'incarnait devant ses yeux, ou bien c'est que la sauvagerie de la nature avait nourri son imagination. Et de sentir qu'elle pouvait passer de l'un à l'autre sans rupture, qu'il n'y avait plus ni frontière ni division ni limites, elle éprouvait un sentiment de liberté. Une liberté qui, comme les collines, se déployait à l'infini et sans laquelle elle ne pouvait vivre. Ici le rêve prenait la consistance du réel et le réel ne différait plus de l'imaginaire, qui était incarné. Tandis que dans la vie en société, pour laquelle Emily n'était pas faite, les mouvements de l'esprit, forts et impérieux, se trouvaient contrariés, arrêtés par des intrusions constantes, par le rappel des rythmes et des présences étrangères.

Dans la maison, où nous avons fini par revenir, m'ont surtout frappée les Juvenelia, ces carnets couverts d'une écriture en scripte, si minuscule qu'il faut une loupe pour la lire. Ils contiennent la vie des enfants Brontë. Le secret. Un monde si réduit qu'on ne peut vous le dérober. Un monde à l'abri des prédateurs. Un monde en tout point opposé à la terne existence quotidienne, plein d'aventures et de héros, de passions, de trahisons, de vengeances, de batailles et de gloire. Ce monde-là était le leur. Ils y faisaient d'ailleurs entrer des personnages réels, pour peu que ceux-là prêtent à rêver. Gondal, pour Emily et Ann ; Angria pour Charlotte et Branwell. L'intensité de rêves entretenus à quatre, en vase clos. La vraie vie, la vie imaginaire de l'enfance ne cessa pas, elle prit le pas sur une réalité insuffisante. L'imagination surchauffée continua de produire des visions horribles ou magnifiques qui se substituaient aux scènes banales de la routine. Dans sa pension de Roe Head, Charlotte, un jour interrompue par un élève (qu'elle traite aimablement de butor) alors qu'elle était en pleine création, raconte que, de contrariété, elle faillit vomir : la vie «infernale» de son esprit réclamait satisfaction. «Infernale», dit-elle. Une vie qui ne se souciait ni du bien ni du mal, ni des lois ordinaires, ni des obligations extérieures – une force pure, irrésistible, qui l'entraînait bon gré mal gré et à laquelle elle aurait aimé sacrifier tout le reste. Emily, à vingt-sept ans, peu avant sa mort, jouait encore avec Ann des scènes de Gondal. Des deux cahiers de poèmes qu'elle a établis, l'un s'intitule *Gondal Poems* ; on y voit s'exprimer cette veine poétique qui est issue directement des «rêves éveillés» auxquels s'adonnaient les enfants laissés à eux-mêmes. À ces rêves les Brontë ne renoncèrent pas : depuis toujours ils constituaient leur univers, aucun autre ne leur fut proposé qui pût en approcher.

La lande était le lieu où Emily donna libre cours à la vie de l'esprit, intense. Il y eut ainsi quelques génies dans la littérature anglaise, très peu sans doute, les Powys parmi eux, et Blake bien sûr, voyants naturels dont l'imagination était si vive et le pouvoir de vision si fort qu'ils n'avaient nul besoin de la stimulation du monde, et même ils réclamaient un tel éloignement : la solitude leur convenait, elle était nécessaire au travail de ces mouvements intérieurs qui les absorbaient tout entiers.

Des bataillons de tombes

Le presbytère de Haworth est entouré de tombes. Il n'est pas une fenêtre qui ne donne sur le cimetière. Où que l'on regarde, on voit les pierres tombales, droites et serrées, une armée silencieuse qui se presse, toute proche. Au bout du jardin, qui est un enclos minuscule, une petite barrière aujourd'hui refermée par où sortirent les cercueils : celui de Mrs Maria Brontë, morte le 15 septembre 1821, dans la trente-neuvième année de son âge, de Maria, sa fille, morte dans sa douzième année, d'Elizabeth, morte quelques mois plus tard, dans sa dizième année, de Patrick Branwell Brontë, leur frère, âgé de trente et un ans, puis, trois mois plus tard, en 1848, celui d'Emily, morte à l'âge de trente ans, celui de Charlotte enfin, qui était âgée de trente-huit ans. Anne, la sœur la plus jeune, mourut à vingt-huit ans et fut enterrée à Scarborough afin de ne pas affliger leur père déjà accablé par tant de morts successives. Dans l'église, comme une litanie, la liste des prénoms gravée sur une plaque, la répétition du même nom, le court intervalle entre les dates et l'absence de commentaire. L'omniprésence de la mort. La vision des tombes, partout, et l'image des cercueils qui se suivent le long de l'allée, à quelques mois de distance : le jardin à franchir, la barrière est ouverte, l'entrée, directe, dans le cimetière.

Laconique, la brochure vendue au magasin du musée explique que «les morts dans la famille Brontë, bien que tragiques, n'avaient rien que d'ordinaire». La mort précoce, dans un village où 41 % des enfants mouraient avant d'avoir atteint l'âge de six ans, était prévisible. L'industrialisation battait son plein, Haworth était insalubre et surpeuplé, le système d'égouts se bornait à un ruisseau coulant à ciel ouvert dans la grand-rue, et le cimetière, en surplomb de la ville, mal irrigué, trop rempli, envoyait aux survivants ses émanations mortelles. À Haworth, l'espérance de vie était de vingt-cinq ans, la même que pour certains des quartiers les plus insalubres de Londres. À regarder les bataillons des tombes sous les fenêtres de la maison, l'obsession de la mort, dans *Les Hauts de Hurlevent*, prenait une nouvelle signification. Aucune nécessité d'exercer son imagination ni d'avoir le goût du morbide, la réalité quotidienne suffisait à l'inspiration.

Devant la façade du presbytère, la rue pavée descend vertigineusement, bordée de ses petites maisons de pierres. Les Brontë ne se rendaient que rarement au village, sauf Branwell, peut-être, dont le pub rappelle le nom. Haworth, un sinistre village rude et gris, est aujourd'hui coquettement décoré et pavoisé de rubans ; le long de la célèbre rue pavée un magasin sur deux offre les *Brontë country cards*, des vues de la lande en couleurs, et les salons de thé à touche-touche exposent en vitrine leur lot de touristes éternellement attablés. Mais c'est toute la région qui vit activement du souvenir des trois sœurs et de leur frère ivrogne, hôtels, auberges, bed and breakfasts, places de village, entreprises et usines à des kilomètres à la ronde, tout lieu qu'il soit réduit ou important porte le nom de Brontë. Dans la maison, des visiteurs silencieux et recueillis sont venus du monde entier pour s'approcher du mystère de ces trois femmes qui vécurent au XIXe siècle dans un coin reculé de la province anglaise et n'en sortirent jamais que pour y revenir.

Des hauts-fourneaux dans la pluie
Bradford

Un alpaga et une chèvre angora

Ce jour-là, il pleuvait plus fort encore que d'habitude. Les nuages enveloppaient la ville. On ne voyait, émergeant du brouillard, que le moutonnement des toits tous semblables et, çà et là, pointant hors de cette platitude, les hauts-fourneaux flanqués de leurs bâtiments désertés, restes noircis d'une gloire évaporée. Sous son ciel tourmenté, Bradford atteignait à une sorte de grandeur dans la désolation. Je me souvins d'une photo de Don Mac Cullin, sous-titrée «Bradford, 1978». Sur une route déserte et luisante de pluie, entre les masses noires des entrepôts, un vieil homme s'avance, courbé sur des béquilles; il est seul. Dans un rectangle de papier, capté par le photographe, l'abandon.

Manningham Mill, construite en 1870 par Samuel Cunliffe Lister, dressée de toute sa hauteur orgueilleuse contre l'horizon, domine les rangées de petites maisons rampant à flanc de colline. Une usine qui ne diffère des autres que par sa situation, l'esprit est le même, il proclame l'ambition de la période. Toute différente, Saltaire, l'usine conçue par Sir Titus Salt dans un décor bucolique, tente de réconcilier la puissance industrielle avec les charmes de la pastorale.

Un homme d'imagination, Sir Titus, un esprit moral et un vrai victorien, l'un de ces grands réformateurs utopistes qui ne se contenta pas d'amasser une fortune mais voulut en sus changer le monde et élever le niveau moral de l'humanité travailleuse. Certes, le siècle, en proie à la révolution industrielle, à ses nouveautés et ses méfaits, vit fleurir utopistes, romanciers et théoriciens, tous loquaces et prolifiques, qui proposaient une société meilleure. Sir Titus, pourtant, parlait peu et écrivait moins encore : s'exprimer en public lui causait une gêne visible et, à la Chambre des communes, dont il fut membre pendant deux ans, on ne l'entendit pas prononcer le plus petit discours ; quant aux traces écrites de sa pensée, on n'en trouva pas ; même les lettres, dont chacun à cette époque avait l'art, il n'en écrivit que fort peu. Mais il fit construire l'usine de Saltaire, la plus extraordinaire réalisation de son temps, avec le village attenant, qui est joliment situé sur une hauteur devant la rivière. Dès lors, cet homme déjà connu pour ses bienfaits devint une légende.

Un buste offert par ses ouvriers le représente en empereur romain, barbe bouclée et cou dégagé, vêtu d'une toge. Fier, digne et juste, un type d'individu qui traverse les siècles. Le buste est en pur marbre de Carrare, le piédestal vient de Sicile. Deux animaux sont à ses pieds, un alpaga et une chèvre angora, dont la fourrure fit la richesse de Titus Salt. Une corne d'abondance déverse ses fruits sur Saltaire. Puissance et grandeur, mais sans ostentation. Sa fortune considérable, Sir Titus la tenait de Dieu, qui lui avait donné les capacités de l'édifier. Ce n'était pas un hasard, Dieu attendait de lui une réponse. Sans nul doute de tels dons impliquaient des responsabilités, voire une mission. Donc il allait jouer de son argent et de son pouvoir, et la vie des gens en serait changée. En améliorant leurs conditions d'existence, il allait en faire des êtres meilleurs – des êtres vertueux et contents, craignant le Seigneur et aimant le Bien. Sir Titus était un être de vision. N'eut-il pas lui-même la tentation de se prendre pour Dieu ? En édifiant Saltaire selon ses propres plans, celle de reconstruire le monde ? Ce monde-là correspondrait à ses idées et ne serait pas, comme dans la grande ville de Bradford, limité par l'interférence d'autrui. Nombre de signes donnent à penser qu'il ne fut pas à l'abri d'une vulgaire tendance à la mégalomanie. Les initiales de son nom, TS, courent tout autour de l'église. T, pour Titus, la forme donnée aux tables de réception, quand il reçut 4 000 personnes le jour de son cinquantième anniversaire (où l'on servit, comme pour Gargantua, 120 cuisses de mouton et 100 plats d'agneau, 40 jambons et 40 langues, 50 pâtés de pigeons, 50 poulets rôtis et 20 canards à la broche, et des grouses, et des perdrix, et 120 plats de gelée, le triple en plum-puddings…) ; T, la structure de l'usine principale qui comportait la pièce la plus longue et la plus large du monde, et, pour identifier les rues du village, les prénoms de ses enfants (il en eut onze) et de ses petits-enfants : Caroline, Dove, Jane, Shirley, Gordon ou Harold Street… Partout la célébration de l'ego. Des excès à la mesure de l'ambition de l'époque.

On ne lui en voulut pas. Bien au contraire. Il fut apprécié des travailleurs, qui à sa mort suivirent en foule son cercueil, aimé des puissants de ce monde – en Angleterre et outre-Manche – pour une œuvre qui les rassurait : il était donc possible d'unir expansion industrielle et stabilité sociale ? La subversion politique, née de la misère et de la dépravation, comme on le croyait, ne risquait donc pas de renverser l'ordre établi ? Sir Titus, le bien nommé, avait su se montrer le plus éclairé des patrons et promouvoir, sous la forme d'une usine et d'un village modèles, l'idée du Bien sur la Terre. Cela en une période où Bradford, devenu le centre de l'univers marchand pour la fabrication de la laine peignée, n'était rien de moins qu'un enfer. « N'importe quelle ville industrielle anglaise est un paradis comparée à ce trou, écrit

Weerth, un poète allemand, en 1840 ; à Manchester l'air pèse sur vous comme du plomb ; à Birmingham, c'est comme si vous étiez assis avec le nez dans un poêle ; à Leeds vous recrachez la saleté comme si vous aviez avalé du poivre de Cayenne – mais tout cela n'est encore rien. À Bradford, vous êtes en compagnie du diable incarné... Si quelqu'un a envie de savoir comment un pécheur est tourmenté au purgatoire, qu'il se rende à Bradford. » Surpopulation, mauvais habitat, chômage, misère et maladie, Bradford, dont la population s'était multipliée par sept en quelques années, attirant nombre d'immigrants, offrait un concentré de tous les maux du temps. Plus inquiétante, l'agitation politique dont la ville était un centre : selon les travailleurs, les « seigneurs de l'usine » poursuivaient leur seul profit, polluant et empuantissant les lieux, sans se préoccuper de la vie des plus pauvres. Mais plus inadmissible encore aux yeux des victoriens, la débauche, « la folie et le vice », dont faisaient preuve ces mêmes classes populaires. Sur ces trois fronts, Sir Titus allait lutter.

La nouvelle ville serait conçue de façon à favoriser la bonne conduite et la bonne santé, qui vont de pair : Saltaire serait le siège d'une communauté idéale. Le premier bâtiment offert par Sir Titus fut l'église. Il la fit placer devant l'entrée de l'usine ; chaque matin, en se rendant au travail, on ne pouvait manquer de la voir, une construction ornée et pompeuse, avec son portique semi-circulaire de colonnes corinthiennes et sa forte tour chapeautée d'un dôme ; l'intérieur comptait six cents places et des lustres dignes d'une salle de bal, les plus riches matériaux : Dieu et Mammon face à face, les deux divinités de l'époque se soutenant l'une l'autre. Quant à la bonne santé, chacun savait que la crasse et la maladie pourrissent l'âme. Sir Titus fit construire des bains publics et ce qui fut probablement la première laverie automatique. Les villageois, qui n'aimaient pas à payer pour se laver, les boudèrent. En revanche, ils se pressèrent à l'institut, un superbe édifice doté de toute la majesté que peuvent conférer colonnes, clocher, tour carrée et ouvertures en plein cintre. Là des concerts et des conférences leur étaient offerts, une bibliothèque de quatre mille livres et une école d'art, sans compter la salle de billard, le fumoir, les jeux d'échecs, le gymnase et une multitude de distractions, tels la société d'horticulture, le club de cricket ou de pêche à la ligne, destinées à évincer le pub – cette école du vice et de la pauvreté où les travailleurs étaient poussés à dilapider jusqu'à leur dernier sou et à s'avilir. La liste des interdictions limitant l'usage du parc complétait cette éducation de façon éloquente : ni vin, ni bière, ni spiritueux n'étaient autorisés dans les lieux, ni conduite incorrecte, ni langage indécent, ni discussion publique, chant ou prêche, ni rencontre qui aurait pour but d'organiser une manifestation politique sans la permission écrite de l'entreprise…

Quant à l'usine elle-même, où toutes les branches d'activité étaient intégrées, c'était un prodigieux palais construit selon le style de la Renaissance italienne, une ruche colossale qui se parait de grâces inattendues, tels le léger campanile ajouré et la splendide corniche qui couronnaient le haut-fourneau. La monotonie de sa longue façade haute de six étages était savamment rompue par deux lanternes coiffées de petits toits pyramidaux, rythmée en outre par de hautes fenêtres au sommet arrondi, il n'était pas jusqu'aux piliers métalliques soutenant la structure qui ne soient eux aussi peints et décorés. Alors, une «douce prison», comme on l'a dit? Un moyen de rendre captive une force de travail dont on s'assurait ainsi un meilleur rendement? Ou de mettre un frein au chartisme, alors en pleine effervescence, en calmant les revendications égalitaires, en leur opposant le confort et la décence?

Une sorte d'endoctrinement par les lieux. La douceur de la rivière et de la colline, le paysage vert et idyllique, les petites maisons bien rangées, l'hospice néogothique, le vaste parc et ses allées – un monde en retrait, préservé, sauvé… Si l'on sonde l'inconscient victorien, on y trouve bien sûr, entre autres, de telles motivations. Se limiter à ces raisons pour interpréter la personnalité de Sir Titus Salt serait pourtant un anachronisme, une erreur sur les temps. Sir Titus avait une ambition trop vaste pour qu'elle se borne au simple profit. Le pouvoir sur les âmes était autrement exaltant que celui conféré par l'argent. Il croyait au progrès, un progrès non seulement matériel, mais moral, il croyait aussi dans le devoir, celui qu'ont les puissants envers les moins favorisés, enfin, et peut-être surtout, il croyait en lui-même et en sa mission. C'était un démiurge, non un vulgaire tyran, un homme d'audace et d'imagination, pourvu de fortes convictions, qui voulait faire le bien, et même l'imposer. Qu'il ait décidé de ce qu'était ce bien avec une certitude absolue est une évidence. Il n'y en avait qu'un, un seul Bien pour tous, ses ouvriers ne pouvaient que l'approuver – ou partir. Il est vrai que nombre de ceux qui vinrent travailler à Saltaire aspiraient précisément, comme toute la middle-class anglaise, à l'ordre et à la respectabilité. Son paternalisme est une autre évidence. Comme la connaissance du Bien, il appartient aux époques assurées du bien-fondé de leurs valeurs.

À voir aujourd'hui, par un jour de grisaille, ces rangées de petites maisons noires serrées contre la pente de la colline, deux étages pour une pièce principale et deux chambres à coucher, à penser qu'elles abritaient de quatre à cinq mille personnes et des vies strictement réglées entre l'usine, l'église et l'école, on est saisi par la tristesse d'un tel paradis. Tant d'étroitesse et de rigueur. Pour comprendre le progrès qu'elles représentaient, il faut faire à son tour un effort d'imagination et penser à l'alternative, à ces «porcheries» qu'évoquait Charles Kingsley, où il n'était pas possible d'«éduquer un homme et d'en faire un être instruit [...] en réalité, pas même d'en faire un homme, au vrai sens de ce mot».

Une pauvreté intérieure

Au sud-ouest du centre de Bradford, nous suivons Great Hornton Road, l'une des artères interminables de la banlieue, à la recherche de nourriture exotique pour pimenter ces heures détrempées. Maisons de briques noircies, l'une après l'autre, tout au long de la route qui se dévide, peinture écaillée, jardins-dépotoirs, ferraille, caisses et cans cabossés, bouteilles vides, amas de déchets, une pauvreté qui colle à la peau comme la crasse ou la poussière. La pluie continue de tomber. Des silhouettes se hâtent, massives femmes voilées, des hommes vêtus de blanc, barbes, calots et lourds turbans sous des parapluies déglingués, le costume vient d'ailleurs, le Pakistan l'a importé; n'étaient l'architecture, le rythme continu de la pluie, la grisaille installée pour des siècles, on pourrait se croire à des lieues de l'Angleterre, en terre lointaine.

Récemment, il y eut des émeutes. À la suite d'Oldham, Bradford et Leeds s'enflammèrent. Devant la bibliothèque municipale, un bâtiment tout neuf au centre de la ville, libre d'accès et riche de trésors inattendus, nous avions rencontré un jeune Pakistanais qui désirait visiblement engager la conversation. Il avait l'œil fiévreux et intense, le teint pâle, un trop-plein de savoir qui débordait à jets continus, en phrases hâtives et saccadées. Sa famille était arrivée là dans les années 1950, en même temps que beaucoup d'autres gens du pays. La bibliothèque, depuis des années il y venait tous les jours, c'était son refuge, il avait lu des centaines de livres, des pages et des pages… malgré la pluie qui tombait sans relâche, malgré l'absence d'horizon, sans doute l'habitaient-elles, ces pages, donnant à son regard ce feu d'exaltation. Les révoltés ? Il les côtoyait, il les connaissait. « Ce sont des ignorants, ils n'ont pas de richesse intérieure, tout ceci, disait-il en désignant d'un vaste geste de propriétaire l'ensemble du bâtiment, la littérature, la philosophie, tous ces livres ils n'en profitent pas. Alors ils sont violents, parce qu'ils n'ont rien d'autre, et ils veulent chasser les Anglais du quartier au nom de l'islam. Un quartier où il n'y aurait que des musulmans, et pas d'étrangers. » Lui, il avait trouvé une issue, il était riche d'une richesse infinie, celle que lui prodiguait la bibliothèque jour après jour, l'idée même de tout ce savoir disponible, ignoré par ces jeunes dont il parlait avec une commisération teintée d'un peu de mépris, le soulevait de terre, hors de sa rue, de son quartier et de sa ville, au-delà de toute frontière, elle en faisait le frère de ces étrangers de passage qui, comme lui, apparemment, aimaient les livres. Sa foi dans la culture était telle qu'elle lui suggérait une explication toute simple à la violence environnante, à ce besoin de détruire qui ne connaît pas ses raisons : la pauvreté – mais une pauvreté intérieure.

Jolly Jack et sa statue

Devant cette bibliothèque, une statue de Priestley brave les éléments, la pluie incessante et tous les fâcheux du monde. Un enfant de la ville. Manteau au vent, carré et résolu, face de bouledogue, l'homme avance d'un pas ferme dans l'éternité. Il était bourru, corpulent, autoritaire, il parlait franc et il affichait des opinions fortes, on le disait rugueux de contact, plein d'aspérités. Il croyait en la vertu du verbe et de l'indi-

gnation. Son optimisme combatif avait fait de lui une
sorte de John Bull, ce personnage allégorique né au
moment où cessa la guerre avec la France et qui représente l'Angleterre. Pour ses contemporains, il était au
fond l'homme du commun, râleur et bon vivant, membre
à part entière de cette «Merry England» dont Chaucer
fut l'un des plus éminents représentants et que célébra
Chesterton – «Jolly Jack», comme on le surnomma
affectueusement. La statue élevée par Ian Judd fut inaugurée en 1986. Bradford était fier du plus illustre de ses
écrivains, de celui qui avait affirmé : «Une partie de
moi-même est restée à Bradford et ne pourra jamais le
quitter, même si, lorsque j'y reviens aujourd'hui, je m'y
promène à demi perdu, un étranger mélancolique.»
C'est qu'on avait presque entièrement détruit le Bradford de sa jeunesse, un «meurtre lent», effectué par les
promoteurs, qui commença avec la démolition de Swan
Arcade où, en 1911, avant que *Les Bons Compagnons*
(1929) ne le rendent célèbre, Priestley allait travailler
en tant que commis dans un commerce de laine.

Le personnage public correspondait parfaitement à un
stéréotype qui ne manque jamais de toucher : l'homme
sanguin, vitupérant, qui vole au secours des plus faibles
et pourfend la sottise, impulsif, énergique, doué d'un
cœur d'or et d'une générosité sans limites, incapable de
rancune comme de mesquinerie – un homme qui, plus
qu'un autre, aurait en lui ces qualités et ces faiblesses
qui vous font aimer. John Braine, un autre écrivain
originaire de Bradford, l'un des «jeunes hommes en
colère», l'auteur des *Chemins de la haute ville*, le
connut et l'aima, effectivement. Il l'identifiait à sa ville,
avec «son caractère et ses traditions, une ville non point
belle, mais nourrissante, une ville à aimer».

Comme il cherchait un moyen d'exprimer les sentiments que lui inspirait Priestley, une image lui vint.
Il était perdu par une nuit noire et froide ; une grande

maison perchée au sommet d'une colline lui apparut ; toutes ses fenêtres étaient illuminées et le son de la musique s'en échappait ; tandis qu'il se dirigeait vers elle, il eut l'assurance que dans cette grande maison il ferait chaud et qu'il y aurait à manger, et il entendit clairement les vagues de la musique.

« Le chef-d'œuvre
de la révolution industrielle »
Manchester

Le musée de l'Industrie

Le gigantesque musée que Manchester a consacré aux
sciences et à l'industrie est un ensemble de bâtiments
rénovés qui autrefois formaient la plus ancienne gare du
monde. C'est ce qu'explique notre dépliant, qui cite la
date de 1830. À l'intérieur, une grande salle est réservée
à l'industrie textile. Un vieil homme nous la fait visiter,
activant tour à tour les rangées de machines endormies.
Lui-même a travaillé dans une usine toute semblable, jusqu'à sa fermeture, et son père avant lui, au début du
siècle ; en un temps où l'on embauchait encore les
enfants, son père avait arrêté d'aller à l'école à l'âge de
douze ans et il avait alors travaillé à plein-temps, mais
heureusement des lois existaient pour limiter les heures de
travail, tandis qu'à l'époque victorienne, dans ces mêmes
usines, les enfants, qui tombaient parfois de sommeil,
étaient tenus devant les machines jusqu'à douze heures
par jour et même plus… Il raconte l'existence en usine
comme il la connut lui, la fatigue, les maladies, les acci-
dents, la navette qui revenait comme un boomerang, l'extrémité pointue en métal, dangereuse comme une arme. Il
reproduit les mêmes gestes, ceux qu'ils ont accomplis,
son père et lui, une vie durant et avant eux bien d'autres
encore, des gestes qu'il refait d'heure en heure à l'intention des touristes, sans plus de danger ni de hâte, aujour-

d'hui, dans sa vieillesse. Il répète les mêmes mots. Chaque fois, il montre le résultat de l'opération, le changement progressif du coton, une étoupe qui d'abord se désagrège entre les mains pour acquérir, sous l'effet des tours et torsions, force, résistance et finesse. Suivi du petit groupe attentif, il se déplace d'une rangée à l'autre, tente de lui faire imaginer les vibrations et le bruit. « On ne se parlait que par gestes, certains devenaient sourds. » Mais il ne dramatise pas. Il est moins précis qu'Engels qui, dans sa *Situation de la classe laborieuse en Angleterre*, décrit en détail les maux dont souffraient les tisseuses de coton et les difformités de leur corps. « Toutes les filles sont petites et rabougries… », écrit Engels, ou encore : « À Manchester on ne voit pas seulement beaucoup d'invalides, mais aussi nombre de travailleurs qui ont perdu tout ou partie de leur bras, une jambe ou un pied. »

La vie du vieil homme, confondue avec celle de son père et des générations précédentes, avec celle même de l'industrie du coton qui fit la gloire de Manchester, est devenue un récit lisse et uniforme, dévidé comme ces prières qu'on a répétées jour après jour et dont le ton et l'expression sont partis sous l'effet de l'usure, peut-être le vieil homme est-il fatigué, fier tout de même, peut-être a-t-il le sentiment d'avoir vécu en des temps héroïques, nous sommes là aujourd'hui pour en surprendre la trace, en écouter les échos dans ses paroles. Les touristes vont et viennent, un groupe arrive, l'autre repart, sa voix garde son rythme égal, un peu chantant – une longue récitation qui se déroule comme en dehors de lui, aussi régulière que le travail des machines.

L'art de ne pas voir

En 1842, alors qu'il avait vingt-deux ans, Engels fut envoyé à Manchester pour y diriger la succursale anglaise des affaires de son père qui se situaient du côté de Düsseldorf. Le vieil Engels dut être bien surpris quand il comprit que son fils n'avait aucune intention de rentrer dans l'entreprise familiale, pas plus que de faire des études à l'université, mais qu'il entendait se consacrer à l'agitation politique. « J'abandonnai la vie en société et les dîners, le porto et le champagne des classes moyennes et je consacrai mes heures de loisir presque exclusivement à la conversation avec de simples travailleurs. » Les autres heures, quand il ne bavardait pas avec de simples travailleurs, il les passait à recueillir des informations pour son étude sur la situation de la classe laborieuse en Angleterre. Manchester, en tant que « chef-d'œuvre de la révolution industrielle », « le siège des trade-unions les plus puissants, le centre du chartisme et la forteresse du socialisme », serait la ville qui lui servirait de point de départ.

Une région de marais, sans beaucoup d'habitants il y a cent ans, qui s'était soudain couverte de villes et de villages. Aujourd'hui la partie la plus peuplée d'Angleterre, celle où les conséquences de l'industrialisation apparaissaient avec le plus d'évidence. Manchester et les villes avoisinantes comprenaient quelque 400 000 personnes, réparties de telle façon que les classes sociales, malgré leur proximité, pouvaient aisément éviter tout contact. Ainsi était-il possible de gagner le centre de la ville et d'en repartir sans que jamais la misère des quartiers ouvriers agresse le regard. La division entre riches et pauvres – deux nations, selon Disraeli, dont chacune ignorait les habitudes, pensées et sentiments de l'autre, comme si elles avaient habité deux planètes différentes – était préservée par l'architecture de la ville qu'un accord tacite entre les deux partis, aussi bien qu'une volonté délibérée avaient organisée en fonction de cette nécessité. Au centre, bureaux et entrepôts, commerces, magasins de grand luxe. Autour de ce noyau précieux, une ceinture constituée par les habitations ouvrières. Au-delà encore, les villas des gens prospères appartenant aux couches moyennes et supérieures. Des transports rapides et fréquents liaient ces hauteurs aérées aux commerces du centre. Si les voyageurs traversaient des zones de détresse et de saleté – dont Engels fournit nombre de descriptions horrifiantes – ils n'en savaient rien, une mince façade les en séparait, mais c'était suffisant. Cette façade était constituée par les petits commerces qui bordaient les routes menant à la ville et que leurs propriétaires maintenaient aussi propres que possible. «Même les magasins les plus modestes servent à cacher aux dames fortunées et aux hommes dotés d'un estomac solide, mais de nerfs sensibles, la misère et l'ordure qui forment la base de leur richesse et de leur luxe.»

Ne pas voir, c'est-à-dire refuser de voir – de savoir. Parmi les milliers de spectacles qui sollicitent chaque jour notre regard, choisir ceux qui nous dérangent le moins, éliminer les autres, une sélection qui se fait tout naturellement, pour ainsi dire inconsciemment, sans l'intervention de la pensée et sous l'effet de réflexes dûment exercés, par lâcheté, pourrait-on dire, ou par indifférence, par souci de se préserver, ou peut-être sentiment d'impuissance, ou fatalisme, les motivations de la non-interférence sont complexes, l'ordre des choses, ou leur désordre, nous échappe si largement – même si chacun peut tenter de le modifier un peu – que le refuge le plus courant est la passivité : les événements comme la vie de la société se déroulent en dehors de nous, réglés par des instances supérieures, sans que nous y puissions rien, ni pouvoir, ni influence, ni voix, pas même la possibilité de se faire entendre, disparaissant dans un vaste anonymat où tout sens de la responsabilité est devenu impossible. Démission. Ne pas se sentir concerné : une forme de paix.

La bourgeoisie de Manchester, à l'abri dans ses voitures capitonnées, pouvait sans trop de mal ne pas remarquer le grouillement de ces vies qui l'auraient offusquée. Pourtant la société de l'époque jugeait la pauvreté comme un crime et devant elle ne se sentait pas responsable. Son refus de voir prenait volontiers une tournure active. Qu'on écarte les pauvres, les déments, les malheureux et leurs vices, qu'on les chasse, qu'on les fasse disparaître, cette réalité-là n'a pas droit à l'existence, elle est coupable et mérite d'être condamnée. Engels cite une lettre adressée par une dame anglaise au *Manchester Guardian*. Protestant qu'elle verse déjà aux œuvres une somme substantielle, cette dame demande que la vue des mendiants lui soit épargnée. En payant, commente Engels, j'ai acquis le droit d'insister pour que vous soyez désespéré en privé.

Une époque révolue ?

Dans l'Angleterre du XXIe siècle, des fortunes se sont amassées à faire pâlir d'envie les capitaines d'industrie de jadis. Les journaux livrent d'ailleurs périodiquement les montants et les noms des heureux détenteurs : de quoi fasciner la foule des lecteurs (« un millier de gens en Grande-Bretagne valent plus de 30 millions de livres sterling chacun, parmi eux peu de membres de la grande aristocratie terrienne ; la plupart de ces riches ont réalisé leur fortune eux-mêmes et très vite… »).

Quant à la séparation d'avec les pauvres, leur mode de vie l'assure plus efficacement que la savante division de l'espace au XIXe.

« À la fin du XXe siècle, riches et pauvres vivaient sur des planètes différentes qui n'avaient entre elles aucune ressemblance ; il leur était donc facile de s'ignorer mutuellement… », ainsi un manuel d'histoire pourrait-il commencer une description de la société actuelle. Comment se déplacer ? En jet privé, d'une citadelle à l'autre à travers le monde, d'une propriété hérissée de grilles à quelque enclave protégée aux Caraïbes, en

Méditerranée ou en Suisse… Où s'enraciner? En Angleterre, dans un quartier réservé à Londres, comme Hampstead ou Kensington, ou dans l'isolement feutré d'une maison de campagne dans le Kent. Les nouveaux pauvres, immigrés venus d'Asie, des Caraïbes ou d'Afrique, tapis dans leur banlieue, ont eux aussi leur territoire réservé ; leur rêve de richesse, ils le conçoivent à travers la représentation que leur en fournissent les tabloïds – messages bon marché envoyés d'un au-delà inaccessible. Les riches occupent un espace indéfini qu'ils traversent à volonté, les pauvres un réduit où ils sont confinés. «Le marché de la globalisation a complètement séparé les riches de la source de leur fortune[1]», conclut un historien renommé.

Le XIXe siècle ne manquait pas d'utopistes, de mécènes, de réformateurs, tels Owen ou Sir Titus Salt, qui rêvèrent d'améliorer la société et la condition des plus défavorisés. Visiblement, ce souci ne trouble pas les nouveaux citoyens du monde. Pensent-ils que l'État s'en chargera? «Tandis que l'inégalité des fortunes s'élève aux niveaux records atteints au XIXe, de ce même XIXe, on ne retrouve ni la volonté d'engagement civique ni l'élan philanthropique qui animaient certains riches[2].» Alors, progrès social? Ou répétition invariable des mêmes attitudes, soutenues par un fort sentiment d'irresponsabilité?

Ne pas voir. Ici le problème ne se pose plus. L'argent vous isole des autres, de la majorité des autres, plus sûrement qu'un rempart. Les vies qu'il construit ne sont pas conçues selon les mêmes mesures, n'obéissent pas aux mêmes règles, elles ne s'inscrivent pas dans les mêmes décors. «Comment vivent les riches», proposent les magazines à leurs lecteurs captivés ; «les

1. Anthony Sampson, *Who Runs this Place*, *op. cit.*
2. Will Hutton, *Guardian*, 29 octobre 2002, cité par Anthony Sampson, *Who Runs this Place*, *op. cit.*

500 plus grosses fortunes du monde », et ce ne sont que photos de yachts sur les mers tropicales, robustes villas ceintes de palmiers, chaises longues sur une plage déserte, apéritifs coûteux servis par des mains invisibles. Les uns cherchent à voir, à rêver plutôt – brève plongée dans un monde fabuleux –, les autres ont le souci de ne pas être vus : vivre entre soi, au plus loin de la foule.

Pourtant, il existe des passages d'un monde à l'autre.

Récemment, organisés par des agences – pour de moins riches, il est vrai –, des voyages proposaient aux touristes une incursion dans les bidonvilles des mégapoles en Amérique latine. La curiosité reste donc, le voyeurisme plus exactement, à l'opposé du sentiment de gêne qui à certains faisait baisser les yeux.

La langue au service de la bourgeoisie

Qu'il n'existât entre les classes sociales d'autre lien que l'argent, Engels fait de ce constat la base de son accusation contre la bourgeoisie anglaise. « Bourgeois », une injure il y a quelque temps encore, et l'une des pires, un seul mot pour désigner l'étroitesse d'esprit, le bon sens plat, la médiocrité satisfaite, la dureté, l'hypocrisie, l'avarice de cœur, bref, la petitesse assortie d'une incorrigible bêtise et de fatuité – et cela pas seulement en raison des écrits d'un journaliste d'origine bourgeoise venu d'Allemagne, Karl Marx. Haïr le bourgeois était le commencement de toute vertu. « Bourgeoisophobus », écrivait parfois Flaubert en guise de signature dans les lettres à ses amis. Une aimable plaisanterie en comparaison des accents ulcérés que trouve Engels pour fustiger cette classe. Appuyée sur une étude de la misère de la classe laborieuse, que la bourgeoisie considérait comme un simple instrument dans la course aux richesses,

sa démonstration tourne tout entière autour du mot
« argent ». Les limitations intellectuelles du bourgeois
– en France une source inépuisable de moqueries – ne
l'intéressent pas, mais son inhumanité dans le rapport
de classe.

La bourgeoisie, il ne lui accorde aucune qualité,
aucune vertu rédemptrice. Elle est entièrement mauvaise, comme le personnage du vilain dans les tragédies.
Il suffit de lire les rapports sur la misère des ouvriers,
leurs vains efforts pour être entendus, leurs rébellions
et la sévérité, pour ne pas dire l'extrême cruauté, avec
laquelle on les mata (ainsi des fameuses révoltes de tisserands en 1826), la cause est entendue ; les patrons
d'entreprise y font mauvaise figure. Même quand on sait
qu'ils furent divisés, certains acceptant d'augmenter les
salaires, tandis que d'autres, en l'absence de lois contrai-
gnantes, en profitaient pour faire jouer à plein la concurrence et les maintenir au plus bas. « Ils sont tellement
dégradés par l'égoïsme et la dépravation morale qu'ils
sont incapables d'être sauvés » (Engels). L'argent est le
seul dieu. « Les classes moyennes en Angleterre sont
devenues les esclaves de l'argent qu'elles adorent. » Le
veau d'or. Des scènes bibliques.

La langue, ce sûr révélateur, est d'ailleurs imprégnée
par l'idée unique qui leur occupe l'esprit pendant les
heures de veille. Ainsi les gens sont-ils évalués en
termes d'argent. On dit « il vaut 10 000 livres », ce qui
veut dire qu'il les possède et que cette fortune lui
confère son identité, ou « il a de l'influence », une esti-
mation du pouvoir de sa fortune. Les travailleurs ne sont
pas des êtres humains, mais une globalité abstraite : pour
les nommer, « le travail », la force de travail, tandis que
« le capital » représente par opposition les patrons d'entreprise. Des abstractions dressées l'une contre l'autre
que ne peut joindre nulle considération humaine, mais
seul cet instrument de mesure qu'est l'argent. Il n'existe

entre les classes, conclut Engels, de lien autre qu'économique, la langue le prouve. Son témoignage n'est ni
objectif ni serein, mais virulent, indigné. Selon lui, le
langage révèle un matérialisme qui, à la façon d'une
gangrène, détruit toute autre dimension de l'être.

La Rocket, une tueuse

Le musée de l'Industrie englobe la plus ancienne gare
du monde, un long bâtiment bas qui donne d'un côté sur
la voie ferrée et de l'autre, au rez-de-chaussée, sur la
rue. Par cette porte-là, des dames en crinoline et des
messieurs en haut-de-forme viennent d'entrer, dûment
accompagnés de leur lot de bagages, leur raideur empe-
sée se justifiant peut-être par l'importance de l'occasion.
En fait, des mannequins auxquels on a tenté d'imprimer
le mouvement de la vie. Avec leurs yeux de verre écarquillés par un étonnement éternel, ils rendent compte à
leur façon de l'immense excitation qui saisit l'Angleterre le 15 septembre 1830, à la vision de la première
locomotive. C'était plus qu'une nouveauté : une révolution. Une machine stupéfiante qui possédait ce pouvoir
que seule conférait la vie : celui d'avancer. Aucune
découverte postérieure, si surprenante soit-elle – mais
on avait alors acquis l'habitude des surprises –, avion,
photographie, cinéma, radio, ou, récemment, l'ordinateur et le téléphone portable, ne causa une telle sensation. Des foules immenses s'amassèrent le long des
voies à Liverpool, qui était la gare de départ, et à Manchester, celle de l'arrivée, dans les champs et sur les
ponts, sur les toits de la ville, les talus, les remblais,
les collines avoisinantes, en tout point surélevé, des
hommes, des femmes et des enfants s'entassèrent,
des gentlemen à cheval, des familles au complet dans
d'élégants attelages et la classe ouvrière tout entière qui

en ce jour d'exception avait congé. Le défilé des wagons fut à la mesure de l'attente. En tête venait celui du duc de Wellington, alors Premier ministre, splendide avec son dais d'étoffe écarlate qui reposait sur huit piliers dorés et sculptés. Les balustrades ornementées et les couronnes ducales ajoutaient à l'effet général. À l'intérieur, un divan tendu de cramoisi pouvait accueillir trente personnes, pas moins. Le tout, rapporte le journal *The Courier*, produisait « une impression imposante de magnificence, dans le style de l'architecture grecque ». Sept autres trains suivaient en bon ordre, portant tous des noms aux connotations fulgurantes, tels Rocket, Comète, Flèche ou Météore. À onze heures, le signal du départ fut donné et la procession se mit en marche, « la plus grande qu'on ait jamais contemplée, de quelque point de vue que l'on se place ». « Le mouvement ressemblait à celui d'un temple féerique que propulsait une force invisible, d'origine magique ; le spectateur était transporté au septième ciel. » Quant à la progression de la locomotive, elle était encore plus stupéfiante, lente tout d'abord, et sans heurt, elle fut bientôt si rapide que les passagers, dont l'écrivain Fanny Kemble, en fermant les yeux, avaient « l'impression de voler ». Mrs Kemble, qui se tenait debout et avait même enlevé son bonnet, « buvait l'air » et le vent à longs traits.

Malheureusement, le député Huskinsson, un chaud partisan du chemin de fer, que tant d'émotions avaient éprouvé, fut renversé par la Rocket, alors qu'il allait serrer la main du duc de Wellington. Il eut la jambe gauche écrasée et mourut peu après. Pour ne pas décevoir la foule, on continua cependant le voyage. Or cet accident n'était que le début du désastre. À Manchester, où la détresse des tisseurs était grande, l'hommage rendu à la machine (qui les privait de leur métier), au pouvoir (qui refusait de les entendre), à la richesse et la beauté (dont ils étaient exclus) ne réussit pas à séduire la foule des travailleurs autant qu'on aurait pu l'espérer. Des milliers de gens insultèrent le duc de Wellington et sa suite. Ils avaient dressé au-dessus des têtes un métier à tisser et, assis devant lui, un ouvrier famélique. Masques noircis, tendus par la faim et la colère, multipliés à l'infini – au milieu, tel un ruban aux couleurs vives, le défilé triomphal qui annonçait plus de richesse encore pour les uns, plus de misère pour les autres. Cette image, mieux que d'autres me semble-t-il, met en présence ces deux réalités qu'on prenait tant de soin pour séparer : celle de l'optimisme d'un siècle dédié à l'expansion et au progrès, une force pure, amorale malgré les beaux discours, et la destruction massive, la cruauté tout aussi aveugle sur quoi cette force était fondée. Bientôt la foule passa à l'attaque. « Des gentlemen on ne peut plus respectables » qui marchaient le long des voies furent bombardés à coups de mottes de terre, de briques et de racines. Le duc de Wellington ne dut son salut qu'à la fuite. L'élégante *Northumbrian* qui avait commencé son voyage au bruit flatteur des ovations le termina honteusement sous les huées, les injures, les cris de haine et les jets de pierres. Elle se faufila lentement hors de l'étau de la multitude.

Le sauvage irlandais

Le chemin de fer avait conquis le pays et les cœurs. La reine Victoria s'y sentait bien, même si ses dames d'honneur, qui ne bénéficiaient pas comme elle d'un marchepied, pataugeaient dans la boue pour en descendre. En l'espace de vingt ans, le paysage fut à jamais transformé. Sous la poussée de cette longue chenille métallique suivie de son panache de fumée, la ville et son expérience s'infiltraient dans l'innocence jusqu'alors préservée des campagnes. Les artisans de ce changement radical – il n'affectait pas seulement la surface, mais l'âme même de l'Angleterre – furent les *navvies*, les terrassiers, héros chantés par Carlyle et peints par Ford Madox Brown, des ouvriers aux bras noueux dont on parlait avec fierté, ceux du Yorkshire et du Lancashire en particulier, qui pour la force et l'énergie n'avaient pas leur pareil dans le pays et surpassaient de loin les travailleurs du continent. Hélas, des immigrés irlandais se mêlèrent à cette noble confrérie. Des sauvages, selon Engels, pourtant un défenseur de la classe ouvrière, qui ne savaient que boire, qui allaient en haillons, mangeaient des pommes de terre et vivaient en masse dans des porcheries. «L'immigration irlandaise, continue- t-il, contribue à abaisser le mode de vie des classes laborieuses, le portant au niveau le plus bas.» Pour le même travail, les Irlandais étaient moins payés. On ne les tolérait pas pour autant. Un mauvais jour de 1838, un gang de deux cents terrassiers anglais s'assembla pour les pourchasser à coups de gourdin après les avoir délogés de chez eux. Leur vie commune au fil des années ne fut qu'une longue suite de luttes homériques, dont les pubs faisaient généralement les frais. Tel un typhon qui perd au passage un peu de sa force, les deux clans se retiraient, purgés pour un temps de leur rancœur, après avoir brisé tables, chaises, pots, verres, vaisselles, portes et fenêtres, laissant derrière eux un spectacle de désastre. À ce jour, malgré tant de combats – les troubles en Irlande du Nord l'indiquent assez –, la haine ne s'est pas apaisée.

«Le travail! qui emperle le front de sueur…»

Nous voulions voir, peint par Ford Madox Brown, le tableau qu'il commente lui-même en ces termes: «Un éloge à la beauté masculine révélée dans son orgueil.» Il l'accompagne en outre d'un sonnet où il est question du travail, ce «travail qui emperle le front de sueur... ». La peinture s'intitule «Work»; elle est exposée à la City Art Gallery de Manchester. Nous ne pouvions passer dans cette ville sans jeter un coup d'œil interrogateur à cette alliance inattendue. La phrase de Ford Madox Brown avait soulevé en moi une suite d'images qui illustraient un mot ou un autre, mais jamais tous ensemble. «Beauté masculine» et «orgueil» passaient encore. Qu'on y joigne le mot «travail» et l'image tremblait, vacillait, menaçait de se défaire. D'autres propositions me venaient à l'esprit. Défilaient des intellectuels pâles et fatigués, le corps relâché et l'œil myope, ou des travailleurs manuels, plus vigoureux, certes, mais d'orgueil, toujours pas. Influence des caricaturistes, peut-être, mais, surtout, question d'époque.

D'abord, se faire une idée de ce qu'est ce travail chanté avec tant de lyrisme. Pour cela, se reporter aux ouvrages d'un prophète en son temps, source de toutes les influences : Carlyle. Dans *Past and Present* (1843), il s'élève contre une société enrichie qui laisse ses chômeurs mourir de faim. Puis il entonne un hymne au travail, dont la vertu est ainsi méprisée.

«Se connaître soi-même?» commençait-il. Sans doute, on nous l'a assez prêché, mais c'est là une tâche sans fin, à vrai dire impossible, et ce pauvre moi, tourmenté, insatisfait, malheureux, mieux vaudrait renoncer à l'interroger, à s'en occuper de trop près. Tandis que connaître son travail et le faire, sans relâche, de toute sa force, voilà le vrai évangile, voilà la vraie sagesse. Qu'on se concentre sur son travail à l'exclusion du reste, alors «le doute, le désir, le chagrin, le remords, l'indignation, le désespoir lui-même, tous ces chiens de l'enfer qui assiègent l'âme» se retirent. Le travail nous enlève à la conscience de nous-même, il est une flamme purificatrice qui brûle ces poisons qui nous rongent.

Nous étions maintenant prêts à aborder le tableau le plus célèbre de Ford Madox Brown.

Un héros terrassier aux robustes bras dorés travaille sur un chantier au centre de la scène. Les intellectuels (représentés par un Carlyle ricanant et un pasteur socialiste muni d'une bible) et les classes dirigeantes (un député dûment chapeauté et portant gilet, une jeune femme effacée, chargée de tracts inutiles, une autre, qui se protège d'une ombrelle) se partagent l'ombre et les bas-côtés. Le soleil de juillet éclaire en plein les bras solides et musclés des travailleurs. Il dessine le mouvement lumineux de leur effort. Nudité franche, audace et force physique : le regard est capté par ce déploiement d'énergie. Il s'agit du travail glorieux et vaillant, ce qui correspondait à l'idéal de la middle-class victorienne, non du labeur avili, humilié, dégradé par l'injustice et la misère, qui était la réalité. Le tableau est un étrange mélange de satire sociale et d'exaltation des mythes dont vivait l'époque. L'oisiveté, « mère de tous les vices ». La décadence de l'aristocratie inactive, la vaine analyse de soi et le vide intérieur vont trouver leur remède : il est fourni par ces jeunes héros de la société, les travailleurs manuels, pleins d'une éclatante vitalité, qui savent boire, rire et se moquer – un éloge à « la santé et à la beauté masculine révélée dans son orgueil », certes. Tandis que la gentry, engoncée dans ses atours, paralysée par la conscience de soi, apparaît raide et immobile, plus morte que vive. Un réalisme soigneux mis au service d'une vue de l'esprit en flagrante contradiction avec la réalité. Dans l'industrie galopante, des millions d'hommes besognaient à la chaîne, réduits à l'état d'esclaves. Le mythe triomphait, soutenu par la force de la foi et du désir. À moins que le peintre n'ait voulu rétablir la valeur du travail manuel aux yeux de l'opinion, au risque que cette opinion ne se méprenne et ne voie dans le rêve, ou l'enseignement, la représentation du réel.

Ford Madox Brown, pourtant, avait plus que les autres préraphaélites le sens de l'humour et le goût du grotesque, c'est-à-dire certaine distance vis-à-vis de son sujet. Dans l'hôtel de ville de Manchester, il a orné le grand hall de douze fresques représentant les moments décisifs du passé de la ville, depuis la colonisation romaine et l'expulsion des Danois jusqu'à l'ouverture du canal de Bridgewater, en 1761. Malgré le formalisme voulu par ces thèmes, Brown ajoute des détails, de petites scènes qui ont un comique irrésistible. Le chien tombé à l'eau lors de l'ouverture du canal, la face ronde et stupide des deux bébés sur la péniche, les enfants moqueurs observant le savant absorbé par sa découverte, assis devant une mare d'eau verte où s'agitent les gaz, je ne me lassais pas de les regarder, ils donnaient à ces grandes constructions pleines d'emphase une fraîcheur et une vivacité inattendues. Toujours, dans un coin, un petit groupe de personnages, qui pourraient représenter le peuple, assiste à l'événement et y participe à sa manière, comme le chœur antique, consterné, éberlué, furieux ou goguenard selon les circonstances. Ce commentaire muet, agrémenté de détails familiers, détourne l'attention des figures solennelles au premier plan pour mettre l'accent sur la réaction populaire. On a comme un dialogue, un va-et-vient entre le sublime et le trivial, une réponse spontanée et dénuée de respect à ces hauts faits de l'histoire qui sont mis en lumière. Dans le tableau intitulé « John Kay, l'inventeur de la navette volante », l'on voit John Kay emballé sans façon dans un sac de toile, le cou tordu pour recevoir un dernier baiser, tandis que la foule massée à la fenêtre, armée de pics, de faux et de marteaux, s'apprête à surgir pour le mettre en pièces. En cumulant les points de vue, ces fresques à l'apparence pompeuse dépassent le sérieux moralisateur de leur époque. Elles fournissent la version officielle, certes, mais en même temps elles la contestent en la teintant d'humour et de dérision légère. L'Histoire mesurée à l'aune de la vie quotidienne.

Les pierres de Manchester

Au XIXᵉ siècle, les villes changèrent d'aspect. Elles se couvrirent de bâtiments néogothiques. Une lourde forêt de pierres poussa au centre des métropoles noircies par la fumée, dont les rejets vivaces gagnèrent même les quartiers excentrés, s'implantant parmi les fabriques et leurs hauts-fourneaux. L'influence de Ruskin – les *Pierres de Venise* furent publiées en trois volumes entre 1851 et 1853 – y ajouta des éléments exotiques : ces palais vénitiens tout roses et blancs qui vinrent désormais se glisser dans les villes froides, noires et pluvieuses du nord de l'Angleterre.

Non que le style gothique fût une nouveauté. De 1600 à 1800, apprend-on en lisant Kenneth Clark, pas une année ne passa sans qu'on vît paraître arc brisé ou maison à pignon : une présence discrète, mais tenace. Vers le milieu du XVIIᵉ siècle, alors que le gothique avait cessé d'être le style dominant, les grands architectes Christopher Wren et Inigo Jones ne dédaignèrent pas d'y avoir à l'occasion recours, tandis que, tel « un ruisseau paresseux et bucolique, mais non point négligeable », il poursuivait dans le retrait de la campagne sa vie modeste et sage, choyé par les constructeurs locaux et leurs clients. Au milieu du XVIIIᵉ, dans le domaine du sentiment cette fois, le goût qu'on n'avait cessé de lui manifester, stimulé par les voyageurs et les curieux, les âmes religieuses et les amateurs d'antiquités, enfla telle une vague et déferla sur l'Angleterre. Le poète Thomas Gray célébrait les charmes des cimetières et Thomas Warton les plaisirs de la mélancolie. On aimait les décors de ruines, les murs anciens fourrés de lierre, le cri du hibou et le frisson qu'il donnait. Dans l'insatisfaction générale, on se tournait vers l'architecture médiévale qu'on qualifiait de «pittoresque» (c'est-à-dire qu'elle répondait à une soif d'ombre et de tristesse que dispensait aussi la «grande nature», avec ses gouffres et ses cataractes), on regardait du côté des paysages sauvages que ses formes tourmentées avaient reproduits. L'attrait pour le gothique traduisait un désir profond, une revanche de l'imagination sur l'humeur ambiante, une échappée de la sensibilité retournant à l'obscur que l'époque de la raison triomphante avait voulu ignorer. Là était la liberté. Dans un imaginaire qui, refusant les diktats de la société, avait trouvé dans la nature et ses imitations de pierre matière à s'exalter.

Dans mon adolescence studieuse penchée sur la littérature anglaise, la lecture des romans gothiques m'avait distraite de la routine quotidienne. Peut-être avais-je la tentation de m'identifier à ces jeunes femmes éperdues en proie à des «apparitions glaçantes, toutes blanches dans les caveaux», échappant ainsi à la sécurité de mon existence provinciale, ou d'errer en la compagnie de leur sombre ravisseur dans ces châteaux parcourus de grandes lézardes et «rongés par les souterrains». Un plaisir que la découverte du surréalisme, qui mit en lumière «cette littérature ultra-romanesque, archisophistiquée», selon les mots d'André Breton, devait plus tard raviver.

Aujourd'hui, dans cette tournée des villes du Nord, j'avais l'occasion de vérifier les exploits des architectes du XIXᵉ et leur penchant irrésistible pour le gothique. Sans doute ne jouait-on pas sur l'effroi et les ténèbres, la nostalgie flattait d'autres désirs de l'esprit, tel le goût de la morale, mais la période choisie était la même.

Pugin, un excentrique s'il en fut, un esprit religieux converti au catholicisme, m'intéressait tout particulièrement. Il fut le maître d'œuvre de la renaissance gothique.

La personnalité de cet homme vaut qu'on s'y arrête un instant.

Augustus Welby Pugin, fils d'Auguste-Charles, comte de Pugin, poussé par sa foi et des visions célestes, travaillait comme un forcené à la régénération du monde. Ses seules récréations étaient la lecture (et, hélas a-t-on dit, l'écriture) de livres de théologie et l'organisation de messes. «Je me suis adonné à une sorte d'utopie catholique», disait-il. En même temps qu'une maison, il s'était construit sa propre église, qu'il avait nommée St Augustin. C'est dans St Augustin que, vêtu d'une cape de velours, il faisait retraite loin du monde, tels les moines maçons qu'il affectionnait. Ou bien il se laissait dériver sur son bateau de pêche, toute voile repliée, attentif aux dessins mystérieux que traçait sur l'eau son esquif. Le frontispice de son *Apology* représente vingt-deux églises et chapelles, choisies parmi celles qu'il construisit et rangées devant le soleil levant, comme une Nouvelle Jérusalem gothique : une vision de Terre promise, une forêt de pinacles désignant le ciel, un grand rayonnement sans ombre. Son commerce étroit avec l'autre monde dégénéra bientôt en fièvre nerveuse. Pugin devint fou et fut enfermé à Bedlam. Il mourut à quarante ans, en 1852, non sans avoir réalisé une grande partie du plus beau peut-être des bâtiments néogothiques, les maisons du Parlement, et publié son œuvre forte : *Contrasts* (1836), un «parallèle entre les nobles édifices du Moyen Âge et les bâtiments d'aujourd'hui montrant l'actuel déclin du goût».

Selon lui, l'esthétique était liée à la morale (Carlyle et Ruskin, dont je retrouvais l'influence en regardant les somptueux bâtiments de Manchester, le pensaient aussi). Les formes ne sont pas de simples apparences, elles révèlent l'esprit qui les a produites. Si l'art gothique en avait élaboré de si nobles et de si belles, c'est que le Moyen Âge avait connu une société idéale où l'on menait une vie bonne et vertueuse.

Sous l'influence de Pugin, l'architecture proclama qu'il existait un monde meilleur. Que ce monde fût situé dans le passé, dans un Moyen Âge mythique, ne faisait que le rendre plus désirable – et plus inhumaine, par contraste, plus matérialiste et plus lourde la société où l'on vivait. Il ne manquait plus que Gilbert Scott pour que cette mode, s'étendant des édifices religieux aux bâtiments publics, ne change hardiment l'aspect du pays. Après 1847, Scott, ce vulgarisateur zélé et audacieux, qui affirmait être « l'apôtre de la multitude » (et non celui de la Haute Église, comme Carpenter ou Butterfield), ne réalisa pas moins de 730 constructions. Sans observer strictement les règles de l'art médiéval, il lui empruntait tourelles, clochetons et fenêtres à meneaux, certain que « l'homme du commun en avait un obscur besoin ». Le gothique s'introduisit partout : dans les maisons, dans les jardins, dans le mobilier même, et bien sûr dans les monuments publics : dans les gares, les ponts et les viaducs, dans les instruments de production qu'il détournait de leur fonction, ajoutant une note de romantisme qui nous apparaît aujourd'hui comme une marque de nostalgie, un signe de protestation, peut-être – à moins que, comme Ruskin, on ne choisisse d'y voir une forme creuse, une imitation de la seule apparence, puisque l'esprit qui inspira l'original en était, selon lui, absent (« Quant à la simple apparence, écrivait Proust dans sa préface à *La Bible d'Amiens*, nul n'a plus raillé que Ruskin ceux qui voient dans son imitation le but de l'art »).

Seule l'apparence : dominent alors la pesanteur et l'aspect funèbre, non plus le rêve, mais la lassitude, et le goût de la mort qui se fait jour dans certains tableaux préraphaélites.

L'ogive et le fronton

Le long de Whitworth Street, à Manchester, s'étagent les témoins d'une imagination victorienne en délire : arches, pitons, frontons et colonnes, torsades, ogives et chapiteaux, poutres et flèches, clochetons et lanternes, la brique rouge adopte les formes sombres et démesurées des châteaux gothiques, ne craignant pas de faire des emprunts à d'autres styles pour aboutir à une création véritablement fantastique. L'audace est de mise.

Ainsi le bâtiment du Palace Hotel, qui s'étend entre Whitworth et Oxford Streets, extraordinaire vaisseau de briques rouges dont la verticalité est encore accentuée par des fenêtres d'une hauteur excessive qu'encadrent des frises fleuries et des colonnettes torsadées – motifs de terre cuite brune pour scander le bloc massif de la façade – et dont la tour rose, surmontée d'une lanterne prodigieuse et chapeautée de vert se voit de tous les coins de la ville, comme un phare. Ainsi l'hôtel de ville que son clocher monumental, loin de l'élever dans les airs, enfonce solidement dans le sol, lourde construction médiévale, chargée de tourelles, d'arches et de clochetons que l'époque voulut digne et imposante, mais que la surcharge même de ses décorations tire du côté de la folie.

L'intérieur est sombre comme un cachot et désert. Nous y sommes maintenant entrés. Nos yeux s'habituant à l'obscurité, nous discernons bientôt des formes immobiles. Ce sont de grandes statues, autant de fantômes surgis de mes fameux romans noirs. Une splendeur accablante, devant laquelle on ressent du malaise plutôt que de l'admiration, certain étonnement mêlé d'angoisse. La touriste que je suis, ignorant encore la marche du temps, l'influence de Pugin et celle de la religion, a bien envie d'en revenir à ses lectures d'antan

pour interpréter ces formes et les sentiments qu'elles ins-
pirent. Consciencieuse, elle se reporte à son abrégé de
Burke (1729-1797), un philosophe qui, entre autres,
fonda l'esthétique gothique, et elle y lit : «Tout ce qui
est, de quelque manière que ce soit, terrible, épouvan-
table, ce qui ne porte que sur des objets terribles, ou ce
qui agit de manière à inspirer la terreur, est une source de
sublime ; c'est-à-dire qu'il en résulte la plus forte émotion que puisse éprouver l'esprit.» Voilà qui la fait avancer d'un pas dans son interprétation des lieux : elle est en
présence du «sublime», tel que Burke le concevait.

Les sources du sublime se manifestaient dans les
domaines les plus divers. Ici ce seraient donc la grandeur, le pouvoir, l'austérité, voire une richesse écrasante… Tout cela en excès, de façon à priver l'esprit de
sa capacité de raisonnement, de le méduser, de provoquer «l'émotion la plus forte». Ce but est atteint, je
peux en témoigner.

Des façades maquillées

Puis nous avons visité un autre des hauts lieux de
Manchester, cité inattendue des merveilles.

La bibliothèque John-Rylands, élevée par la veuve
d'un riche marchand de coton de Manchester en hommage à son mari, a tout d'une cathédrale gothique,
voûtes ciselées en feuillages, ailes obscures, escaliers
tournoyants et portes abaissées, réseau complexe des ner-
vures qui s'épanouissent au plafond en de larges branchages, comme dans le labyrinthe des bois, et jusqu'au
murmure des voix qui, par une délicatesse imprévue de
l'architecte, paraît imiter le souffle de l'air. Ce souffle
discret au lieu de l'orgue et du bronze suspendu, semblables, selon Chateaubriand, au «bruit des vents et des
tonnerres qui roule dans la profondeur des bois», pour-

tant évoqués par ce décor audacieux. Sur les deux côtés de l'allée centrale se suivent des chapelles qu'éclairent de grands lustres ronds à la lumière diffuse ; du plancher ciré et odorant jusqu'au plafond sculpté, des milliers de volumes reliés de cuir se pressent sur les rayons. La bibliothèque idéale, qui joint le recueillement d'une église au voisinage des livres anciens. J'aurais aimé m'y installer et y travailler longtemps. Seuls quelques privilégiés, un ouvrage ouvert devant eux, lisaient dans une immobilité de statue.

De cet endroit de réflexion, nous sommes allés vers un monument tout aussi remarquable, une construction héroïque que l'on peut observer dans toute son ampleur en s'avançant du côté de la jonction des canaux de Bridgewater et de Rochdale : le viaduc de Castlefield. Superbes lancées de fer travaillé en arcs immenses, fin treillis des parapets, et, allégeant l'ensemble, de loin en loin, des tours crénelées évoquant le Moyen Âge. Ou, peut-être, est-ce un rappel plus ancien : celui du fort romain qui fut démoli. Signe d'une volonté d'embellissement, ou de continuité ? Le présent incorporait le passé.

Lorsqu'on s'éloigne du centre de la ville, où les bâtiments victoriens ont été nettoyés et remis à neuf – maquillage discret des monstres noirs de l'industrie –, on arrive devant un paysage anarchique où s'entrecroisent viaducs, escaliers, arches et ponts. Un dédale de pierres, de ferraille et de verre. Surplombant l'eau lourde et noire, une façade spectrale aux yeux comme des trous d'ombre. Un canal d'eau stagnante encombré de détritus. Des trains qui passent dans la distance, boucles qui filent et se referment, circuits indéfinis qui ne mènent nulle part. Ils évoquent les architectures colossales de Piranèse, ruines et prisons, cet univers clos et délabré, ces constructions qui innervent le vide et l'obscurité. Un centre absent. L'ère industrielle laissée à sa décrépitude et à ses monuments fantômes.

Au milieu des anciennes fabriques de coton noircies, abandonnées, vitres brisées, no man's land de verre cassé et de déchets que domine, comme un mât en détresse, un haut-fourneau désormais inutile, le rappel saugrenu d'un gracieux campanile italien ou, dans un ciel chargé de grues, les tours gothiques d'une ancienne cathédrale.

Cependant, loin d'apprécier une grandeur tragique qui aurait fait le bonheur des amateurs de ruines, l'époque contemporaine a peu à peu rénové ces monuments, en partant du centre de la ville pour atteindre la périphérie. Ainsi à Castlefield, aujourd'hui pimpant et neuf, où se succédèrent un fort romain, le canal de Bridgewater en 1761 et, un peu plus tard, le canal de Rochdale qui joignait Manchester aux villes des Pennines puis au port de Hull. Et les entrepôts, les quais, les logements d'ouvriers… constructions des heures de gloire, dont on ne vit bientôt plus que les dessous sinistres : durant ces vingt dernières années, la ville a éclairci nombre d'entre elles, les libérant de leur passé de boue et de suie et de leurs liens compromettants, pour en faire d'innoffensifs bureaux, des habitations de luxe ou des lieux de loisir.

Près de l'écluse de Deansgate, on a utilisé la forme rugueuse et brutale d'un viaduc et logé sous ses arches, discrètement soulignées de gris, des cafés et restaurants à la mode : le Lock, le Revolution, The Fat Cat… affichent leur sobre élégance au-dessus des eaux sales d'un canal. «L'embourgeoisement des lieux, signale le guide, enlève au paysage sa force dramatique.» Plus loin, le Jackson's Wharf offre une amélioration supplémentaire : un décor d'ombrelles et de fleurs douillettement niché contre les piliers d'un pont, sous les trains qui passent dans un grand bruit de froissement métallique.

Fantômes dans l'obscurité

La nuit, sous la lumière jaune des rares lampadaires, ces oripeaux de vieille coquette disparaissent. Les bâtiments, rutilants sous le soleil, sont rendus à l'ombre et à la peur : ils redeviennent châteaux hantés, lieux de menace et d'inquiétude. Des fantômes se détachent de l'obscurité, maigres silhouettes de jeunes à la recherche du dernier passant et des quelques pièces qu'ils pourront lui extorquer.

Des jeunes, presque toujours. Assis le long d'un mur, les yeux dans le vide, ou errant à la recherche d'une bonne volonté, fugueurs qui ont quitté leur famille ou ce qui leur en tenait lieu, victimes ou révoltés, qu'en sait-on ?, tournant le dos à leur passé et à leurs problèmes, rebelles en rupture de ban avec la société ou, simplement, laissés-pour-compte, chassés de chez eux et isolés. « Problèmes psychologiques », résument les journaux, ou « situation familiale catastrophique ». Pour beaucoup, ils sont parvenus à un degré d'épuisement qui ressemble au point de non-retour. À certains, pourtant, les catégories habituellement posées ne conviennent pas. Ils ont laissé derrière eux des familles aisées qu'ils continuent à voir de loin en loin pour demander de l'aide.

Ainsi le fils de notre voisine, une enseignante. Son mari et elle lui avaient offert une maison, autant pour assurer son indépendance à lui que pour gagner la leur (« nous avons les moyens »). Le fils a trente ans, il n'habite pas la maison proposée, mais couche ici et là, au hasard des rencontres. Selon elle, son jugement sur la société est fondé sur des faits qu'on ne peut nier, mais aussi sur des impressions, sur des fantasmes, par exemple la croyance en une vaste conspiration des forces économiques pour éliminer l'opposant : ces ennemis parmi lesquels ils compteraient, lui et ses amis. Vision paranoïde de la communauté qui implique que l'on s'exclue pour survivre et craigne tout compromis comme un danger. La règle étant de ne rien accepter, de ne pas pactiser avec des gens qui veulent votre mort. «La société, ils la voient non dans sa réalité, bien que cette réalité ils la voient aussi, mais à travers un fantasme de persécution, accru sans doute par la drogue, l'épuisement, la confusion mentale… Au départ, le plus souvent, une situation familiale impossible, des problèmes psychologiques insurmontables… » Son fils, qui n'avait pas connu de circonstances aussi dramatiques, avait pourtant choisi de rejoindre l'armée des ombres, il avait fait des séjours en hôpital psychiatrique, parfois il sombrait dans un délire dont elle ne savait pas s'il était dû la drogue, à son mode de vie ou à la faiblesse. Alors il les appelait à l'aide, elle et son mari. Elle cherchait à comprendre… Cette société, dont elle voyait certes les failles, ne lui semblait pourtant pas si mauvaise, pas entièrement tout au moins, elle y avait même trouvé un certain équilibre, et du bonheur, ce que montraient son visage souriant et sa vivacité, et puis comment admettre, quand on est soi-même un peu combatif, le nihilisme de la nouvelle génération, cette façon de tout trouver mauvais, de tout rejeter en bloc, et de découvrir, au fond d'un tel refus, une sorte de fierté, de plaisir amer ? Le nihilisme, elle le connaissait par la littérature, mais aujourd'hui il était dans la rue – et jusque dans sa famille. Comment accepter qu'une civilisation prenne fin ? Perte des valeurs, épuisement. Dégoût du paradis postmoderne que prônent encore quelques adeptes triomphalistes, oublieux de la notion même d'échec et de tous ceux qu'elle définit. «L'extrême vieillesse de ces jeunes», nous disait-elle. Quel sursaut espérer ?

Hulme, Moss Side, Oldham

Une fois quitté le centre, un point minuscule dans l'étendue de la ville, la banlieue rampe et s'étire sur des kilomètres comme un monstre plat. Une maison après l'autre, toutes semblables, des maisons jumelles, deux portes, quatre fenêtres, briques rouges et toits pentus, puis les habitations se raréfient pour faire place aux espaces industriels, des hangars, le vide, et puis, à nouveau, des rangées de cubes alignés, construits à la hâte il n'y a pas longtemps, entre lesquels subsistent des îlots délabrés aux vitres noircies et aux portes barrées, témoins d'une époque et d'une pauvreté qu'on veut croire révolues. Toits groupés le long des collines comme l'épine dorsale sinueuse de quelque reptile, et les routes qui se répètent et se suivent. Quartiers « régénérés », dit-on. Restent la monotonie, l'étroitesse, la sensation d'enfermement. Du temps où Engels les visita, les « villes » autour de Manchester avaient déjà mauvaise réputation, elles comprenaient entre 30 000 et 90 000 habitants et n'étaient guère que d'immenses ghettos, une expression d'aujourd'hui, où s'entassait la classe ouvrière ; selon lui Bolton, Preston et Oldham étaient les pires…

Dans les villes du Nord se sont constituées ces enclaves où les immigrés ont préservé leurs lois. Ils se sont isolés autant que possible d'une réalité qu'ils ressentent comme hostile et qui leur inspire toutes les peurs, entre autres celle de la dissolution, de la disparition de leur identité.

Au cours des années 1950, une politique architecturale audacieuse, qui profita aux architectes et promoteurs, sinon aux habitants, entreprit de raser une partie de Manchester et de sa banlieue pour y construire du neuf. On laboura kilomètre sur kilomètre, on tassa et aplanit, on construisit des blocs d'appartements hauts et forts (*high-rise complex*). Après l'opération, parmi les 15 000 personnes vivant à Hulme, près du vieux centre de Manchester (conclut un rapport de l'époque), le taux de suicide était sept fois plus élevé que la moyenne nationale, la moyenne des crimes trente et une fois et celle des meurtres quarante et une fois. Sans compter la drogue, le racisme quotidien et les affrontements entre gangs rivaux qui avaient repris de plus belle. L'entreprise d'assainissement n'était pas un franc succès. Les habitants regrettaient leur ancien quartier où, tout au moins, ils connaissaient leurs voisins. À grands coups de marteau et de foreuse, on avait dispersé les groupes, les familles et les communautés, on avait défait un tissu social qui, si imparfait soit-il, avait le mérite d'exister. De l'inconvénient d'appliquer des idées toutes faites à une réalité inconnue et complexe.

Aujourd'hui, on ne commettrait plus les mêmes erreurs : Moss Side, Hulme, Oldham offrent au regard une succession de tranquilles petites maisons flambant neuves. Pas de misère pour attirer l'œil, ni de délabrement spectaculaire. Et pourtant, en 2001, Oldham, avant Bradford et Leeds, explosait, violence raciale, la rue à feu et à sang, Asiatiques contre jeunes Blancs, batailles rangées, la police en armes et les voitures brûlées, un spectacle dont on avait perdu l'habitude. L'architecture, évidemment, n'était pas seule en cause. Peut-être avait-elle contribué à regrouper des communautés dont les autorités anglaises demandent aujourd'hui qu'elles ne s'isolent pas à ce point pour garder plus sûrement leur langue, leurs coutumes et leurs lois, et jusqu'à l'habit national, mais qu'elles veuillent bien s'ouvrir à leur pays d'accueil. « Si les immigrés faisaient un effort pour s'intégrer à la culture britannique, ils trouveraient plus de bonne volonté de la part de la population indigène. »

Une suggestion à laquelle on pourrait opposer le point de vue de Zadie Smith (*Sourires de loup*) sur le « problème Millat » – Millat le mutin, qui à treize ans pète en pleine mosquée, traque les blondes et sent le tabac. Il ne s'agit pas seulement de Millat d'ailleurs, mais de tous les autres gosses, la première génération d'après la grande migration, qui ont tout ce dont ils peuvent rêver, espaces verts, repas réguliers et vêtements de Marks & Sparks, mais sont pour la plupart déjà des délinquants. Ce problème, est-ce « trop de sécurité », comme le conclut Samad, son père ? Ils vivent, suggère-t-il, dans une grande bulle en plastique qu'on leur a fabriquée et rien ne contribue à leur donner le sens des responsabilités. Ou bien est-ce cette violence sourde tapie au fond de chacun et qui, loin d'être refusée, trouve dans leur cas du panache à s'exprimer ? Braver une société coupable et haïe, enfreindre ses lois et ses interdits, il y a là quelque chose de juste et de valorisant. Et de vraiment excitant. Attaques et combats de rue, violences, transgression : c'est le courage des héros d'antan dans une société où tout nie l'héroïsme. Que préférer : une vie d'ennui, plate comme un boulevard et sans avenir, ou l'aventure, le risque, les hauts faits, la réputation gagnée au sein du groupe ?

Les mêmes vieux westerns indéfiniment se rejouent, le côté du bien ou du mal étant uniquement une question de point de vue.

« Il savait que lui, Millat, restait un Paki, quel qu'ait pu être son lieu de naissance, qu'il sentait le curry, n'avait pas d'identité sexuelle, volait le boulot des autres, ou n'en avait pas et vivait aux crochets de l'État, à moins qu'il ne cherchât à caser systématiquement tous les membres de sa famille... » Il savait que, dans ce pays, il n'avait ni visage ni voix, du moins jusqu'au moment où les gens comme lui s'étaient retrouvés sur toutes les chaînes et dans tous les journaux : en janvier 1989, les gens comme lui brûlèrent à Bradford le livre de Salman Rushdie. Pas plus que les autres, Millat n'avait lu *Les Versets sataniques* et pas plus qu'eux il n'en connaissait l'auteur, ce «pantin dans les mains des Blancs». Mais ils étaient en colère, et Millat s'était reconnu dans cette colère, comme il avait pensé que celle-ci le reconnaissait. Et cette rage, il l'avait empoignée à deux mains. La colère et la haine – ce qui vous appartient en propre, ce qui vous exprime et vous unit au groupe. La colère et la haine comme ciment de la cohésion.

Portrait de Mr Owen, le philanthrope

Harriet Martineau, journaliste et écrivain, amie des poètes, place Robert Owen dans le chapitre «Social» de ses *Biographical Sketches* (un recueil d'articles pour la plupart nécrologiques, daté de 1869). Elle le met en compagnie de Lady Noël Byron – «une femme bonne et sincère, rien d'autre, sans génie ni qualités intellectuelles particulières, sans ambition ni vanité…» – et de Miss Berry, dont le mérite principal est que Walpole offrit de l'épouser: «Il est vrai qu'il était âgé, qu'il se savait sur le déclin et qu'il fit cette proposition par amitié et gratitude; il n'en reste pas moins que celle qui est morte dans la nuit de samedi aurait pu être l'épouse de celui qui eut pour tuteur le poète Gray.» Avec ce talent pour la méchanceté, on ne s'étonne pas des lignes féroces que Miss Martineau consacre à Owen: un homme si adapté à son temps qu'il eût sans nul doute compté parmi ses personnages importants, «s'il avait possédé le talent qui lui faisait le plus défaut – celui de raisonner». On peut préférer le point de vue de Hazlitt, qui en fit ou peu s'en faut un monomaniaque, ou celui de Sir Leslie Stephen, le père de Virginia Woolf qui, dans la série-fleuve de ses biographies, voit Owen comme « l'un de ces raseurs intolérables qui sont le sel de la terre ». En fait, aucun de ces jugements ne suffit à éclairer ce personnage visionnaire dont la passion dominante était la bienveillance et qui œuvra sans relâche à la « régénération rapide de l'espèce humaine ». En France, où l'on a peut-être plus d'indulgence envers le goût de l'idée, Owen, le rêveur d'Angleterre, celui qui prêcha la théorie du bonheur par l'association, qui apporta au monde la bonne nouvelle d'une communauté idéale – les machines y joueraient le rôle de l'ouvrier –, Owen fut cité dans le même souffle admiratif que Saint-Simon et Fourier (qui s'en inspira et le critiqua), trois utopistes, c'est-à-dire trois hommes de désir, des figures du bonheur dans un XIXᵉ siècle qui ne voulut pas se contenter de la société telle qu'elle était.

Il naquit dans une petite ville du Pays de Galles en 1771, un temps où l'on croyait encore en un âge d'or. Son père, marchand d'étoffes et quincaillier, l'envoya à l'école du village où il étudia jusqu'à neuf ans. Il n'eut donc pas les facilités de ceux qui, comme lui, rêvèrent d'une vie nouvelle – Mary Woolstonecraft, représentante éclairée de l'insatisfaction romantique, qui sut mêler utopie et esprit pratique, puis Southey et Coleridge, avec leur projet d'une société sans classes, la pantisocratie, qu'ils comptaient établir sur les rives du Susquehanna, et Byron, embarqué pour la Grèce où il organisa le mouvement de libération, et Shelley poursuivant sa longue quête entre la Suisse et l'Italie... À dix ans, faisant preuve d'initiative, Owen partit pour Londres : il voulait faire fortune. Il commença par être vendeur. À dix-huit ans, il empruntait 100 livres et fondait à Manchester sa propre affaire, une industrie textile. Dix ans encore et il était à la tête de New Lanark, l'une des plus grandes industries de coton de Grande-Bretagne. Il avait épousé la fille du patron. Owen était riche et puissant, marié selon son cœur, le héros d'un roman moral comme on les aimait à l'époque, où les valeurs éminemment victoriennes d'effort, d'abstinence et d'économie se trouvent récompensées par un succès sans nuages. Avec ces qualités d'homme d'affaires, il aurait pu amasser une grande fortune, fonder une maison, siéger à la Chambre des lords et mourir dûment anobli. Une réussite banale, somme toute, bornée à sa personne. Or son ambition était plus haute. Tôt dans sa vie, il avait eu une révélation : l'homme est déterminé par son environnement. Selon que cet environnement, tant physique que moral, est bon ou mauvais, la nature de l'homme sera bonne ou mauvaise. Partant de là, tout était simple : il suffisait de changer les conditions de vie pour transformer l'homme. Owen n'avait pas lu l'œuvre de Rousseau, mais peut-être celle de Godwin, qui avait présenté aux Anglais la pensée du philosophe français, et dont il était un ami. En fait sa doctrine avait pris forme bien avant leur rencontre, même si leurs théories, inspirées par une situation et des problèmes semblables, se rejoignent.

La préface de son autobiographie vibre d'accents prophétiques : « En bref, c'est la plus grande découverte, car elle va tirer l'homme de son état animal, irrationnel, agressif, instable, pour l'amener à une vie nouvelle et faire de lui un être paisible, rationnel, intelligent, harmonieux, heureux… » Il est facile de se moquer aujourd'hui, alors que le XXe siècle nous a appris, sinon à croire en l'existence du mal, du moins que l'homme n'est pas né bon et que l'environnement, si favorable soit-il, ne suffit pas à le rendre bon, facile de rire de l'optimisme têtu d'Owen, de ses erreurs répétées et de son obstination (« Robert Owen, disait Miss Martineau, n'est pas le genre d'homme à changer d'avis sur un livre pour l'avoir lu »), facile de railler sa façon de poursuivre une idée inlassablement, sans même entendre les objections.

Mais on n'a pas envie de rire de son indulgence ni de son désir actif de rendre l'homme heureux – le xxᵉ siècle nous ayant également appris que les idéologues, ceux qui défendent une idée et se disent épris du bien commun, se transforment aisément, au nom de ce bien et de *leur* vérité, en les pires tortionnaires. Owen n'était pas un intellectuel. Il aimait les gens plus que les idées, dont la réalisation, seule, l'intéressait. Cet amour des autres devait être fort, puisque chacun le remarqua. Pierre Leroux, un autre découvreur d'horizons, en le rencontrant observa que le trait distinctif de sa nature morale était «une ineffable bienveillance, une bonté absolue, générale, sans réserve... ».

Habitué à diriger et à être seul, Owen ne recherchait pas le débat. Il ne discutait pas, il imposait ses vues. En cas de contestation, il répétait charitablement sa phrase, pensant qu'on l'avait mal compris, comme on le fait pour un enfant. «Ceux qui le respectaient et s'intéressaient à lui, il les traitait en disciples ; et ceux qui s'opposaient à lui ou le raillaient, il les regardait avec bonhomie, disant que sans doute ces gens-là avaient de bons yeux, mais que les arbres leur cachaient la forêt. Dans son vieil âge, c'était le même être heureux et paisible, prenant ses désirs pour des réalités ; toujours agréable et courtois, toujours gentil avec ses enfants [...] toujours un aimable raseur en ce qui concernait ses dogmes et ses espérances, toujours d'une parfaite justesse dans ses descriptions de la misère humaine, toujours sûr d'avoir fourni la preuve d'une chose quand il n'avait fait que l'affirmer, tant sa conviction était forte... » (Miss Martineau, encore). Avant de l'isoler, cette obstination le servit. Il poursuivit son but avec une foi à ébranler des montagnes. Et les montagnes furent ébranlées. À New Lanark, il créa une communauté et des écoles modèles. Les principes étaient nouveaux : ce n'étaient ni la peur ni la coercition, mais l'intérêt et la participation des élèves. Les têtes couronnées se déplacèrent, on vint visiter ces écoles du monde entier. «Mr Owen, le philanthrope», le nomma-t-on. Et tout le monde l'aimait. L'aristocratie, qui regardait d'un œil méfiant les parvenus du nouveau monde industriel, ces «seigneurs du coton» venus du Nord dont l'ambition allait jusqu'à vouloir se hisser au pouvoir, n'était pas fâchée qu'Owen leur donnât une leçon. Et puis, grâce à Owen, les pauvres seraient moins laids et mieux élevés. Comme Titus Salt à Bradford, il montrait qu'il était possible de concilier philanthropie et direction d'usine.

Pourtant, ce réformateur zélé et inoffensif allait peu à peu devenir un ennemi déclaré du capitalisme. Le système social existant n'était-il pas basé sur une compétition inhumaine ? On ne pouvait le nier, même si les idéaux du pays justifiaient cette course au profit. Owen allait prouver qu'on pouvait vivre différemment et mieux. Il fonda des «villages de coopération», cités communautaires, avec leurs parcs, leur exploitation agricole, leurs champs et leurs vergers. Tout y était prévu dans les moindres détails. Les vêtements des enfants seraient flottants, comme à Rome ou dans les Highlands, afin que, «rien n'entravant la circulation, les enfants puissent devenir des êtres solides, actifs, bien bâtis et sains». Au-delà de ces excentricités, l'idée du socialisme émergeait.

Mais Owen allait faire mieux, avancer plus loin dans l'outrage : au nom de la rationalité, il déclara la guerre à la religion. L'Église voulait faire croire aux hommes qu'ils étaient responsables de leurs péchés, eh bien, c'était faux, la vérité était plus simple : ils étaient victimes de leur environnement. Le lourd système de récompenses et de châtiments mis en place depuis des siècles était donc superflu, il suffisait d'améliorer les conditions de vie. Aussi, plutôt que de tourmenter les fidèles, l'Église ferait-elle mieux de dénoncer les fautes du système capitaliste. C'en était fini du fardeau de la responsabilité individuelle : la société, cause de tous les maux, était la vraie, la seule coupable. Cette fois toutes les instances supérieures étaient visées : elles n'allaient pas rester sans réaction.

Owen, toujours éclairé par sa vision, s'il était en butte à de féroces critiques, s'exila dans le Nouveau Monde. Il y trouva des communautés qui avaient profité de la colonisation pour vivre en toute liberté leur idée de la morale et de la religion. Harmony, tel était le nom de celle, piétiste, qu'avait fondée l'Allemand Georg Rapp. Owen l'acquit, terres et bâtiments compris, engageant dans l'affaire la meilleure partie de sa fortune. La laïque New Harmony serait la première société coopérative à grande échelle où l'homme serait affranchi de tout esclavage. « Ses entreprises ne pouvaient réussir, conclut Miss Martineau, car elles étaient fondées sur une vision défectueuse de l'être humain. » Un reproche sérieux. Est-il possible d'édifier une société sur le refus des valeurs individuelles et sur un idéal de vie somme toute peu exaltant ? La communauté des biens matériels est-elle une perspective assez forte pour lier les hommes entre eux ? Comme d'autres organisations de ce type, qui n'étaient pas cimentées par une même croyance religieuse, New Harmony fut un échec, les sociétaires excédés se séparèrent, le meilleur des mondes restait à l'état de rêve.

Owen revint en Angleterre. Son heure de gloire était encore à venir. Tandis qu'il s'affairait à changer l'homme, le paysage anglais avait évolué, le prolétariat s'organisait. Séduit par les idées d'Owen et son évangile de fraternité universelle, il se tournait à présent vers lui. Owen se trouva bientôt hissé à la tête du premier grand soulèvement de masse. Au début des années 1830, sans même l'avoir voulu, il devint le chef de la révolte des trade-unions. Fermetures d'usines, grèves, procès, condamnations, travaux forcés (pour les « martyrs de Tolpuddle », notamment, en faveur desquels Owen témoigna). Combat contre les lois en vigueur auquel s'ajoutèrent des guerres intestines.

Trop de coups de boutoir. Comme un château de cartes, le Grand Consolidated Trades Union d'Owen finit par s'abattre. La déroute. Ne restèrent que les fragments épars de la grande armée des travailleurs.

Au credo owénien allait succéder l'agitation politique : de 1836 à 1848, celle du chartisme inspiré par la Révolution française, un mouvement nouveau qui ne pouvait rejoindre la vision morale à laquelle Owen demeurait attaché. Il ne s'agissait plus de régénérer l'homme, mais de changer les structures sociales par le pouvoir politique.

Selon Engels, dont *La Situation de la classe laborieuse en Angleterre* parut quelque dix ans plus tard, en 1845, les socialistes anglais, partisans d'Owen, méconnaissant le rôle des circonstances historiques et le sens de l'histoire, avaient voulu d'emblée réaliser l'idéal communiste, sans comprendre que manquait une étape intermédiaire – la dissolution de l'ordre social existant – et que, cette transition, une politique définie, et non de vagues rêveries, devait l'amener. La doctrine de la philanthropie et de l'amour universel était inefficace, elle n'aboutirait à aucun résultat. Engels lui préférait la confrontation des classes : dans son étude il se sert de la haine comme d'un levier – un ferment autrement actif que la persuasion. Les socialistes anglais aussi bien que les utopistes français y étaient condamnés, leur pensée jugée trop abstraite, trop entachée de métaphysique. Ils n'avaient pas su percevoir la nécessité de la lutte des classes qui était le seul moyen pour les ouvriers d'arriver à leurs fins. L'Histoire contre l'utopie.

Et pourtant, le communisme resta une utopie lui aussi, puisqu'il ne fut pas réalisé. L'idéal est devenu cauchemar ; le xxᵉ siècle s'est acharné à montrer à travers le monde, de la Russie au Cambodge en passant par la Chine de Mao, comment on glisse de l'un à l'autre. Auprès de cette utopie-là et de ses dérives, le socialisme anglais d'Owen, avec « ses manières douces et son respect de la loi », selon les mots d'Engels, avec son désir de bonheur et d'émancipation, apparaît en rétrospective comme une promesse inoffensive. Il était né d'un rêve puissant – mais l'utopie, après tout, n'est-elle pas une forme de rêve éveillé ? – et ce rêve-là aussi est nécessaire, autant qu'une ligne de fuite dans un paysage opaque, autant qu'un horizon qui recule et qui s'ouvre.

Dans son vieil âge, Owen, dont la foi survivait aux événements, proclamait toujours l'avènement d'un monde meilleur. Il n'est pas besoin de preuves pour croire ni d'encouragements pour persévérer, a-t-on dit, la grandeur d'Owen est de l'avoir démontré – c'est aussi sa limite. Il continuait d'écrire – *L'Avenir de la race humaine* (1853), *La Nouvelle Existence de l'homme sur la terre* (1854-1855)… ou, parmi les périodiques, *Lettres hebdomadaires à la race humaine*, *Le Nouveau Monde moral*… Owénisme, ce n'était plus que le nom d'une secte groupant des réformateurs de la morale. Enfin, à quatre-vingt-deux ans, à demi sénile déjà, il cessa tout de bon de croire en la réalité. Il devint spiritualiste et passa les cinq dernières années de sa vie entouré de médiums, à faire tourner les tables et converser avec les morts, les yeux fixés sans doute sur son lointain paradis.

Autrefois, la sidérurgie…

Sheffield

Une «architecture des XVe et XXe siècles»

Les maisons s'espacent. Soudain, le paysage s'ouvre, aride et doux, sauvage, sans plus d'habitation. Des montagnes de l'ère glaciaire, érodées, limées, aplanies – de grandes formes dépouillées dont la ligne de crête chemine longuement contre le bleu du ciel. Rien que cette ligne sombre, la courbe pleine de la pente et les ombres mauves et vertes que tracent sur la bruyère les nuages qui passent.

Après avoir traversé le Peak District National Park, nous sommes arrivés à Sheffield, dont la banlieue et même le centre méritent bien la réputation de tristesse et de lourdeur qu'on leur a faite : ce sont moins les fabriques noircies, flanquées de leur haut-fourneau et laissées à l'abandon – spectacle auquel notre parcours à travers les villes du Nord nous avait accoutumés –, que les constructions récentes, élevées à la hâte après guerre, sans ordre, ni précaution, avec une brutalité efficace, béton, lignes droites et angles durs, barres et tours de la périphérie, puis, au centre, la poussée anarchique de formes massives et cubiques, dont l'exemple le plus consternant serait fourni par l'aile hardiment ajoutée à la cathédrale : un bloc écrasant qui réduit le clocher ancien à un frêle appendice (ce qui permet à la brochure de déclarer fièrement : «architecture des XVe et XXe siècles»). Cette occupation de la ville par le béton neuf rend difficile « la régénération » dont ont bénéficié Manchester et Leeds. Les cicatrices laissées par la sidérurgie apparaissent çà et là, intactes, sans traces de maquillage.

De la fenêtre de notre hôtel, situé sur le pourtour de Sheffield, entouré d'un entrelacs de ruelles désertes aux noms percutants, telle Gun Alley, cette allée du fusil qui nous cernait comme dans un western, on voyait le terrain vague des toits jonché de déchets, de grillages rouillés, de bris de verre, interrompu parfois par une usine et sa cheminée ou par un mur lézardé – le chaos que laisse après elle une activité forcenée, quand, se retirant, elle découvre une étendue de choses mortes et de débris anciens. Autour de la ville, cependant, le cercle des collines, net et propre, vert, intouché.

« Des segments d'homme, des miettes de vie »

Sheffield, John Ruskin l'avait déjà distingué parmi les grandes villes manufacturières, comme étant l'une des plus crasseuses, un titre pourtant difficile à remporter. « Sheffield est bien situé, écrivait-il, un magnifique paysage de collines tout autour, et, sur les collines, de belles villas – et, dans la vallée au-dessous, un nuage perpétuel de fumée, une population grouillante aux visages blêmes, de hautes cheminées, des tas d'ordures couverts d'enfants qui fouillent, des ruelles sales, des maisons qui perdent leur toit et une rivière noire qui coule au milieu de tout cela. En ce moment, il y a beaucoup de misère – tant de gens au chômage –, il est impossible de circuler dans les rues sans en voir les signes évidents, d'une façon ou d'une autre. »

Donc, Ruskin choisit Sheffield pour y établir le musée Saint-Georges, première mesure concrète prise par la guilde (qu'il avait fondée à l'exemple des communautés d'artisans médiévales) pour instruire les ouvriers et « améliorer la condition des pauvres ». L'achat de terres devait suivre, où les travailleurs seraient employés et encadrés et leur seraient fournis tous les moyens d'apprendre. Telle était sa réponse au capitalisme sans frein qui régnait sur l'Angleterre. Financièrement, la guilde était en partie soutenue par la fortune que Ruskin, en 1864, avait héritée de son père, un riche négociant en vins ; en outre les compagnons de l'association avaient dû verser, condition de leur entrée, un dixième de leurs revenus, soit 57 compagnons et 1 000 livres par an, de quoi lancer un mouvement. Et les collections personnelles de Ruskin, mises à la disposition des travailleurs, devinrent les moyens d'une instruction fondée sur le plus parfait éclectisme ; mais, pour cette raison même, fidèle à ses idées.

À ce stade de sa vie, il ne se contentait plus d'écrire sur l'art, ni de parler du gothique. Mais il est vrai que pour Ruskin parler d'art, c'était aussi parler de la morale et de la société. Parce que leur apparence manifestait la mentalité qui les avait conçues, les formes qu'il décrivait ouvraient l'accès à une vérité d'ordre général ; cette vérité concernait la politique, la vie, l'histoire et la foi aussi bien que l'architecture. Ainsi ne peut-on s'adresser à la matière sans prendre conscience de l'esprit qui l'habite et dont elle est l'expression. « Ceux qui virent dans Ruskin un moraliste et un apôtre aimant dans l'art ce qui n'est pas l'art, écrivait Proust, se trompèrent à l'égal de ceux qui, négligeant l'essence profonde de son sentiment esthétique, le confondirent avec un dilettante voluptueux. » Ruskin, un être essentiellement religieux, s'exprimait sur l'art gothique avec la même gravité empreinte d'émotion qu'un chrétien parlant « du jour où la vérité lui fut révélée ». Avec cette ferveur-là, il s'engagea dans le combat social. Selon lui, il ne servait plus à rien de discourir sur l'art comme il l'avait d'abord fait, vu ce qu'étaient la condition morale et l'état de misère des gens : il fallait d'abord changer les choses. Il s'y employa.

La laideur des villes industrielles le frappait. Elle était le signe de la faillite de la société. Une société riche qui ne pouvait trouver de travail pour tout le monde, qui déplorait la surproduction où elle voyait une cause d'appauvrissement, qui encourageait l'armement comme un moyen de s'enrichir, qui acceptait en toute bonne conscience que les extrêmes coexistent, la grande misère avec un luxe ostentatoire, espérant en outre que la majorité de ses membres, acculés à des conditions de vie sordides, se tiendraient cois, sans rien réclamer.

La production de masse avait tué l'invention et la division du travail séparé la conception de l'exécution. Donc on avait dégradé les facultés créatrices de l'homme. On l'avait réduit au niveau de la machine qui exécute et reproduit sans penser, on lui avait ôté par là même la dignité et le plaisir, sans lesquels on ne peut plus vivre, seulement fonctionner.

« Ce n'est pas que les hommes ressentent le mépris des classes supérieures, mais ils ne peuvent supporter le leur propre ; car ils sentent que le genre de travail auquel ils sont contraints est véritablement dégradant et qu'il fait d'eux moins que des hommes. » Ne restait de sens à la vie qu'extérieur : l'argent, faire de l'argent. Et dans *Les Pierres de Venise* il continuait d'énumérer des vérités :

« Ce n'est pas que les hommes soient mal nourris, c'est qu'ils n'ont pas de plaisir à faire le travail qui les fait vivre ; alors, ils considèrent la richesse comme leur seule source de plaisir. » L'argent, le profit : aujourd'hui les seuls buts de l'existence, disait-il.

Plus encore que le travail, qu'on a divisé, ce sont donc les hommes qui sont divisés : « divisés en de simples segments d'hommes – brisés en de petits fragments, en miettes de vie». Des hommes en miettes. Le corps : une machine ; l'esprit : une absence. Plus tard, D. H. Lawrence, décrivant l'espèce étrange des mutants issus des mines de charbon, aura les mêmes accents pour dénoncer une société qui détruit l'individu parce qu'elle ne respecte pas la complexité de ses composantes : l'homme est un tout, esprit et corps unis qui porte atteinte à cette unité est facteur de mort. La mort, tel un métal tranchant, dur, brillant et froid, ainsi la voyait Ruskin : «[…] la terre entière, au lieu d'une sphère verte, incandescente […] ne montrait plus qu'un globe de métal noir, sans vie, excorié.» À cette vision apocalyptique, il oppose une utopie située dans le passé, le rêve d'un Moyen Âge idéal ; alors, l'art unissait les hommes dans l'amour d'un travail commun, un travail libre, inventif, inspiré par le divin et la nature, ce qui revenait au même.

Unto this Last, quatre études parues dans le *Cornhill Magazine*, puis publiées sous forme de livre en 1862, fit à peu près l'effet d'une bombe. Mais déjà Ruskin avait commencé de choquer le public par ses conférences.

«Nous commettons nos meurtres sans prendre le temps d'avoir de pitié ni de remords, l'esprit calme, prêts à oublier.»

«Le résultat de notre hâte moderne à devenir riches, c'est, de façon sûre et constante, le meurtre d'un certain nombre de personnes, chaque année, de nos mains.» Des milliers de gens tués, envoyés à l'hôpital et à la tombe, pour le plus grand bien de l'économie, et de ceux qui la dirigent.

Et cette image, dans une violente apostrophe à la classe moyenne dont il dénonçait l'hypocrisie : «Du bout des lèvres, vous murmurez vos prières confortables matin et soir, égrenant vos jolis chapelets protestants – leurs grains sont plats et en or, ceux des moines étaient ronds et en bois d'ébène… »

Les critiques s'indignèrent, le public se plaignit. Les essais étaient du « vent », de « l'hystérie », « un non-sens absolu », le prêche d'une « gouvernante folle » que le monde allait renvoyer à ses affaires. George Smith, le directeur du *Cornhill Magazine*, fit savoir à Ruskin qu'il devrait en abréger la publication : les abonnés ne « pouvaient admettre l'hérésie socialiste ». Tout d'abord *Unto this Last*, un cri de colère poussé contre l'injustice, fut prudemment ignoré. Mais, quelque vingt ans plus tard, alors que les économistes commençaient à percevoir leurs erreurs, on en vendit 2 000 exemplaires, puis on en vendit régulièrement, continûment, puis il fut traduit dans d'autres langues, en gujarati, notamment, par Gandhi dont il orienta la vie : « Je pense que ce livre magistral m'a révélé quelles étaient mes convictions les plus profondes. » Peu à peu certaines idées de Ruskin s'imposaient, au point qu'on les confondit bientôt avec les évidences de l'État-providence. Au point qu'aujourd'hui, où bien des maux dénoncés n'ont fait qu'empirer, on pourrait le relire avec profit.

« Voyez, c'est ceci, c'est cela »

Ce quelque chose de divin au fond du sentiment qu'inspiraient à Ruskin les œuvres d'art, cet émerveillement qui est la forme même de sa pensée et le signe de sa logique profonde, donne à ses écrits, quel que soit le sujet abordé, une forme particulière de poésie. Une poésie que pourrait illustrer une figure de la Charité peinte par Giotto à Padoue, que Ruskin a souvent évoquée dans ses livres, « foulant aux pieds des sacs d'or, tous les trésors de la terre, donnant seulement du blé et des fleurs, et tendant à Dieu, dans ses maux, son cœur enflammé[1] ».

1. Traduit par Proust dans *Pastiches et Mélanges*.

À Sheffield, dans le musée du Millenium qui a repris la collection de la guilde de Saint-Georges, je relisais l'hommage que Proust lui a consacré dans sa préface à *La Bible d'Amiens*. Une phrase en particulier me frappa, cette phrase si belle où l'essentiel est dit : « Un jour, un homme pour qui il n'y a pas de mort, pour qui il n'y a pas d'infini matériel, pas d'oubli, un homme qui, jetant loin de lui ce néant qui nous opprime pour aller à des buts qui dominent sa vie, si nombreux qu'il ne pourra pas tous les atteindre alors que nous paraissions en manquer, cet homme est venu, et, dans ces vagues de pierre où chaque écume dentelée paraissait ressembler aux autres, voyant là toutes les lois de la vie, toutes les pensées de l'âme, les nommant de leur nom, il dit : "Voyez, c'est ceci, c'est cela." »

« Voyez, c'est ceci, c'est cela » : les mots mêmes que nous disait Ruskin à l'instant où nous abordions ses collections, ce mélange étonnant des objets les plus hétéroclites. Des volumes illustrés de botanique, de zoologie, d'ornithologie, sciences pour lesquelles Ruskin se passionnait, des minéraux – quartz, agate, fluorite, calcite, opale –, des manuscrits enluminés et des tableaux de paysage, des gravures d'Audubon, de John Gould et d'Edward Lear (dont la *great egret*, un oiseau tout en pattes et cou, qui se découpe fantastiquement sur le ciel, me rappelait les *Nonsenses*)… Une miniature représentant la Vierge voisinait avec le cacatoès de Lear et des feuilles d'acanthe subtilement dessinées avec la coupe d'une pierre illustrant la compression latérale des strates. Ou bien c'étaient de fins coquillages qu'on avait mis en rapport avec des ornements gothiques qui en reproduisaient les volutes contournées. Les études de monuments de France ou de Venise figuraient en bonne place, par John Wharlton Bunney, Ruskin lui-même, Thomas Matthews Rooke ou Frank Randal, des photos aussi, ou des aquarelles de Schafhouse et de Vérone, de

Chartres ou d'Auxerre, pour l'étude des jeux d'ombre et de lumière, «sur chaque pierre, la nuance de l'heure unie à la couleur des siècles». Entre une crosse de bruyère et l'enroulement d'une ammonite, entre les aiguilles dentelées d'une feuille de chardon et tel motif architectural pris aux cathédrales de Rouen, de Saint-Lô ou de Beauvais, entre les fenestrages du campanile de Giotto, à Florence, ou les rosaces de Caen et de Salisbury, les chapiteaux du palais des Doges, à Venise, et les plantes, les pierres et les rochers trouvés dans la nature, quelles ressemblances fulgurantes surgissent, quels rapports insoupçonnés se font jour ? Rapprochements par l'image qui exercent notre regard et le renouvellent, nous faisant soudain *voir* ce que l'habitude nous avait dérobé. Tel était le but de Ruskin, pour qui l'acte de voir avait une importance particulière : saisir les analogies, ouvrir les formes et les limites, comme le fait la poésie, établir de grandes correspondances entre des objets en apparence éloignés, donnant ainsi au monde, créé ou représenté, un rythme *nouveau*, une circulation de vie plus intense.

Dans les villes d'Amiens, d'Abbeville, de Beauvais, il passait son temps à dessiner, tantôt dans les églises, tantôt en plein air, suscitant ainsi la venue de ces «moments brillants» qui, plus que toute réussite, sont, si on l'en croit, la justification de la vie... «puisque notre vie – à mettre les choses au mieux – ne doit être qu'une vapeur qui apparaît un temps puis s'évanouit, laissons-la du moins apparaître comme un nuage dans la hauteur du ciel et non comme l'épaisse obscurité qui s'amasse autour du souffle de la fournaise et des révolutions de la roue».

Lorsque Proust relut cette page, «très caractéristique» de Ruskin, dit-il, et qu'il a traduite dans sa préface à *La Bible d'Amiens,* il eut envie de voir la statue dont parle Ruskin, haute de quelques centimètres, perdue au

Oubliée par l'Histoire

York

Une ville endormie au bord du temps

La révolution industrielle laissa York de côté. La ville dut à cet oubli de garder son cachet ancien. Elle y perdit de son importance. Ici pas de noirceur tragique ni de haut-fourneau en détresse, mais, dans les faubourgs verdoyants, de belles demeures à la pierre patinée au long des avenues calmes.

L'une d'entre elles, en particulier, me semblait réunir ce que York a de meilleur à offrir : ce côté provincial et reclus, ce retrait en soi que seule rend possible l'absence de regards prédateurs. Située dans l'ombre de la cathédrale, elle profite de la paix et de la modestie où la tient un si auguste voisinage. Les touristes, affairés à visiter le monument colossal, la délaissent en effet, lancent un simple coup d'œil en passant à ses charmes discrets, puis se dirigent vers les rues plus pittoresques du quartier médiéval. Bâtie au XVIIe siècle, on l'appelle Treasurer's House, en souvenir des trésoriers qui occupèrent ce site jusqu'au moment où la Dissolution les en chassa. Des pelouses la protègent, une fontaine dont on entend le bruit frêle et régulier à l'arrière-plan et qui évoque l'ombre et un soleil absent, et de roses statues de terre cuite pour compléter l'illusion de farniente sans que cette vue nous fasse en rien souffrir de l'ardeur du Sud, contraire à la douceur des lieux. On s'assied sur l'un des

393

bancs derrière les buissons, on contemple la façade lisse et harmonieuse, peu à peu on glisse dans une sorte d'insensibilité heureuse, on écoute le temps qui s'égrène lentement. Le bien-être est dans l'immobilité. Tandis que nous avons rejoint l'esprit de la ville endormie au bord de l'Histoire, le ballet des touristes continuait sans relâche, couvrant bravement la suite des siècles. Pour bien mesurer l'ancienneté de York et son rôle d'exception, ils se sont un instant arrêtés devant Constantin le Grand, premier empereur de la chrétienté, fondateur de Constantinople, proclamé empereur romain ici même, à York, en 306, à l'endroit où se dresse cette statue imposante : il est là, l'air pensif et hautain, jambes nues et chaussé de cothurnes, appuyé sur son épée, l'autre bras mollement étendu, main pendante, comme il sied à un conquérant au repos. Un panneau indique que, en reconnaissance des libertés civiles de ses sujets et de sa conversion à la foi chrétienne, il établit les fondations religieuses du christianisme en Occident. Puis, entrant dans la cathédrale dont l'intérieur vaste et clair exclut cette pénombre qui favorise le recueillement, ils se sont mêlés au mouvement général, avec l'impression de traverser le vide d'un hall de gare ; une voix impersonnelle surgie d'un haut-parleur leur a bien rappelé qu'il s'agissait là de la maison de Dieu et qu'il fallait prier pour ceux qui sont solitaires et malheureux ; désemparés, ils ont interrompu une minute leur marche hésitante, puis ils ont repris l'exploration consciencieuse, interminable, à la recherche de la verrière des Cinq Sœurs et du vitrail de Jessé, de l'horloge sonnante ou du jubé, avec les quinze statues des rois d'Angleterre.

Ensuite ils se sont dirigés vers la ville médiévale au sud de Goodramgate, vers ces rues si étroites qu'on n'y voit pas le ciel ; trébuchant sur les pavés inégaux, ils ont regardé les pignons minuscules, les maisons penchées en avant comme si elles allaient tomber. Ils sont dans l'ancien quartier des bouchers. Rien pourtant, sinon quelques vieux crocs à viande, ne les aide à imaginer la puanteur et la saleté de ces lieux au temps jadis. La vie, avec son désordre, son grouillement nauséabond, ses cris et ses heurts, ils la trouveront au Jorvik Viking Center, un musée où l'on expérimente en toute sécurité, pendant vingt minutes – ce qui est supportable –, les horreurs de l'existence villageoise au temps des Vikings. Pour l'instant, à l'abri de ces réalités, et peut-être de toute réalité, ils longent des rues entières semblables aux vues des cartes postales – petits magasins et salons de thé briqués, astiqués, nettoyés, grattés, vernissés, polis et repeints, brillants de propreté, mignons comme des jouets neufs et, avec cela, garantis anciens. Ils peuvent voir, acheter, consommer. La vieille Angleterre transformée en vitrine pour touristes. L'organisateur des loisirs n'a pourtant pas tout à fait oublié que ces visiteurs ont aussi besoin de sensations : il leur a réservé une histoire cruelle, propre à donner le frisson et à rendre un peu d'authenticité à ce quartier de la viande. Au numéro 35, une plaque indique que Margaret Clitherow vécut là. C'était tout à la fois l'épouse d'un boucher et une héroïne de la religion catholique : en 1586, elle fut martyrisée pour avoir, dit-on, caché des prêtres ; sur le pont qui enjambe l'Ouse, on la fit étendre sous une planche, puis l'on empila sur cette planche de grosses pierres jusqu'à ce qu'elle meure étouffée. Aujourd'hui, précise la plaque, elle est canonisée. Avant de prendre une tasse de thé bien méritée, le touriste aura compris qu'à quelques années près il a frôlé de grands dangers, il n'en appréciera que mieux le confort de ces gentilles petites maisons garnies de porcelaine et de sachets de lavande. Puis il abordera, reposé et satisfait, d'autres épisodes sanglants de l'Histoire.

Le mauvais rêve de la société

«Le monde réel se change en simples images», a dit l'un des penseurs du XXe siècle, ici des images chargées de sentimentalité, fades effluves de tisane, confiseries douceâtres, plantes mortes et séchées, les mêmes de ville en ville – une demeure historique, une maison à pignon suffisent à les susciter –, représentations d'un monde suave et ouaté, intimiste, sans aspérité ni danger, en total porte-à-faux avec la vie de l'époque dont elles prétendent témoigner, sa vérité réduite à l'évocation d'un meurtre, c'est-à-dire un piment un peu fort pour relever le goût de l'ensemble. Déambulant le long des ruelles parmi la foule des badauds dans ce décor de carton-pâte, je regardai ces images-objets, familières maintenant : elles étaient vides de toute substance, de toute réalité – de «simples images» communiquant la mort, bien plus que la vie dont elles sont détachées, et qui provoquaient cette sensation d'extériorité, voire d'étrangeté, qui assaille le visiteur dans les villes historiques anglaises où toute forme d'existence réelle est supplantée, effacée par le spectacle ; sa situation de spectateur lui apparaît alors avec une netteté particulière, parce qu'il est arrivé au bout du mensonge, de l'irréalité de la représentation, pour reprendre les mots d'un livre de Guy Debord (*La Société du spectacle*), et qu'il en ressent du malaise. S'amusaient-ils les milliers de touristes qui parcouraient ce jour-là la ville de York, flânant, mangeant, regardant ? Ou bien ne faisaient-ils comme moi que sommeiller, en proie à un vague ennui, à un peu d'angoisse ? «Le spectacle est le mauvais rêve de la société moderne enchaînée, qui n'exprime finalement que son désir de dormir. Le spectacle est le gardien de ce sommeil.» Bien différent, ce sommeil nourri d'un «mauvais rêve», du sommeil végétal, induit par la contemplation, par la lenteur et le bien-être, qui m'avait gagnée quelques heures plus tôt dans le jardin délaissé du trésorier.

Le massacre du Shabbat ha-Gadol

À l'est de la ville ancienne, nous nous sommes dirigés vers la Clifford Tower, une tour de pierres solitaire qui surplombe le quartier du haut d'un tertre que construisit Guillaume le Conquérant. La colline dénudée, la ruine livrée à sa solitude, l'histoire d'un massacre. Une tuerie qui n'en finit pas de retentir à travers les siècles. La nuit du 16 mars 1190, le Shabbat ha-Gadol, cent cinquante Juifs se suicidèrent ou furent massacrés par la population de York. Certes, ce n'était pas là un cas isolé et, au nord de la France comme en Allemagne, on avait assisté à d'autres atrocités ; en Angleterre, cependant, où la population juive était peu nombreuse, l'antisémitisme n'avait jusqu'alors pas atteint ces extrémités, même si, peu à peu, ici et là, en province et surtout à Londres, il explosait en émeutes et baptêmes forcés, notamment en 1189, *annus confusionis* selon les historiens, quand mourut à Chinon Henry II, le protecteur des Juifs, et que lui succéda Richard Ier, déjà célèbre par son engagement dans les croisades. Un roi bientôt absent : le désordre aurait libre cours. Les préparatifs de la troisième croisade qu'il allait diriger, avec une participation anglaise massive, l'échauffement religieux qui montait les esprits contre le musulman païen et le Juif infidèle – des ennemis du Christ à l'intérieur du pays comme à l'extérieur –, l'obsession papale des dangers encourus par les âmes chrétiennes, il n'en fallait pas plus pour exciter l'intolérance et la haine. Le haut clergé s'agitait, des rumeurs couraient sur les Juifs, que l'opinion était prête à accepter : culte secret et meurtres d'enfants. Comme une traînée de poudre, la violence contagieuse se répandit. King's Lynn, Norwich, puis Stamford, Bury St Edmunds, Lincoln, Colchester, Thetford... Les Juifs n'avaient d'autre moyen de défense que de se réfugier dans le château royal, leurs biens étaient pillés par la foule, leurs maisons incendiées. Le massacre de York ne fut donc pas une exception. Pourtant, un élément nouveau y fut décelé, qui jette une lumière sur les motivations réelles de ces pogroms. Qu'elles aient été d'ordre économique n'est pas aujourd'hui pour nous surprendre : si des meneurs attisèrent la ferveur religieuse populaire, ce fut dans le but de liquider leur dette auprès des Juifs – William de Newburgh, un chanoine et chroniqueur du Yorkshire, en a témoigné. L'intérêt financier que dissimule l'exaltation religieuse renforcée par la frustration et la haine : les composantes sont connues.

Le rôle d'usurier, tant auprès du gouvernement royal que de la population, d'abord joué par des chrétiens, avait été repris par des Juifs. Aaron de Lincoln, l'un des plus riches d'entre eux, possédait dans le Nord un véritable empire financier. À sa mort, les Juifs du Yorkshire héritèrent de sa situation, pour laquelle ils n'allaient pas tarder à payer un prix fort ; d'une part, on allait se venger d'eux pour la fonction d'intermédiaires qu'ils avaient tenue dans la redistribution des terres hypothéquées ; d'autre part, le gouvernement royal allait tenter d'abolir une des plus lourdes séries de dettes jamais contractées en Angleterre.

Par une mauvaise nuit de tempête du mois de mars, un groupe de conspirateurs, tirant parti du tumulte causé par un incendie qu'ils avaient sans doute eux-mêmes provoqué, firent irruption dans la maison du riche Benedick, récemment décédé. Ils tuèrent sa veuve et ses enfants, mirent le feu à la maison et s'emparèrent du trésor. Le lendemain, Josce, le chef de la communauté, alla chercher refuge, comme il était coutume, auprès du gouverneur du château. Tandis que la populace pillait ses biens et pourchassait les Juifs isolés, ceux qui se trouvaient à l'abri des murs de la forteresse se croyaient encore en sécurité. Mais la violence s'étendit et, avec elle, la peur. Lorsque le gouverneur quitta la citadelle, les Juifs, craignant quelque traîtrise, refusèrent de l'y laisser à nouveau entrer. Alors, il fit appel au shérif de la ville, John Marshall. Comme par hasard, celui-ci stationnait à proximité avec des forces armées. Marshall prit la décision d'expulser les Juifs du château. Cet ordre fut interprété par la population comme une approbation officielle. Au pied des murailles, la foule hurlait et vociférait et les chefs du complot attisaient la folie de tuer. Les Juifs résistèrent plusieurs jours. Quand ils virent la fin approcher, suivant le conseil du rabbin Yomtob de Joigny, leur chef spirituel, ils décidèrent d'obéir à la tradition juive et de se suicider, les pères de famille égorgeant leur femme et leurs enfants avant de se faire trancher la gorge à leur tour par le rabbin, le dernier à mourir. Pendant toute cette scène de destruction, le feu faisait rage. Au lever du jour, un petit nombre d'entre eux, qui avaient préféré la vie, demandèrent à être baptisés. On leur promit la clémence, mais au moment où ils passaient la porte du château, les conspirateurs menés par un certain Richard Malebisse les massacrèrent jusqu'au dernier.

Les *nobilitas* et *cives graviores* de la ville, redoutant la colère du roi (qui ne tarda d'ailleurs pas à se manifester), s'étaient bien gardés de prendre part à «une telle folie». Qui était donc Richard Malebisse, le vilain de l'histoire, appelé justement Mala-Bestia, qui étaient William Percy, Marmaduke Darell, Alan Malekake et Philip de Fauconberg, ses comparses? Des propriétaires terriens endettés. Les historiens cherchèrent des explications à

leur antisémitisme frénétique. Ces hommes n'appartenaient pas au niveau le plus élevé de la société aristocratique locale, nombre de familles les dominaient tant
par la position que par la fortune. De sérieux motifs de
frustration. En outre ils étaient ignorés du gouvernement
angevin, où ils ne détenaient ni charge ni fonction, et
qui pourtant les écrasait de lourds impôts. Ainsi Richard
Malebisse possédait des terres dans le Yorkshire et le
Lincolnshire et il avait dû fortement s'endetter auprès
d'Aaron de Lincoln. Maintenu en marge d'un régime
dont il briguait en vain les faveurs, constamment menacé
de perdre les terres familiales, bientôt allié à Jean sans
Terre dans un complot contre le roi absent, il était bien
ce mécontent, aigre, vindicatif, insatisfait, que décrit
William de Newburgh : « Un noble récalcitrant, opprimé
par les exactions du trésor royal. » Le roi gouvernait en
excluant du pouvoir une partie du pays tout en la pres-
surant de taxes ; le massacre des Juifs fut le résultat de
l'impopularité de ce gouvernement et de ses injustices.
Au-delà de la bestialité d'une vengeance se profilent des
forces autrement vastes et complexes que l'amertume
de quelques hobereaux désargentés ; les intermédiaires,
ceux qui servaient la politique royale dispendieuse, en
furent comme de bien entendu les victimes. Quant à
Mala-Bestia, il ne gagna rien à l'affaire puisque ses
terres lui furent confisquées en représailles. Lorsque,
en 1199, à l'avènement du roi Jean, elles lui furent enfin
restituées, sa vie retrouva pour quelque temps encore
son cours malheureux et désordonné.

« Une page plus noire dans l'histoire de l'Angleterre,
je n'en connais pas. » C'est oublier que ce massacre ne
fut que le prologue d'une tragédie qui culmina en 1290
avec l'expulsion de tous les Juifs du royaume. Même
ces « vastes demeures semblables à des palais », qui
impressionnaient si fort William de Newburgh, sont
aujourd'hui gloires évanouies, souvenirs impalpables.

De la riche, de l'érudite communauté juive du Moyen Âge ne restent à York que deux noms de rue : Jubbergate, plus communément appelée Market Street, et Jewbury, au nord-est, hors des murs de la ville. Le Jewbury était un arpent de terre dont les Juifs avaient fait leur cimetière. C'est à cet endroit, maintenant recouvert par le macadam d'un parking, non loin de la rivière Foss, que reposent ceux qui, de leur vivant, ne connurent pas de paix.

«Remember, remember the Fifth of November...»

Derrière la cathédrale, un petit bâtiment vétuste et solennel abrite la bibliothèque des Archives. On s'y glisse doucement, incertain d'être accepté en ces lieux réservés. Le silence. Une odeur de papier et d'encaustique propre aux lieux antiques et clos. Je grimpe l'escalier, pénètre dans la bibliothèque sans rencontrer âme qui vive. Des rais de lumière oblique entrant par les hautes fenêtres gothiques tombent sur les centaines de volumes reliés de cuir encagés derrière leur fin grillage. Ce que je viens chercher est sans doute trop précieux pour être accessible, même ainsi protégé. Il me faut trouver le petit cabinet moderne où trône un jeune archiviste complaisant. De ses réserves il m'apporte un volume ancien qui ne paie pas de mine – le registre des baptêmes –, il l'ouvre et me montre, parmi bien d'autres, une modeste inscription, deux lignes brèves tracées d'une écriture à grandes enjambées : l'acte de baptême de Guy Fawkes, fils d'Edward, daté du 16 avril 1570.

Guy, c'était son prénom. Mais, lorsque sous la torture, après la découverte du complot des poudres, il finit par avouer la conspiration et son rôle, il signa sa confession «Guido», Guido Fawkes, des mots tremblés qui affirmaient pourtant l'identité choisie, non celle donnée par le baptême. On le pendit avec les autres coupables. Par la suite, dans les représentations nombreuses d'un événement qui enflamma les imaginations et les emplit d'horreur, on le fit figurer comme Guido. Ainsi un dessin élaboré de Michael Droeshout, intitulé «La trahison des poudres, proposée par Satan, approuvée par l'Antéchrist», incluait-il un portrait de «Guydo Fauxe». Sur la plupart des gravures, le prénom de Fawkes devenait Guydo, ou Guido, une variante de Guy, que lui avait valu son alliance avec les Espagnols catholiques. Le sens des péripéties romanesques et tragiques qu'on appelle «complot des poudres» se trouve contenu dans ce simple changement.

«*Remember, remember the Fifth of November…*» Mais on peut préférer au poème la rengaine des gamins qui, chaque 5 novembre, vont quêter quelques sous – «*pennies for the guy*» – afin de construire leurs mannequins de paille. En souvenir du jour où les Maisons du Parlement faillirent sauter, le roi Jacques et son gouvernement avec, ils font brûler sur le bûcher Guy et son effigie. Des centaines de Guy Fawkes flambent au coin des rues par tout le pays chaque année depuis des siècles au milieu des feux d'artifice. Cette figure est parfois relayée par celle du pape. La fureur populaire s'épanche joyeusement dans les cris, les flammes, les explosions et les rires. Une séance d'exorcisme que rappellent aujourd'hui encore les pétards : ils éclatent le 5 novembre un peu partout dans la ville, à quatre siècles de distance, quand d'autres bombes, autrement puissantes et meurtrières celles-là, ont pourtant explosé.

Au cours des années, de fêtes rituelles en feux de joie, Guy Fawkes, dont tant de réjouissances ont sans doute allégé l'opprobre, est devenu un héros de bande dessinée, un personnage favori des livres d'enfants, une source de rêves et d'excitation. Il voulut détruire le symbole de la puissance d'un pays, l'attaquer à la tête pour ainsi dire, liquidant en une seule colossale déflagration le roi et ses ministres, les lois cruelles et le protestantisme, des années d'humiliation et de mise à l'écart des catholiques – une pensée hardie qui devançait le plus grand attentat terroriste du monde moderne. Jamais on n'avait même osé imaginer rien de semblable, l'idée d'une destruction aussi massive, on ne pouvait même pas se la figurer, elle portait atteinte à ce qu'il y avait de plus sacré, elle dépassait tous les fantasmes. Dès lors on diabolisa Guy Fawkes, il devint l'incarnation du Mal, l'archétype du traître, et le gouvernement, se servant de la terreur qu'il avait soulevée, put renforcer sans peine ses lois anticatholiques, sa légitimité et son pouvoir. Anticatholicisme devint synonyme de patriotisme. Mais ces manœuvres obscures, qu'on a vu se répéter au cours de l'Histoire, pâlissent en regard des épisodes du complot : les tractations de Guy et ses amis avec les Espagnols, la cérémonie du serment, le secret juré par tous, le tunnel à creuser entre deux maisons, la découverte providentielle d'une cave placée sous la Chambre des lords, les explosifs à transporter dans une barque à travers la Tamise, le suspense quant à la date, puisque la réunion du Parlement était sans cesse ajournée, enfin les disputes de dernière minute et le rôle de l'amitié : fallait-il sauver Lord Monteagle, un catholique lui aussi ? Autant de dilemmes, autant de scènes à mettre en images qui trouveront un écho dans l'univers enfantin. Puis la trahison de l'ami prévenu, ou la fidélité du lord à son pays, comme on voudra. Elle déclencha la découverte du complot. Guy Fawkes, qui devait mettre le feu aux barils de poudre, fut pris le premier. On connaît le reste : la Tour de Londres et la torture, la bravoure désinvolte de Fawkes qui refusa de donner le nom de ses amis, les aveux tout de même après que tous furent arrêtés, et l'exécution publique, la défaite lamentable. Fawkes ne put marcher seul à la mort tant la torture l'avait affaibli.

Retour à Brideshead
Castle Howard

Un jardin enchanté

« Elle vivait à part dans un petit monde, lui-même à l'intérieur d'un petit monde, au plus profond d'un système de sphères concentriques, comme les boules d'ivoire laborieusement sculptées par les Chinois. » Ainsi Evelyn Waugh décrit-il Julia Flyte dans *Retour à Brideshead*, au moment où, belle et vive, elle s'élance dans la salle de bal d'une des grandes maisons « historiques » de Londres et met au cœur des spectateurs cette joie que crée, par exemple, l'éclair bleu d'un martin-pêcheur passant sur la rive d'un lac. La beauté, le raffinement, l'imprévu.

Dans ce roman, Waugh décrit le déclin de la société aristocratique, « petit monde à l'intérieur d'un petit monde », dont les membres, affligés d'une fatale étourderie, d'une volonté capricieuse et changeante, à vrai dire d'une absence de raison d'être, sont prompts à se ruiner ou se détruire. Cette aristocratie décadente, en proie à une veine d'extravagance, il en montre les charmes comme les travers, il en prévoit la lente disparition, l'effacement devant une nouvelle classe d'hommes qui, si elle est mieux armée pour survivre, ne lui inspire à lui, Evelyn Waugh, qu'un mépris confinant au dégoût. Les générations suivantes ne lui ont pas pardonné « la poignée de main grasse et moite, la denture grimaçante » du voyageur de commerce. Waugh, on le sait, était un snob, mais surtout, son pressentiment de la fin d'un monde s'accompagnait d'une intense nostalgie, d'une volonté d'en révéler la beauté et les séductions. Dans une préface à une édition tardive, en 1959, revenant sur les années 1940, quand le roman fut écrit, il évoque sa « sincérité passionnée », sa crainte de voir les vieilles demeures spoliées et condamnées, comme les monastères le furent au XVIe siècle. En fait, ajoute-t-il, l'aristocratie anglaise a maintenu son identité d'une façon qui semblait alors impossible, et ses merveilleux châteaux sont aujourd'hui ouverts au public, leurs soieries et leurs trésors mieux conservés qu'ils ne l'étaient par Lord Marchmain. « Une bonne partie de ce livre, dit-il, est un panégyrique prononcé devant un cercueil vide. »

Nous allions visiter Castle Howard, l'un des châteaux les plus spectaculaires d'Angleterre, choisi pour y tourner *Retour à Brideshead* parce qu'il est assez semblable à la description qu'en fait Waugh dans son roman. Il est encore habité par la famille Howard.

Les lieux restent, soit, mais l'esprit qui les animait ? Retrouverions-nous, en les parcourant au pas de charge parmi le flot des touristes, l'atmosphère qui compose le roman, l'humeur insidieuse et fatale, la folie de cette famille à laquelle Sebastian Flyte, second du nom, tente d'échapper en s'enivrant – échapper à sa mère, Lady Marchmain, belle et pâle, un modèle de vertu, enjôleuse, subtile, doucement tyrannique ; à son père, qui vit à Venise avec Carla, sa maîtresse, et dont chaque instant de vie se passe à haïr son épouse ; échapper au souvenir de l'oncle Ned, mort au champ d'honneur, qui un jour amena un ours à un meeting de Lloyd George (sa seule action d'éclat) ; à l'héritier du nom, Brideshead, un catholique convaincu, avec son visage comme un masque figé taillé dans du cristal de roche, et à sa sœur Julia, jeune personne à la mode en proie à un ennui profond que ne parvient pas à dissiper Rex, son amant, ce parvenu tout droit sorti du Nouveau Monde, cet homme vulgaire à souhait, dont l'univers se compose de dettes et de maladies mortelles ? Une famille malheureuse et étouffante, par laquelle est ensorcelé Charles, l'étranger, le narrateur, mais qui tue ses membres lentement et à coup sûr. L'aristocratie moribonde, entre le goût de l'excès et le sens du néant.

Lorsqu'il dut quitter Brideshead et son monde étrange, plein de sortilèges, Charles sentit qu'il perdait à jamais une partie de lui-même, et que désormais, où qu'il aille, il en sentirait le manque. Comme ces fantômes qui hantent la terre afin de retrouver leur trésor enfoui sans lequel ils ne peuvent payer le prix du passage vers l'autre rive, Charles ne cesserait plus de rechercher le temps perdu. À Oxford, il avait découvert une porte secrète dans le mur : de l'autre côté, il y avait un jardin enchanté. Maintenant, cette porte s'était refermée et le jardin n'était plus accessible. Disparus l'illusion, la féerie et les tours surprenants du prestidigitateur, envolés en même temps que la jeunesse et le rêve. Devant la porte close, Charles retrouvait la lumière d'un jour ordinaire.

Cette magie que dispensent les grandes demeures, semblables dans leur magnificence aux palais de cristaux sous-marins, loin de notre monde, au fond de l'océan, la foule devait aussi la ressentir, puisqu'elle se pressait chaque week-end devant Castle Howard. Waugh excelle à décrire la séduction qu'exercent le luxe et l'éclat, la grâce d'une apparence. Il montre aussi ce qu'ils comportent d'illusions, puisque aussi bien, sous ces dehors trompeurs, s'agitent la haine, la peur et la folie. De ne pas s'arrêter à ce constat en se bornant à une simple opposition entre l'être et le paraître, mais de lui préférer la nostalgie et l'enchantement, comme si « l'air du jour ordinaire » ne suffisait pas tout à fait au besoin qu'ont les hommes d'aimer la beauté, et de se perdre et de rêver, de construire châteaux dans les airs et lointains paradis, quitte à en être le lendemain chassés – de mêler si étroitement la critique lucide et l'adhésion des sens et du cœur, là est le mérite de ce roman déchiré. Implicitement, le public qui nous entourait semblait le reconnaître, avide lui aussi de pénétrer dans un conte de fées, dont il savait pourtant ce qu'il a d'artificiel et de précaire.

Mais si Waugh en était resté à cette préférence, il n'aurait pas été un grand écrivain. Le «charme» des Marchmain, un mot complexe qui recouvre leur séduction physique comme leur facilité à préserver les apparences – c'est-à-dire à éviter les vérités dangereuses –, les condamne à cette superficialité qui est liée à leur bonne éducation. Certaine façon de glisser à fleur de vie, sans heurt. Le charme anglais, «l'ombre du grand cèdre, les sandwichs au concombre, le pot de crème en argent», et la jeune fille en costume de tennis… cette suavité qui, selon Anthony Blanche, est la gangrène de l'âme. Les tissus atteints meurent. Par elle, Charles a été contaminé, en tant qu'artiste il en est mort. La mort – cet état de non-communication avec les profondeurs de l'être – étant le prix à payer pour vivre selon l'évangile de l'apparence.

Dominant un lac, posé sur sa colline comme sur un piédestal, Castle Howard dresse en plein ciel sa splendeur. Le bâtiment central, avec sa coupole et son toit décorés de statues en forme de flammèches, est flanqué de deux ailes qui s'avancent majestueusement vers le lac. En s'approchant, on est pourtant surpris par une inconséquence des plus étranges. Une lubie du quatrième comte de Carlisle voulut que la symétrie idéale projetée par Vanbrugh en 1699 soit restée tristement défectueuse; la construction ne fut pas achevée, l'aile édifiée demeura solitaire et Vanbrugh mourut sans que sa vision ait pris forme. Le quatrième comte fit appel à un autre maître d'œuvre, fraîchement rentré de Rome celui-là, épris de monuments italiens, en particulier de ceux de Palladio qui connaissait une vogue sans pareil. À ces goûts audacieux, l'admirable harmonie de la façade anglaise, à laquelle manquait pourtant si peu pour être parfaite, n'a pas résisté. Une aile intruse, une aile étrangère fut collée à un ensemble où elle n'avait rien à faire. Loin d'y mettre un point final, elle ajoute une note incongrue, un élément de bizarrerie qui aurait gâché tant de noblesse si c'était chose possible. Cette faille qui autorise l'esprit critique et dénonce une forme d'incohérence, à tout le moins de fantaisie, n'eût pas surpris Lord Marchmain. Aujourd'hui on continue de s'interroger sur l'équilibre déficient de ce château qui, au milieu de son parc, de ses lacs et de ses jardins, était pourtant destiné à méduser le monde – à frapper l'imagination de stupeur émerveillée et laisser le spectateur sans voix et sans réplique.

À l'intérieur, rien n'a été ménagé pour confirmer l'impression de grandeur. Une fois grimpé l'escalier, un immense portrait de Simon Howard, le dernier propriétaire des lieux, qui n'appartient pas à la branche aînée et n'a donc pas droit au titre, accueille le visiteur. De facture parfaitement classique, il aurait pu être peint par Reynolds ; signe des temps, il le fut par Cheng Yan Ming, un Chinois résidant à New York. L'équivalent, pour la compréhension d'une classe sociale, du roman d'Ishiguro, ce Japonais élevé en Angleterre, qui, dans *Les Vestiges du jour*, a prouvé qu'il saisissait mieux que quiconque le fonctionnement d'un système prodigieusement ancien et subtil. Simon Howard regarde ses invités d'un jour avec une politesse nonchalante. Sous la coupole, on voit le lac et, de l'autre côté, la fameuse fontaine d'Atlas qui porte sur ses épaules un monde visiblement trop lourd. Puis on défile devant des tableaux italiens le long de galeries interminables, on traverse des pièces d'apparat dûment protégées par des cordons sous l'œil attentif des gardiens, on s'exclame devant le portrait par Gainsborough de la grand-tante de Byron qui fut la mère du cinquième comte de Carlisle (précision généalogique proposée par le guide). Avec ce nom familier, les lieux ont cessé d'être un décor pour se peupler de fantômes. Le cinquième comte s'apprête devant nous à partir pour le « grand tour ». Comme tout jeune homme bien né, accompagné de tuteurs, de guides et de valets, il va traverser la France, s'éprendre de la lumière d'Italie, explorer peut-être le Levant et parfaire son éducation de façon agréable. « Le grand but d'un voyage, affirma le Dr Johnson, est de visiter les rives de la Méditerranée », bien que lui-même ne soit pas allé plus loin que Paris. Sterne, Smollett, Gray, Walpole limitèrent, eux aussi, leur itinéraire à la France et à l'Italie, l'essentiel étant de découvrir les villes et les civilisations du Sud. Mais nous avions affaire à une famille plus aventureuse, quoique moins lettrée : un autre membre a ramené de Polynésie une curiosité, un indigène qui nous toise à présent l'air ennuyé et la paupière lourde, une expression qu'a dû accentuer l'obligation de revêtir le burnous arabe, du plus bel effet sur le tableau et qui renforce le côté exotique.

Quant au neuvième comte, quelques générations plus tard, il a installé à demeure les paysages arides de la terre promise. C'était, dit le guide avec respect, un ami des préraphaélites ; dans ces grandes pièces solennelles où chaque objet proclame la puissance de la famille, il dut longtemps rêver à ces horizons lointains, à la touffe des palmiers dans la lumière dorée, il les représenta avec un réalisme sourcilleux.

Certes l'Orient, que l'Empire avait singulièrement rapproché des côtes anglaises, continuait à exercer sur les esprits la fascination de l'autre et de l'ailleurs : ce que la civilisation puritaine refusait, ce qu'un gentleman se devait d'ignorer – l'innommable en quelque sorte –, là-bas avait cours : une « sauvagerie » qui provoquait la réprobation mais aussi les fantasmes. En outre, les esprits religieux en quête d'aventure géographique et spirituelle faisaient sur les traces du Christ un retour aux sources. Des motivations mêlées et profondes. Aucune surcharge symbolique, pourtant, dans les paisibles tableaux du neuvième comte, aucun acharnement de la représentation, comme dans la vue du mont des Oliviers de Thomas Seldon (*Jerusalem and the Valley of Jehoshaphat from the Hill of Evil Counsel*) qui avouait avoir accompli là un dur labeur d'amour : « Entreprendre ce tableau était un devoir en même temps qu'un sacrifice. » Ni cet érotisme effréné qui prend prétexte du sujet exotique pour s'étaler, on le constate, par exemple, dans *The Afterglow in Egypt*, de Holman Hunt, où une paysanne voluptueuse, peau brune et lèvres ourlées, entourée d'une multitude d'oiseaux et de gerbes de blé, semble incarner un rêve d'abondance et de sensualité heureuse : la sexualité triomphante s'exilait en terre étrangère – l'Autre en était responsable – ou bien, sous le climat anglais, elle se mêlait de culpabilité, de langueur et de mort, comme chez Rossetti.

Éprise de symboles et de chasteté, l'époque remarqua la paysanne de Holman Hunt plus que les palmiers du neuvième comte. Elle voulut voir dans cette déesse aux pieds nus la chute de l'Égypte ancienne réduite à une économie paysanne qui reposait sur le travail de la femme. Une preuve, s'il en était besoin, que chaque période de l'histoire projette ce qu'elle sait, croit ou veut croire sur l'objet regardé. Aujourd'hui, on se moque de ces représentations de l'Orient pour la condescendance dont elles font preuve, une attitude selon nous liée à l'impérialisme. Ce qui revient à projeter des valeurs récentes sur une réalité éloignée que nous ne voyons plus, ou de façon trop simple. À travers les époques, le jugement moral, comme une façon de s'aveugler.

L'Orient peint par le neuvième comte élargissait les murs de Castle Howard, il versait sur les bibelots à jamais immobiles un rai de lumière chaude et, pour un peu, nous aurait transportés loin de cette demeure figée dans son désir de grandeur.

Lady Marchmain ne nous a pas invités, comme Charles, dans le jardin des roses pour y tenir l'une de ses « petites conversations », et pourtant nous y sommes à présent assis, sous un berceau de feuillage et de fleurs. Nous regardons en silence les allées d'un vert idéal monter entre les arcades de pierres pâles jusqu'aux grilles qui se découpent sur le ciel. Le dénivellement du sol offre ainsi des envolées vers l'étendue ou bien vous enveloppe dans le secret d'une verte intimité – l'exaltation ou le repli ; en l'isolant, il magnifie un monument, tel le temple des quatre vents, avec son bâtiment central carré et trapu dont les portiques à colonnes dominent la forêt sur les quatre côtés, ou bien il le soustrait au regard. Vu du lac par une ouverture pratiquée entre les arbres, le mausolée de Hawksmoor, campé fièrement lui aussi sur une hauteur, porte jusqu'au ciel les mânes des douze comtes de Carlisle.

Vanbrugh contre le Roi-Soleil

Vanbrugh, l'architecte de Castle Howard et l'homme qui en conçut le parc, était à sa façon un révolutionnaire. Il osa rien de moins que rompre avec la tradition de Le Nôtre, c'est-à-dire avec un modèle universel. Dès 1700, il abandonna le fameux axe central qui organisait jusqu'alors la perspective des jardins suivant une géométrie implacable. Si bien que du château l'on ne découvrait pas, comme à Versailles, une étendue réglementée, obéissant au désir de domination de l'esprit, mais une nature variée, accidentée et contrastée – en un mot surprenante. Le jardin à l'anglaise, «irrégulier», «sans niveau ni cordeau», était né; il s'opposait au jardin à la française, qui fut porté à son plus haut point de perfection par l'architecte du Roi-Soleil.

La bataille contre la ligne droite, «l'image même du despotisme qui taille dans le vif et uniformise tout[1]», fit longtemps rage. Addison, brillant homme de lettres, qui versifiait en latin, tenait un rôle politique et s'adonnait en outre au journalisme – c'est à ce titre qu'il s'intéressa aux jardins, l'une des préoccupations majeures de l'époque –, lançait une attaque en règle contre le goût prépondérant qui réclamait la géométrisation du végétal. La luxuriance des branches était, selon lui, réduite par une taille abusive à un «chiffre mathématique», un verger en fleurs à une suite «de cônes, de globes et de pyramides». Pope lui-même, l'un des grands poètes anglais classiques, partisan d'un univers éminemment ordonné, admit à propos des jardins – un sujet qui le passionnait – quelques exceptions notables à sa vision du monde. Certes les bâtiments devaient rester classiques, fidèles en cela à la Renaissance et à Palladio. Mais aux jardins il revenait d'accueillir le gothique, l'irrégularité, la ruine. Ainsi Pope en décida-t-il. Et de creuser une grotte, symbole de la nature sauvage, dans son propre jardin de Twickenham.

Ce qui était rectiligne représentait désormais la tyrannie – celle qu'exerce l'esprit aux dépens de la multiplicité du vivant. La ligne sinueuse devenait en revanche signe de la liberté. Deux conceptions du monde s'affrontaient à travers l'architecture des jardins : celle du siècle de la raison, que défendait Descartes vitupérant contre

1. Michel Baridon, *Les Jardins*, Robert Laffont, 1998.

les villes « mal compassées », avec leurs rues « courbées et inégales », et celle de l'âge de la sensibilité, inaugurée par Vanbrugh, lorsqu'il pressait la duchesse de Marlborough de conserver en son parc de Blenheim les ruines du manoir de Woodstock. (Mieux avisée que cette dernière, ou informée des idées nouvelles, la famille Aislabie tint à racheter les restes de Fountains Abbey, une abbaye cistercienne, pour les inclure dans ses jardins, aujourd'hui parmi les plus visités d'Angleterre.)

À quoi servaient les jardins du Roi-Soleil ? À manifester la puissance et la gloire de la France et de son monarque. Fouquet en fit l'amère expérience, cette puissance ne pouvait avoir d'égale. L'Angleterre, pays de la « monarchie limitée », ne songeait d'ailleurs pas à se poser en rivale. Le pouvoir y était partagé entre le roi, les Lords et les Communes et, depuis la fuite en France de Jacques II, le dernier des Stuarts, la Cour avait cessé d'être le modèle reconnu et suivi par tout le pays. La création des jardins s'était décentralisée, chacun avait droit à ses propres inventions, le roi n'était plus l'unique initiateur des dépenses. Des hommes, appartenant aux milieux les plus divers, imaginèrent un éden bien à eux : Vanbrugh (qui venait du monde du spectacle), Kent (de celui des arts), Henry Hoare (de la grande bourgeoisie), Lord Burlington, Horace Walpole ou Lord Cobham (issus de la haute aristocratie), Pope et Shenstone (pour la poésie) [1]...

« *Liberty and Property* » : les maîtres mots de l'époque. Tout propriétaire terrien – et les employés d'industrie n'avaient rien de plus pressé que de le devenir, puisqu'en achetant de la terre ils acquéraient la respectabilité – pouvait améliorer son domaine comme bon lui semblait et en faire le paradis de ses rêves. Collines douces et cours d'eau, verts gazons et calmes prairies, les points blancs laineux des moutons pour parfaire le

1. *Ibid.*

tableau : la campagne anglaise du XVIIIe avait un air de bonheur. Les familles fortunées y avaient créé un décor adapté à leur idéal de bien-être.

Le mausolée des comtes de Carlisle dessiné par Hawksmoor liait à tout jamais cette famille noble au vaste ciel et à la terre vallonnée du Yorkshire. Nous arpentions à présent le parc vert et ondoyant, prêts à nous laisser surprendre, comme l'homme sensible du XVIIIe auquel s'ouvrait la nature, par le jaillissement d'une fontaine ou l'étendue d'un lac, par le secret d'un bois ou quelque petit temple haut perché venu de la Rome antique. Ne manquait que la brume dorée qui infuse les tableaux du Lorrain, promettant à ceux qui vont s'embarquer un bonheur beau comme une illusion, pour nous croire nous aussi revenus dans les terres enchantées d'Arcadie.

Cette liberté d'être que procurait le paysage, était-ce la raison pour laquelle je me sentais pencher si nettement en faveur du jardin à l'anglaise ? Le voyageur fuit les habitudes et les limites, il cherche à se sentir libre : un futur qui ne soit pas déjà dessiné, planifié et refermé, mais encore indécis, encore à choisir. Autrement dit la jeunesse, le début du monde, quand on sentait à chaque instant que la vie entière s'ouvrait devant soi. Pour moi, ces longues ondulations, qui se succédaient à perte de vue et que ponctuait çà et là pièce d'eau ou bouquet d'arbres, me donnaient à nouveau le petit matin vert et frais, le commencement du jour, quand rien n'est encore joué et que l'existence est à l'état de promesse. Je préférais l'éden du Lorrain et de Vanbrugh à celui, raide et formel, dont se moquait Horace Walpole, grand seigneur, membre du Parlement, propriétaire de la petite ferme de Twickenham qu'il transforma au gré de ses désirs en Strawberry Hill, une très étrange demeure gothique : «Quand un Français parle du jardin d'éden, je ne doute pas qu'il en fasse quelque chose d'approchant du jardin de Versailles avec de hautes palissades, des berceaux et des treillages[1].» Ni hautes palissades, ni berceau artificiel pour arrêter le regard, mais la courbe des collines se profilant contre le ciel ou l'ombre des arbres s'allongeant au passage des heures.

1. *Essai sur l'art des jardins modernes*, cité par Michel Baridon, *op. cit.*

Le voyageur sentimental

Coxwold

Une question de définition

Nous ne pouvions traverser le Yorkshire en direction
de Castle Howard sans nous arrêter à Coxwold, tout près
de là, pour rendre visite à Laurence Sterne, son excentrique vicaire, mort en 1768, l'auteur de *Tristram Shandy*
et du *Voyage sentimental*. « Voyageur sentimental (c'est
ainsi que je me qualifie), qui a voyagé et s'est maintenant
assis pour faire son rapport. » Cette simple phrase nous le
rendait proche. Voyager, écrire – et ce faisant, s'arran-
ger pour être heureux. Parmi beaucoup d'autres qualités,
Sterne avait celle-là : le goût du bonheur, et la faculté de
le communiquer, ce bonheur, en écrivant. « J'ai pitié,
disait Yorick-Sterne, de l'homme qui peut voyager de
Dan à Beersheba et s'écrier "c'est sans intérêt" – c'est
vrai, il a raison, mais c'est vrai du monde entier pour
celui qui ne veut pas cultiver les fruits offerts » (*Le
Voyage sentimental*). Lui, au contraire, s'extasie à l'idée
du grand nombre d'« aventures que peut vivre pendant
le bref instant de sa vie celui qui, par le cœur, s'intéresse
à tout et qui, ayant les yeux grands ouverts pour voir ce
que le temps et le hasard ne cessent de lui présenter tandis qu'il chemine, ne manque rien – rien de ce sur quoi il
peut faire main basse, ou presque ».

Tout est dans le « presque ». Il ne s'agit pas de rapacité
mais de plaisir. Et pour le voyageur sentimental tout est

417

prétexte au plaisir, pulsations, frôlements, regards, rougeurs, imprévus et déconvenues, cette excitation légère trouvée dans l'anticipation et l'approche autant que dans la réalisation, d'ailleurs souvent différée ou même suspendue à jamais. Question d'imagination et de sensibilité. À l'esprit chagrin qui voit partout des catastrophes et veut faire part au monde de ses constatations, il conseille d'aller plutôt voir un médecin.

Et nous-mêmes, à quelle catégorie de voyageurs appartenions-nous ? Si nous tentions, comme Sterne y invite son lecteur, de déterminer la place occupée dans sa liste – longue mais non exhaustive –, quel qualificatif devions-nous choisir de nous appliquer : oisifs ou curieux, menteurs ou fiers, vaniteux, atrabilaires ? (On pouvait tout de même espérer échapper à la catégorie du délinquant et du félon, sinon à celle de l'innocent, jamais informé, toujours pris de court, auquel Sterne accole au reste le mot «malheureux».) L'ajout d'un adjectif est une précision importante, il nous le dit expressément – en fait «un pas en avant dans la connaissance de soi» – car il y a bien des chances pour que le voyageur «garde jusqu'à ce jour un peu de la coloration et de l'apparence des choses qu'il a absorbées ou accomplies».

Tandis que nous parcourions les villes anglaises, nos réactions et nos envies, euphoriques ou découragées, variaient continuellement. À vrai dire, elles dépendaient de la journée et du temps qu'il faisait, comme l'humeur de Sterne. La seule constante était l'envie de liberté – celle de renaître à chaque instant de découverte. Une nécessité intérieure plus qu'une simple envie, d'ailleurs. «Voyageurs de la Nécessité», donc, une catégorie reconnue.

Un présent éternel

Le sentiment de liberté, je l'éprouvais aussi, et au plus haut degré, en lisant Sterne[1]. Une lecture euphorisante : un mot, un objet, un souffle d'air, une idée… c'est la dérive de l'esprit qui s'évade et s'amuse à tout propos, la sensibilité qui s'épanche – larmes, remords, sourires –, le plaisir de vagabonder en tous sens. Le monde m'appartient et je m'y déplace sans contrainte. Il y a de la joie à le posséder librement – à quitter, comme Sterne, le texte de sa vie, à partir et revenir, planter là sa phrase, la retrouver un peu plus tard, au même point exactement, l'action n'a pas avancé, la dame qui portait la main à son front quelques pages plus haut est maintenant en train de l'ôter, l'écrivain est, entre autres choses, maître du temps qu'il divise, parcourt et manipule comme il l'entend. Entre les séquences, il fait surgir à volonté un présent éternel, aigu comme une pointe – celui du corps vivant, de la main qui monte vers un front ou du cœur qui bat la chamade. Acuité de la vision et du moment. Le dernier coup de quatre heures sonné à l'horloge de Calais retentit encore, le son s'est propagé jusqu'à nous. Avant de l'entendre, Sterne-Yorick aura gambadé joyeusement d'un de ses mondes à l'autre, flâné au gré de son caprice, entraînant avec lui son lecteur – puisque le voyage tout entier est une sorte de conversation menée avec celui qui l'accompagne. Et ce qu'on partage avec lui, ce ne sont pas de grandes aventures, ni des rencontres remarquables, mais des histoires minuscules de la vie quotidienne, une affaire de portes ouvertes ou de fenêtres ou d'oreillers, au besoin de pots de chambre,

1. Dans l'approche de Sterne m'ont aidée les chapitres que Jean-Jacques Mayoux lui consacre dans *Sous de vastes portiques…*, Maurice Nadeau, 1981.

de petites manies ou de petites paresses, d'impulsions avortées, de timidités, d'hésitations et d'audaces... Rien de plus significatif que l'insignifiant. Tout est à noter. Tout détail intensément remarqué nourrit la conscience d'être, en particulier ceux qui touchent au corps. Celui de Sterne, ce corps chétif et à brève échéance condamné (il avait la tuberculose), il s'y sent presque bien. C'est que tout est bon qui renforce le sentiment d'être en vie, même les petits malaises, ils ont leur côté comique. De là, peut-être, la vivacité du rythme, l'intensité des perceptions, l'énergie nerveuse qui rayonne en toute direction. Être conscient de son corps et de ses gestes, du rapport établi par eux avec le monde, c'est opposer le mouvement de la vie à l'immobilité de la mort : alerte et vive la vie circule, en chaque point du corps elle est sensible.

Au grand galop, dans le désordre, Tristram nous emmène sur les routes de France. Yorick à sa suite, en France encore, suit une autre cadence, alanguie parfois par le trop-plein d'émotions. Et pourtant, à Calais où débute le voyage, en l'espace d'à peine une heure, Yorick rencontre un moine de l'ordre de saint François, rédige une préface dans « un Désobligeant », voit, perd et retrouve une dame, fait l'échange d'une boîte à priser avec le moine, disserte sur l'art de voyager, entame une intrigue avec ladite dame... La vie court trop vite pour que la plume puisse espérer l'attraper. Le rythme des tirets sterniens qui scandent la phrase parfois se précipite. Nous vivons avec la mort aux trousses, il est difficile de l'oublier. On peut tenter d'aller plus vite encore – d'avancer plus vite que le temps et sa spirale descendante, et de nouveau, dans cette vitesse, trouver de la joie. Ou bien on peut tenter de vaincre le mouvement de l'altération lente par celui, plus rapide, de la création et de la phrase. La phrase tendue, haletante, essoufflée de Sterne. Ou bien charger l'instant de présence et ainsi le rendre plein, dense et brillant comme une boule de platine, au point qu'il fait obstacle au temps. Et c'est ici que, faisant comme Sterne un aparté, je prends le droit de signaler une fois de plus les vertus du voyage qui restitue au moment qui passe sa verte nouveauté. Voyager : en quelque sorte suspendre le temps ; écrire : le revivre, le recomposer.

Celui de Sterne touchait à sa fin. Après ses voyages, il avait regagné sa cure de Coxwold. Ses hémoptysies toujours plus rapprochées, qu'il appelait ses menstrues, son amour fiévreux pour Eliza, qui était repartie en Inde rejoindre son mari, la rédaction à Coxwold du *Voyage sentimental* et du *Journal à Eliza*… Sterne est à bout de souffle. En 1766, après une nouvelle hémorragie : « Je vois qu'il faut une fois de plus fuir la mort tandis que j'en ai encore la force… » Dans *Tristram Shandy*, il avait écrit : « Le temps va trop vite à se perdre, et chaque lettre que je trace me dit avec quelle rapidité la Vie suit ma plume ; les jours et les heures […] volent par-dessus nos têtes comme les nuées légères d'une journée de vent et ne reviendront jamais plus – tout se précipite… »

La chaire et les bancs de l'église

L'église de St Michael, où Sterne fut pasteur pendant les dernières années de sa vie, dresse au sommet du village sa haute tour octogonale et noire. Le village lui-même se limite à deux rangées de maisons posées le long de la colline. Sterne, qui ne perdait pas une occasion d'être à York ou à Londres, ou se lançait à corps perdu sur les routes de France et d'Italie – la vitesse, toujours, une vie frénétique et, à voir ce village perdu, on comprend qu'il en ait craint l'immobilité –, Sterne s'amusa sans doute de la cocasserie du nom de Coxwold : Cuhu-Wald à l'origine, Cuhu étant un nom propre et *walda* signifiant le bois. Le bois des Cuhu. Au temps des Normands, ces syllabes se contractèrent en Cuc-wald ; *cuc*, c'était maintenant le cri du coq, autant d'associations champêtres.

Sur le chemin de Coxwold, nous avions grimpé le long d'une route étroite et pentue, bordée d'une forêt de mélèzes et de hêtres. Au sommet, le paysage s'était ouvert, révélant vague après vague de collines déployées jusqu'au lointain horizon. Une vue spectaculaire, indiquée par toutes les cartes de la région. À Byland Abbaye, nous avions déjà retrouvé Sterne. C'est vers cette abbaye qu'il chevauchait venant de son village, une ruine romantique inscrite en plein ciel avec le cercle vide de sa rosace immense dont le contour se dresse aujourd'hui nu et solitaire. Coxwold était désert et sa seule boutique, qui fait aussi office de bureau de poste, fermée. Mais l'école, où résidait autrefois l'instituteur, proposait un thé avec des gâteaux faits maison. Nous avons pénétré dans l'église dont la chaire et les bancs, indique la brochure, « furent conçus par le pasteur de l'époque, le révérend Laurence Sterne, peut-être plus connu pour son roman *Tristram Shandy* ». Peut-être. Mais les paroissiens, eux, se souviennent mieux de la chaire et des bancs (d'ailleurs transformés). L'amoureux fou d'Eliza, la coqueluche de la bonne société londonienne, outre le fait qu'il écrivît des *Sermons* non négligeables, se soucia également de la présentation de son église. Son nom figure très officiellement dans la longue liste des pasteurs de Coxwold sur une plaque de marbre. *Tristram Shandy* est une fantaisie qui n'a rien à voir avec les lieux, ni avec le sérieux imperturbable de ce village. Le cimetière se fond dans la pente verte de la colline. La tombe de Sterne est une simple plaque debout, que rien ne distingue des autres. Elle porte une inscription fraîche : LAURENCE STERNE 1713-1768. AUTHOR OF « TRISTRAM SHANDY » AND « A SENTIMENTAL JOURNEY ». La pierre d'origine, usée, fendue, brisée ne présente, elle, que des fragments de mots. Je me rappelai les environs de Haworth et le nom des Brontë partout répété en échos assourdissants. Ici il n'y avait rien que la solitude et la tranquillité d'un cimetière de campagne – et le souvenir de l'humour de Sterne, du dernier geste dans la dernière phrase de son dernier livre, quand, étendant la main hors du lit en signe de protestation solennelle, Yorick, comme par hasard, saisit celle de la fille de chambre.

Un aussi long dimanche
Leicester

À York nous avions marché le long des rues médiévales, à Manchester admiré la couleur de la brique ver-
nissée, à Leicester, où nous nous sommes arrêtés deux
heures, le temps de déjeuner, nous avons visité les pubs
– une bonne douzaine. L'approche des villes du Nord
enseigne la monotonie : sortie de l'autoroute, traversée de
la banlieue, la suite interminable des maisons mitoyennes,
en fait la même avec ses deux petits porches et ses
inévitables cheminées, reproduite sur des kilomètres
sans aucune variation. Tous les pubs étaient pleins.
Dans le plus grand d'entre eux, une partie de la population s'était rassemblée, vieux d'un côté, jeunes de
l'autre, pour tenter de tuer l'ennui de ce dimanche pluvieux. Ils festoyaient – tout au moins, ils s'en donnaient
l'impression – dans un air épais à couper au couteau où
se mêlaient vapeurs de bière et relents de graisse.
C'était bruyant, chaud et surpeuplé – une sorte d'intimité à opposer au vide de la rue. Dans le fond de la
salle immense, un patio ouvert sur le ciel gris offrait
ses fleurs artificielles aux esprits aventureux en quête
de fraîcheur ou d'exotisme. C'est là que nous nous
sommes installés, sous une couronne de géraniums en
plastique, devant une petite table en treillis blanc façon
terrasse. À côté de nous trois filles obèses et très jeunes
mangeaient des chips en pouffant de rire. En sortant,
nous avons croisé quelques retardataires en déroute

qui venaient rejoindre le groupe. Un T-shirt affirmait :
MASTURBATING IS NOT A CRIME. Mais qui aurait songé à
dire le contraire dans une province où les dimanches
sont si longs ?

William W. et sa sœur Dorothy
Le Lake District

Un « tout sans dépendance ni défaut »

À la nuit tombée, par une froide après-midi du mois de décembre 1799, William Wordsworth et sa sœur Dorothy arrivèrent à Dove Cottage, dans la lointaine vallée de Grasmere. Ils avaient fait une bonne partie du voyage à pied, traversé des vallées, gravi les monts et passé les cols, leurs pas résonnaient sur la terre gelée et la neige leur brouillait le regard, mais le vent les poussait de l'avant comme « deux vaisseaux sur la mer », « un couple qui faisait sécession avec le monde ordinaire ». S'installer à Grasmere, dans ce lieu reculé et silencieux, était plus qu'un rêve, plus qu'une promesse faite à soi-même dans l'enfance, plus que le choix d'un mode de vie – c'était un engagement de tout l'être lié à la poésie, un acte de foi en l'avènement par elle d'un monde meilleur. De lieu ni d'existence, ils ne changèrent effectivement plus jusqu'à leur mort. Cette unité de vie et d'être correspondant à un choix initial et maintenu jusqu'au bout, voici ce qui frappe le plus chez Wordsworth : la faculté de se rassembler tout entier, soi et sa vie, dans l'élaboration d'une œuvre, mais aussi de faire que le monde extérieur, réduit à un lieu à la fois réel et idéal, participe de cette unité dès lors parfaite. La nature, sur laquelle il fixe sa pensée, en est l'élément le plus fort, la nature dont il lit les sentiments comme un écho multiplié et magnifié des siens et qui lui inspire en retour ses mouvements et ses humeurs – dans « Home at Grasmere », ce vol d'oiseaux qui s'élève, plane, tourne, s'éloigne et revient, composant en lui, Wordsworth, ses larges cercles... Tandis que tous deux, sa sœur et lui, cheminent vers Grasmere, ils savent qu'ils sont là où ils doivent être, qu'ils ont atteint le lieu entre tous auquel ils se destinent, celui qui, depuis l'enfance, est inscrit en eux, et cette certitude leur donne de l'exaltation – le sentiment d'une coïncidence parfaite entre la forme de leur vie et celle de leur désir qui, pendant les mois et les années qui suivent, semble ne plus les quitter. Le poème « Home at Grasmere » retrace leur arrivée et décrit cet état, qu'on pourrait appeler celui du plein, quand n'existe plus aucun vide, aucun appel qui provoquerait le déplacement des éléments intérieurs, c'est-à-dire la division, le doute et la souffrance. La petite vallée de Grasmere est un centre, un « tout sans dépendance ni défaut ». « Contentement parfait », écrit Wordsworth dans le poème, « unité entière ». Une simplicité d'existence qui favorise la perception, rien ne s'interposant plus entre le moi et l'objet regardé, rien ne faisant plus obstacle. Plus de désir, mais, en regardant le paysage, le sentiment d'une présence absolue qui vous comble. *« Plain living and high thinking »*, selon la règle de Wordsworth. L'innocence retrouvée.

Quelques braises rougeoyaient encore dans l'âtre du petit salon quand ils arrivèrent. La salle était obscure et froide. Je visitai Dove Cottage alors que la pluie battait sans relâche au-dehors et que les pièces étaient plongées dans la pénombre : le parloir où dansaient les enfants, la chambre de Dorothy, qui devint celle de William quand il épousa Mary Hutchinson, une amie d'enfance, la cuisine au large dallage irrégulier et le garde-manger à côté – rôtir, cuire, étuver, laver (trois repas par jour, dont deux de porridge, il est vrai) –, les enfants y dormaient dans des paniers, puis, à l'étage, la salle à manger avec la chaise de William, dont l'accoudoir élargi lui servait d'écritoire, puisque, à Dove Cottage, il n'avait pas de bureau. Quand on voit l'exiguïté des pièces – trois au rez-de-chaussée et deux chambres en haut –, mal éclairées par des chandelles au suif, quand on constate l'absence de confort de la maison, on s'émerveille des transports de bonheur du couple et on médite sur la puissance de métamorphose de la poésie qui s'empare de la vie ordinaire et, comme un vulgaire métal, la transforme en or des fées. Deux ans après cette arrivée, William se mariait, trois enfants naissaient, les amis affluaient, les sœurs et les frères, Coleridge qui, rejoignant Wordsworth, s'était établi à Keswick, à douze miles de là, et débarquait à toute heure du jour ou de la nuit… On couchait à deux par lit, « notre petit nid déborde », écrit Dorothy à une amie. Dans cette maison sombre et surchargée d'habitants, au milieu du va-et-vient, du bruit, des cris d'enfants, des visites continuelles, William écrivait. 1800-1815, des années de triomphe, d'intense productivité.

Sur un palier à mi-étage, une porte s'ouvre. Elle mène à un jardin en terrasse, la retraite de Wordsworth. William et Dorothy l'aménagèrent, arrachant aux champs ou aux bois fleurs et fougères pour en garnir leur terre, de sorte qu'il n'existe pas de division entre le jardin et la nature autour. Plus tard, ils construisirent sur la colline, un peu plus haut, une sorte de kiosque d'où ils voyaient la vallée, le lac et les collines, Loughrigg, Silver Howe, Easedale, Helm Crag, Steel Fell… À Rydal Mount, la dernière des maisons qu'il habita et la plus élaborée, Wordsworth dessina lui-même le plan du jardin, avec ses deux terrasses, en fait d'étroits chemins de terre qui serpentent à pic entre les arbres, à flanc de montagne. Où que l'on se tourne, on aperçoit au-dessus du lac les sommets aux formes lisses, avec leurs nuances pâles d'or et de rouille.

Marcher, écrire

C'est en marchant le long de ces terrasses qu'il composait, ou bien au cours de ses interminables promenades. Ainsi s'élaborait le poème, l'avancée de la phrase, initiée, soutenue, accompagnée par celle du corps – un mouvement régulier, ferme et sûr, invariable, qui rythmait celui de l'esprit, lui imprimant sa cadence et sa progression naturelle. Le poème naissant du mouvement et le restituant. Son allure, son tempo en dépend. «Quand il pleuvait, il prenait un parapluie, choisissait l'endroit le plus protégé et là, il marchait de long en large, et, bien que la longueur de sa promenade atteignît parfois un demi-mile, il se tenait à l'intérieur des limites choisies comme entre les murs d'une prison», écrit Dorothy dans son *Journal*. La régularité des pas, le rythme égal du vers. Hazlitt, à propos de Wordsworth et de Coleridge, un autre grand promeneur, remarque d'ailleurs ce lien étroit entre la marche et l'écriture. La manière de Coleridge est «pleine, variée, animée», il la qualifie de dramatique, tandis que pour celle de Wordsworth, «plus égale, soutenue, intérieure», il emploie le terme «lyrique»; l'une est accidentée, comme les promenades que choisissait Coleridge, l'autre régulière comme les terrains sur lesquels marchait Wordsworth: «Coleridge m'a dit qu'il aimait composer en marchant sur un terrain inégal ou en luttant contre les branchages désordonnés d'un fourré; alors que Wordsworth écrivait toujours en faisant les cent pas le long d'une ligne droite couverte de graviers, ou en quelque endroit où la continuité de son vers ne risque pas d'être interrompue.» Marcher, penser, écrire, un même travail de tout l'être, corps et esprit accordés au paysage. L'harmonie, pour Wordsworth, contre le danger, pour Coleridge: une différence de tempérament, mais le travail initial est commun.

De même qu'une marche très longue conduit le promeneur au-delà de la fatigue à un état second, l'incantation du vers transporte celui qui écoute en une autre région de lui-même – une région unifiée, apaisée, où ne joue plus l'intelligence aux contours plus secs. Déplacement d'une frontière, la cadence du vers l'effectue pour nous : l'allure maîtrisée de Wordsworth. Quant à Coleridge, le tumulte lui convenait : sur les routes alpines, parmi les rocs et les à-pics, il sentait son esprit courir et tourbillonner comme « une feuille en automne » – une activité sauvage qui soulevait en lui des « vagues roulant et s'effondrant », une sorte de « vent de fond » qui ne soufflait vers aucun des points cardinaux, provenait d'on ne sait où, mais le remuait tout entier. Passage, vibration.

De Quincey, la première fois qu'il vit Wordsworth, observa la marque de cette activité inlassable sur son corps. Il fut frappé par les jambes wordsworthiennes. Non sans humour, il les décrit : des jambes unanimement condamnées par la gent féminine, mais qui n'en ont pas moins fourni de bons et loyaux services, au-delà même de ce qu'on peut attendre d'ordinaire de jambes humaines. Entre la région des lacs, l'Allemagne, l'Italie, la France et les Alpes, seul, ou en compagnie de Dorothy ou de Coleridge, De Quincey estime que Wordsworth dut parcourir de 175 000 à 180 000 miles anglais ; mais il conclut que, si utiles qu'aient pu être les jambes wordsworthiennes, en tant qu'ornement elles étaient pourtant défectueuses.

Le poète entouré de ses « dévotes »

Pour le grand poète, la vie quotidienne était facilitée par la présence active et adorante de deux femmes, sa sœur Dorothy d'abord, puis Mary Hutchinson, la plus proche amie de cette dernière, qui vint les rejoindre en épousant Wordsworth. Seul et malheureux, vaguement jaloux, Coleridge décrit la vie du poète entouré de ses « dévotes » – « la moindre chose est faite pour lui par sa sœur ou sa femme, bientôt il n'aura plus besoin de manger ni de boire lui-même… ».

On sait que la mère de Wordsworth mourut tôt, en 1778, que William fut envoyé en pension à Hawkshead et Dorothy, d'un an sa cadette, chez des cousins à Halifax. Hormis de brèves vacances, ils ne furent réunis qu'en 1795, mais cette fois pour ne plus se quitter. Entre-temps, William s'était rendu en France, il était tombé amoureux de la Révolution française, des idéaux républicains et d'Annette Vallon dont il avait eu une fille et qu'il avait abandonnée. Puis il était retourné en Angleterre et, à l'époque de la Terreur, désillusionné, il s'était détaché de la Révolution. Des expériences dures dont il se remit avec peine, sa sœur le soutenant de toute sa foi en lui. Le legs d'un ami qui croyait en son génie lui avait permis, enfin, de s'installer avec elle. L'amour de Dorothy, total, passionné, se centra sur son frère. Quant à William, il semble que Dorothy sût le ramener au temps de l'enfance et maintenir ouverte pour lui la porte magique qui l'en avait longtemps séparé. La peine ou le plaisir, ils l'éprouvaient à deux, une même sensation, comme autrefois. « Je voudrais que chacune de tes émotions, souffrance ou joie, excite en moi la même émotion, souffrance ou joie », lui écrivait-il, et il lui parlait du lien qui les ferait presque s'identifier l'un à l'autre quand ils auraient gagné leur cottage. Dorothy, pour « faire plaisir » à William, commença à tenir un journal. William, son bien-aimé, était à ses côtés. Parfois, ils marchaient une nuit entière et dormaient la matinée suivante, parfois ils restaient étendus dans le verger toute la journée à lire à voix haute ou à réciter les poèmes de William. Ensemble ils voyaient, ensemble ils entendaient et éprouvaient ; une même vague de sons ou d'odeurs les submergeait, les faisant vibrer à l'unisson. « *We* », dit le Journal, « Nous ». La composition, qui exigeait un immense effort, épuisait William. Dorothy l'accompagnait – « Nous avons marché de long en large dans le verger jusqu'à l'heure du dîner » –, lui communiquant sa vitalité au point qu'elle en était brisée : « J'étais fatiguée à en mourir. » William, lui, s'était d'abord « échauffé », il composait, lisait à Dorothy son poème. « Après dîner, mon épaule lui a servi d'oreiller, je lui ai fait la lecture et mon bien-aimé s'est endormi. » Il leur arrivait, comme en ce jour où ils avaient marché jusqu'à Butterlip How, de partager un « moment de vie », de faire que le temps s'arrête pour tous les deux ensemble, que l'instant, pour tous les deux ensemble, s'emplisse et se dilate et demeure suspendu : « Après notre retour, nous sommes restés assis dans un profond silence, près de la fenêtre – moi sur une chaise, William avec sa main sur mon épaule. Nous étions plongés loin dans le silence et dans l'amour. » Elle aime le regarder, l'écoute respirer. Les objets qu'il a touchés, une pomme dans laquelle il a mordu, elle répugne à les jeter.

Le refoulement sexuel chez Dorothy serait la source cachée de la créativité de Wordsworth. Dûment élevée à l'école de Freud et soucieuse d'appliquer ses théories, fût-ce en manquant de la subtilité et de l'imagination du maître, certaine critique a établi des équations faciles et systématiques. Un schéma tout tracé, pour cette raison inusable, comme la bêtise. Le don d'un côté, fondé bien entendu sur le sacrifice de soi et la répression, de l'autre l'absorption : une sorte de meurtre, ou de mutilation, commis, plus ou moins consciemment, au nom de l'art. Des simplifications à outrance ; on peut imaginer, tout de même, que la créativité – le génie, surtout – a des sources plus complexes.

Pour constater une influence de l'un sur l'autre – bien naturelle si l'on considère que Dorothy vivait en état d'osmose (elle avait une faculté d'empathie, une sensibilité si fine que Coleridge la comparait à un électromètre, réceptif au moindre courant) – il suffit de lire son *Journal*, qui constitue parfois comme la matière première de la poésie. Ainsi des *daffodils*, les narcisses, qui font l'objet d'une description dans le *Journal* deux ans avant que Wordsworth n'écrive son fameux poème : même humeur, même regard, même mot employé pour suggérer le mouvement des fleurs qui «dansent» dans la brise. Mais le poème de Wordsworth, l'un de ses plus beaux, est ce qui nous reste – c'est la justice de l'art. «Un grand homme, disait de lui Coleridge, le seul homme auquel à chaque instant et sur tous les plans, je me sente inférieur.»

Que Wordsworth ait longtemps trouvé une partie de sa force en sa sœur, dans son amour, dans son admiration entière et sa foi en lui, et dans son aide pour la vie pratique, est une évidence. Que Dorothy, vivant en son frère et pour lui, et pour sa poésie, n'ait jamais pensé qu'elle-même pouvait être poète est une autre évidence. À la demande de Lady Beaumont, son amie, d'écrire pour un cercle plus large, elle répond clairement : «[...] je n'ai pas la maîtrise du langage ni le pouvoir d'exprimer mes idées, personne n'est plus inapte que moi à mettre les mots en vers.» Elle le tenta pourtant, mais «la prose, la rime et les vers blancs, tout se mélangeait et rien n'en est sorti». Écrire exige certain entraînement dans la confiance en soi auquel notre entourage ne nous aide pas forcément. À cet exercice-là Dorothy ne s'était pas efforcée ; croire dans le génie de Wordsworth, s'exprimer à travers lui, lui tint lieu de raison de vivre, et elle ne chercha pas en elle les ressources qu'elle aurait pu développer pour construire son œuvre propre. De Quincey a suggéré que, si elle ne s'était pas entièrement consacrée à son frère et aux enfants de celui-ci, si elle avait davantage travaillé et écrit pour elle-même, Dorothy aurait peut-être moins souffert. En 1835, à la suite d'une maladie, elle sombra dans une sorte de sénilité, assez semblable à la maladie d'Alzheimer, et survécut encore vingt ans, dépourvue de ses facultés mentales.

La première de ces souffrances fut sans nul doute causée par le mariage de William. Pendant la nuit précédant la cérémonie, elle porta à l'index l'anneau de son frère. Le matin venu, avant qu'il ne parte pour l'église, elle le lui tendit. « Il le glissa de nouveau à mon doigt et me bénit avec ferveur. » Scène surprenante où l'anneau est tout d'abord passé au doigt de Dorothy, que Wordsworth semble par ce geste prendre pour épouse, ce qu'elle-même en fait lui suggère. Quand on vient la prévenir que les nouveaux épousés rentrent de l'église, elle se jette sur son lit et reste couchée là, « immobile, sans plus voir ni entendre », insensible.

Par la suite, dans les notes du *Journal* qui se raréfient, dans les lettres aux amis, cette étrange union se confirme, de trois personnes en une pour laquelle vivent les deux autres. Le « we » habituel inclut maintenant Mary, et les enfants qui naissent sont aussi bien ceux de Dorothy que ceux de leur mère. Durant sa très longue maladie, au travers des deuils qui frappaient la famille, c'est Mary qui soigna Dorothy jusqu'à sa mort. On ne sait ce que pensa Mary de la situation. Elle ne tenait pas de journal. Seules restent quelques-unes de ses lettres enflammées à Wordsworth, qui répondait avec la même passion.

Qui peut dire que Dorothy, certaine de servir ce qu'elle aimait le mieux au monde, ne fut pas capable de trouver sa place dans la vie ? Elle vécut longtemps dans l'exaltation, aussi loin que possible de l'enfermement et d'une honnête médiocrité, son *Journal* en témoigne. Elle savait que l'œuvre tant admirée l'incluait, qu'elle y entrait pour une part, et cette manière de s'exprimer, pour être indirecte, correspondait à son désir et donc à une forme de réalisation de soi. On peut bien sûr épiloguer sur ce qu'aurait été ce désir en une autre époque – mais à quoi bon ? La question est oiseuse. Nul ne sait si ce qu'elle perdit en aimant passionnément son frère et la poésie – et non un époux ni un amant – ne fut pas largement compensé par l'intensité de l'aventure spirituelle qu'ils partagèrent.

« Un esprit de la nature, pur et élémentaire »

Parmi les portraits de Wordsworth dans le musée qui lui est consacré à Grasmere, il en est un qui exprime mieux que tout autre sa tournure d'esprit méditative, son « envergure de pensée », selon les mots de Benjamin Robert Haydon, l'auteur du dessin en question. L'immense front bombé est observé d'en haut ; effleuré par quelques rares cheveux, il ressemble à un roc massif et surplombant. Sous son poids, le visage se penche et s'efface, avalé par l'ombre : le nez romain, fort et légèrement busqué, les grandes orbites creuses, le menton limité par la perspective à un trait. De ce visage, seul le relief subsiste, avec ses lignes de force et ses dépressions ; il émerge aux dépens du détail et, surtout, de la psychologie. Pas de regard, mais la pensée, la profondeur de la pensée que suggère la rotondité de ce crâne lourd, plein et dense, telle une mappemonde qui figure l'univers et le contient. Retiré en lui-même, les paupières baissées sur son recueillement, Wordsworth suit ses visions intérieures qui, loin des petites misères personnelles et autres états d'âme crispés – le lot ordinaire –, lui représentent les lacs, les bois et les montagnes, et le cours des saisons, et le pouvoir qu'ont ces éléments d'« ennoblir toute chose ».
Pour moins flatter la légende, la description que fait Carlyle de Wordsworth devenu vieux indique les mêmes

dominantes : la silhouette d'un « gris acier », « empreinte de simplicité rustique et de dignité » : elle révèle la discipline et l'austérité d'une vie en retrait du monde, centrée sur le regard et la réflexion, consacrée à un but unique que ceux de son entourage devaient servir, eux aussi.

La pluie pouvait continuer de tomber…

Pendant notre séjour dans la région des lacs, nous logions dans un hôtel de pierres grises, le long d'une route en lacets qui s'enfonçait dans les collines à partir de Hawkshead et menait à Grasmere. Le matin, de notre fenêtre en tabatière, nous regardions un étroit rectangle de ciel, espérant y surprendre une faille, une promesse de bleu. Après tout, c'était l'été, le plein mois d'août, une saison en laquelle il peut se produire une éclaircie. Mais non, le brouillard depuis des jours enserrait la région, la plongeant tout entière dans une semi-obscurité qui semblait son état naturel. Il n'y avait plus ni soir, ni aube, ni passage des heures, mais un jour gris et uniforme, immobile et pesant, que filtrait une brume d'eau épaisse, un paysage aux contours poreux, aux couleurs effacées. Au cours d'une promenade, nous sommes arrivés en haut de Hawkshead Hill ; la brume était si dense qu'on ne voyait plus que des fantômes : les mélèzes au bord de la route avec leur feuillage effiloché et les pierres noires d'une fontaine – des silhouettes incertaines qui surgissaient et s'évanouissaient au passage de la voiture, sans plus de réalité que des apparitions. Un état, plus qu'un climat. Il nous incitait à faire retraite, à rentrer en nous-mêmes, lire et nous concentrer, suivre une idée ou une personne, adopter une compagnie que la pression des occupations extérieures nous oblige d'habitude à planter là, mais qui cette fois, pendant des jours, jusqu'à épuisement du plaisir, ne nous quitterait plus. J'avais choisi Wordsworth. Plus que Coleridge, Southey ou De Quincey qui aimèrent la région et s'en inspirèrent, il me semblait exprimer cette nature avec laquelle il vécut en symbiose – cela, une vie durant. Nulle part ailleurs, écrivait-il dans «Home at Grasmere», on ne peut trouver «la sensation unique qui est ici». Elle fait de cet endroit comme un sanctuaire. De sa beauté, on tire un plaisir quotidien, mais c'est aussi un lieu saint, qui nourrit la pensée et la protège, l'exalte et la purifie, lui apporte la paix en même temps que ces éléments qui peuvent satisfaire «l'esprit insatiable». Double vocation qui répond aux aspirations les plus complexes de Wordsworth, sensuelles autant qu'intellectuelles et mystiques. Plus besoin d'un âge d'or ni d'une nature idéalisée. La réalité, la «sobre vérité», qu'il préfère à ces vues de l'imagination, lui offre mieux : le paysage de son enfance dont il a gardé le vivant souvenir. En revenant dans la vallée de Grasmere, il regagnait un état de présence au monde, une totalité.

Faute d'apercevoir cette vallée, si précisément décrite dans ses poèmes, je lisais donc Wordsworth. J'y trouvais un vocabulaire simple, usuel, et le plaisir du rythme, comme il l'avait voulu. Et ce degré d'excitation de l'esprit qu'on peut atteindre sans avoir recours – il le dit fortement dans sa préface aux *Ballades lyriques* – «à des stimulants grossiers et violents», ces derniers faisant d'ailleurs entièrement défaut dans ce coin reculé du monde. Tiens ! déjà cette plainte à l'époque? On ne souffrait pourtant pas encore des effets de l'information massive (du moins on pourrait le croire) ni de l'érosion de la faculté de réagir et de penser sous l'influence de ce bombardement constant de nouvelles chocs et d'images violentes, chaque jour plus sanglantes, si possible.

Une multitude de facteurs, auparavant inconnus, nous dit Wordsworth, liguent leur force pour émousser le discernement de l'esprit et le rendre incapable de tout effort volontaire, le réduisant ainsi à un état de torpeur quasi bestial. Passivité. Il parle des hommes entassés dans les villes, de l'uniformité, de la monotonie de leur activité. Il montre comment la routine les pousse à exiger des « événements extraordinaires », une dose de secousses quotidiennes qui les tire de leur fatigue. Trouver un peu d'animation, la vie qui leur manque.

Ce semblant d'émotion, l'information le leur fournit, en effet. Le malheur des autres recouvre un instant notre ennui. Wordsworth évoque la « soif perpétuelle et dégradante de stimulation ». Une soif à laquelle il oppose « certaines qualités indestructibles » de l'esprit humain et, face à cet esprit, l'aidant et le tirant, les pouvoirs inhérents aux « grands objets permanents », tout aussi indestructibles que lui.

Ces objets éternels qui agissent sur nous et que Wordsworth trouvait dans la nature, les poèmes me permettaient de m'y reporter. Un antidote, en quelque sorte. Le retour à un monde où des forces incontestées existaient encore, des points de repère auxquels se fier pour naviguer sans trop se perdre. Notre chambre d'hôtel entourée par le brouillard avait traversé les années sans heurt, c'était maintenant un espace intérieur, et rien, depuis Wordsworth, n'avait changé. Les temps se rejoignaient, s'aplanissaient, le dedans et le dehors en harmonie, aucune division de l'un à l'autre. Travail d'empathie, accompagnement, découverte. Lire jour après jour, sans que rien vous distraie de la compagnie désirée, suivre, comprendre et éprouver, pénétrer dans une œuvre ou la laisser nous pénétrer, la porter en nous. Vivre ainsi, dans l'imaginaire – « La vraie vie est imaginaire », disait Virginia Woolf –, vivre une aventure choisie pour les affinités qu'elle présente avec nos désirs ou notre expérience propre, si bien que peu à peu elle devient aussi la nôtre. Cela ne valait-il pas les promenades que nous ne pouvions faire, et que nous faisions pourtant, mais en esprit, la vue que nous ne pouvions avoir, mais que nous montrait si clairement notre lecture ? Sacha lisait de son côté, il vivait sous d'autres climats que les miens, mais ces lectures parallèles, nous les faisions ensemble, cette activité intérieure nous la partagions.

La découverte de Wordsworth menait à celle de Coleridge, qui eut une si grande influence sur cette œuvre ; de Southey, leur ami, qui poussa Coleridge à un mariage malheureux avec Sarah Fricker, la sœur d'Edith qu'il avait lui-même épousée ; de Sara Hutchinson, qui fut la passion de Coleridge, et de Mary Hutchinson, sa sœur, la femme de Wordsworth... Ce n'était pas un poète que m'indiquait la région, mais une tribu, un groupe étroitement tissé (même si Wordsworth proteste vigoureusement contre l'appellation «*poets of the Lake District*»), dont les membres vécurent souvent dans une houleuse proximité. La pluie pouvait continuer de tomber et la brume d'épaissir...

Esthwaite Water

Une région qui donna naissance à la fois au *Prélude* de Wordsworth et à l'histoire de Tom Kitten, ou de Jemima Puddle-Duck, créations de l'immortelle Beatrix Potter, ne peut être que belle et escarpée, aussi variée qu'on le dit. Le village de Hawkshead, où Wordsworth étudia, n'a pourtant rien de la majestueuse grandeur qu'un tel voisinage pourrait suggérer. Il a plutôt l'air de surgir d'une illustration de Beatrix Potter. Ses maisons minuscules et soignées, toutes peintes de chaux blanche et vernissées de noir, ressemblent à autant de tanières confortables où se mettre au chaud, tels les petits animaux de ses contes. Elles offrent en sus au passant qui trottine gentiment d'un site historique à l'autre thé, scones, sandwiches au concombre et autres gâteries, bibelots et colifichets destinés à prolonger le souvenir de la visite.

Il faut se rendre au lac d'Esthwaite Water, à la sortie du village que Wordsworth longeait, enfant, avant d'aller à l'école, pour retrouver le décor qu'on imaginait, intact et sauvage, sans rien pour rappeler le progrès technique. Ni fil électrique ni poteau intempestif, ni même de maison ou de route. Rien, rien que des moutons qui paissent et le paysage livré à la durée, tel qu'il existait au temps de l'Angleterre rurale. Non marqué, non daté, il porte l'idée de permanence que défendait Wordsworth. À croire que le XXe siècle a su entendre l'enseignement du poète et respecter ces « grands objets » auxquels l'esprit, selon lui, devait se tenir, au-delà de l'épisodique et du trivial. Il suffit d'ailleurs de regarder une vue du lac de Wastwater, par exemple, et les montagnes qui le cernent, ces formes larges et massives, aussi simples et géométriques que celle des pyramides ; un peu de brume les éloigne et les adoucit, faisant d'elles comme l'incarnation du lointain et de la solitude ; on comprend sans erreur possible ce que Wordsworth entendait par « grands objets permanents ».

Dans l'amour de la nature entre un élément spirituel. Dilué et affaibli, mêlé au besoin de continuité et de stabilité, il intervient pour une part dans ce goût du passé qui fut, et reste peut-être, un trait éminemment anglais. D'où l'attention méticuleuse portée ici au milieu naturel et le souci de le préserver, quitte à le faire parfois ressembler, à force de soins et de précautions, à un grand parc aménagé. Mais dans cette région on a su éviter les intrusions inutiles : le banc devant la vue, comme pour en souligner indiscrètement la beauté, le panneau de renseignements avec dates et dimensions... aucune de ces aides, de ces béquilles qui, en préparant la sensation, en mâchant le travail, enlèvent à cette sensation (si tant est qu'elle vienne) toute spontanéité et toute fraîcheur : le plaisir de la découverte. Des montagnes entourent le lac d'Esthwaite Water, irréelles, faites de vapeur et de couleurs pâles, de végétation rase, bruyère rose et lichen doré. Nous avons longé son bord caillouteux où venaient battre de courtes vagues. Le mouvement infime, le bruit monotone, inlassable, l'eau emprisonnée par la terre, l'absence de toute marque de présence humaine – des instants pendant lesquels on peut croire, l'effet magique de la lecture aidant, que ce cadre est immuable comme une image, soustrait au temps, à jamais préservé dans sa beauté romantique. La nature de Wordsworth, avec sa solitude et ses forces éternelles et sacrées, que l'homme n'aurait pas encore soumise et colonisée, polluée. Ménagée au moyen de règles strictes, l'illusion est précieuse.

L'éleveuse du mouton Herdwick

Hill Top, la ferme que Beatrix Potter acheta en 1905, après le succès phénoménal de son premier livre, l'histoire de Peter Rabbit, est située non loin du village de Near Sawrey, au sommet d'une petite colline. Village est au reste un terme pompeux pour désigner ces quelques maisons et leur pub groupés au creux d'une route étroite que bordent des murets de pierres sèches. Un décor familier, plein de recoins intimes, à l'écart de la grande nature pittoresque, comme il convient pour les petites créatures qu'elle inventa : Jeremy Fisher qui pêchait, assis sur un nénuphar, Squirrel Nutkin, un habitant des arbres au bord de Derwentwater... Enfouie sous la masse verte et touffue d'un potager, la maison, par sa petitesse, a vite fait de réduire l'échelle de mesure habituelle du visiteur.

Il semble qu'elle ait été conçue pour abriter un peuple de nains : des pièces sombres et minuscules ornées de meubles miniatures, des ouvertures étroites, en partie bouchées par la végétation, une lumière rare à peine accrue par le halo de quelques lampes, un escalier qui grince et gémit à chaque pas (visiblement, il ne fut pas aménagé pour les hordes de touristes japonais venus en pèlerinage se remémorer leurs jours de classe, quand les ouvrages de Beatrix Potter leur servaient de manuels d'anglais). De cette exiguïté et de cet inconfort, Potter a su faire dans ses livres une source d'intimité et de plaisir. Je me souviens, petite, d'avoir aimé tout particulièrement un mobilier de poupée ; il était composé de simples pièces de bois qui, rentrées l'une dans l'autre, présentaient une apparence lisse et uniforme. Le cube ainsi reconstitué était si petit que je le tenais dans une seule main. C'était un monde complet, dont je faisais le tour en un clin d'œil, qui m'appartenait tout entier et me donnait un agréable sentiment de sécurité et de possession. Un univers à ma portée, en réduction sans doute, mais un univers tout de même, semblable à celui des adultes dont il se trouvait pourtant, par sa taille, à l'abri. Ce goût du petit – devenu celui du mignon, de l'attendrissant – qui remonte à l'enfance, la ferme de Hill Top l'illustre aussi parfaitement que les images qu'on y vend.

Ce n'est pas pour l'avoir satisfait que Beatrix Potter est honorée. Elle a, auprès des gens de la région, un titre de gloire autrement important, comme l'indique la note au recto d'une carte postale la représentant en photo. Coiffée d'un chapeau de feutre, un parapluie à la main, une broche au creux du cou, elle a cet air à la fois bonasse et rusé des vieilles dames anglaises dans les romans policiers, celles dont il faut se méfier, une sorte de Miss Marple faussement inoffensive et douée d'un œil redoutable. Que Beatrix Potter fût une femme d'affaires avisée, on ne peut en douter. Elle sauva la région des excès du développement économique, ou peu s'en faut, plus efficace dans son approche concrète que Ruskin (qui habitait près de Coniston, non loin de là) avec ses diatribes enflammées (l'époque n'était pas la même, il est vrai). Petit à petit, utilisant les gains considérables provenant de la vente de ses livres, elle acquit de la terre, toujours plus de terre. Elle était persuadée que le paysage des lacs, autant que son mode de vie, était menacé. Le moyen de le défendre était d'acheter les fermes et d'y pratiquer soi-même l'élevage.

À sa mort en 1943, elle put léguer quinze fermes et 4 000 acres de terre au National Trust, auquel elle avait auparavant vendu, au prix coûtant, 2 000 acres, c'est-à-dire la moitié du Monk Coniston Estate, l'immense propriété qu'elle avait achetée et où elle vécut jusqu'à la fin. Auteur à succès, propriétaire terrienne, femme d'affaires, bienfaitrice de la région – ce n'était encore rien. Ces titres pâlissent devant un autre. Elle fut la première femme présidente de l'association des éleveurs de Herdwick, une race de moutons particulièrement résistante qui paît par tous les temps le long des pentes arides. La carte postale le précise : Beatrix Potter aimait le Herdwick, elle en possédait des milliers de têtes, sa réussite fut telle qu'elle gagna des prix aux concours d'agriculture locaux. Je me rappelai Molly Keane, un écrivain irlandais dont les romans étaient traduits dans toutes les langues ou presque, mais que les gens de la région connaissaient surtout pour un livre écrit dans sa jeunesse : un traité sur la chasse au renard. Pour Beatrix Potter, son succès avec les moutons dépassait de loin tous les autres ; elle demanda au reste à être mentionnée ainsi : « Mrs Heelis, éleveur de moutons ». Mrs Heelis, du nom de son mari.

Née à Londres, célèbre jusqu'au Japon, elle devint, comme elle le désirait, un membre reconnu du cercle exclusif des fermiers de Cumbria, ce point de la carte auquel elle voulut appartenir.

LE CENTRE
ET L'EAST ANGLIA

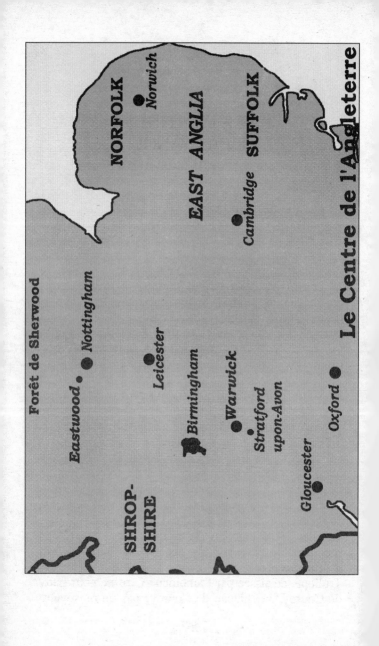

Le Centre de l'Angleterre

Le « cœur du monde anglais, l'Angleterre à l'état pur »
Le Warwickshire

Le passé comme embaumé

Le Warwickshire, pour Henry James qui se préparait à devenir citoyen britannique, était le centre et le « cœur du monde anglais, la véritable Angleterre, l'Angleterre à l'état pur. L'endroit m'a enseigné bien des secrets anglais ; j'y ai interrogé le génie britannique de la pastorale ». Posté sur une pelouse épaisse, il regardait la masse sombre et romantique dont les contours s'effaçaient sous le lierre : le château de Kenilworth. Perfection d'une image qu'encadraient sur les deux côtés les branches tombantes de grands arbres majestueux. Il aurait pu y pénétrer sans difficulté, dans cette image, mais l'idée ne lui en serait pas venue, pas plus que celle de marcher jusqu'à la tour aux ombres mauves qui se dresse à l'arrière-plan d'un tableau du Lorrain, précise-t-il dans *English Hours*. Ici aussi, autour du château, il y avait des ombres mauves et les lentes variations de la lumière et, à mi-distance, la campagne aux teintes subtiles. Dans le Warwickshire rural, où tout détail est suggestif, où les impressions se suivent de si près qu'elles se mêlent sans cesse, il n'est pas un cottage recouvert de lierre qui ne rappelle *La Petite Maison d'Allington* et celle qui l'occupe, Lily Dale, l'héroïne de Trollope, délaissée par l'ambitieux Crosbie pour Lady de Courcy, du château de Courcy ; pas un presbytère abrité par les hêtres et les chataigniers, «situé à mi-côte d'une jolie pelouse verte surmontée par l'église...», devant lequel on ne pense à la cure de Foxholm où officiait le révérend Arthur Heron; pas un fragment de paysage qui ne soit peuplé de présences, visibles ou invisibles, et ne touche l'imagination, et ainsi, ces vues attendrissantes qui défilent tandis que l'on traverse la campagne anglaise sont-elles chargées de la douceur et de la nostalgie que leur donnent à la fois le passé et sa recréation par l'art.

Alors qu'on marche, roule en voiture, regarde, écoute, on comprend, aussi clairement que si on le lisait dans un manuel d'histoire, que toute cette nature, à un degré ou à un autre, est reliée à une société ancienne, riche et puissante. Et tant pis si ce passé-là, tout gonflé de culture et de sentiment, est en train de disparaître à grande vitesse sous la pression de réalités plus neuves et plus urgentes: la terre anglaise, certains de ses villages endormis donnent à celui qui passe l'illusion qu'il est impérissable.

Point n'est besoin de signaler que nous sommes en pays conservateur: «Cette donnée paraît inscrite jusque dans les haies et les étendues derrière elles.» Bien entendu, continue James, les possesseurs de ces choses sont conservateurs; bien entendu, ils résistent de façon opiniâtre à tout ce qui pourrait menacer leur monde ancien et harmonieux, un monde édifié sur le respect du temps et de l'histoire, les goûts et les habitudes de vie des générations successives, un monde qui représente un lent apprentissage, un savoir-vivre longuement médité, ramené jusqu'à l'époque présente à travers l'épaisseur des couches du passé. Considéré de cette façon un peu vague et confuse – par-delà les champs, les bois de chênes et de hêtres –, le torysme britannique devient un élément du paysage dont il détermine jusqu'au style, et l'étranger irresponsable se gardera bien d'en souhaiter la disparition : selon James, « il approfondit la couleur même de l'air ».

Nulle part on ne sent mieux sa présence constructrice que dans les petites villes de province où le passé est comme embaumé pour le plaisir des touristes – notamment dans ces institutions charitables qui datent souvent du Moyen Âge et continuent bravement, en dépit de leurs multiples inconforts et bizarreries, de remplir leur fonction d'origine – ces « petits monuments maladroits de la vieille charité ». De Sherborne à Warwick, de Winchester à Stratford, on les retrouve ces asiles et ces hospices, avec leurs fenêtres à meneaux, leurs hauts pignons pointus, leur petite cour intérieure et leurs poutres apparentes. Aucun signe de vie active ne s'en échappe. Parfois, un être vivant, quelque vieux pensionnaire qui prend le frais, assis sur un banc, digne et astiqué comme les lieux, chargé d'ans et d'histoire, lui aussi, ou, comme à Stratford, dans Church Street que je longeais, une lumière unique brillant à travers les carreaux en losanges d'une fenêtre : l'indication, peut-être, qu'une vieille dame vit là, discrète et silencieuse. Des vies honorables et fières qui déjà s'effacent, s'éloignent dans l'Histoire où elles sont inscrites.

Une énigme insoluble

À Stratford, ville de naissance de Shakespeare, le décor de pastorale continuait de déployer son charme inaltérable. Il est vrai que ce n'est pas sur cette nature soignée, sur ces prés tondus de frais, où coule la rivière Avon entre des saules, que se posèrent les yeux de l'illustre poète : le paysage de son époque était sans nul doute plus sauvage, les bois plus denses, l'herbe plus haute. En réalité, bien qu'il ne soit pas une pierre, pas une rue, pas une enseigne qui n'évoque son nom, rien dans cette petite ville trop bien briquée, ni la douceur des pelouses qui s'étendent jusqu'à l'Avon, ni la lenteur de l'eau qui s'étire en de calmes méandres ne contribue à faire imaginer l'écrivain qu'il fut.

Shakespeare planta dans la région, pour toujours, «le tourment de son énigme indéchiffrable». Chercher à l'élucider n'a, semble- t-il, fait que la renforcer. Nécessité faisant loi, on a recréé tant bien que mal, de maisons en bâtiments, à force d'imagination et d'ingéniosité, en extrapolant à partir du moindre détail, une vie de Shakespeare. Les preuves existent, ou peu s'en faut : ici il naquit, on peut le supposer, puisqu'on a retrouvé son nom sur un acte de baptême daté de l'année où son père habitait cette maison, et là, dans cette construction basse près de l'hospice – ancienne, il faut le constater, avec ses briques roses et ses fenêtres minuscules –, il dut aller à l'école, où il n'apprit, selon son rival Ben Jonson, que «peu de latin, et moins de grec» ; là, à Hall's Croft, une solide bâtisse bourgeoise aux multiples pignons, vécurent sa fille aînée, Susanna, et John Hall, son mari, qui était médecin ; et là, dans le jardin qui jouxte la maison de Thomas Nash, se dressait la demeure la plus importante de la ville, que Shakespeare devait acquérir, montrant ainsi l'étendue de sa prospérité nouvelle, et qu'il habita avec les siens jusqu'à sa mort en 1616. On y voit un grand mûrier, un descendant de celui que planta Shakespeare et que le révérend Francis Gastrell, qui avait acheté New Place en 1756, fit couper sans remords pour en faire du bois de chauffage. L'arbre humidifiait son logis et en assombrissait les pièces, prétendait-il. On soupçonne qu'il voulut en fait décourager les visiteurs trop nombreux que fascinait le mûrier shakespearien (un horloger du village, qui était aussi ébéniste et d'évidence astucieux, récupéra le bois ainsi fendu et en fit des objets à la gloire de Shakespeare. On les voit aujourd'hui dans le musée, une preuve qu'on ne se défait pas si facilement de ce que la renommée a touché).

Et là, dans cette belle église, dont le chœur entouré de grands arbres se reflète dans la rivière, Shakespeare est enterré, ainsi qu'une partie de sa famille. Toutes les étapes de sa vie figurent dans le parcours, mais, à l'inverse de saint Thomas, on a beau voir et toucher, on ne croit pas, pas tout à fait.

La maison où il est né est traversée d'un flot ininterrompu de touristes, désireux, tous, de signer le livre d'or, d'y laisser leur marque, comme l'ont fait leurs aînés, gens illustres aussi bien qu'anonymes, passants du XIXᵉ siècle qui voulurent associer leur nom à celui de Shakespeare, gravèrent leurs initiales sur des vitres, aujourd'hui préservées elles aussi, mises sous verre, ajoutées à ces reliques qui témoignent de la grandeur du poète à défaut d'attester son existence en ces lieux. Objets ébréchés présentés dans une vitrine, morceaux de peigne et débris de tasse, fragments de la vie ordinaire qui semblent surgir de la préhistoire quand ils datent de la fin du XVIᵉ siècle : c'est d'objets semblables que se servait Shakespeare. Ce goût de la relique. Que veut donc le public, que signifie sa soif d'authenticité, sa recherche inlassable du moindre résidu, de l'infime particule qui aurait touché le corps, appartenu au corps de l'idole ? Serait-ce qu'elle renferme comme une cassette le secret de son génie ? On pourrait y voir un reste de pratique magique : ne s'agit-il pas, par le contact établi au travers de l'objet, de s'approprier un peu des qualités du savant, du saint ou du héros ? De recueillir dans la chose qui relie une part de l'identité convoitée et, par cette association, d'élargir son être et sa vie, de les placer sur un autre plan, les faire entrer dans une autre sphère, comme ceux qui, à force de fréquenter les gens célèbres, se croient bientôt célèbres eux-mêmes ? Un lien, c'est bien ce que cherchaient ces visiteurs, et la preuve matérielle d'une existence. Et les organisateurs n'avaient rien négligé pour la leur fournir. Inventaires et testaments avaient été consultés – non ceux du père de Shakespeare, certes (on ne les a pas retrouvés), mais ceux de foyers équivalents à la même époque –, documents, gravures et tableaux interrogés – non dans la peinture anglaise qui ne se souciait pas des petites gens, mais dans la peinture flamande qui, elle, aimait à restituer leur vie quotidienne. Tout a été reconstitué, recomposé, déduit, imité, le bureau de Shakespeare imaginé : une fidèle reproduction d'un tableau de Holbein qui montre un marchand flamand… Les éléments d'une vie sont rassemblés, mais ce ne sont que reflets, échos dont la source est absente. Tout comme «la maison de Mary Arden», la mère de Shakespeare, qui correspond exactement à ce que l'on attend, avec ses fenêtres de travers et ses poutres de guingois, n'est, en fin de compte, pas celle où elle vécut. La réalité simulatrice présente toutes les garanties du produit authentique, mais elle est toujours en léger décalage par rapport à ce dernier, qui s'est réfugié ailleurs ; elle est un peu en retrait, abusant le touriste crédule par une apparence : le «vrai» logis de Mary Arden, comme on l'a récemment vérifié, est une simple bâtisse en briques rouges, une ferme située derrière la jolie maison de façade dont l'air de vérité rassurait.

Seule certitude : Shakespeare est enterré dans le chœur de l'église de la Sainte-Trinité, du côté nord, non loin de la rivière dont le séparent un muret de pierres et quelques grands tilleuls. L'endroit a ce charme paisible, nostalgique en raison même de sa perfection, qu'on associe volontiers au paysage anglais : un mélange harmonieux de fleurs, de pelouses lisses, d'eau et de reflets, le cours de l'Avon qui longe la vieille église – «les pelouses les plus égales du monde qui s'étendent jusqu'à la rive de cette lenteur liquide et font, là où l'eau les touche, un trait aussi parfait que le bord d'une coupe de champagne... ». Un lieu tellement idyllique que, pendant quelques minutes, Henry James, qui écrivit ces lignes, y vit, sans bien savoir pourquoi, ajoute-t-il avec humour, le coin le plus riche d'Angleterre. Gravés sur la tombe, comme le voulut Shakespeare, quelques vers de sa composition dissuadèrent, croit-on, les fossoyeurs superstitieux de changer les os de place, ainsi qu'on avait coutume de le faire :

« Ami, pour l'amour de Jésus t'abstiens / De remuer la poussière que je deviens / Béni celui qui épargne ces pierres / Et maudit celui qui mes os déterre. »

Comme pour veiller sur son propre repos éternel, un buste de Shakespeare trône en majesté au-dessus de la pierre tombale. Il fut commandé par la famille, exécuté peu de temps après sa mort et accepté par les siens. Il se pourrait donc qu'il présente avec le poète quelque ressemblance. Certes, il s'agit bien d'un écrivain : la main droite tient une plume, la gauche une feuille de papier, les deux reposent sur un coussin. Corpulent, l'air prospère, le crâne haut et chauve et le cou épais, l'homme ressemble à un notable de province – « un charcutier satisfait », a dit le critique Dover Wilson. Il regarde loin devant et semble un peu étonné de ce que la postérité a fait de lui. Est-ce bien là l'homme qui a écrit sur la passion ces vers furieux : « ... désir est parjure, meurtrier, sanglant, coupable, / Sauvage, extrême, brutal, cruel, indigne de foi, / Satisfait pas plus tôt, le voilà méprisé, / Sans raison dans sa quête... » ? Le visiteur, qui les a lus, s'était préparé à d'autres possibilités. Dans ses visions du poète, toujours la pensée dominait, certain tourment s'y mêlant ou, au contraire, une expression de sérénité. Pourquoi, au tournant du siècle, en même temps qu'il édifiait de main de maître son patrimoine, faisant des placements aussi considérables que judicieux, Shakespeare a-t-il écrit ses pièces les plus sombres, celles qui trahissent la conscience du chaos, l'angoisse et la révolte les plus grandes ? Et pourquoi, après *La Tempête* en 1611, où Prospero se sépare de ses attributs de magicien, renonça-t-il peu à peu au théâtre pour se retirer à Stratford ? Devrait-on voir pointer sous le portrait officiel le Shakespeare « à demi mort d'ennui » que conçut Lytton Strachey au début du XXe siècle ou, au contraire, le visage d'un homme calme, plein d'une maîtrise de soi hautement conquise, celle de Prospero prenant congé de son art ? Des conceptions naïves qui butent devant la réalité du buste : cette figure grasse de bourgeois enrichi. Shakespeare encore une fois se joue de nous, telle est l'impression du touriste. De l'homme rien ne reste, aucune image qui nous permette de nous en approcher, aucune ressemblance devant laquelle éprouver ce sentiment de gratitude qui nous vient, écrivait Proust, en présence d'un majordome, par exemple, ou d'un cuisinier dont l'apparence se conforme exactement à ce que nous en attendons.

Aussi, comme Henry James qui évita dans sa visite du Warwickshire ce reliquaire trop entouré d'adorateurs, a-t-on envie de s'éloigner, de prendre le bateau, de se laisser glisser au fil de l'eau, lentement, en suivant le cours de l'Avon où se mirent d'anciennes demeures. L'une d'entre elles, placée dans un jardin, est à demi cachée par les feuillages d'un saule dont les branches effleurent l'eau. On imagine de petits appartements lambrissés de chêne, de vieilles portes astiquées et reluisantes, des seuils usés par les pas, des corridors tortueux et, au mur, des portraits de famille impassibles. Ici on pourrait lire des heures durant, s'enfoncer à loisir dans l'univers de Shakespeare, les soucis de la vie se limitant à celui de mieux connaître son œuvre. On pourrait étudier, assis dans l'encoignure profonde d'une fenêtre, levant de temps à autre les yeux de la page pour regarder l'eau qui coule sans hâte, tandis que peu à peu le crépuscule envahit la pièce et que dehors un souffle de vent agite les branches contre le carreau. On pourrait rêver, se taire, penser que la sagesse est là, dans ce calme apaisé, ce silence, ce demi-retrait, et que la vie, alanguie comme le paysage alentour, n'exige rien d'autre de nous, seulement le consentement, le plaisir pris à l'étude et aux gestes familiers de la vie quotidienne. Ni lutte ni passions, ni le tourment des questions qui reviennent, ni l'aiguillon du temps qui nous pousse en avant – «*Times winged charriot hurrying near*», comme l'écrit le poète Marvell, le char ailé du temps qui accourt. Mais l'oubli du monde extérieur que renforcent la discipline du travail et la détente de la rêverie, entrecoupées de promenades. L'Avon est bordé de ces maisons où pourrait vivre avec profit l'érudit shakespearien.

Passage du Paradis
Birmingham

Ladypool Road

Si le voyageur qui va de Stratford à Birmingham emprunte la A34, il traverse, avant d'atteindre le centre-ville, un morceau de terre indienne. Il le constate aux lettres des enseignes, aux vitrines et aux étalages, à la population, exclusivement asiatique, et aux vêtements qu'elle arbore, fort éloignés en ces jours d'été de la tenue minimale des Occidentaux – sari ou shalwar kamez, ces pantalons lâches serrés aux chevilles, portés par les sikhs et les musulmans et que recouvre une longue tunique –, à la langue aussi. On parle activement dans les groupes formés sur le trottoir, mais la langue utilisée n'est pas l'anglais. Je demande mon chemin, en anglais faute de mieux. Visages étonnés, vaguement hostiles, quelques mots à l'accent lourd : «*I do not understand English*», un dos qui se tourne, le manège n'est pas rare.

La banlieue de Birmingham et de quelques autres grandes villes est ainsi occupée par une population étrangère et qui le reste résolument, repliée sur elle-même et sur une identité jalousement préservée. Des peuples se juxtaposent sans vraiment se rencontrer, des civilisations anciennes cohabitent, ancrée chacune dans son passé et son histoire, que l'arrachement à la terre natale n'a pas suffi, bien au contraire, à reléguer dans l'oubli. De l'une à l'autre toute la distance de l'Orient à l'Occident, ramenée ici à quelques rues mais non diminuée pour autant, multipliée au contraire par la peur et l'hostilité. Entre les deux extrémités de Stratford Road, il y a le globe à parcourir. On traverse des banlieues dont seule l'architecture victorienne, petites maisons de briques rouges à pignon, comme un décor de théâtre oublié alors qu'ont changé l'action et les personnages, témoigne de la présence et de la culture anglaises. Une mosaïque de peuples, un assemblage dont les morceaux aux arêtes tranchantes ne s'imbriquent pas et le dessin d'ensemble, ou l'histoire commune, reste à construire.

Le « capital social », a dit un ministre de l'Intérieur controversé – c'est-à-dire ces activités et ces liens qui donnent à la société cohésion et stabilité –, serait mis en péril par « trop de diversité ».

« S'identifier, appartenir », ces choses-là importent. Et de reconnaître que, dans certaines villes du Lancashire, par exemple, ou du Yorkshire, la fameuse diversité mène à la fracture et à la ségrégation. Pas de culture commune, pas de sentiment de responsabilité. Des populations vivent côte à côte en s'ignorant, quand elles ne se combattent pas.

Dans la soirée pourtant la population blanche fait son entrée sur la scène, se glissant par petits groupes dans le quartier de Moseley, entre Stratford Road et Moseley Road, pour gagner Ladypool Road qui en forme le centre. C'est là l'épine dorsale du Balti Triangle, où les restaurants se suivent sans interruption, offrant leurs mets étranges et raffinés. Éclairée parcimonieusement par la lumière jaune des lampadaires, la rue reste obscure, les lourds rideaux de tôle sont tirés devant magasins et entrepôts, quelques rares silhouettes enturbannées, blanches et fantomatiques, n'étaient les épaisses barbes noires, conversent encore sur le trottoir, stationnées devant un marchand de journaux ou une laverie automatique. Malgré son caractère commercial et la brochure produite grâce à la contribution de l'ABRA (The Asian Balti Restaurant Association), qui vante la qualité des restaurants autant que le mélange des cultures, le quartier dans la nuit qui s'est maintenant installée est rien moins qu'accueillant.

Située non loin de là, à Belgrave Road, la grande mosquée de Birmingham, avec son dôme immense et son minaret, n'abritait pas que de pieux discours et les prêcheurs qui s'y faisaient entendre ne prônaient pas nécessairement l'esprit d'entente et la paix avec l'Occident. Certains revendiquaient bien plutôt la révolte et la voie de la violence. La libre expression, la tolérance sont des traditions fortes en Grande-Bretagne. Elles dominèrent jusqu'aux attentats terroristes de 2001 qui mirent le monde occidental sur le pied de guerre et provoquèrent le vote d'une loi anti-terroriste. Le gouvernement estimait que de laisser les gens parler librement – comme ils ont pu le faire de tout temps, perchés sur une estrade de fortune à Marble Arch, tentant par la force de la voix de rameuter et de convaincre un public goguenard – était le meilleur moyen de désamorcer la charge explosive de l'opposition, du refus, voire de la haine. En accueillant cette force antagoniste sous la couronne, en lui fournissant dans le pays même un lieu où s'exprimer, où se décharger, elle perdrait un peu de sa virulence. Une position que, à l'époque, on pouvait en toute bonne foi défendre, après avoir longuement soupesé la question suivante : où réside le plus grand danger, dans le laisser-faire ou dans la répression, dans une condamnation qui pourrait mettre le feu aux poudres ou, tout au moins, durcir le conflit, ou dans une compréhension qui, certes, risque de favoriser la formation de réseaux ennemis et la montée de l'intégrisme ? La longue tradition de tolérance avait fourni une réponse, jusqu'au jour où la violence des attaques terroristes la remit en question.

Le touriste qui va dîner à Moseley, inconscient de ces calculs et des tensions à l'œuvre, de l'inimitié ou de la sympathie qu'il suscite, chemine le nez levé vers les enseignes lumineuses, absorbé par un choix difficile qui concerne son bien-être dans les heures à venir, et non la situation du pays. Il a tout de même sa place dans le décor, il est admis, peut-être désiré, en tant que consommateur.

Contrastes

Le passage du Paradis, dans Birmingham, est l'un de ces couloirs étroits et dissimulés qui relient la ville ancienne à la nouvelle. Il chemine entre des murs de béton nu dont la masse sombre surplombe de petites silhouettes en mouvement – des gosses qui jouent au skate-board – tandis qu'un *homeless* dort par terre, sous sa couverture, dans l'odeur forte de vieille graisse et d'urine qui imprègne toute la ruelle.

Ce dédale conduit directement à une construction moderne. On débouche dans les lumières de néon et le tapage des allées et venues : à l'intérieur, le bâtiment qui abrite la bibliothèque centrale ressemble à n'importe quelle galerie marchande à travers le monde, parois de verre, circulation à tous les étages ; à l'extérieur, il a l'allure austère et sans grâce d'un parking. Il jouxte l'hôtel de ville, réplique exacte du temple de Castor et Pollux dans le forum romain, et occupe tout le fond de Chamberlain Square, qui offre ainsi l'exemple d'un détonnant mélange de styles, d'ailleurs assez typique des villes anglaises contemporaines. Malgré cette intrusion résolue de l'époque moderne, la place reste dominée par le XIXe et ses illustres prédécesseurs, tous fils de Birmingham, tels Watt ou Priestley, qui découvrit l'oxygène mais qui avait bien d'autres qualités, puisque Coleridge put le décrire comme « un patriote, un saint et un sage » (même si la foule, qui ne lui pardonnait pas son soutien à la Révolution française, en jugea autrement : en 1791, elle brûla et pilla sa maison ; après quoi, Priestley trouva la ville inconfortable et émigra aux États-Unis où il mourut en 1804). Mais le centre de la place, le point de fixation des regards, est un monument majestueux élevé en hommage à Neville Chamberlain (1869-1940), un député conservateur issu d'une grande dynastie politique de Birmingham. D'abord maire de la ville, il délaissa bientôt le gouvernement local pour le champ plus vaste de la nation, en 1938 se rendit auprès de Hitler, obtint du dictateur la signature des accords de Munich, qui garantissaient la paix entre l'Angleterre et l'Allemagne, fut reçu en triomphateur à son retour en Angleterre par ses concitoyens soulagés, puis, confronté aux violations successives de l'accord par Hitler, fut obligé, lui qui avait promis la paix (« *peace in our time* »), de déclarer la guerre le 3 septembre 1939. Ce pacifiste trompé et malheureux se tient aujourd'hui sous un dais surmonté d'une flèche qui ressemble un peu au tabernacle d'Albert dans Hyde Park. Une pièce d'eau agrémente la construction pompeuse, avec son jet inévitable. Un panneau en interdit l'usage pour la baignade, signe des temps, preuve que par une chaude journée d'été des tentations se font jour qui n'ont rien à voir avec la réflexion requise par l'Histoire.

On contourne le temple romain et on arrive sur la place Victoria, au sommet d'un vaste escalier dont la base est gardée par deux sphinx chauves et débonnaires, pattes croisées sous leur poitrail rebondi ; le monument fut inauguré, précise une inscription, par la princesse de Galles en 1993. Au milieu de la place, éclipsant une modeste effigie de la reine Victoria placée sur le côté, la statue gigantesque d'une femme nue qui,

reposant nonchalamment sur son lit d'eau, rêve visiblement à d'autres cieux, cela malgré la belle citation de
T. S. Eliot gravée tout autour d'elle sur la margelle
du bassin, malgré la présence au fond de la place de
l'imposant Council House, avec son dôme splendide,
son portique à colonnes et son arc en plein cintre
qui enclôt une mosaïque sur fond d'or de Salviati
(un artiste qui opéra à Venise et dont on retrouve ici,
dans cette ville du Nord, la trace inattendue, précieuse
et chatoyante). Sur le fronton, Britannia, les bras largement ouverts, accueille et félicite les fils de Birmingham, énergiques chefs d'entreprise, pionniers de l'ère
industrielle.

Nous sommes assis, encore un peu perdus, en contrebas, à la terrasse d'un petit café, admirant les restes
massifs et soigneusement entretenus d'un XIXᵉ siècle
toujours triomphant. Le fleuron en est sans aucun doute
The Argent Centre, du nom du métal employé dans les
armoiries, élevé en 1863 dans Frederick Street par un
fabricant qui fit fortune en vendant crayons et plumes
en or, et dont la masse écrasante se pare des grâces de la
Renaissance italienne : tours afin d'en élever les angles,
briques de couleur, arcs des fenêtres qu'entoure une
décoration d'une légèreté florentine, celle-là même
qu'utilisa dès 1849 l'architecte William Butterfield. Il
suffit de baisser les yeux et de regarder la rue pour
redescendre le temps et en revenir à l'époque moderne,
parcourir cent ans en un clin d'œil, constater que ces
cent ans-là ont tout changé, jusqu'à l'aspect des choses.
Voyager dans le temps, dévaler les années sans bouger,
s'asseoir à la terrasse d'un café au centre d'une ville de
province anglaise.

Devant moi, un jeune en débardeur, insensible au froid
et au ciel gris, est plongé dans *The Sun*, tabloïd bien
connu. Le journal annonce en pleine page le résultat
du concours du mâle le plus sexy : un plombier a gagné,

je vois en gros plan la photo du lauréat ; viril à souhait, musclé comme un gladiateur, il porte sur l'épaule, en guise de massue, une colossale clé à molette. À ce moment, un groupe de jeunes passent devant notre terrasse, bardés de chaînes, parés pour la guerre, le cou cerclé de colliers de chien à pointes de fer, la chevelure soigneusement divisée en touffes offensives, dressées comme autant d'armes prêtes à entrer en action – un corps et une tête tout de pointes et de piques. Ils laissent de marbre le petit public occupé à savourer son café matinal. Un spectacle prévisible après tout, et qui n'a plus rien d'effrayant, une simple promenade. Tatouages pour un autre ; extérieur au groupe, l'individu a des vertèbres de dinosaure fixées sur le dos : on aperçoit comme une suite de triangles de plastique à travers des dreadlocks épaisses comme des lianes et qui lui pendent jusqu'aux chevilles. Celui-là n'a eu recours à aucun des signes attendus d'une appartenance. Peut-être se soucie-t-il simplement d'être vu, d'exister, d'échapper au conformisme ambiant, à la pesanteur du ciel gris et à l'ennui qui règne. Un peu d'excentricité pour que la vie flamboie, le rappel d'une bête monstrueuse et improbable dans des rues peuplées de ménagères affairées.

Les deux badauds venus d'ailleurs retiennent avec un peu de tristesse la pauvreté des moyens employés et l'isolement des acteurs dans ce cirque permanent qu'est la rue.

Le forum du Paradis, non loin du passage de ce nom, est une immense esplanade qui forme une sorte de terrain neutre séparant deux mondes, un vide qui ménage une transition entre l'architecture bourgeoise et ornée du XIXe et les bulles futuristes du XXe : le Repertory Theatre, le Symphony Hall, l'International Centre. Devant ces bâtiments flambant neufs, rompant l'espace nu du Centenary Square, un monument étrange qui de loin a l'apparence irrégulière d'une motte de beurre, de près s'affine au point qu'on distingue une multitude de personnages. En fait il représente une foule que domine un homme au bras levé : c'est le symbole du progrès, de la marche en avant de la ville. Entouré de sa famille et de la communauté moderne, l'homme incarne les valeurs d'un monde neuf, tandis qu'à ses côtés une femme se retourne vers le passé – vers l'ère industrielle laissée derrière, avec ses travailleurs qui déjà s'amenuisent et s'effacent. Elle prend congé de cette époque disparue, que recouvrent d'ailleurs brouillards et fumées, en soufflant vers elle un dernier baiser d'adieu.

La sculpture fait face au très contemporain International Centre, la fierté de Birmingham, et s'appelle « Forward », « en avant », une preuve que le XXe siècle sut lui aussi cultiver, malgré les démentis apportés par l'Histoire, certaine naïveté triomphante.

L'ère industrielle abandonnée, reléguée dans un passé révolu, nous en avons trouvé la trace désolée le long des canaux de Birmingham. Autrefois, avant l'époque des chemins de fer, ils constituaient la voie royale du transport des marchandises. Bordés d'usines et de grands entrepôts, ce sont en quelque sorte les coulisses du théâtre, sombres couloirs secrets où se déroulait l'activité infernale qui menait à la production de la richesse, à la scène illuminée du succès. Aujourd'hui, ce long dédale est tombé en déshérence, les rebuts des heures glorieuses s'y sont accumulés, accessoires désormais inutiles qui se décomposent peu à peu au bord de l'eau noire. Un spectacle pour les touristes oisifs, un sujet de méditation pour ceux qu'étonnent les revirements de l'Histoire, ou de mélancolie pour ces romantiques attardés qu'attirent toujours les paysages de tristesse et de ruines.

On embarque près de Brindley Place, que dominent restaurants et terrasses ripolinés de neuf. Puis, au fil de l'eau étroite, on traverse lentement les hauts lieux de la spéculation immobilière, immeubles modernes aux pignons arrondis et façades plates, d'une construction hardiment dépouillée, où loge une population aisée – la nouvelle Amsterdam. Mais d'un coup ce monde neuf et pimpant s'interrompt, comme dans ces films fantastiques où une image de bonheur fait soudain place à un univers de désastre. Juxtaposition, choc, ni continuité ni transition. Le décor est maintenant constitué de bâtiments effondrés, vitres brisées, ferrailles rouillées, toits en détresse, carcasses, câbles, poulies, poteaux, pylônes, pans de murs noircis où s'étalent encore de fiers panneaux : GAS & AIR COMPRESSORS, SCREW & JOINERY… toute une gamme d'activités qui révèle la multiplicité des talents de la ville au XIXᵉ. Le bateau glisse en silence entre les silhouettes dévastées que recouvre peu à peu la végétation. Les lieux sont déserts, si paisibles que les oies et les canards sauvages venus du Canada y installent chaque année leurs nids.

Smith and Pepper

Le quartier des joailliers, qui s'étend de St Paul's Square à Frederick Street en passant par Caroline Street, Warstone Lane, Victoria Street…, c'est-à-dire tout le nord-est de Birmingham, occupait au début du siècle, à l'époque de sa splendeur, quelque 70 000 personnes. Puis vint la Première Guerre mondiale. Ceux d'entre les artisans qui n'allèrent pas se battre passèrent de la fabrication des bijoux à celle des munitions. Le commerce ne s'en releva pas. La Seconde Guerre lui porta un nouveau coup. Pourtant, les joailliers de Birmingham continuent d'éclipser tous les autres en Grande-Bretagne, leurs bagues en or ou en diamant, leurs émaux cloisonnés, leurs bracelets d'argent et leurs alliances se vendent dans le pays entier, dans les supermarchés ou dans les boutiques riches du West End de Londres, au fin fond de la province anglaise où des fiancés les ont longtemps convoités, comme dans les palais lointains des émirs du Moyen-Orient.

La tradition est ancienne, puisque dès le XVe siècle Birmingham fabriquait faux, faucilles et autres instruments tranchants pour les fermiers des environs. En s'enrichissant, ces derniers ne se contentèrent plus de ce rôle utilitaire, ils attendaient du métal autre chose, un peu de fantaisie, des ornements pour leur maison. Dès 1440, les archives mentionnent un certain John Blackwyn, premier orfèvre de la ville à laisser son nom à la postérité. Mais c'est en 1660, quand le roi Charles II rentra de son exil en France, après la Guerre civile, que l'industrie du bijou prit vraiment son essor. En France, le roi s'était habitué au raffinement et au luxe, le goût lui était venu des boutons fantaisie et des boucles de soulier, un goût immodéré. La mode était lancée. Les artisans de Birmingham, toujours à l'affût des idées nouvelles, se mirent à produire par dizaines de milliers ces accessoires, d'abord en acier, puis en argent et en or, les chargeant peu à peu de verroterie de couleur et de pierres précieuses. Des pieds à la tête, le roi et sa cour brillaient de mille feux. Les moins riches s'efforçaient de les imiter, eux aussi de resplendir. Des milliers de gens arborèrent donc des boucles de chaussure, bon marché celles-là, mais qu'importe, le signe d'appartenance était présent. Ainsi la royauté fit-elle, en suivant le cours fantasque de ses plaisirs, la fortune des joailliers de Birmingham. Que l'un de ses membres meure et c'est toute la profession qui était plongée dans le deuil, personne ne mettait plus de boucles à ses souliers, le commerce s'effondrait.

Encouragés par leur succès, les artisans se lancèrent dans la confection de petites boîtes et de colifichets, qu'on appela non sans mépris les « jouets de Brummagen », ou de Birmingham, autrement dit de la camelote, de la pacotille accessible à toutes les bourses. Le quartier entourant St Paul's Square se transforma vite en une ruche. On construisait ateliers et maisons, les uns jouxtant les autres, des familles entières s'y installaient, certains travaillaient seuls, en chambre, et d'autres, spécialisés, se regroupaient, exerçant tous les métiers de la chaîne. Zigzaguant de rue en rue, d'un atelier à l'autre, des livreurs couraient en tous sens, des gamins le plus souvent, qui à l'occasion posaient à terre leur charge précieuse, histoire de souffler un peu et de faire une partie de billes ou de football.

Aujourd'hui le quartier est tranquille, ni course ni allées et venues, des vitrines à touche-touche où reposent sur leur coussinet bombé des milliers de bagues en souffrance. Parfois une porte s'ouvre sur un escalier sombre et étroit. Derrière l'intimité silencieuse des façades, dont bon nombre reflètent l'opulence victorienne, un monde trime et s'agite. Ce monde, on ne le voit pas, on ne l'entend pas. Les ateliers, sources de la richesse offerte en devanture, produite comme par magie, étaient disposés à l'arrière, imbriqués à angle droit dans les blocs donnant sur rue, dissimulés dans la profondeur de cours intérieures.

C'est pourtant eux qu'on vient maintenant visiter, et non la tour surprenante, située à l'angle de Constitution Hill et de Hampton Street, dressée telle la proue d'un long vaisseau au milieu des maisons plus basses ; conçue par William Doubleday et James Shaw en 1895, ornée d'arcades extravagantes, d'une profusion de piliers et de pignons, le tout recouvert d'une belle terre cuite à la chaude couleur ocre, elle luit doucement, même par temps gris.

Parmi tous ces ateliers, celui de la firme Smith and Pepper raconte une histoire exemplaire.

Le 5 septembre 1899, Charles Smith, premier de la lignée, s'associait à son oncle Edwin Pepper pour fonder une compagnie qui, jusqu'au moment de sa fermeture, en 1981, devait représenter la fine fleur de la profession. Les broches, bracelets, colliers, médaillons, croix et boutons qu'elle fabriquait par milliers se vendaient en bonne quantité et la firme traversa sans encombre l'époque de la Première Guerre. En 1914, elle se portait même si bien que G. E. Pepper, un architecte apparenté à la famille, put construire une belle façade neuve qui remplaçait celles de deux maisons vétustes tout en restant reliée aux anciens ateliers. Mais Charles Smith, un homme de son temps, allait prouver son énergie en plus d'un domaine. Il ne s'était pas plus tôt installé au 77/78 de la rue Vyse, avec sa femme et la nouvelle compagnie, que naissait Eric, son premier fils. Huit enfants devaient suivre. Ayant ainsi assuré la prospérité et la longévité de sa famille, Charles put en toute bonne conscience prendre sa retraite en 1930. Ses fils Eric et Tom et sa fille Olive lui succédèrent.

L'ordre des pièces témoigne d'une existence de discipline et de labeur : le petit bureau, avec son présentoir à bijoux, où Eric recevait la clientèle riche, celle qui achetait pour plusieurs magasins à la fois ; à ces privilégiés, Olive versait le thé et tendait une brioche de sa confection, sauf le mercredi, jour où elle ne cuisait pas le pain. Les autres clients, les petits acheteurs, étaient acheminés directement dans la grande pièce où l'on passait les commandes. Rituels invariables, chacun d'une importance suprême, l'ordre des choses en dépendait. Dans cette salle tout en longueur, les nouveaux arrivants faisaient face à des piles impressionnantes de dossiers soigneusement rangés : durant les quelque soixante ans que dura son règne, Olive ne jeta jamais aucun papier. Tout est encore en place, la vieille Remington aussi, sur laquelle elle tapait noms, adresses et chiffres. Dans un coin, s'ouvre un escalier étroit qui mène à l'atelier, à l'étage au-dessous ; il n'était jamais emprunté que par Mr Tom, qui assurait la surveillance du niveau inférieur, non par les ouvriers cantonnés dans leur espace. Marque de la division entre les fonctions et les classes symboliquement réparties sur deux niveaux, l'escalier ne pouvait servir à relier deux mondes irrémédiablement séparés – celui d'en haut, l'Olympe où officiait la déesse Olive, chiffrant, pensant, organisant ; celui d'en bas, les régions infernales où s'effectuait le travail au milieu des vapeurs et des fumées. Une structure toute-puissante.

Assis autour d'établis de bois brut creusés de demi-cercles comme pour l'avancée d'un ventre (en fait le « tablier » tendu là, une sorte de poche en cuir, servait à recueillir la poussière d'or), les ouvriers travaillaient coude à coude, limant, gravant, ponçant, soudant. Mêmes gestes, même rythme, mêmes habitudes, comme autant de rites, depuis la remise de l'or le matin, dûment pesé par Mr Tom, jusqu'à celle des objets, achevés ou non, en fin de journée, au même vigilant Mr Tom. Le soir, avant de repartir enfin, chaque ouvrier essuie longuement ses semelles sur le paillasson de l'entrée d'où seront ensuite retirées ces parcelles de métal précieux qui au long des trajets y auraient adhéré. Dehors, le mouvement de la rue semble calme à celui qui rentre chez lui, silencieux presque, après l'affairement du jour : le vacarme des courroies et de l'estampage, la cadence soutenue au long des heures, la précision des gestes qui s'enchaînent sans défaut, l'air étouffant de la pièce aux fenêtres closes (la poussière d'or ne doit pas fuir), les vapeurs de cyanure et d'ammoniaque qui s'échappent du conduit au-dessus de la cuve de polissage, tout près de l'endroit où il a mangé son sandwich, le chaud grésillement des chalumeaux dont tout au long de la journée il a dirigé la flamme de son souffle… De son petit bureau, Mr Tom guette la moindre incartade.

Dès le début de la journée, Mr Tom a pesé l'or autant de fois qu'il y a d'ouvriers. Puis il a veillé au destin de la moindre poussière vagabonde : aucune ne doit se perdre. Un système d'aspiration récolte les résidus d'or qui poudrent les machines de polissage. Le balayage continuel du plancher et des tables produit lui aussi son lot de détritus légers qui seront soigneusement recueillis. L'eau même qui a servi au lavage des mains sera filtrée afin qu'en soit extrait l'or précieux, l'or invisible, impalpable, qui s'y serait dissimulé. À la cave, de grands sacs se remplissent peu à peu de cette poudre qui sera fondue dans une fournaise, utilisée, à nouveau mêlée au travail du métal.

Ainsi, chaque jour de sa vie, Mr Tom surveille sans relâche, il compte, distribue, mesure, pèse, rassemble, règle la machine complexe, traquant l'or et les déchets de l'or jusqu'à l'obsession, attentif à ne rien égarer, ne rien gâcher, jamais – une gestion stricte, une utilisation maximale des ressources. Mr Tom a de l'obstination, le sens de l'économie, la passion de l'épargne, comme les hommes de son temps. À cette tâche exigeante il consacre toutes ses forces. Sa vie est organisée selon un plan rigide, impitoyable même.

Ni Olive, ni Eric, ni Tom n'eurent de descendance. Trouvèrent-ils même le temps d'aimer ?

Un soir de 1981, un soir comme les autres, après soixante ans de cette existence, Eric, Olive et Tom Smith, des vieillards maintenant, âgés respectivement de quatre-vingt-un, soixante-dix-huit et soixante-quatorze ans, quittèrent l'usine pour n'y plus revenir. Comme chaque fois ils verrouillèrent la porte, laissant tout en l'état, et leur vie de labeur derrière eux. Ils avaient décidé de fermer les lieux. À l'instant de ce renoncement, lorsqu'ils entendirent pour la dernière fois la clé tourner dans la serrure, eurent-ils le sentiment du devoir accompli, la satisfaction d'achever une vie bien

pleine – ou bien un vague étonnement, un peu de décep-
tion à constater que tout ce travail, tous ces efforts, ces
jours et ces semaines et ces années uniformes, réglés
comme par une machine infaillible, toute cette peine
c'était en fin de compte pour cela, pour aboutir à une
porte qu'on ferme ?

Un peintre victorien

Sur le sommet d'une colline planté de tilleuls,
adouci par un tapis d'herbe verte, se dresse la cathédrale
St Philip, avec son clocher octogonal et sa lanterne
ronde. Un cimetière l'entoure, de simples pierres tombales disséminées sur la pelouse, qui semblent n'être là
que pour approfondir la paix ambiante ; des jeunes
gens allongés parmi elles prennent le soleil de l'après-
midi. Maria Jane Davies décédée le 2 mai 1887 dans sa
soixante-seizième année : « Elle est entrée dans le repos
éternel. » Non loin de ce rappel, si intégré aux habitudes
de la vie qu'il ne trouble personne, deux jeunes s'enla-
cent avec enthousiasme. Pour un peu, l'image pourrait
constituer une allégorie des divers stades de la vie où
la mort se trouverait dépossédée de son pouvoir d'effroi
– non pas un terme, mais une simple date dans une ronde
sans fin.

Dans l'église, qui, avec ses colonnes corinthiennes,
évoque bizarrement un temple grec, nous allons voir les
vitraux dessinés par Burne-Jones.

Des grandes toiles de ce peintre, natif de Birmingham,
j'aimais les silhouettes sculpturales aux yeux absents,
voluptueusement livrées à la tristesse et à leur songe de
mort, les chevaliers en armes, vêtus d'une armure lisse et
brillante, semblable à des élytres d'insecte, les femmes
épuisées de langueur, enroulées sur elles-mêmes comme
des boutons de rose, ou couchées de tout leur long,

endormies d'un sommeil de pierre – créatures ensorcelées, soumises à quelque charme ou à une malédiction étrange. J'aimais «The Beguiling of Merlin», l'enjôlement de l'enchanteur emprisonné par Nimue dans une aubépine, ses yeux noyés dont la pupille se voile, son abandon à demi consentant, tandis que la belle à la chevelure tressée de serpents le contemple, un peu effrayée tout de même par l'étendue de son pouvoir. Que cette femme fatale ait eu le visage de Maria Zambaco, la maîtresse de Burne-Jones, une Grecque au caractère tempétueux et fantasque qui tenta de se faire épouser puis voulut se suicider, ne fait qu'ajouter à mon intérêt pour ce peintre si typiquement victorien, au demeurant bon mari et bon père, adulé par son époque qui sut reconnaître dans cette œuvre ses rêves et ses fantasmes les plus secrets. «Un tableau c'est à mon sens un beau rêve romantique à propos de quelque chose qui ne fut jamais et jamais ne sera – dans une lumière si belle que jamais semblable ne brilla –, dans un paysage que nul ne peut définir ni se rappeler, mais seulement désirer – et les formes ont une beauté divine.» Des formes qu'il rêva dans ses tapisseries, vitraux, huiles et aquarelles, dessins et céramiques (qui furent fabriquées en liaison avec l'atelier de William Morris) : Burne-Jones avait l'audace et le formidable appétit de travail des hommes de son temps.

Éclairé par le soleil déclinant le vitrail du Jugement dernier explose de couleurs à l'arrière de l'église. Le Christ en blanc, entouré de séraphins vêtus de pourpre, semble encerclé par tous les feux du ciel, flammes ardentes d'un incendie, tandis que, dans la foule des damnés, deux femmes enlacées mêlent joliment les plis verts et bleus de leur toge.

Eastwood
Autour de Nottingham

« Des blocs sordides et hideux »

Eastwood, village natal de D. H. Lawrence, dans la banlieue de Nottingham, n'évoque en rien l'œuvre de cet écrivain. Peut-être faudrait-il le visiter quand la pluie trempe les toits gris des petites maisons serrées le long de la colline dans l'unique grand-rue du village, et non par cette journée de beau soleil et de marché, avec la foule des ménagères qui bavardent, s'affairent, achètent. Alors il serait plus facile d'imaginer la laideur et l'étroitesse que Lawrence voulut fuir et le contexte contre lequel s'élabora sa vision du monde. Un paysage de mines, de charbon et de suie, de grandes usines, telle une « Olympe des temps modernes », avec leurs panaches de fumée et de vapeur et les voies ferrées dénudées. Partout des murs, l'enfermement, et le choc du fer contre le fer, le hurlement des sifflets. Décrite par Lawrence dans *L'Amant de Lady Chatterley*, c'est « la longue rangée sordide de Tavershall, les maisons de brique noircie, les toits d'ardoise noire abrupts et luisants, la boue noire de charbon, les pavés humides et noirs… » et la tristesse qui semble avoir tout détrempé. La laideur accablante, l'absence complète de toute beauté, du désir même de la beauté.

De cette Angleterre plongée dans des ténèbres permanentes où vit une race de mutants, faite de « moitiés d'hommes, de grises moitiés d'êtres humains», Lawrence donne une vision apocalyptique. C'est que la continuité organique, la lente évolution poursuivie depuis le fond des âges a été brutalement rompue, remplacée par un ordre mécanique : celui, inhumain, du fer et de l'acier, que la civilisation industrielle, la grande fautive que dénonçait déjà Blake, a imposé aux hommes et aux choses. D'où l'effacement de la beauté, de la vie naturelle et sauvage, bientôt réduite à quelques parcs, quelques enclos protégés, comme celui où se réfugient Mellors, le garde-chasse, et Constance Chatterley. «Là, dans ce monde mécanique avide, si avide, d'une avidité mécanique, brillant de lumières, vomissant du métal chaud et éclatant des mille bruits du trafic, là gisait le mal immense, prêt à détruire tout ce qui ne s'adaptait pas. Bientôt il détruirait les bois […] Toutes ces choses vulnérables devaient périr sous la ruée du fer.»

Je songeais à la grande lamentation de Lawrence, à sa vision prophétique qui se déploie de roman en roman, jusqu'au dernier, *L'Amant de Lady Chatterley*, où l'on voit l'héroïne traverser la ville de Tavershall et la campagne environnante en une sorte de descente aux enfers. L'homme est dépossédé de lui-même, exploité par une société inhumaine entièrement tournée vers le profit, et son corps, même son corps, porte la trace de son esclavage. À la mort, à la maladie mortelle dont il discerne partout les signes, Lawrence oppose la vie. Comme une flamme, elle est entretenue par l'amour, une petite flamme «bien jaune et bien brillante» qui brûle entre deux êtres. «Même les fleurs sont créées par l'accouplement du soleil et de la terre.» Sa foi dans cette petite flamme et dans «le Dieu sans nom qui l'empêche de s'éteindre», c'est Mellors qui l'affirme dans la lettre si belle qu'il écrit à Constance Chatterley à la fin du roman. «Je crois à la petite flamme qui brûle entre nous. Pour moi, maintenant, c'est la seule chose qui compte.»

Pour cet acte de foi toujours renouvelé, affirmé en dépit des difficultés de sa propre existence et des crises constantes que traversa son mariage avec Frieda, j'aimais Lawrence et son rêve d'harmonie. Je l'aimais pour sa ferveur, pour sa soumission à la force étrange qui était en lui – « Il faut être si terriblement fervent pour être artiste » –, pour l'intensité avec laquelle il percevait la vie et la traduisait, comme s'il habitait un monde différent, plus neuf et plus éclatant, comme si, voyant plus que les autres, il aimait plus, aussi, et il haïssait plus. « Il regardait les choses, semblait-il, de l'œil d'un homme qui avait été aux portes de la mort, et pour qui, à mesure qu'il émerge des ténèbres, le monde se révèle insondablement beau et mystérieux », écrit Huxley qui le connut bien.

Poète et visionnaire, Lawrence plaça dans l'amour charnel son espoir de maintenir l'homme en vie, en état de vie. La sexualité était selon lui une voie privilégiée, une ouverture vers un mystère fondamental.

La préface de Malraux à L'Amant de Lady Chatterley prouverait, s'il en était besoin, à quel point cet écrivain, en matière de critique littéraire, a pu manquer de pénétration. On chercherait vainement dans son texte une seule phrase qui soit juste. C'est qu'il lit Lawrence à la lumière de ses propres idées, sans entrer un instant dans la complexité du sujet. Mais qu'importe ? Lawrence fut de façon générale incompris et il le demeure. Sa pensée comporte des contradictions, puisqu'elle tente d'épouser le mouvement même du vivant, heurté, violent, le choc de l'accord et du désaccord entre deux êtres, avec les désirs opposés qui se succèdent, qui les joignent ou les divisent.

Je pensais au sens du mystère dans son œuvre et à la poésie qui naît de ce mystère, aux couples de termes opposés dont il se sert pour exprimer cet inconnu – « feu ténébreux », « brûlante nuit » – et, tout en pensant à

474

Lawrence, je remontai la rue étroite qui mène à sa maison natale. Une seule rangée de petits cubes qui se confondent. «Ces blocs sordides et hideux», écrira-t-il de ce quartier.

Aujourd'hui, dentelles, napperons et fanfreluches ont remplacé les fumées et la suie. Ce coin de rue est sous le signe de l'afféterie : l'entrée de la maison qui se fait par un magasin où officie une digne personne entourée de ses blocs-notes roses et bleus ; le salon de thé en face, avec ses frous-frous et rideaux tuyautés, qui porte le titre de son premier roman, *Le Paon blanc* (1911).

À l'intérieur, tout est petit. Le «parloir», une pièce sombre et exiguë, ne servait que dans les grandes occasions. Posés sur la cheminée, deux chiens de porcelaine veillent sur les quelques meubles de Mrs Lawrence. On la voit en photo, à trente-huit ans, tout à la fois hagarde et résolue, une femme déterminée, à l'étroit dans sa vie, qui rêvait des choses de l'esprit, d'une existence meilleure et plus raffinée, et ne voulait pas voir ses enfants descendre comme leur père dans la mine. Dans l'album de photos familiales, c'est le même air de défi et de souffrance. Les enfants se tiennent à ses côtés, raides et stoïques, comme il se doit.

Revêtue d'un papier à fleurs, décorée de gravures pieuses, la chambre où elle accoucha et, tout près, celle des enfants avec son unique petit placard qui contenait les deux costumes requis pour chacun, celui des jours de fête et celui des autres jours. Chaque élément du décor et de la vie mesuré, calculé chichement, suivant un strict principe d'économie, l'excès n'a pas cours, sauf, peut-être, dans les cuites occasionnelles du père, dans ses jurons, sa grossièreté.

Confrontés à cet univers sans horizon, les tableaux peints par Lawrence – dont on verra plus loin les reproductions – prennent une valeur de provocation : «Le Viol des Sabines», un amas de chairs roses, un grouillement actif de corps nus et de chevelures dénouées : «En ce moment je peins une petite chose à l'huile intitulée "Le Viol des Sabines", ou encore "étude de culs".» Les toiles furent saisies lors de leur exposition à la Warren Gallery en 1929, les exemplaires de *Lady Chatterley* confisqués et brûlés, comme en 1915 *L'Arc-en-ciel* avait été interdit. En regardant les petites pièces obscures qui, sans qu'il soit besoin de commentaire, disent la lutte acharnée de la mère, sa progression d'une maison à l'autre (à Eastwood, ils en occupèrent successivement quatre), chaque déménagement représentant un petit pas en avant dans la société, à considérer sa patience et la modestie des résultats, on comprend mieux l'impatience de Lawrence, la véhémence de ses anathèmes et son choix de l'exil.

Dans ses romans, l'espace sauvage est le lieu où les personnages, meurtris par l'existence, viennent reprendre possession d'eux-mêmes en cherchant un contact avec la nature. La terre, comme le corps, s'étiole. Rongé par la gangrène de l'industrialisation qui plante çà et là ses hauts-fourneaux et obscurcit jusqu'au bleu du ciel – «Tout était gris, tout gris ! Le monde avait l'air exténué» –, le paysage est en train de mourir. L'air a perdu sa transparence et sa légèreté – «L'air dur avait encore une odeur de soufre» –, et la voûte céleste, voilée par la pollution des fumées, pèse comme un couvercle. Une obscurité permanente enveloppe toute la première partie de *Lady Chatterley*. Un reste de forêt subsiste, des enclaves qui échappent encore à l'empoisonnement général, celle où se rejoignent Mellors et Connie Chatterley, pourtant menacée elle aussi par l'avancée toujours plus profonde du progrès. L'engloutissement inexorable, la disparition de l'ancienne Angleterre «effacée par cette terrible, cette sinistre, cette nouvelle Angleterre», détruite jusqu'au moment où il n'en restera rien, Lawrence la dénonce avec des accents ulcérés. Il dénonce le règne de la laideur, sa progression anarchique – ces lotissements miniers accrochés à la pente et visibles contre l'horizon, ces cottages « posés comme de grands emplâtres de briques sur la campagne désolée », et les châteaux désertés par la noblesse inconsciente et avide, effondrés, bientôt démolis. « L'Angleterre industrielle efface l'Angleterre agricole ; une signification en efface une autre. La nouvelle Angleterre efface la vieille Angleterre. Et la continuité n'est pas organique, mais mécanique. »

Un monde meurt, un autre le remplace. La mort chaussée de fer et d'acier avance, écrasant sur son passage les derniers vestiges du passé, et son souffle pestilentiel flétrit les plantes et les hommes. Il n'est de recours contre son influence que dans le repliement au plus profond de soi et dans l'amour – ce dernier lieu de la vie. Telle était la vision de Lawrence.

Le sanctuaire du bois, que protège illusoirement une grille située entre deux univers opposés, est lui aussi peu à peu pénétré par le monde moderne. Et puis ceux qui s'y enfoncent en tentant de fuir n'ont aucun véritable rapport avec lui : ils n'en rejoignent pas l'esprit – ce que cet esprit recèle de vital et de substantiel – mais lui restent extérieurs, comme Lady Chatterley qui, privée de vraie vie, ne perçoit tout d'abord pas l'énergie à l'œuvre dans la forêt.

La forêt de Sherwood

La forêt de Sherwood, où vécut Robin des Bois, est située non loin du village d'Eastwood. Dès l'époque de Lawrence, les mineurs s'y rendaient le dimanche. « Au beau milieu de tout cela, il y avait les restes déguenillés de la vieille Angleterre des diligences et des cottages, même de l'Angleterre de Robin Hood, où les mineurs étalaient, quand ils n'étaient pas au travail, leur triste oisiveté de sportifs aux instincts refoulés.»

L'Angleterre de Robin Hood, celle du Moyen Âge, quand la forêt de Sherwood s'étendait sur une bonne partie du Nottinghamshire et que des légendes naissaient sur l'ensemble du territoire, du nord de l'Écosse au fin fond de la Cornouailles…, des histoires fabuleuses qui nourrissent encore l'imaginaire moderne. Pour les sportifs et rêveurs de tout poil, la forêt de Sherwood, avec ses 450 acres de vie sauvage, représente un refuge contre les pollutions de la société, un espace de liberté où règnent d'autres lois. Et pourtant il n'en est pas un pouce qui ne soit dûment répertorié, connu, contrôlé, désigné du doigt aux touristes et visiteurs du week-end. À raison d'un million par an ou peu s'en faut, ils viennent parcourir le dédale soigneusement fléché de ses allées. Des panneaux instructifs les renseignent à chaque instant sur la faune et la flore de la forêt, sur une «sauvagerie» sous haute surveillance. D'autres panneaux leur disent où regarder, réfléchir, s'extasier, s'arrêter pour méditer sur l'Histoire et ses contes. Dans les sentiers, des enfants circulent déguisés, chapeau pointu, vareuse verte, arc et carquois de rigueur. Le mythe comme la vie sauvage sont ici exploités en bonne et due forme.

On a expliqué aux enfants que Robin et ses compagnons étaient là embusqués, qu'il leur faudrait traverser la forêt sombre et effrayante, qu'ils devraient fuir devant les loups et les hommes du shérif, mais tout finirait bien, ils n'avaient rien à craindre, Robin était à leur côté, il leur viendrait en aide. Le bon gagne contre le méchant, toujours. Ici aussi, dans la forêt, il y a un Bien et un Mal nettement tracés, aisément identifiables, les enfants surtout ne peuvent s'y tromper. Il suffit de choisir le côté du bien et aucun mal ne peut vous arriver. Ainsi excite-t-on à la guerre et à l'aventure ceux qui veulent tout de même l'assurance d'avoir le bon droit de leur côté. Plus tard, pour motiver leurs troupes, les chefs d'État se souviennent des jeux simples et si excitants qu'on leur proposait étant enfants.

Mais Robin est aussi insaisissable que ces vertus. À peine a-t-on pu l'apercevoir qu'il a déjà disparu. A-t-il même un jour existé, lui le rebelle bien-aimé qui combattait une société injuste, donnant aux pauvres ce qu'il ôtait aux riches ? Fut-il un comte saxon courageux dressé contre les seigneurs normands envahisseurs du pays, ou un partisan de Richard Cœur de Lion, le roi absent qui menait au loin les croisades, un opposant de Jean, le frère cadet, mal-aimé de la population ? Hood, Hod ou Hode, c'était un nom répandu, et on ne compte pas moins de huit personnes le portant mentionnées dans les chroniques avant 1300. De châteaux en manoirs, on chantait et récitait les aventures de l'homme en fuite qui narguait un pouvoir abusif : « où Robin fut fait prisonnier et libéré par Little John », « où Robin combattit et vainquit Guy de Gisbourne », « où le roi Richard revint et accorda à Robin son pardon »… « A Lyttel Gest of Robyn Hode », qui date, croit-on, du XIVe siècle, présentait Robin, Little John et Scarlet ainsi que le shérif de Nottingham : le poème retraçait au long de 456 vers les exploits de Robin jusqu'à sa mort au prieuré de Kirklees, dans le Yorkshire.

Le roi Arthur lui non plus n'exista peut-être pas, sinon dans l'imagination des hommes. Il correspondait aux besoins du peuple opprimé, à sa volonté de revanche. Du souverain au hors-la-loi, il n'y a pas tant de distance. L'un comme l'autre revendiquent la liberté face à ceux qui la leur volent. Prince ou bandit, Zorro ou Superman, vengeur masqué, un individu zélé et sympathique, aussi brave qu'astucieux, vole au secours des plus faibles et rétablit la justice en un tournemain. Ceux qui n'avaient ni biens, ni voix, ni pouvoir ont inventé ces silhouettes agiles, insaisissables, moqueuses ou colossales pour prendre leur parti toujours bafoué. Un seul homme, puissant comme le désir, change le cours d'un monde mal fait et arrête le malheur. Robin, lui, dispose en outre du royaume invincible de la forêt et des ressources qu'offre à profusion la nature – « Du pain et du vin ils avaient leur content / Et des entrailles de la bête / Des cygnes et des faisans, autant qu'ils en voulaient / Et les oiseaux de la rivière » –, il est bien un roi sans couronne, un roi élu par le peuple pauvre dont il a embrassé la cause, le vengeant contre les abus de shérifs rapaces et sans pitié. Il opère en toute liberté hors du monde vicié des méchants ; comme le roi Arthur, il obéit sans effort aux règles les plus hautes et, sans effort, toujours, il maintient ce cap à travers vents et marée, s'élevant d'un seul bond à l'idéal de justice, d'égalité et de compassion auquel les sociétés prétendent s'efforcer.

La fortune de Robin dure encore, le cinéma et la télévision ne cessent de solliciter sa silhouette fuyante et la forêt de Sherwood, qui fut sa base d'opération, vit aujourd'hui de son souvenir.

L'« homme vert »

Et qui sait si Robin des Bois ne tirait pas, magiquement, une partie de son pouvoir du lieu où il habitait et où il se fondait si facilement, la forêt ? Robin des Bois, un succédané de l'« homme sauvage » ou encore de l'« homme vert », personnages mythiques issus du fond des âges qui figurent tour à tour sur l'enseigne des auberges, vêtus de feuillages ou de la couleur verte, et que revendique maintenant le new age.

The Wild Man – l'homme sauvage. Il trouvait sa subsistance dans la nature qui l'abritait, soit qu'il ait vécu en marge de la société, soit qu'on l'en ait chassé, comme ceux qui s'étaient mis hors la loi. Nu, recouvert de longs cheveux, on le rencontre en maints exemplaires sur les gravures médiévales, les chapiteaux ou le parvis des cathédrales, un symbole autant qu'une réalité. L'air effaré ou cruel, il regarde fixement le visiteur auquel il semble dire : « Voyez, l'homme est à peine sorti de l'état de nature, il s'éveille tout juste d'un long sommeil végétal et son corps est encore recouvert de ronces et de plantes ; il aurait tort d'ignorer la sauvagerie qui le compose et parfois le possède. » La nuit dont nous sommes faits. Ces silhouettes mi-hommes mi-bêtes rappellent la part d'obscurité en nous et la peur qu'elle fait naître.

À quel point cette émergence hors de l'état de nature, auquel on a tôt fait de revenir, fut lente et difficile, un personnage bien plus ancien encore que l'« homme sauvage », déjà frotté de christianisme et de honte, l'affirme lui aussi un peu partout dans les églises. C'est l'« homme vert », *the Green Man*, qui fascine les nouvelles générations d'écologistes. Il remonte à la nuit des temps, bien avant la naissance du Christ, quand les païens dans leurs fêtes rituelles célébraient l'esprit des bois, le dieu de la nature : un dieu comme Osiris, Dionysos, Tammuz ou Adonis, ou Jésus-Christ, qui mourait pour renaître au printemps. C'est de lui que dépend le cycle mystérieux et parfait de l'année, la ronde des saisons, le retour de la vie qui succède à la mort. À Toulouse, à Vendôme et Angers, au Mans et à la Sainte-Chapelle, à Amiens, Saumur ou Angoulême, réfugié au plafond des cloîtres et des nefs, embusqué tout en haut des piliers, caché dans les replis du bois de la chaire, inattendu, énigmatique, on l'aperçoit qui nous regarde derrière un entrelacs de feuilles. Des branches lui distendent la bouche et lui sortent des narines, lui poussent à même le visage comme à partir d'un tronc. Il n'est plus que regard, grimace, souffrance. Grotesque, torturé, parfois cruel, il exprime la dureté de sa condition, la difficulté d'être homme autant que plante – de participer de deux univers dont les lois, pour se ressembler, ne coïncident pas tout à fait. Alors, serait-ce un homme emprisonné, un arbre en proie à une métamorphose prodigieuse, ou bien un être hybride réunissant en lui les deux natures, un dieu en ce cas ? Ou encore la représentation de l'humain qui s'arrache à grand-peine à sa gangue pour devenir homme, pleinement ? L'humain aux prises avec ses contradictions intérieures, menant une lutte permanente et vaine pour dompter les instincts qui un jour le dominent à nouveau ?

À voir ces visages effarouchés ou goguenards qui nous observent du haut des cathédrales, en France, en Angleterre, dans toute l'Europe, on serait tenté de favoriser cette interprétation – celle de la longue souffrance humaine –, de la préférer à la croyance en un dieu des bois, un esprit tout-puissant qui ordonnait la vie du cosmos. Que voulaient signifier ceux qui inclurent ces visages faunesques et tourmentés, symboles venus des temps païens, parmi le chœur paisible des anges aux ailes déployées ? Nul ne le sait, les spéculations vont bon train. Les adeptes du new age y voient le rappel de l'ancienne appartenance de l'homme à la nature en un moment où nous avons soumis cette nature au point de la mettre en danger.

Bien plus, faisant preuve d'une belle imagination, renonçant sans remords à une rationalité à courte vue, ils vont chercher dans le mythe de l'« homme vert » un enseignement, quelques principes intangibles et des remèdes efficaces aux maux actuels. Semés de passages intitulés « Méditation » – où chacun est appelé à revivre pour son compte l'aventure spirituelle de l'« homme vert » –, les livres qui traitent de ce sujet proposent sur le mode prophétique tout à la fois une sagesse et une marche à suivre. La présence de l'« homme vert » nous fait nous souvenir que la sauvagerie en nous, loin qu'elle doive nous effrayer, est une force complice propre à nous libérer dans nos existences quotidiennes ; c'est bien plutôt sa destruction, avec celle de l'environnement, qui nous conduit à notre ruine. Et si les gens ressentent aujourd'hui un grand vide et de la tristesse, ils savent au fond d'eux-mêmes que la raison en est leur séparation d'avec le monde naturel. Au fond, tout est simple. Il suffit d'honorer l'énergie incarnée par l'« homme vert », et il nous sera possible de regagner notre contexte d'origine.

Un espoir qui confond en une seule personne le Chevalier vert (protagoniste de *Sir Gawain and the Green Knight*), le roi Arthur, Robin Hood et l'« homme vert ». Chacun de ces personnages, réels ou imaginaires, exprime le même besoin essentiel né de la perte de sens, entretenu par un malaise vaste comme le monde globalisé : désir de réintégrer le Grand Tout dans lequel les détails sont ramenés à l'unité – de retourner à la nature et à ses lois éternelles, de retrouver une place assignée dans le vaste plan des choses. Cela, et « soulager les riches de l'affluence de biens qui créent la pollution, la pauvreté, l'injustice… », comme l'affirme Satish Kumar, ami de Kathleen Raine, rédacteur en chef de la revue *Resurgence*.

L'« homme vert », que nous avions vu, furtif ou féroce, prisonnier depuis des siècles de la pierre des cathédrales, ainsi revenait, plus actuel que jamais, avec les nouvelles formes de religion du XXe siècle.

Il s'était échappé de son cadre chrétien pour mieux hanter l'imagination des utopistes. Il offrait des pistes de réflexion aux gourous, chercheurs, penseurs et rebelles qu'inquiètent les dangers courus par la planète et révolte la division des pays entre pauvres et riches.

Il inspirait tous ceux qui, dans leur désarroi, faute de confiance en les religions établies, renouent avec les mythes anciens et leurs dieux et déesses. «Bouddhisme vert», «spiritualité verte»: la religion du futur, teintée de philosophie orientale, tournée résolument du côté de l'écologie, avait élargi l'ancien commandement «aimez-vous les uns les autres», devenu trop étroit, trop limité, en «aimez le cosmos, les rivières, les champs et les forêts, le milieu naturel dont vous êtes issus, aimez toute forme de vie, autant que vous elle a droit au respect» (*Resurgence*).

Le cosmos divinisé, la nature rendue au sacré, les religions tournées non pas vers un dieu transcendant – le new age a cessé d'y croire – mais vers la terre nourricière et pourvoyeuse, vers Gaïa, la déesse grecque, ressuscitée pour les besoins de la cause… L'avenir regardant du côté du passé était habité par les vieilles croyances païennes.

Ce reste de sacré, peut-être les visiteurs du dimanche viennent-ils le recueillir au pied des grands arbres de la forêt de Sherwood, ces chênes multicentenaires à la taille monstrueuse, aux trois quarts morts déjà qui dressent bravement contre le ciel la nudité de leurs branches gigantesques. Noués, tordus, avec leurs bizarres excroissances et les replis de leur écorce, ce sont des arbres de conte de fées. Dans les difformités de leurs troncs suppliciés, on distingue des visages grimaçants, enfermés là pour effectuer quelque longue pénitence, prêts à nuire et se venger, ou à aider les hommes, qui sait?, bons ou mauvais génies, victimes ou esprits des bois, comme les enfants aiment à l'imaginer, comme les mythes le donnent à croire.

Jadis Robin et sa bande s'étaient réfugiés dans le Major Oak, un arbre aujourd'hui vieux de plus de huit

cents ans, célèbre dans le monde entier, dont la frondai-
son est plus haute et plus large que la nef d'une cathédrale. Des médecins se pressent chaque jour au chevet
de l'ancêtre, ils l'auscultent, le palpent, l'étayent de
métal, commentent anxieusement son état de santé. Des
pancartes l'entourent, signalant au badaud frappé
d'étonnement son grand âge, ses aventures à travers les
siècles et le respect qui lui est dû. Et, pour compléter le
tout, des mannequins en plastique représentant Robin et
la jeune fille Marianne s'agitent auprès de lui, fournissant à l'imagination les éléments qui pourraient encore
lui manquer.

Le mythe de Robin des Bois, qui s'ajoute aux thèmes
écologistes, a tué plus sûrement l'«esprit de la forêt»
(chassant au passage les ombres frêles de Mellors et
Connie Chatterley) que l'industrialisation n'a pu le faire
au temps où Lawrence la condamnait avec tant de véhémence. La forêt transformée en spectacle – un avatar
que l'écrivain n'avait pas prévu –, le naturel exposé
comme une curiosité, un objet de musée. Mais qui peut
se plaindre de ces soins, si l'alternative est la disparition pure et simple des arbres fabuleux, derniers témoins
des histoires auxquelles on veut croire ?

L'utopie d'un monde vert et parfait
Cambridge

L'étoffe des rêves

Assise dans la bibliothèque de l'Université. Autour de moi, le long des rayonnages, des milliers de livres attendent que je les feuillette au gré de mes envies. Des tables isolées sont installées en bout de ces rayons, le long d'un passage troué de larges fenêtres ; j'occupe l'une d'entre elles et n'ai que quelques pas à faire pour disposer de l'ouvrage dont j'ai besoin.

En écrivant, si je lève la tête, je vois une forêt de grands arbres dont les sommets s'écartent en un ovale parfait, un cadre romantique au centre duquel se détache, contre le ciel bleu et léger, la tour massive, blanche et carrée, surmontée de quatre clochetons, de St John's College.

À Cambridge, par cet été très chaud, je m'asseyais souvent le soir, non loin du bed and breakfast où je logeais, sur l'un des bancs des Commons pour regarder autour de moi l'étendue verte et les passants tranquilles. L'air était imprégné d'une odeur de tilleul lourde et sucrée. D'une si pénétrante douceur, ce parfum de fleurs, qu'il en devenait déchirant, poignant comme la nostalgie. Les lieux mêmes, longuement vallonnés, avec leur sage bordure de « terrasses », avaient un air de mélancolie, comme ces gravures jaunies et un peu effacées qui donnent à sentir le passage du temps.

Ou bien je me rendais à la chapelle de King's College pour suivre l'office chanté du soir. Une petite foule s'y pressait. Ce n'était pas tant par besoin de prier que pour profiter de la beauté de la chapelle et, surtout, écouter le chœur des voix d'enfants.

Si l'on se soucie de comprendre le mot « sublime » (« qui mérite l'admiration », selon la définition un peu plate du dictionnaire, ou « beau, divin, élevé »), on peut y voir ce qui nous arrache à la force de pesanteur pour nous propulser vers le haut, ce qui nous confère élan, envol, vibration, bonheur, « joie, joie, joie, pleurs de joie » (pour reprendre une phrase de Pascal). Ce serait donc le sublime qui s'empare de nous et nous transporte, tandis que, assis parmi les touristes silencieux, nous écoutons les voix angéliques qui se mêlent, s'élèvent, planent et se fondent, rejoignant la voûte nervurée.

Au cours d'une promenade, la brusque découverte, au passage d'un pont, d'un paysage d'une si parfaite harmonie, avec ses saules inévitables dont les branches caressent l'eau, qu'il semble fait de l'étoffe même des rêves : un songe dont il aurait l'évanescence. Comme si l'on s'était appliqué à réunir dans cet espace découpé tout ce que l'imagination a pu concevoir de beau, de tendre et de paisible, en écartant les éléments étrangers à ce registre parce qu'ils mettraient en péril la perfection poétique de l'image.

Il suffirait d'ajouter sur les pelouses quelques animaux vivant en bonne entente (au reste canards, cygnes et poules d'eau y évoluent de conserve) pour que l'on retrouve la vision éternelle de l'éden, le paradis terrestre où les fleurs, l'eau, la fraîcheur et l'éclat du vert sont donnés à profusion. Et ce qui domine ces recoins, où l'on voudrait pouvoir se glisser comme dans la bulle du *Jardin des Délices*, tant l'illusion est forte d'y échapper au temps, à la misère, à la laideur et à la mort, c'est le côté intime et familier ménagé au cœur même du rêve, loin des tentations de la grandeur. Un idéal de bonheur à taille humaine où sont assemblés – pour ces esprits qui cherchent avant tout la paix – l'eau qui coule lentement, les saules qui s'inclinent, le velours vert le long des rives : autant de signes que la nature est domptée, le monde apprivoisé et que les songes peuvent devenir vérité.

Que tant d'idyllique beauté nous sépare du monde – l'autre monde, le vrai, celui où l'on souffre et l'on se bat –, que peu à peu elle émousse la pointe sensible de la réalité ou notre aptitude à la percevoir, comme le ferait un anesthésique, endormant les facultés intellectuelles et jusqu'aux sensations, voilà ce que prétendent les gens que tant de verte mollesse a subrepticement privés d'eux-mêmes, plongés dans une sorte d'agréable léthargie. Tout comme la chaleur accablante dans les pays tropicaux, la douceur un peu languide du paysage de Cambridge agit sur la constitution physique, mais de façon plus insidieuse, par le plaisir même qu'elle procure, parce que justement, il n'est plus rien contre quoi se battre dans cet univers idéal et refermé sur lui-même ; ni heurts ni inquiétude, et l'organisme, faute de lutter pour s'ajuster, sombre bientôt dans une confortable somnolence.

Bien entendu de tels raisonnements sont refusés par ceux dont le tempérament est tel qu'ils ont besoin de calme et de retrait pour travailler, ou par l'espèce, assez rare, dont le cerveau est naturellement si actif que l'influence du vert prédominant ne l'atteint pas.

Au touriste studieux qui vole à grand-peine quelques jours à une vie bruyante et chargée, il semble que son destin l'a soudain déposé au paradis. Pendant quelques instants, épris d'un paysage qui diffère pourtant en tout point de la lande aride où vivait Catherine Earnshaw, il s'identifiera à l'héroïne d'Emily Brontë pleurant de joie dans son rêve, parce qu'elle retrouve sa lande natale où les anges l'ont ramenée, le lieu où tous ses désirs sont comblés. Et, de Park Side à St Andrew's Street, de King's Parade à Trinity Lane, puis, longeant Trinity Hall dont il aperçoit au passage la pierre rouge entremêlée de fleurs, traversant enfin la rivière et ses délices, le voyageur sentimental marche émerveillé et le cœur en fête, en proie à ce sentiment d'exaltation particulier que l'on ressent par une fraîche matinée d'été alors que la journée s'étend encore intacte devant nous, longue à souhait et pleine de promesses ; il marche de Queen's Road à travers les prés et les bois jusqu'à la massive bibliothèque dont, avec le même sentiment d'exaltation, il reconnaît dès le hall le parfum familier de papier antique, de cire et de poussière, il marche puis grimpe les escaliers, se dirige vers les lourds catalogues de références alignés côte à côte qu'il consulte l'un après l'autre avec un plaisir étonné – ce plaisir qui vient de la certitude de se trouver dans le lieu entre tous où il veut être, en cet instant précis il ne désire rien d'autre au monde, non, dans ce seul périmètre tout lui est offert : le savoir, l'excitation de la découverte et, pour peu qu'il lève le nez de l'étude qui le requiert, la vision du ciel et des arbres et les clochetons gothiques de King's College Chapel posés comme une couronne au sommet de l'édifice. Et tout au long du jour il éprouve la conscience du privilège que c'est d'être là, lisant et écrivant, parmi les arbres et les livres.

Les excentriques et leurs marottes

En ces instants de rêverie heureuse, le voyageur se voit adopté par les quelques excentriques qui cultivèrent leurs manies inoffensives à l'ombre de ces murs épais

– vivant parmi eux. Ces aimables lunatiques considéraient l'esprit de sérieux comme une faute de goût majeure et s'ingéniaient à glisser avec grâce en surface de la vie. « Si un commentaire sérieux m'échappait par inadvertance, ou si une note plus grave se glissait ici et là, j'espère que ces défaillances me seraient pardonnées en raison du ton général de frivolité », plaidait Thomas Thornely, membre de Trinity Hall, au seuil de ses *Memories of Cambridge*. Le touriste-étudiant se demande s'il sera un jour tenté de suivre les traces de Henry Latham, un professeur de français dont il est question dans ce livre, qui n'était pas un grand lecteur de romans (en fait, c'est tout juste s'il en lisait un à l'occasion), qui éprouvait une forte réticence devant la poésie et qui détestait la musique de tout son cœur. Quant aux femmes, il ne se sentait pas vraiment à l'aise en leur présence : c'est qu'il avait une réelle difficulté à les distinguer les unes des autres. « Elles se ressemblent toutes tellement », se plaignait-il.

On ne peut pousser plus loin le désengagement élégant, ni la peur de vivre et d'aimer. À l'abri. En sécurité. Loin des remous et des passions, ces excentriques avaient le loisir de poursuivre en toute liberté leur marotte ; nul ne les en empêchait. Henry Latham élevait des corbeaux et des animaux domestiques parmi lesquels il invitait ces « grands sots », ses élèves. C. L. Dodgson, alias Lewis Carroll, qui enseigna les mathématiques et vécut à Christ Church, Oxford, pendant quarante-sept ans, en cultivant la sienne, qui avait trait aux petites filles, parvint pourtant, sans l'avoir prémédité, à bouleverser durablement l'esprit de milliers de lecteurs. J'ai vu dans la cour admirable d'un collège un vieil homme armé d'un filet léger qui pourchassait les papillons. Il avait, me dit-on, écrit dans son jeune âge le premier tome d'un ensemble, qui devait en comporter sept, sur la vie de Napoléon. L'ouvrage avait fait quelque bruit. S'étant ainsi acquis un passeport pour une existence tranquille, il s'adonnait depuis à son occupation préférée, qui n'avait rien à voir avec l'exilé de Sainte-Hélène, mais plus avec l'étude des lépidoptères.

« Une cohue de gentlemen »

En contemplant St John's College depuis la pelouse sur laquelle s'étend ce long bâtiment, le promeneur impressionné mesure la force et la présence d'un passé fait de tant de paisible majesté, de tant d'assurance incontestée en sa grandeur. Sept siècles d'une histoire ininterrompue. Le présent ne s'y montre que de profil, sans insistance, et l'observateur comprendrait que l'étudiant de ces collèges, tels ces Chinois qui chaque année depuis des siècles font l'ascension du mont sacré afin de mieux se relier à leur histoire, se sente pris dans une tradition qui dépasse infiniment sa personne ; cette tradition, il en éprouve chaque jour l'ancienneté, et par là même la puissance, si menacée soit-elle par l'évolution de la société (mais le fait qu'elle ait résisté à travers les siècles à de telles menaces n'est-il pas justement un signe du prix qu'on y attache ?). Nul doute qu'une telle appartenance, qui inclut l'apprenti dans la longue histoire de l'Angleterre et l'y enracine, ne lui donne le sentiment, réconfortant ou insupportable selon les cas, d'hériter d'un passé, de valeurs et d'une place qu'il n'aura donc plus à définir : désormais il s'inscrit dans une longue lignée et sa propre importance, peut-il penser, rejoint celle de tous ses prédécesseurs, dont il n'est que la prolongation. Qu'il l'accepte ou se révolte, qu'il se sente exalté ou écrasé par le poids d'un tel passé, justifié dans son être ou emprisonné, c'est une autre affaire.

Tel est le raisonnement qui effleure le touriste rêveur et mal informé, en proie à l'influence qu'exerce la noble antiquité des lieux. Il ne vit pas dans la réalité de chaque jour : il écoute l'esprit des pierres. Pourtant, lorsqu'il se reporte à ses lectures – les romans anglais ne manquent pas qui traitent de jours adolescents à Cambridge ou Oxford –, son point de vue change de façon radicale : il voit alors les choses de l'intérieur. Mais ses lectures elles-mêmes, au fur et à mesure qu'il les choisit dans une tranche de temps plus proche, le confrontent à des vérités fluctuantes, subjectives et toujours différentes.

Voici le lecteur – tel John Kemp, le héros de Philip Larkin dans *Jill* (1946) –, qui s'avance, gauche et mal à l'aise, vêtu d'un habit élimé, dans ces hauts lieux de la culture. Accrochés aux murs de la grandiose salle à manger, les portraits des membres les plus éminents du collège, en buste ou en pied, du XVIIIᵉ siècle jusqu'à nos jours, le toisent avec indifférence du haut de leur cadre doré. (À Christ Church College, fondé par le roi Henry VIII à Oxford, le touriste a contemplé, perchés au-dessus de la table haute, les portraits de Henry VIII, de Wolsey, de la reine Elizabeth et de tous les maîtres illustres qui se sont succédé là, et, dans la bibliothèque, les statues en marbre du cinquième marquis de Salisbury, de Sir Alec Douglas-Home et de la reine. Continuité, grandeur, superbe : il en était médusé, il se sentait minuscule, il était réduit à l'insignifiance par le pouvoir de l'institution. Donc, il a réfléchi à cet avantage sans pareil que l'Angleterre confère à ses sujets les plus distingués : l'entrée dans l'Histoire, auprès de laquelle la lumière, pourtant si prisée, que posent les caméras sur les célébrités d'un jour, paraît pâlichonne et un tantinet vulgaire.)

Tel John Kemp, toujours, il partage une chambre avec un pur produit de l'establishment. Ce dernier a l'aplomb hautain et sans scrupules qui lui fait, à lui, si cruellement défaut (cette assurance ne s'acquiert pas, il faut être né). Kemp admire béatement ce rustre, inculte de surcroît : le mythe aristocratique pointe et les figures héroïques des chevaliers d'antan, compagnons du roi Arthur… Bref, il est malheureux et fasciné à la fois : envoûté par ce qui, à jamais, lui échappe, il le sait ; mais avant tout, il veut laisser loin derrière lui ceux de sa classe, avec leurs doutes, leurs peurs, leurs difficultés insolubles et leur sinistre décor.

Le voyageur, qui s'est identifié à Kemp, perçoit le poids de la structure historique et sociale sous lequel ce dernier se débat. Il pense aussi au cas de Jude l'Obscur, dans le roman de Thomas Hardy, plus douloureux encore, puisque Jude, un jeune homme pauvre, ne put jamais gagner Christminster, son grand rêve, la « ville de lumière » qui, dans le soleil couchant, avec ses dômes, ses clochers et ses tourelles, ressemblait à un mirage ou, plutôt, à la « sainte Jérusalem ».

Ces universités qui recrutent une bonne partie de leurs étudiants parmi les élèves de ce qu'on nomme à tort « public schools » (en fait des écoles privées exclusives et très coûteuses) ouvrent un accès plus facile, notamment par l'effet de réseaux savamment organisés, à des postes d'influence, de prestige, de pouvoir, chacun le sait. En outre, elles représentent encore un critère d'excellence auprès duquel pâlissent les autres établissements du même genre. Selon leurs défenseurs, elles seraient en fait « les seules véritables gardiennes de la culture anglaise » et, surtout, les dépositaires d'un secret de fabrication qui fit la gloire de l'Angleterre.

Leur but avéré étant de former, et de préserver, une « élite responsable », inscrite dans la volonté de perpétuer le passé, encore valorisée par le lent passage des siècles, nourrie de culture anglaise – spécifiquement anglaise – et incarnant des pieds à la tête cette qualité inimitable : l'anglicité. L'anglicité : ce qui fait l'Anglais

493

de vieille souche, robuste et, si possible, sain d'esprit, garanti authentique, c'est-à-dire marqué par une différence subtile mais indubitable avec le reste du monde.

C'étaient ces Anglais-là qui avaient fait l'Empire. Il y avait de quoi être fier. Et fiers les Anglais l'étaient, ou peut-être le mot est-il trop simple pour décrire un mélange complexe de sentiments où surnage pourtant la certitude de sa valeur.

Lors d'une visite de la reine Victoria et du prince Albert à Cambridge, Joseph Romilly, qui pendant quelque cinquante ans tint un journal personnel (41 volumes) où il relatait par le menu la vie de son collège, raconte, à cette occasion, comment la foule sut se comporter : « Le cocher de la reine a dit que, de tous les lieux où il avait conduit sa maîtresse, il ne l'avait jamais vue de si belle humeur qu'ici, à Cambridge. Il a dit aussi qu'il ne s'était jamais trouvé dans une cohue si bien élevée et qu'une cohue de gentlemen, il aimait cela. Les serviteurs royaux ont bien apprécié la bière du collège ; l'un d'eux a fait la remarque que Cambridge était vraiment un endroit très correct et que peut-être il y enverrait son fils. »

La scène se déroulait donc à Cambridge, l'unique lieu au monde où, au temps de la reine Victoria, l'on pouvait observer « une cohue de gentlemen ».

Mais le lecteur n'est pas attendri par ses souvenirs ni aveuglé par la nostalgie au point d'oublier les critiques dont ce système fait constamment l'objet. Il ne peut négliger les débats échauffés qui, depuis des années, ont cours autour d'Oxbridge, « bastions de la réaction », berceaux de l'élite, citadelles des privilèges... Les haines se déchaînent, la lutte fait rage, la menace de quota d'étudiants issus de milieux défavorisés pointe régulièrement au grand dam des défenseurs de l'excellence du « niveau ».

Malgré ces attaques et les secousses qui l'ébranlent, malgré son affaiblissement progressif, cette structure a donc tenu bon. Ses détracteurs prétendent même qu'elle demeure un «moyen hautement efficace de préserver dans un monde industrialisé les valeurs aristocratiques, les institutions existantes et la répartition du pouvoir et des richesses». Aristocratie contre industrie, les termes n'ont pas changé, ni les valeurs en question, ni le mépris dans lequel se tiennent les clans ennemis.

Tony Blair, le Premier ministre, eut beau proclamer, durant l'automne qui suivit son élection, que «la nouvelle Grande-Bretagne est une méritocratie où sont renversées les barrières de classe, de religion, de race et de culture», personne n'en a rien cru. De son côté, l'*Economist*, journal sérieux, annonçait à peu près à la même époque: «Ce que la caste est à l'Inde et la race à l'Amérique, la classe sociale l'est à l'Angleterre.» Des attitudes qui perdurent depuis tant de siècles, qui sont si profondément enracinées dans la culture et les habitudes de pensée, liées qui plus est à une image de grandeur, ne peuvent, il est vrai, disparaître en un jour, même sous l'effet de déclarations fracassantes ou de mesures plus ou moins cohérentes.

Portes d'Erpingham et de St Ethelbert
Norwich

L'idée d'un ordre

La cathédrale de Norwich – à mon goût la plus belle
d'Angleterre dans la simplicité, la régularité de ses
lignes – fut gravement endommagée en 1272, lors
d'émeutes expressément dirigées contre elle. L'évêque
Herbert de Losinga, qui la fonda en 1096, l'avait conçue
comme un lieu fermé. Une enceinte protégeait la cathédrale, le prieuré et le vaste enclos attenant. Embrasement des bâtiments, pillage, tuerie, destruction partielle
de la splendeur élevée à grand-peine. Outrés d'une protection qui ressemblait fort à une tentative d'exclusion,
les habitants de Norwich s'en donnèrent à cœur joie,
leur colère encore envenimée par les moines qui avaient
pris part aux querelles politiques. Les portes de l'enceinte, dont on voit les restes étroits et massifs – porte
d'Erpingham, porte de St Ethelbert –, étaient considé-
rées comme les gardiennes menaçantes d'un monde
replié sur lui-même. Aujourd'hui encore, dit la brochure
écrite par Stephen Platten, le doyen de Norwich, elles
peuvent être perçues «comme une ligne isolant du reste
du monde ceux qui résident là», dans cet endroit tranquille et serein que domine l'influence de la cathédrale.
Mais pourquoi, ajoute le doyen, ne pas adopter une autre
perspective et les considérer de manière nouvelle :
«Moins comme le symbole d'une exclusion que comme

496

une invitation à rejoindre un endroit différent, empreint de tolérance et d'hospitalité ? » Oui, pourquoi pas, en effet ? Il suffit que le visiteur, sensible aux atmosphères et à l'esprit des lieux, veuille bien déposer là son esprit critique qu'aiguisent encore ses lectures récentes, qu'il se laisse pénétrer, l'espace d'une journée dont il gardera le souvenir, par la paix que dégagent l'ensemble de ces constructions, les arbres centenaires, les pelouses, les maisons qui les bordent. Des gens vivent là, au pied de la cathédrale, le long de ces enclos – Lower Close et Upper Close –, dans ces mondes verts et intacts, isolés du bruit de la ville et de son mouvement, un décor de fleurs qu'ouvrent de minces sentiers où l'on voit de loin en loin passer un promeneur solitaire.

Assise sur un muret devant le chevet de la cathédrale, je regardais l'une de ces rangées de maisons. Tout près de moi, une fenêtre était ouverte. Un rai de soleil pénétrait dans la pièce. C'était une bibliothèque tapissée de livres anciens. Dans un fauteuil recouvert de cretonne, dont j'apercevais le haut dossier, un vieil homme lisait. En levant les yeux, il pouvait voir, par une trouée entre les branches d'un cèdre, la tour carrée normande isolée dans le soleil du soir et les absides de la cathédrale. Tandis que j'imaginais la vie du vieil homme et son plaisir de lecture, un mouvement léger se fit qui ne dérangea nullement cette scène : une femme aux cheveux blancs poussa la barrière d'un des cottages. C'était l'heure, le moment de la soirée où elle allait promener son chien.

Des vies faites de ces rituels dont la stricte observance a pour but d'opposer un démenti à la fuite du temps. Ils sont posés, ces rites, au long des journées comme une suite de modestes barrages et, parce qu'ils sont invariables, ils procurent en dépit de tout, mort ou désastre majeur, l'assurance d'un retour régulier des petits événements de la vie, au-delà des ruptures, la certitude d'une continuité de l'existence.

Pour ceux qui sont disposés à l'angoisse et craignent la brutalité d'un bouleversement, la vision du vieil homme était rassurante, comme celle de la dame qui promenait son chien. Je conclus avec Henry James, dont les propos sur les maisons anglaises me revenaient en mémoire, que ces demeures campagnardes, avec leurs petits carreaux à demi obstrués par l'épaisseur du lierre et leurs recoins éclairés par une lampe où lire des heures durant, plus que tout autre lieu au monde nous donnent le sentiment qu'elles recèlent un secret de la vie – que derrière ces fenêtres entrouvertes on va trouver le calme et certaine forme de sagesse. Un savoir-vivre dispensé par un décor dont chaque élément est calculé pour répondre à un besoin humain – hormis, bien sûr, celui du désordre ou de l'excès. Mais la sagesse ne consisterait-elle pas, précisément, à ignorer ce besoin-là, à le faire taire au cas où il aurait la tentation de se faire jour ? Elles donnent l'illusion, ces maisons, qu'on pourrait exister en bordure de leurs pelouses comme en bordure du temps et regarder les heures passer sans secousse et tourner les ombres qui s'allongent. Un moment suspendu qui dissipe toute autre réalité tant qu'il dure. Pendant le temps d'une promenade, d'un instant de repos intérieur, on se plaît à croire que les lieux possèdent parfois un pouvoir suffisant pour nous pénétrer de leur influence, pour nous modifier subtilement et nous donner le désir de l'accord, de l'acquiescement.

La cathédrale est peut-être moins haute que celle de Salisbury, mais à mon avis elle est tout aussi belle et même, plus étrange. La flèche entourée de ses quatre clochetons, posée sur une tour aux décorations géométriques – cercles et losanges entre les fines arcades romanes et, au-dessus, ces cercles plus importants groupés deux à deux comme des yeux –, instaure un lien parfait entre le ciel et la terre. Elle communique l'idée d'un ordre dont la réalité, présente dans la seule architecture, s'impose pourtant à qui la regarde comme une évidence. Ordre idéal, inaccessible, mais vers lequel on ne cesse de tendre, auquel on ne cesse de se reporter, telle la vision de la perfection que nous avons « au point le plus éloigné que le regard atteigne ou croie atteindre », et qui doit pourtant rester éloignée, « comme une lumière qui accepte d'éclairer aussi les fautes… »[1].

C'est pleins de l'humeur élevée dispensée par la beauté et la paix de l'endroit que nous avons entrepris un tour de la ville. À première vue une ville provinciale et tranquille, avec son entrelacs de ruelles médiévales et ses dizaines d'églises (31, précise le dépliant, contre les 57 qui existaient au Moyen Âge, 10 étant encore utilisées pour le culte). Une ville comme une autre, plus belle sans doute, dont la vie mesurée par les heures qu'égrènent les clochers, refermée depuis des siècles sur un calme dûment préservé, peut avoir pour cette raison même un climat moral étouffant. Un romancier comme Julien Green a bien décrit cette pesanteur. Le remède à l'obsession ou à l'ennui s'administre en général de façon ponctuelle et massive.

En face de la cathédrale, sur une maison ancienne à la façade plate et uniforme, une pancarte, rien de plus, signalait que derrière les murs vénérables, dans une cave dissimulée aux regards, des plaisirs s'offraient, innombrables, bien différents de ceux que laissaient présager cette apparence austère et l'auguste proximité. À regarder de plus près, il s'agissait d'un club porno, interdit aux moins de vingt-cinq ans, un chiffre qui donne à espérer un spectacle d'une audace sans précédent, à moins que la ville n'ait voulu préserver sa jeunesse,

1. Philippe Jaccottet, in *Correspondance Philippe Jaccottet-Gustave Roud. 1942-1976*, Gallimard, 2002.

même avancée, de la tentation des bas-fonds. L'enfer jouxtait le paradis. À quelques pas de là, le visiteur, encore un peu surpris par ces contrastes forts, tombe sur un bar accueillant où la jeunesse locale consomme paisiblement d'inoffensifs verres de bière ; l'endroit promet pourtant des joies plus corsées, puisqu'il se nomme « Orgasmatic », une vaste exagération ou la preuve, s'il en fallait une, que l'imagination suit sa pente naturelle et sait enfler les réalités les plus minces. Au reste, le parfum de scandale qui se dégage des rues de la ville n'est peut-être dû qu'à l'ancienneté des pierres : un cadre séculaire qui enchâsse et rehausse des propositions ailleurs frappées du sceau de l'insignifiance, ou de la banalité, tant elles sont fréquentes. Ainsi, dans une vieille maison aux poutres vernissées, ce magasin où sont exposés côte à côte sachets de tilleul, porcelaine de Wedgwood et sous-vêtements pornos, strings de cuir noir, tabliers en triangles et autres dentelles qui dévêtent des mannequins à l'air fripon.

Une fille, haut perchée sur de longues bottes noires qu'elle soulève avec peine, arborant une masse de dreadlocks d'un rose aussi vif que sa courte robe, passe et s'éloigne sur les pavés irréguliers de la rue. Une tentative vaillante pour donner un peu de relief et de couleur à l'existence, et à soi l'illusion de compter – de rejoindre le lot fortuné des beautés excentriques qui s'étalent sur la couverture brillante des magazines pour jeunes. Rêve de gloire et de paillettes. Mais la foule indifférente des promeneurs du samedi ne la remarque pas. Pièce pour une femme seule : la scène est peuplée, seuls manquent les spectateurs.

L'influence de la cathédrale peu à peu s'estompait. Nous n'étions pas si éloignés de ces personnages de Saki, habitants harassés de la grande ville, qui débarquent à la campagne et se réjouissent naïvement de s'adonner enfin aux joies simples de la vie rurale. Prisonniers de leurs idées préconçues et d'apparences trompeuses, ils sont en butte, pour cette raison, à toutes sortes de déconvenues comiques. Leur univers idyllique et illusoire est peu à peu pénétré par des influences malicieuses – cerf, sanglier, enfant ou belette – qui vont s'employer à détruire leur état de béatitude niaise.

Le guide de la bonne tenue de maison

Le petit déjeuner de Mrs Beeton, conçu pour nourrir de bon matin une douzaine de personnes, s'étale sur toute la longueur d'une vitrine dans le Strangers'Hall. Cette maison, construite pour un marchand en 1320, fut occupée par une succession de tisserands immigrés, ce que ne manqua pas de remarquer la population, qui la nomma avec à-propos le Palais des étrangers. Toutefois, des autorités locales s'y installèrent entre 1451 et 1660, maires et shérifs, tel William Barley, aujourd'hui un illustre inconnu, dont on peut pourtant supposer que lui aussi fit honneur aux pantagruéliques petits déjeuners anglais avant même qu'Isabella Beeton, dans son fameux manuel publié en 1861, *The Book of Household Management* (le livre de la bonne tenue de maison), n'en prévoie le déroulement fastueux et inexorable.

La table est mise suivant ses recommandations. Les victuailles en carton-pâte ont été moulées sur les articles authentiques, cuits avec le plus grand soin selon les recettes victoriennes.

À voir l'abondance et la variété des mets proposés, on admire l'appétit inlassable de ces générations de bourgeois bâtisseurs : il équivaut à une forme d'audace, celle-là même qui présida à la construction des monuments extravagants, ornés de leur beffroi, leurs tours et clochetons, au centre des villes de province anglaises. Ils avaient foi en eux-mêmes et dans le progrès, foi dans leur estomac et sa capacité, et dans leur immense énergie vitale. Ils osaient. La vie ne se prenait pas, elle se dévorait. Boulimie ou folie des grandeurs. Seuls les arrêtaient le souci des apparences et la sacro-sainte moralité, qu'ils ne respectaient que pour mieux la mettre à mal dans le secret de couloirs obscurs ou de «chambres capitonnées».

Des chambres conçues pour assourdir le cri des victimes. La publication dans la *Pall Mall Gazette*, en 1885, des résultats d'une enquête sur la prostitution des très jeunes filles et garçons fit scandale. On y apprenait que, pour mieux jouir de ces proies, des pièces étaient aménagées, dans des maisons aux murs épais, un double tapis recouvrant le sol, de sorte que le tortionnaire puisse donner libre cours à sa fantaisie sans que les cris soient jamais entendus. «La fille peut crier "au meurtre" jusqu'à devenir bleue, rien ne sera entendu.» La littérature victorienne, comme le remarque Steven Marcus dans *The Other Victorians*, possédait un autre côté, un côté d'ombre que n'exposent pas les romans de George Eliot, Meredith, Charlotte Brontë ou Thomas Hardy : le flot de publications – ces «livres innombrables» – entièrement consacrées à la description de l'expérience de la flagellation, qui était, dit l'auteur, le penchant que l'Angleterre cultivait le plus.

Au plus loin de ces sentiers interdits qui parcourent le paysage victorien, le plaisir pris à la nourriture était licite et même, de bon aloi. Une table bien chargée était signe de prospérité. Or l'Angleterre était prospère ; manger, c'était le proclamer, c'était être en accord avec une époque conquérante aux appétits démesurés. Mieux valait jeter que manquer, voir grand que se montrer chiche. Un peu de goinfrerie, certaine brutalité n'y changeaient rien, étant la conséquence non de la pénurie, mais de la richesse. Et puis la belle ordonnance des mets révélait un savoir-vivre qui était celui de l'éducation, le signe d'une situation sociale aisée et respectable.

Sur une nappe blanche, dans de la porcelaine de Spode, la table offre une abondance de biens qui, à l'opposé des mignardises de la présentation – là encore, enrober l'excès de décence –, suggère une voracité féroce, des désirs sans frein. Des œufs, brouillés, au plat, pochés, à la coque, en cocotte, du poisson, salé, bouilli, grillé, en beignets, des soles et harengs, des turbots couchés en longues rangées serrées, leurs deux yeux mornes ouverts d'un même côté, des rognons, en pâtés ou brochettes, des gigots, des poulets, des jambons, une langue, énorme et brune, décorée d'un friselis de dentelle, des côtes d'agneau dûment dressées, entrelacées en un savant édifice, et des gibiers, des terrines de pâté, des faisans entiers pour les surmonter, et des pains, des muffins et des fruits de toutes sortes, et une motte de beurre pour accompagner les toasts chauds…

Que ressentaient les notables victoriens au début d'une belle journée devant ce petit déjeuner colossal ? Simple plaisir de jouisseur, satisfaction de constater l'ampleur de sa richesse, ou conscience d'accomplir l'un de ces rites qui les situaient dans une sphère supérieure : celle où la vie était conforme aux codes édictés par Isabella Beeton dans un manuel qui marquait un sommet dans la connaissance des arts domestiques ?

Au château de Norwich : la reine Boudicca

À l'âge de fer, pendant le Ier siècle avant Jésus-Christ, des changements frappants se produisirent dans la vallée de la Tamise. Les Belgae (selon leur nom latin) avaient envahi le sud-est du pays où ils opéraient des modifications d'envergure. Délaissant les forts haut perchés dans les collines, ils commencèrent à se grouper dans des villes, dont Verulamium (aujourd'hui St Albans), Camulodunum (Colchester) et Durovernum Cantiacorum

(Canterbury) étaient les plus étendues. Ces cités devinrent les capitales de nouveaux royaumes dont la puissance surpassait de loin celle des vieilles organisations tribales. C'est à cette époque, semble-t-il, que les Trinovantes et les Catuvellauni s'unirent sous le commandement d'un même roi : Cunobelinus, le Cymbeline de Shakespeare.

Le mécontentement causé chez les voisins par cette domination et la « modernisation » à l'œuvre profitèrent aux Romains, lorsqu'ils envahirent le pays après la mort de Cunobelinus en 41 après J.-C. : ils purent obtenir sans trop de difficultés le soutien de quatre tribus. Parmi elles, les Icéniens, un peuple celte dont on se plaît à penser qu'il correspond aux Cenimagni mentionnés par César, puisque ce mot peut être interprété comme un composé d'Eceni et de Magni, autrement dit les « grands Icéniens ». Selon Tacite, ils se considéraient comme des alliés de Rome, alors même que les occupants construisaient le Fosse Way, une ligne de défense reliant les villes de garnison d'Exeter et de Lincoln.

Mais quand les Romains entreprirent d'enlever leurs armes à tous les peuples vivant au sud de cette ligne, les Icéniens se révoltèrent. La rébellion fut matée, un roi complaisant mis à la tête du peuple frondeur, l'histoire la plus récente a vu se répéter ce processus.

Le roi Prasutagus gouverna donc un « royaume client ». Il eut l'autorisation de conserver à sa région ses lois, il dut seulement reconnaître la suprématie de l'empereur. En mourant, il le nommerait comme son successeur, la chose était acquise.

Or Prasutagus eut l'imprudence de léguer la moitié de son État à sa famille. Geste de révolte tardif ? Influence de la reine Boudicca, moins conciliante que lui envers l'occupant ? Prasutagus mourut en 61. Cette date marque la fin d'un monde, tout au moins dans cette partie de l'Angleterre.

L'officier du trésor, Catus Decianus, fut envoyé en Angleterre pour y faire respecter la volonté de Néron et s'assurer de l'intégralité de l'héritage. Les Icéniens ne plièrent pas. Échauffés par une résistance inhabituelle, les Romains commirent divers outrages qui culminèrent, dit-on, dans le viol de la reine et de ses deux filles.

La colère du peuple couvait depuis longtemps. L'humiliation la changea en révolte. Attisant le désir de vengeance, la reine déclara à Rome une guerre sans merci.

Le nom de Boudicca vient du celte *bouda*, qui signifie victoire (*buddog*, dans la langue actuelle). Dans le château de Norwich, où l'on a retracé le passé de la région et son histoire, on l'a représentée debout sur son char de guerre, le cou et la taille ornés de lourds bijoux, les cheveux déployés et flottant au vent, la lance dressée, terrible, impitoyable. «Elle était très grande et sévère. Son regard était pénétrant et sa voix rauque. Sa longue chevelure rousse lui tombait jusqu'aux hanches. Elle avait au cou un large collier d'or et portait une cape à ramages que recouvrait un autre vêtement épais... » Ainsi s'exprime Dion Cassius, qui ne vit jamais cette femme intrépide, puisqu'il écrivit ces lignes à plus d'un siècle de distance, mais rêva de son courage et de ses exploits, c'est évident.

Sous le commandement de la reine, les Icéniens se répandirent dans le sud de l'Angleterre, s'allièrent aux Trinovantes, une tribu voisine, marchèrent sur Camulodunum, la capitale romaine. Ils rasèrent la ville jusqu'au sol. Puis ils s'attaquèrent aux nouvelles implantations, Londinium (Londres) et Verulamium. Trois villes étaient prises. La reine ne désarmait pas. Néron pensa retirer ses troupes.

La fin de l'histoire, Tacite la relate, adoptant le point de vue du vainqueur. Suetonius Paulinus, le gouverneur romain, attira l'armée celte sur un site de son choix, près de Mancetter, dans les Midlands. Bien sûr les Romains étaient en nombre inférieur, bien sûr ils utilisèrent la ruse (leur connaissance du terrain), leurs javelots pointus (et mortellement efficaces) et leur art de la guerre (pénétrant les rangs ennemis en formation triangulaire) : bien sûr ils triomphèrent. Les Icéniens et leurs alliés furent donc défaits. La cavalerie romaine réduisit les dernières poches de résistance. Une victoire complète. On massacra dans leur fuite les femmes et les enfants et les bêtes de charge.

Et la reine Boudicca ? Une seule chose est certaine : Paulinus ne la fit pas prisonnière. Il ne put ajouter à son triomphe le spectacle de la reine enchaînée et vaincue. Tacite suggère qu'elle s'empoisonna plutôt que d'être ramenée à Rome en captive. Dion Cassius, emporté par l'admiration sans doute, avance qu'on lui fit des funérailles coûteuses et grandioses. Pourtant, le lieu de sa tombe ne fut jamais retrouvé.

La haute silhouette guerrière de Boudicca, sa bravoure ni sa révolte ne purent sauver son peuple. Plus que jamais le territoire icénien fut soumis à la domination étrangère. La conquête romaine, qui devait être suivie par la colonisation anglo-saxonne, effaça, dans le sud et l'est de l'Angleterre, à peu près toute trace des cultures celtes.

Juliane de Norwich

Non loin du château où la reine Boudicca conduit éternellement son char de guerre, une cellule monacale, soigneusement reconstruite, abrite le souvenir plus paisible de celle qu'on a coutume d'appeler Juliane de Norwich. À l'époque où écrivait Chaucer, elle fut l'auteur des *Révélations de l'amour divin*, l'un des classiques de la littérature spirituelle et le premier livre écrit en anglais par une femme.

Le quartier de Conisford, aujourd'hui une banlieue sans charme, était au XIVᵉ siècle, quand vécut Juliane, un quartier aristocratique et King Street, en son centre, n'alignait pas moins de dix églises et trois monastères. En face de celui des Augustins, un étroit passage conduisait à la modeste église fortifiée de St Juliane dont la ronde tour saxonne, diminuée de moitié en 1942 par un bombardement, subsiste encore, le seul vestige de cette époque éloignée dans un quartier récemment reconstruit. Accolé à l'église toute neuve, le petit ermitage individuel où vécut la recluse pendant une quarantaine d'années, croit-on, fut lui aussi reconstitué ; des pèlerins s'y pressent, venus du monde entier.

Au Moyen Âge un tel mode de vie n'était pas rare, Norwich ne comptait pas moins de quarante ermitages, et la cellule fut utilisée avant Juliane comme elle le fut après elle par d'autres recluses.

Des vies passées dans le retrait du monde. Certains partaient s'isoler en terres lointaines et méditaient dans le désert, d'autres restaient ancrés dans la communauté des hommes (on les appelait « anchorites ») et leur présence immobile au milieu de l'agitation témoignait de la stabilité de la foi. Leur regard surplombait l'Histoire et ses cataclysmes pour assurer : « *In the end, all shall be well and all shall be well and all manner of thing shall be well* », « Tout ira bien, tout finira bien, à la fin toutes sortes de choses finiront bien », comme le fit Juliane tout au long de sa vie. On venait leur confier, à ces contemplatifs, soucis et doutes, chagrins, fautes ou remords, le poids intolérable de l'existence.

Et les temps étaient lourds de malheur. Plus que jamais on avait besoin de ces personnages qui, retirés de l'univers et de ses remous, observaient les événements sans y être mêlés depuis la fenêtre de leur retraite, l'unique ouverture sur le vaste monde. La cellule de Juliane en avait trois : l'une donnait sur l'intérieur de l'église, de façon qu'elle puisse suivre le service, une autre sur le chemin du cimetière où se pressaient les visiteurs, la troisième communiquait avec la chambre de la servante qui lui prodiguait soins et compagnie. La règle des recluses, l'Ancren Rywle, était austère, non inhumaine. Ainsi Juliane, loin des rigueurs de l'ascétisme et de ses excès, pouvait-elle converser simplement avec les interlocuteurs que lui amenait la dureté de la vie.

Son existence se déroula pendant la guerre de Cent Ans ; elle entendit au fil des jours et des années le fracas des triomphes et des désastres. La peste frappa Norwich. On dit que la moitié de la population en mourut, qu'il n'y eut plus assez de prêtres pour accompagner les mourants ni pour enterrer les morts, que les cadavres pourrissaient en de grands tas d'où dépassaient bras et jambes, à la croisée des chemins. La mort noire s'étendit sur la ville. Par trois fois elle sévit. Dans les églises de Norwich, les images de l'Apocalypse prenaient une réalité nouvelle. La disette et la famine progressaient, les impôts montaient, notamment pour financer la guerre contre la France. Des armées de voleurs se massaient au long des routes et assaillaient le voyageur moins pauvre qu'eux. En 1381, les paysans, accablés de taxes et de misère, se soulevèrent. La monarchie et l'Église étaient visées, leur corruption et leur rapacité dénoncées, leurs bâtiments pillés et brûlés.

John Wyclif, théologien de formation, philosophe et réformateur radical, s'en prit aux autorités religieuses et à leurs abus, prêchant et écrivant, avivant encore le mécontentement populaire. Il devait influencer les écrits de ses contemporains : Chaucer, l'auteur des *Contes de Canterbury*, et Langland, celui de *Piers Plowman*, considéré comme le plus grand poème médiéval, où l'on voit (dans les visions sept et huit) comment la méchanceté à l'œuvre au sein même de l'Église s'opposait au progrès des âmes de bonne volonté qu'attirait l'exemple du Christ. Les Lollards reprirent sa lutte et sa doctrine (en particulier son refus de la transsubstantiation), et l'hérésie envahit l'Angleterre. Elle fut sauvagement réprimée. Non loin de la cellule de Juliane, de l'autre côté de la rivière, dans le lieu appelé «fosse des Lollards», les dissidents étaient brûlés vifs et, de l'église, on pouvait voir monter les flammes des bûchers.

Le siècle allait mal. Deux papes rivaux exerçaient le pouvoir, l'un était en exil à Avignon, l'autre siégeait à Rome, la confusion était à son comble.

Et voici qu'une recluse, qui semblait vivre dans la séparation, à l'abri d'un monde bouleversé, lui demeurait uni par des liens invisibles. Du fond de sa retraite, reliée à la vie extérieure par la concentration de la pensée, elle en comprend mieux les douleurs que ceux qui, étant chargés des affaires humaines, se trouvent submergés par leur complexité et n'en conçoivent qu'une vue partielle, biaisée. Elle en mesure le désarroi, et cette inquiétude, elle travaille à l'apaiser, faisant part aux hommes de la certitude qui lui est venue : «Tout ira bien, à la fin tout ira bien.» Elle n'intervient pas dans la politique ni ne prend en main les événements, comme sa contemporaine, sainte Catherine de Sienne, mais elle se contente d'affirmer : «*In the end, all shall be well.*» Une voix, issue d'un oratoire, qui répète sans se lasser : en dépit de tout, en dépit de l'état effroyable du monde, à la fin des fins, tout ira bien, tout ira bien, soyez-en sûrs.

D'où lui vient une telle certitude? Jeune, elle avait demandé à Dieu trois choses, ainsi qu'elle le raconte dans ses *Révélations de l'amour divin*. L'une des trois était d'«éprouver une maladie corporelle dans sa jeunesse, à trente ans». «J'avais souhaité, ajoute-t-elle, que cette maladie m'apportât toutes les souffrances physiques et mentales d'une mourante, y compris les frayeurs causées par les assauts des démons, jusqu'au départ de l'âme exclusivement. Cela dans le but de me purifier, avec la miséricorde divine, et de commencer ensuite une vie toute nouvelle, plus à la gloire de Dieu que la première.»

Lorsqu'elle eut trente ans et demi, Dieu lui envoya cette maladie tant désirée. Trois jours et trois nuits elle fut à l'agonie ; la quatrième nuit, elle reçut les derniers sacrements, «pensant ne pas vivre jusqu'au lendemain». Après cela, elle languit encore deux jours et deux nuits. La troisième nuit, sa vue commença à faiblir et la partie supérieure de son corps «à mourir». C'est alors que, soudain, sa souffrance disparut. «Je me trouvai aussi bien que j'avais jamais été, surtout dans la partie supérieure de mon corps.»

Puis elle eut sa vision.

Sa vision. Juliane la divisa elle-même en quinze *showings*, choses vues pendant les cinq heures qu'elle dura, de quatre heures du matin jusque vers neuf heures. Une division qui correspond à une suite d'images accompagnées de «vues spirituelles» et de paroles formées dans son entendement. Les quinze révélations, entrecoupées de retours à la conscience normale, se succédèrent, dit-elle, sans interruption, dans un ordre parfait – sa vision fut «merveilleusement claire et continue» –, et elles furent un peu plus tard suivies d'une seizième. En une fin de nuit, tout le déroulement d'une vie mystique, avec ses doutes, ses états de sécheresse et ses moments d'extase, fut compressé en un raccourci fulgurant.

La réponse à toutes les questions de Juliane lui était donnée par un Dieu inaccessible à la colère, un Dieu «qui n'est absolument que Bonté»: elle tenait en un seul mot qui était la réponse à toute question. «Que t'a révélé tout ceci ? L'Amour. Que t'a-t-il montré ? L'Amour. Et pourquoi l'a-t-il fait ? Par amour. Si tu t'y attaches fermement, tu le découvriras bien davantage encore. Mais sûrement tu n'y trouveras jamais autre chose que l'amour.»

Son optimisme est sans réserve ni limites, d'une audace absolue. Il dérive de son idée même de Dieu. Le Mal n'a d'existence que seconde, précaire, il n'est pas l'œuvre du Créateur mais il est pur néant, et, en conséquence, ses effets s'évanouiront d'eux-mêmes; aussi le considère-t-elle seulement dans la lumière de la réparation. Juliane ne parle d'ailleurs que du sort des élus. Alors que Catherine de Sienne voit les damnés en enfer, elle ne voit, elle, dans sa révélation, que des âmes sauvées et heureuses. Telle est en effet la teneur de son message: la joie. Ce n'est pas sur la souffrance qu'elle insiste, ni sur la peur, ces ressorts longuement utilisés par l'Église, sur la mort ni la tristesse, auxquelles on peut prendre goût, mais sur la joie, un état qui dépend de l'amour. Il faut que nous soyons heureux, telle est, selon elle, la volonté de Dieu qui lui-même, dans sa passion, s'est réjoui. «Et toute la liesse est maintenant en cet Homme souffrant.» Au bout du compte, tout sera bien. Tout n'est pas bien, certes. Et même, le monde est en proie à la douleur, mais un jour, nous dit-elle, par la grâce de l'amour le mal s'évanouira et le Christ, fidèle à sa parole, «changera en bien tout ce qui n'est pas bien».

Cette confiance inébranlable dans le pouvoir de conversion de l'amour, cette certitude directement reçue, sans doute les affligés, ceux qui, «perplexes et chargés de doutes», venaient lui rendre visite, avaient-ils besoin de la partager. Tout passe, le malheur et la peine aussi, ils sont éphémères, de simples épisodes dans la suite des siècles, mais à la fin, en quel temps nul ne le sait, «tout ira bien», elle en a l'assurance. «*Live gladly and gaily because of His Love.*» Autrement dit, vivez dans son amour, «dans la joie et la gaieté» – en état d'amour.

Assis dans le petit ermitage moderne aux murs nus, quelques pèlerins isolés sont venus chercher la force de la croire.

Après une journée de chaleur lourde, l'orage avait éclaté sur Norwich et nous nous étions réfugiés dans le grand cloître de la cathédrale. Sous la pluie diluvienne, un homme continuait à travailler, arpentant la pelouse, s'agenouillant près d'une rigole, débouchant quelque trou, puis repartant son seau à la main, sans ralentir son rythme, sans prêter attention à l'eau qui ruisselait sur sa tête ronde et le long de son ciré. C'était un vieux bougre, à la barbe et aux cheveux blancs, massif et solide, taillé d'une seule pièce. Tout en marchant, il bougonnait avec vigueur. Inconscient de nos présences, accaparé par son univers – celui de la cathédrale et de son enclos –, il poursuivait sa tâche et il bougonnait. Et il était tout entier dans son travail et dans ce bougonnement, comme ces personnages en haut des chapiteaux que définissent leur métier et un seul trait de caractère et qui sont soit joyeux et fiers, soit humbles ou fâchés, tandis qu'ils sont occupés à clouter une semelle, à vendanger ou à faucher un champ. Oui, il était descendu subrepticement de l'un des chapiteaux de la nef – à moins que la longue fréquentation des elfes et des diablotins qui ornent les clés de voûte du cloître ne l'eût façonné à leur image, lui communiquant leurs humeurs irascibles et cette manière sans gêne d'ignorer les éléments, les visiteurs et les siècles.

Il était en accord avec les lieux qu'il servait, plus semblable à eux dans leur vie secrète et immuable qu'au vaste monde changeant dont le protégeait l'enceinte. Comme ces artisans anonymes du Moyen Âge, maçons, architectes ou sculpteurs, il travaillait jour après jour, occupé tout entier à soigner, préserver, embellir, honorer le colossal, le magnifique monument dont il avait la charge. Telle était sa destinée : servir. Et cette tâche l'absorbait et elle lui suffisait : il avait d'ailleurs perdu la conscience de tout ce qui n'était pas elle. Rien n'aurait pu l'arrêter, ni la pluie ni le vent, encore moins quelques touristes aussi insignifiants que des insectes.

Les gargouilles rejetaient des torrents d'eau. Leur bruit de cascade s'ajoutait à celui de la pluie qui martelait le sol et la pierre. Nous sommes longtemps restés assis, transformés en statues, en proie à un enchantement nous aussi, à regarder les arches et leurs dentelles, attendant que la pluie s'apaise.

Le pays de Constable
Suffolk

La région du peintre Constable, dans le Suffolk, est composée de paysages verts et attendrissants, une nature à l'éclat mouillé qui semblait aux Anglais exilés sous les latitudes tropicales, en Inde ou en Birmanie, la vision même du paradis – un paradis désormais perdu, l'image d'un monde idéal dont ils ne cessaient de comparer les teintes délicates aux couleurs criardes qui les entouraient. Sous la chaleur écrasante, ils se rappelaient la pluie douce, la fraîcheur de l'air, les nuances de gris et de vert déclinées à l'infini ; ils se rappelaient la rivière et ses méandres, ses courbes lentes dont on voit au loin briller les reflets entre les saules, et la longue étendue plate des prairies basses où paissent quelques bovins, comme pour mettre une touche de vie dans la perfection du tableau.

Ce paysage typiquement anglais, Constable l'a peint indéfiniment ou, plutôt, ses peintures en sont venues pour nous à l'exprimer dans sa quintessence, elles le portent à sa plus haute expression, mais à l'époque où vécut le peintre, on ne sut pas apprécier ses toiles, à plus forte raison y discerner le comble de l'« anglicité ».

Constable ne se lassa jamais de cette nature, celle de sa naissance. « Le bruit de l'eau s'échappant du moulin… la vue des saules, des vieilles digues pourries, des poteaux couverts de vase… j'aime tout cela… Tant que je peindrai, ce sont ces lieux que je peindrai » (1821, dans une lettre à son grand ami John Fisher). Il avait alors quarante-cinq ans.

Son père était meunier, il avait hérité d'un moulin et en avait acheté d'autres, des moulins à eau et à vent, et une bonne maison de briques : dans cet entourage paisible, entre le vert des prés et le murmure de la rivière, Constable s'éveilla à la conscience. Et sa conscience resta fixée à ce lieu. Comme Wordsworth, il chercha à rejoindre la nature, à s'y fondre, la contemplant jusqu'à être envahi, habité par elle – « ce paysage nage encore dans ma tête comme un rêve délicieux » –, jusqu'à s'abîmer en elle.

Se perdre en ce qui vous dépasse tout en trouvant le moyen de restituer cet illimité : une double exigence, presque contradictoire. « Constable n'est pas du tout prométhéen », disait de lui Jean-Jacques Mayoux dont j'ai suivi les cours sur la peinture anglaise à la Sorbonne. « Il a au contraire le désir de s'identifier avec la nature et d'exprimer cette identification. »

Nombre de ses sujets les plus importants furent choisis à l'intérieur d'un rectangle de quelques centaines de mètres où il déplaçait son chevalet : la maison de Willy Lott, le petit pont de bois, le cottage à côté et la prairie, près du moulin de Flatford, où il représenta la construction d'un bateau. Une péniche en chantier au milieu d'un pré. La toile est dominée par les gris et les verts : les arbres, le ciel, la rivière Stour qui scintille au soleil, si vivants, si vrais « que l'on croit voir les tremblotantes vibrations de l'air chaud près du sol », écrit C. R. Leslie, un ami de Constable ; il ajoute : « Je l'ai entendu dire qu'il avait peint [cette œuvre] entièrement en plein air. »

Le ciel, le vent, la course des nuages, les reflets sur l'eau... au centre, tel un rectangle minuscule, une propriété, Malvern Hall, qui n'est que le prétexte au déploiement de l'espace. « Malvern Hall vu des bords du lac », 1809. L'immensité lumineuse domine le tableau, absorbant les apparences sans les détruire. Les verts jouent, toute la gamme des verts, une audace inouïe en une époque où la peinture de paysage, s'appuyant sur des représentations idéalisées, obéissait à une série de conventions. D'Englefield House, par exemple : « C'est un tableau qui représente une matinée d'été, il comprend aussi une maison » (le propriétaire de ladite maison refusa d'ailleurs le tableau où sa demeure ne tenait décidément pas assez de place). Ou : « L'un de mes efforts les plus heureux, sur une grande échelle, est la représentation tranquille d'une matinée d'été grise et sereine. » Il voulait rendre le mouvement de la lumière, il fallait faire vite, capter le moment avant qu'il ne s'efface, les lueurs qui se déplacent dans le ciel, fugaces autant que les minutes et le soleil qui tourne. Il observe, son carnet d'esquisses en main et, avec une hardiesse qu'il n'a pas dans ses grandes toiles, plus soucieuses de séduction, il couvre la surface de touches rapides, saccadées, sombres ou blanches, le vent chasse les nuages qui déferlent, bouscule les branches, les ombres passent ou s'étendent, son écluse est « argentée, ventée, délicieuse ». Le moment est saisi, l'heure et la lumière, l'instant d'après ne sera plus le même.

Ces petites esquisses à l'huile restituent l'étendue du ciel et la fraîcheur de l'air, l'humidité qui s'attarde sur les feuilles, leur palpitation dans le vent – la présence de la vie. Je suis allée les voir au Victoria and Albert Museum où elles sont exposées. Dans un coin de la salle, un fac-similé du minuscule carnet de croquis que Constable emportait dans sa poche ; une fois rentré dans son studio de Hampstead, il incorporait aux grandes compositions les détails pris sur le vif.

Quelques notes accompagnent ces esquisses. « Chaque arbre a l'air d'être en fleurs et la surface du sol est vraiment belle » : il s'agit d'une « étude de troncs d'arbres » entre lesquels s'infiltrent des rais de soleil ; une femme, simple tache noire et blanche, semble posée sur un lac de lumière. «Le vent, très vif. Effet lumineux et frais. Des nuages qui filent. Avec, de temps à autre, une ouverture éclatante dans le bleu du ciel» : étude de nuages. Ou : «La baie de Weymouth» : un éclair de sable doré sous un ciel immense où roulent des nuages de plomb. Ou encore cet arc-en-ciel : un seul trait de lumière jeté en travers d'un fond métallique et noir.

Tout bouge, varie d'instant en instant, comme dans cette dernière esquisse, datée approximativement de 1811, qui représente le moulin de Flatford vu de l'écluse. Les éléments de la nature ne sont plus distants ni séparés – comme dans les grandes toiles où chaque objet, avec ses contours définis, la charrette ou le cottage, devient pittoresque – mais ils se tiennent entre eux, s'unissent, se rejoignent dans un seul grand mouvement qui pousse les nuages, les arbres et les rides sur l'eau.

Constable n'avait pas conçu ces huiles pour les montrer. Elles constituent un dialogue libre entre la nature et le peintre, échappant aux diktats d'une époque qui souvent le condamna.

C'est qu'en peignant il ne se souciait pas de plaire, sinon peut-être dans les grands tableaux où il fit les concessions voulues, n'osant se donner contre tous raison à lui-même. Il cherchait à être exact, à être précis, à rendre au plus près la réalité de ce qu'il voyait. Aucune idée toute faite, aucune notion arrêtée sur la représentation de la nature, aucun idéalisme pour s'interposer et faire écran : rien de la quincaillerie que toute une époque transporte dans sa tête ; seule, parfois, la réminiscence légère de quelque maître ancien. Le désir de « voir » – « l'art de voir la nature doit s'apprendre » – et la poursuite d'une unité et d'une réunion qu'il ne sait où situer. Il veut rejoindre la nature, quelque chose en dehors et au-delà de lui-même. D'où la double tendance dans son œuvre : l'extase, l'éblouissement – « c'est à peine si je

peux écrire à force de regarder ces nuages argentés ».
Et pourtant, l'extraordinaire précision de la vision.
L'observation et le ravissement. « Le langage du cœur est
le seul intelligible », disait-il. Ou encore : « Les arrogants
n'ont jamais pu voir la nature dans toute sa beauté. »

Il s'agit de se recueillir, de se concentrer, d'oublier le
monde, de s'oublier soi – se laisser absorber tout entier
par sa tâche, *servir* dans le calme intérieur le *tout* auquel
on s'est consacré. Une humilité profonde, essentielle.
Celle de Constable qui servait sa peinture et ne connaissait plus qu'elle, loin des exigences d'un public dont le
regard, troublé par les modes, n'était pas éclairé par le
même élan ni la même contemplation.

Blake disait de l'art de Constable que ce n'était pas
du dessin mais de l'inspiration. Pourtant, pendant longtemps il fit figure de peintre manqué et sans avenir et il
s'en désespérait ; il s'appliquait à « rendre [ses] œuvres
semblables à celles des autres », s'entêtant malgré tout
– « Tôt ou tard, je ferai de bonnes peintures qui auront
du prix pour la postérité » –, passant de la foi en sa
vision propre au découragement, à l'amertume. Il n'est
pas sûr de lui, cherche un compromis, voudrait être
reconnu, approuvé. Mais il continue de se battre contre
les conventions, peu à peu s'enfonce dans la solitude.

Quand enfin, en 1829, à cinquante-trois ans, à peine
dix ans avant sa mort, il est reçu membre de l'Académie
(Turner fut admis à vingt-sept ans), il répond simplement que cet honneur a trop tardé et l'atteint alors qu'il
est solitaire, sans partage possible, puisque sa femme
est morte.

Les toiles de la fin, loin d'être apaisées, révèlent des
tempêtes intérieures : Hadleigh Castle, fascinant de violence, le paysage entraîné dans une tourmente blan-
châtre, l'horizon livide, les nuages telles des vagues
déferlantes, c'est Van Gogh, c'est Shakespeare dans ses
pièces noires, une sensibilité torturée.

Aujourd'hui l'Angleterre l'a réhabilité avec éclat, l'étroit périmètre où il peignit est devenu un lieu de pèlerinage, touristes et promeneurs s'y pressent. Le National Trust a racheté les terres avoisinantes, Gibbons Gate Field et Miller's Field, afin de «sauvegarder la nature pastorale du site et d'empêcher que des développements peu sympathiques n'aient lieu à cet endroit». Ainsi le trust défend-il, avec l'aide du ministère de l'Agriculture, la mémoire de Constable, en l'occurrence confondue avec une autre cause tout aussi sacrée: celle de la campagne anglaise, avec sa faune et sa flore, les oiseaux qui migrent et font leur nid, les fleurs sauvages dont les nappes jaunes couvrent les prairies d'eau. Ainsi s'oppose-t-il à l'intrusion «peu sympathique» des promoteurs, chasseurs, fermiers, utilisateurs d'engrais et de pesticides, et tout autre saboteur de la beauté du décor.

Non loin de Flatford Mill où vécut Constable, nous sommes bien dans un décor; en effet, la maison de thé avec son petit restaurant en plein air, même si elle est discrètement logée dans un repli de terrain, est là pour nous le rappeler. Nous sommes au cœur d'une image exquise, de celles qui abondent dans ces paysages de l'Angleterre, soigneusement ménagées, défendues contre tous les empiétements du monde extérieur, contre la croissance inexorable de la population et les constructions qui peu à peu grignotent ce qui reste de terre. Elles promettent, ces images, la possibilité d'un retour à la vie simple, à une nature paisible et heureuse, où le bonheur serait donné par une sorte de grâce, et non conquis de haute lutte, ou ménagé par les soins diligents d'une institution bienveillante qui gagne à coup sûr contre certaines des menaces les plus graves de l'époque.

EN CONCLUSION...

Ainsi s'achevèrent mes périples anglais, sur la vision d'un paysage du Suffolk, tel que le peignit Constable, le plus anglais des peintres. Je cessais d'aller et venir d'un côté à l'autre de la Manche. Longtemps la littérature anglaise fut mon pays d'élection : mon pays, comme on disait autrefois ma « terre nourricière ». J'y avais planté des racines longues et ramifiées. C'est bien entendu par le regard de ses auteurs, de vieilles fréquentations, que je voyais et découvrais, et en compagnie d'esprits amis, dont j'avais fait la connaissance au fil des pages, que je me promenais, revenant sur les mêmes lieux familiers. Et chaque fois que je revenais, c'était avec le sentiment de me retrouver moi-même, ou plutôt, de retrouver, parmi tous ces « moi » qui nous constituent, le plus ancien habitant de la demeure, le plus tranquille et le mieux installé.

Puis il y eut des signes avant-coureurs, d'une fin peut-être, ou était-ce d'un recommencement ? La salle de lecture du British Museum ferma, en soi une décision très raisonnable, puisqu'elle explosait sous le poids des livres, mais dans ma vie personnelle une catastrophe sans remède : elle était mon point d'ancrage (comme une maison d'enfance ou un coin de bord de mer l'est pour d'autres) et la nouvelle bibliothèque, un tas de briques rouges bien aménagé et fonctionnel, n'avait rien de la magie qui m'avait occupée. L'amie qui me recevait depuis des années à Londres regagna son Amérique natale (et puis, de toute façon, son petit bureau où je couchais par terre était maintenant si encombré de livres et de papiers que je ne parvenais plus à y poser mon matelas). Je quittai à cette époque le British Council (les services culturels anglais), où j'avais longtemps travaillé et reçu beaucoup d'écrivains, et j'entrepris un métier plus sérieux.

Comme souvent les événements s'alliaient massivement pour asséner un message que j'avais pourtant du mal à recevoir. Ils allaient me précipiter hors d'un état de sécurité illusoire. Tout d'abord, je ne m'avouai pas vaincue. Mais Londres changeait. Et les environs de la British Library, Euston et St Pancras, deux gares avec leurs marées humaines permanentes, leur air de solitude et de tristesse, m'emmenaient très loin de Bloomsbury, de ses fantômes érudits et pleins d'humour, de ses pubs aux nourritures solides et fades, de ses magasins de gravures anciennes où j'aimais traîner entre deux lectures, à l'heure du déjeuner.

À ce moment, un djinn facétieux et bienfaisant, ou est-ce un émissaire de Gulliver, décida par un tour à sa façon de changer le cours de ma vie et de me précipiter en terres lointaines, moi qui déteste les longs voyages. Il ne se contentait plus de susciter cette modeste aventure qui me suffisait et consistait à fouler régulièrement le sol anglais, mais il me propulsait d'un coup d'un seul de l'autre côté de la planète. En Extrême-Orient, une région du globe que je ne connaissais pas ou, à la rigueur, par l'intermédiaire de quelques écrivains du XIXe, des rêveurs tels Melville, Nerval, Conrad ou Stevenson…

Ce fut le début d'une passion, pour un pays, puis deux, puis trois, qui, si elle s'installe en moi à la façon de mon amour anglais, exigera que je vive et voyage bien au-delà des possibilités actuelles, le crayon à la main, devant mes notes, toujours, et entourée de livres.

Je voudrais remercier Elaine Sternberg, Mencia et Peter Scott qui nous ont reçus et logés à Londres pendant les huit années qu'a duré la rédaction de ce livre, ainsi que Charlotte et Roger Harrison-Topham.

Je remercie également Anne Freyer-Mauthner, mon éditeur, qui accueillit ce projet avec enthousiasme, et René de Ceccatty, lecteur éclairé de chaque manuscrit.

Mon amour pour
l'Angleterre
c'est toi...

Index des noms propres
(écrivains, peintres, architectes…)

Table

LONDRES
11

LE CENTRE ET L'EAST ANGLIA
445

EN CONCLUSION…
521

RÉALISATION : PAO ÉDITIONS DU SEUIL
IMPRESSION : CPI BRODARD ET TAUPIN À LA FLÈCHE
DÉPÔT LÉGAL : JANVIER 2008. N° 96863-2 (53214)
IMPRIMÉ EN FRANCE